中国近现代中医药期刊续编

第三辑

# 现代国医（二）

王咪咪 侯酉娟◎主编

2022年度北京市优秀古籍整理出版扶持项目

北京科学技术出版社

**图书在版编目（CIP）数据**

医学扶轮报；现代国医：全二册 / 王咪咪，侯西娟主编. — 北京：北京科学技术出版社，2023.11
（中国近现代中医药期刊续编. 第三辑）
ISBN 978-7-5714-3354-3

Ⅰ. ①医… Ⅱ. ①王… ②侯… Ⅲ. ①中国医药学—医学期刊—汇编—中国—民国 Ⅳ. ①R2-55

中国国家版本馆CIP数据核字(2023)第206621号

**策划编辑：** 侍　伟　吴　丹
**责任编辑：** 吴　丹　杨朝晖　刘　雪
**文字编辑：** 王明超　刘雪怡　李小丽　毕经正
**责任校对：** 贾　荣
**图文制作：** 北京艺海正印广告有限公司
**责任印制：** 李　茗
**出 版 人：** 曾庆宇
**出版发行：** 北京科学技术出版社
**社　　址：** 北京西直门南大街16号
**邮政编码：** 100035
**电　　话：** 0086-10-66135495（总编室）　0086-10-66113227（发行部）
**网　　址：** www.bkydw.cn
**印　　刷：** 北京捷迅佳彩印刷有限公司
**开　　本：** 787 mm × 1092 mm　1/16
**字　　数：** 1 353千字
**印　　张：** 73.75
**版　　次：** 2023年11月第1版
**印　　次：** 2023年11月第1次印刷
ISBN 978 - 7 - 5714 - 3354 - 3

**定　　价：** **1780.00元**（全二册）

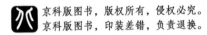

# 校友作品

## 膈病症治之大略

三年級 季筱亭

風痨臌膈。皆重症而難愈者也。風爲外感之卒病。痨爲內傷之危疾。臌爲濕病之內外不利。膈爲燥症之上下不通。然其輕而新者。治療猶可獲痊。茲僅就膈病之症治。略述如下。以資諸同志之研究。俾不治之症。得以發明回生之術也。

(1)病原　多因五志過極。或縱情恣慾。及好啖厚味。嗜飲醇酒。以致陰營耗損。陽氣內結。鬱熱生痰。阻塞於中。上則食物不得入。下則糞便不得出。膈病由是而成。

(2)病理　內經云「三陽結謂之膈」觀此卽可知其爲陰衰。而致陽結者矣。蓋三陽結者。太陽小腸。居胃之次。胃納飲食。付小腸受盛。若熱結之。則化物不出。故飲食入內。既不消化。又不吸收。更不排泄。於是留滯生痰。宿食不去。新食何以得入。足太陽膀胱。津液藏焉。氣化則能出。若熱結之。則氣化不行。津液不得上濡。咽門賁門。因之乾縮。故食物入咽。作噎而梗塞。況胃屬燥金。得而益燥矣。又曰「一陽發病其傳爲膈」是手少陽三焦之傳化失職。不能爲膀胱輸津以上濡。足少陽胆經之胆汁缺乏。亦不能助小腸以化物。此實與前同爲一理。不過此叚謂膈之初步。上叚謂膈之已成。朱丹溪。指膈爲「胃脘乾枯。」乃千古灼見者也。

(3)診斷A,病狀　飲食拒而不入。縱入還出。胸膈痞悶。甚有六七日不更衣。糞燥且細。小便亦少。大致食不得下。而飲可入者。病在上脘。飲食雖入隨又吐出者。病在下脘。膈悶兼脹。時覺隱痛。則有氣滯。脘時刺痛。吐則較鬆。則有瘀血。若見朝食暮吐。暮食朝吐。非膈症是反胃也。

B,脉法　膈病之脉。長滑而革。寸關滑大。有痰涎。寸關緩濇爲氣滯。若數大則火旺。見沈濇有瘀血。如見弦濇短少。卽屬難治。

(4)治療　此證大多由于血枯津少。陰氣衰於下。陽氣結于上。辛熱香燥之品。當在禁內。間有用之者。十之一二。然非認確是陽微濁踞。亦不得輕投。故酸甘化液。養陰潛陽。實其主要之方。氣滯則兼理氣。瘀血則佐化瘀。痰多加清痰之藥。便結酌潤下之劑耳。張景岳云「治噎膈大法。當以脾腎爲主。亦可想見其用藥矣。惟膈症之治療。非長時間之調養。弗克取效。湯劑久服不便。更易傷正。况病屬陰虛胃燥。最宜膏滋滋潤爲妥。既不傷正。而取效亦較易。茲舉數法如下。

A,繆仲淳秘傳膈噎方　人參濃汁。人乳。牛乳。梨汁。蔗汁。龍眼濃汁。煉蜜。

B,八汁湯　生藕汁。雪梨汁。蘿蔔汁。甘蔗汁。白菓汁。蜂密。竹瀝。

C,韮汁牛乳飲。五汁飲。及五汁安中飲或生地汁。亦可採服。

以上數法。若能常服。無不見效。雖病久而勢重。亦可緩其劇也。

# 河豚毒之研究

多賀万城氏著　四年級 何松寅譯

河豚有毒。誤食危命。舉世共知。不容贅陳。惟迄今就此毒所研得之事。寥寥無幾。卽所謂鉄德洛宜基新。(テトロギキシン)中性之毒素與河豚酸性之毒素二者。於四。五。六月中之產卵期。在河豚之卵巢肝藏等諸器官中極端發生者。與中是毒則胃部各灼而起嘔吐頭痛。脉不整。呼吸短縮。瞳孔縮小等症。時亦爲吐黑血而陷於昏睡狀態者。然對此等反應症。尙未有確切之治療法也。又有謂河豚毒有效於癲病者。然注射純分毒素於癲病患者。而實驗之結果。未見近效。於是可先關於河豚毒之現代醫學之研究。未於何等之成功也。余之知友大河豚通藉。居廣島縣下。乃歷數代而傾心於河豚之研究者。玆以同氏之研究爲基礎而加述余所實驗之結果於下。

人以爲中毒河豚。乃河豚毒直接逞毒作用於人體者非也。若素無淋巴系統關係之疾病。決不中其毒。例如數人同食一鍋中之河豚。未嘗見其悉數中毒。即中毒之中。亦爲輕重之分。又多年慣食河豚之人。一旦罹黴毒或其他淋巴關係之疾病。卒起劇烈中毒症狀。緣河豚毒作用於淋巴而促其活動。由淋巴之活動而無何毒物可除去之時。即不起中毒症狀。譬之雷落於岩石或堅固建築物時。則起强烈之破壞作用。落於水面或曠野。則終屬無害。若有淋巴關係疾病之人食河豚後。被促活動之淋巴爲欲驅逐病毒發生劇烈抵抗。因而循環系統呼吸器官或神經之機能。一時休止其作用。醫師及舉世人士指此爲中毒死。實則非死。乃假死狀態。據鄉間來之實驗。假死狀態少則三日至五日。多則一星期。時亦有四十九日間假死狀態之例外者。斯系前述余之知人之尊父所經過之中毒者。中之最長期間假死特例也。

河豚使人止假死狀態而活動淋巴。若其作用完畢。其人即自然覺醒。爾時之狀態。誰亦相同。始搔兩腕。繼搔胸。再次搔背。其搔態頗激。然似乎强搔至膚裂肌破之度後。則續行幾次大呵欠。於是永年之痼疾。即黴毒癩病等。竟霍然根治矣。其所以然者。因淋巴系統猛烈活動而悉排泄淨化體內毒素也。黴毒癩病有似此簡單且偉效之療法。舍此無他也。

舉世不但不諳此理。即告之亦不我信。必目爲中毒死。而火葬土葬。此類之假死狀態者。洵可嘆也。我家從古如斯。而救活無數之中毒者。某氏之尊父。亦輒治此等人而使蘇生者。亦不計其數也。考在假死狀態中。當然殆無心藏之鼓動。因心藏之鼓動停止。醫師診爲死矣。亦許有理。然斯時患者之皮膚呼吸尙盛。且決不起死後强直狀態。縱置之數日。亦不發生臭氣。因不留意此等狀態。而酷處此種身體。已就改良途上而陷於假死狀態者。不勝惋惜之至也。

假死狀態者。祇可放任而使靜臥之。切不可因假死而行注射。或施其他種種療治。不然則越治越糟也。淋巴活動對瀦溜膀胱之尿是濃褐色。糞呈青黑色而混粘液。是其特兆。

上述如斯。則與死人其何等相異之狀態。胡可勸人服食此河豚毒乎。必另以穩善方法應用河豚於醫療焉可。茲發明二者。頗見奇效。

第一是河豚之黑燒。於四五六月之間。採取河豚之內藏。以陰乾密封於金屬性之罐或壺而蒸燒則立沸。許多之油引火上燃。始終旁觀。不可滅熖。燒壺不用土器者。以河豚忌土。用則河豚之性能立消。埋中毒者於土中。亦本此理。

如斯而成之黑燒。宛如眞黑之膏藥之膠粘。以二克蘭姆爲一日量。分三囘服食。則不顯見何等反應。惟身體溫煖。然不連服至相當期間。則不見大效。

第二是河豚之卵之乾物。河豚之卵之性質與他魚類之卵獨異。經煑亦不軟。必先埋土中一時久而煑之。方變硬成軟。

卵之乾物亦必陰乾。最忌日光之直射。使用法。普通一囘以五克蘭姆煎湯頓服。肥人約七克蘭姆。肥人因脂肪之關係。淋巴之動作較鈍。故必加量而始成效。

黑燒卵性質相同。故奏效之範圍。殆亦無異。茲舉一二治例而終本題。

有一黴毒患者。若服河豚假死若干日。則必見愈。然未便勸服。於是使久服河豚之黑燒。全身頓生腫物。卽與松葉以消潰之。後腫物全部變爲屑片。更剝離而全治矣。

余爲病癖。每夏必罹劇痢。至少須七八日不能離床。又患猛烈之大腸加答兒。卽於晚間煎服乾卵。翌晨沛然水瀉。因而氣爽。腹安午後矢氣。不終日而病癖霍然矣。又某年自上海囘神戶。在船中。內人因食炙蝦而患大腸加答兒。急服所帶之乾卵而瘳。此外虎列剌疫痢窒扶斯其他一切腸之急性疾患。服之則腸之淋巴猛起動作。排泄毒素而痊。曩年橫濱地方虎列剌大流行之時。遇見患者輒與服之。莫不應效如桴鼓。

就癌之任何種類。因河豚之中毒患假死狀態者而檢之。則見癌之部分與健康之境界發生皮膜而自然脫落。若胃癌則見由糞中。若子宮癌則與月經同時排泄。癌腫之脫落片。因而得證爲有效。若連服黑燒或乾卵可否能達成同稱之目的。因未經充分之實驗。故未得遽云其效果之程度。惟確爲奏效之可能性。茲可俟今後之研究而發表之。

黑燒或乾卵之製造及貯藏法。須留意者勿直晒日光勿犯土及與茶或鹽。同服鹽漬。則全然失效。河豚產於各地岡山地方殊多。常聞人云。漁人每困其處理。總而言之。無庸直視河豚爲毒物而遠之。須力究其成分效能而利用於一般醫療上之道。以濟蒼生。故敢促諸篤志家之考慮而相鑽研也。

# 談砂眼

四年級　楊興祖

吾家業眼科醫。蓋三世矣。吾祖立夫公傳之吾父。(編者按楊君尊人卽雲泉先生以眼科名雲間)吾父授吾兄弟三人。於濟人利世之旨。克守勿替。來求治者。罔不悉心診治。愈砂眼尤多。吾父嘗謂吾祖治目四五十年。當是時。西醫未興。砂眼之名亦未立。然如近今所謂砂眼之症狀。則所見固多。治亦未嘗不效。及今西醫崛起。勢甚披猖。猶復包藏禍心。有謀奪我而代之勢。實則卽以眼科中砂眼一症而言。對于理論。彼固大言炎炎。治療時則毫無把握。或以吾言爲妄者。可以砂眼患者若干人。請中西醫各治其半。觀其效果。則優劣不難立判。雖然。吾知西醫不肯爲亦不敢爲也，今因現代國醫爲吾中國醫學院出一特刊。故假此一席地。略談砂眼之一斑。藉供有心者商酌云爾。

砂眼分急性慢性二種。茲分述之。

(甲)急性砂眼　患此症者。多得諸傳染。或向患梅毒。或秉賦薄弱。初起之時。結膜發炎甚劇。微呈腫狀。生多量之小顆粒。作黃灰白色。患者自覺灼熱澀痛。流淚羞明。數日後結膜漸厚。流淚如膿而稠黏。或兼角膜潰瘍。其傳染性亦烈。與天行赤眼相似。然一發卽劇。患者必急來求治。故染此而喪明者。較慢性沙眼爲少。此時之治法。內服祛風解毒之劑。外治以點藥爲佳。於必要時亦可稍施手術。期以匝月。可以復原。

(乙)慢性砂眼　患此症者。多得諸傳染。或水土不服。或攝生不良。治療時水土不服者。宜兼用遷地療法。攝生不良者。宜兼令調其飲食。愼其起居。亦治病必求其本之旨也。至其經過。又可別爲三期。分述於后。

(第一期)本期症狀。爲眼瞼下垂。羞明流淚。晨起兩瞼膠粘。視物不淸等症。其結膜之面。滿佈扁平如砂之顆粒。作半透明灰白色。微有隆勢。上結膜較多。然驟視之。初與健全之結膜無異。卽患者自覺。亦殊無苦楚。惟稍感輕微之不適而已。此期卽瞼生風粟症也。斯時苟卽來就醫。點以解毒消散之藥。飲以疏脾瀉胃之劑。並兼祛風。不過旬日。愈矣。

(第二期)醞釀既久。顆粒或吸收。或破潰。互相併合。破潰之處。肉芽簇生。結膜發炎漸重。膿淚膠粘。眼瞼濕爛。且向外翻。而角膜蒙害尤甚。蓋啓闔之際。不免礙及。於是角膜炎星翳等症併發。此期卽胞肉膠凝症也。特爲症較雜爲治亦較難。治宜處處顧到。服藥點藥。均須於袪風退熱之中。參入移星退翳之劑。

(第三期)破潰之處。併結爲巨瘢。瀰蔓全面。及瘢痕全結。結膜堅而且厚。高下不平。終則結膜萎縮。色澤亦變爲灰白色。淚液枯竭。時覺乾燥。眼瞼下垂而皺。睫毛亂生。瞼緣內捲。上眼瞼呈紅色樣之小塊。角膜垂簾翳滿佈。亦呈萎縮之象。此期爲胞肉膠凝症拳毛倒睫症垂簾翳等合併而成。壞象已顯。難期全愈。卽幸而獲愈。目力亦必銳減。且偶一不愼。卽易猝發。蓋此症最難除其根蒂故也。

夫砂眼一症。世界各國。咸受其害。美國政府至禁沙眼患者入口。以防傳染。我國政府則因內戰頻仍。外侮迭起。未嘗於此稍加致意。致國人之患此者。佔全國人數百分之三十。而爲世界各國冠。卽四萬萬同胞中。有一萬萬二千萬人同羅此毒。嗚呼。病夫之恥。願諸同志共力雪之。

# 女子鬼胎說

四年級生 陳穎貞

鬼胎病。西醫稱之葡萄狀鬼胎。泡狀鬼胎。似胎而寔非胎也。故以鬼爲名。考其原因。乃外卵膜絨胞之疾病。絨毛浮腫。爲大小無數之囊。其內含無色之液。各以相連續之。其狀恰如葡萄實。漸漸長大。至爲迅速。子宮因而增大亦速。大概妊娠至三四月間。已有有五六月之大。甚爲柔軟。未足月而產者有之。至足月而不產者亦有之。其受胎之後。月經不至。神疲泛噁。狀如惡阻。至第三與第五個月。則洩水及粘液性分泌物。稍混血液。至臨產時。有如肝如肺。或如蝌蚪。形狀不一。甚而至于於蟲蛇者亦有之。產婦驚羞。家人惶惑。際此科學昌明。鄉浴迷信。與鬼交受孕而成鬼胎之謊誕。不攻自破。泯然淘汰矣。今不問其有鬼無鬼。而其產之胎。究爲何物所變。何故所致。此則吾人所當研究而考證者也。按內經云。陰陽和故有子。又曰。孤陰則不生。獨陽則不長。未聞患鬼胎之女子。單身而能有孕。據戴武成謂。室女少婦。及未得夫者。亦有此病。因每多思想不遂。相火妄動。性淫者多夢與鬼交。鬼者肝之氣也。精者神之液也。夢交之時。淫液流入子宮。結爲鬼胎。旣謂陰陽妙合始能成孕。豈有女精成胎之理乎。其解曰陽者火也。陰者水也。本女之相火爲陽。淫液爲陰。鬼胎之成。女人一身之陰陽配合耳。所謂鬼胎者。僞胎也。似胎而實非胎也。其說雖屬有理。然亦難憑信。又金鑑指鬼胎爲石瘕腸覃。不知內經謂石瘕生於胞中。寒氣客於子門。子門閉塞。氣不得通。惡血當瀉不瀉。血以留止。日以益大。狀如懷子。月事不以時下。皆生於女子。可導而下。夫胞中卽子宮也。子門卽陰道也。寒氣客以陰道而入子宮。寒爲陰邪。凝結不化。血壅不通。結硬如石。是名石瘕。此先氣病。而後血病。故月事不來。宜用大熱活血之品以治之。又謂腸覃者。寒氣客於腸外。與衞相搏。氣不得榮。因有所繫。癖以內着。惡氣乃起。瘜肉乃生。其始大如雞卵。積以益大。如懷子之狀。久則離歲。按之則堅。

推之則移。月事以時下。此其候也。按腸者大腸也。覃者延也。大腸以傳導爲事。肺之府也。肺主衞。衞爲氣。得熱則泄。得寒則泣。今寒氣客於大腸。故衞氣不榮。有所繫止。而結癖於內。貼着延久。名曰腸覃。氣聚不散。結爲瘕瘵。所以惡氣乃起。瘜肉乃生。形益漸大。鼓腹如懷子。此氣病而血未病。故月事不斷。宜用溫運行氣之藥。此二者。本非胎孕。亦非鬼胎也。歷考濟陰綱目六科準繩。竹林女科。傅氏女科。女科經綸。婦科雜症。婦科大全等書。咸謂鬼胎由于榮衞虛損。精神衰弱。魑魅魍魎得入臟腑。狀如懷孕。名曰鬼胎。或思想不願。元氣不足。鬱怒傷肝。亦能致成鬼胎。是言猶未確切。實以男女媾精。男子之精虫輸入女子之子宮。內含有成熟之卵子。一遇男子之精液細胞。便立刻成胎。而後變生臟腑百骸。以成形。迨至呱呱墜地。是爲眞正之胎孕。其所謂鬼胎者。殆因男子之精虫。施入子宮不得孵化。則精液細胞外層所遮着形質。原形質有卵黃。卵黃中藏着一顆核。名曰胚珠。胚珠含有胚點。便是卵子。產生生命之處。不能與女子卵巢混合。則死於子宮之內。遂爲敗精瘀血。而成如肝如肺者。或因既受孕之後。男女慾性過度。致胚珠不能孵化而死者。或因男女含有毒素。生理不能健全者。譬諸春日孵化雞卵。往往有不能孵出稚鷄。則成黑黃水。或石硬而臭者。其鬼胎之成亦猶是耳。吾嘗聞友言其鄰婦。大腹便便。値臨分娩。則產多數蛙卵甫化之物。性極粘滑。衆大驚。而婦亦駭甚。皆以爲不祥矣。又有一戚。月經停後一月餘。嘔噁疲倦。腹膨漸大。自以爲孕。及數月。產黃濁水甚多。又一婦懷孕足月不產。延醫診治。斷爲僞胎。用破氣攻瘀之品。果下血塊一顆。形如猪肺。剖之則中有小孔。其質堅。其色白。以此證之。因精虫之死傷敗壞。益足有徵。故鬼胎者。亦可稱壞胎。吾道同志。以爲然否。至若褒氏爲龍漦所生。楊女遊廟而孕。后稷母履跡而娠。是皆鬼神出沒之說。非吾所知。而不亦解也。尙祈有道教之。

▲附方

雄黃丸 雄黃研細 鬼臼去毛 芥草 丹砂研細 巴豆去油 獺肝炙黃 各二錢 大蜈蚣炙

一條蜥蜴一枚

右藥共爲細末。煉蜜爲丸。如桐子大。每服二丸。空心溫酒送下。日兩服。服後當利。如不利。加至三丸、初下清水。次下蟲。如馬尾狀無數。病極者。下蟲蛇。或如蝦蟆卵雞子。或如白膏或如豆汁。其病卽除。

按是方特爲鬼胎而設。惟藥性大毒。雖曰。有故無殞。然用者。亦宜謹愼。如病輕者。可用攻胎破血之三稜、莪朮、澤蘭、芒硝、玄胡、蟹瓜。再加養血補氣之當歸、白芍、人參、白朮等。攻補兼施。不致損傷元氣。若病重者。不妨一試。惟事後宜顧及元氣爲要。

# 論濕溫病治法

二屆畢業 姚汝元

濕溫病有正濕類濕濕溫之別。正濕溫病在夏秋之交。着重脾胃爲主。脾有濕。胃有熱。濕熱交蒸而成。初起惡寒發熱。汗出胸痞。苔白膩。口渴不欲飲。飲亦喜熱。類濕溫指冬溫春溫之夾濕者而言。是溫邪犯肺而兼脾胃。有濕者苔膩胸痞。其濕較濕溫爲易化也。其用藥以濕溫之法治之。本論以正濕溫爲主。恐與類濕溫混治。故辨其大概如此。

濕溫病之治法。察舌苔之變化而定。濕熱之多少。以規用藥之輕重。凡濕溫初起。發熱惡寒。苔必白膩。治宜三仁湯甘露消毒丹加減。苔略化黃。去三仁湯可也。濕溫症兼骨痛身重頭痛有表邪而無汗者。加香薷羌活蒼朮皮大豆卷之類。汗出而周身骨痛身重頭痛者。宜滑石茯苓皮清水豆卷藿香蘇叶之類。苔白膩而厚。口不渴者。宜重用香燥之品。苔白厚膩而邊紅絳。濕略有化熱之象。宜香燥之品夾用苦寒清溫。苔中有一圈無苔而邊厚膩者。是名剝。乃素體陰虛而患濕溫。此症難治。惟宜輕用化濕。藿香佩蘭陳皮苡仁之類。

濕溫病數日後。苔中根見黃邊厚膩而白。口渴欲飲，稍見口苦或口膩不苦者。濕重熱微。宜苦溫中夾一分苦寒。如平胃散加黃芩五六分。若苔厚膩漸漸化黃。白中帶黃。口乾口甜。渴欲熱飲。

仍是濕重。宜用五分苦溫。三分苦寒。若口渴喜飲。不辨冷熱。是濕熱并重。宜苦溫苦寒并用。若苦黃口仍苦者。爲熱重于濕。宜七分苦寒。三分苦溫。如黃芩黃連夾蔻殼陳皮。若厚膩老黃而邊紅絳。口渴喜飲。不辨溫涼。小便黃赤者。爲熱重。濕有化熱之象。宜苦寒夾淡滲。如黃芩黃連夾蘆根滑石通艸。猪苓赤苓苡仁。化濕而不增熱也。若苦中黃厚膩。按之覺乾燥。邊紅絳口渴冷飲。胸悶寒熱不退。小便黃赤。爲熱重而陰虧。宜淡滲夾清溫養陰同用。銀花連喬合四苓。若陰虧甚者夾蘆根茅根石斛甘艸同用。日久濕已化熱。陰大虧宜重用清溫養陰。輕用利濕。若苔化厚膩而乾。口大渴引冷飲。身壯熱。宜重用清溫養陰而去淡滲。如生地石斛洋參沙參連喬石羔等。若身不壯熱。口渴不甚。爲氣陰兩虛。宜石斛沙參甘艸等養氣陰而濕自化。此正濕溫用藥之法程也。

# 氣喘論治

二屆畢業 傅永昌

喘者。氣上逆而有聲也。氣喘之治。不外肺腎兩經。蓋肺主聲音而呼氣。腎主精髓而納氣也。惟喘症。當分虛實而治之否則鮮有不誤人者也。

虛實二症不相容混。然則何以辨之。實喘者。邪氣實也。所謂邪氣實者。一或爲頑痰所閉。則氣不得宣。呼吸壅滯喘悶胸膈痞痛徹背者。宜用瓜蔞實丸。(瓜蔞實枳實桔梗半夏姜汁)葶藶大棗瀉肺湯之類或。有水氣乘肺而喘者。卽經所謂不能臥。臥則喘。此水氣之客也。宜神祕湯主之(人參陳皮桔梗紫蘇半夏桑皮檳榔炙草五味生姜。)又有寒邪入肺而喘者。經云。邪在肺。病皮膚痛。寒熱。上氣喘咳。動肩背。因背受寒邪。伏于肺中。關竅不通。呼吸不利。右寸脉沉而緊。亦有兩手脉俱沉伏者宜發散之劑。熱退而喘定矣。宜小靑龍湯或三拗湯(麻黃杏仁甘草等方。若內兼火熱外顯煩躁者。宜散而兼清。麻杏石甘湯主之。又有夏日暑熱火刑肺金者。上焦熱甚。煩渴多汗。肺氣氣不降而上爲喘。宜人參白虎湯(人參石膏知母甘草粳米)上述者。皆爲實喘。今再言其虛喘。

虛喘之因。由腎眞不固。氣脫根浮。最爲危險。見症爲氣虛聲低。息短皇皇然。若氣欲斷。提之不能升。吞之若不相及。勞動則更甚。急促上喘，但得引長一息爲快。喘時氣從少腹下起而上逆。但微勞或飢時卽發熱。以七味都氣丸大劑補之。但足冷面熱。引火歸源。凡虛喘多發于年老及久病之人。陰氣虛弱者。與實喘治法大不相同也。至貞元飲一方（熟地當歸甘艸）亦爲虛喘立法。且此方陰柔之劑。調養或可有効。若元氣將脫。上喘之症。非大劑人參附子回元陽。納腎氣不能挽回也。凡虛喘之症。宜察其外無風邪內無實熱而喘者。卽皆虛喘之症。若脾肺氣虛者。爲上中二焦之症。化源未虧。於下焦肝腎無碍。其病猶淺。若病出下焦。本末俱病。其病極深。此當速救其根。以接助其眞氣之虛。庶可回生也。若由脾腎兩虛而喘者。宜用腎氣丸等方。脾肺虛而喘者。宜用補中益氣湯。補脾而提下陷之氣。脾肺氣虛之喘。近人張錫純謂爲火氣下陷之故其所著衷中參西錄一書。中論此病頗多發明獨到之處。但脾肺虛與肝腎虛雖同爲虛症。而其治有不同者。脾肺在中上焦。其位爲陽。故可用參耆朮艸等藥。補氣分以生發淸陽。肝腎主下焦之陰。非參朮之力所能補益。故必用腎氣丸之類。塡補眞陰。陽虛者。重用桂附以補陽。而後本固根牢。漸有保全之望耳。此同一虛症。而用藥有不同者。然脾土實爲人生後天之根本。凡虛喘調理皆當重用六君子湯治之。所以補脾以實中氣也。

總之喘症當分虛實。已如上述。尋常治此症之方。不外蘇子降氣湯等方。此方雖佳。若不究明病理。無裨于實用也。惟醫門黑錫丹（沉香附子胡蘆巴肉桂小茴香補骨脂肉豆蔻木香金鈴子硫黃黑鉛。）治陰逆冲。眞陽暴脫。氣喘之急症。頗有神効耳。

## 脚氣概要

二屆畢業　胡樹百

經云。傷於濕者。下先受之。故脚氣之疾。實寒濕所爲也。然江南之人。大多患此病者何也。蓋江南地多卑濕。故患此病者。尤以濕地爲最甚。因濱海而地多卑濕。如學校工廠中之患此者。更時有所聞。甚或因此失治而斃命者。亦數見不鮮。爰以脚氣之病症。原因及療法概要。略述如下。外候初起。其勢甚微。先從氣衝穴。隱核痛起。及兩足屈弱。轉筋掣急。或緩縱不隨。或膝臏枯槁。或足脛浮腫。其上升也。小腹不仁。心煩胸悶。痰壅氣逆。聞食卽嘔。或瀉或閉。胸中忡悸。不欲見。或先錯亂妄語。精神昏憒。惡寒發熱。頭疼身痛。狀若傷寒。但初起必先足脛軟。或微腫膝臏痲痺爲異。平復之後。或一旬或半月。復作如故。足脛腫大。脚如蟲行。上走腰背。心腹。內因則由脾虛積濕。房勞腎虧。爲風寒暑濕所侵。或乳酪醇酒。飲食厚味。損傷脾胃。濕熱下注。腎肝而成。更有乾濕之分。脚氣濕者。筋脉弛而浮腫。或生臁瘡之類。但腫重而不上升。此屬濕勝。宜利濕疎風。脚氣乾者。筋脈踡縮。枯細不腫。因他病而發。有時亦腫。此以熱勝。宜涼血淸火。脉法辨症。自汗走注。脉浮弦爲風勝。無汗攣急。脉沈濇爲寒勝。腫滿重著。脉濡細爲濕勝。煩渴便赤。脉洪數爲暑勝。膏粱之火。乘下者。頑痺不仁。脉沈有力。腎肝之陰不充者。軟緩少力。脉亦空虛矣。夫脚氣者。危症也。若不急治。致上攻胸膈。嘔吐不止。喘急擡肩。自汗淋漓。乍寒乍熱。脉短促者必死。入心則兼恍惚謬妄。睡臥不安。小腹痺脹。左寸乍大乍小。乍有乍無者必死。入腎則腰脚皆腫。小便不通。呻吟額黑。氣衝胸滿。左尺絕者必死。然見症雖危。如脈未絕者。急宜分虛實救之。虛者四物湯加黃柏。以附子末調塗湧泉穴。若氣實者。用五子五皮散。薏苡仁散或用檳榔末三錢。童便調下。以上氣喘促。初起有表邪者。疎散之小靑龍湯加檳榔。實者五子五皮飮。用蘇葉。桑葉。前胡。杏仁。生姜。若已經散洩分利。致不得眠。及上氣喘促者屬虛。八味湯大劑冷服。脾胃虛者。參朮補之。初起攻胃。嘔逆。平胃湯加木瓜。小便不通。實者五苓加木瓜。虛者八味丸加車前牛膝。脚氣證治旣如上述。玆更述脚氣之應禁戒者。若恚怒則煩心。多言則傷肺。縱慾則傷腎。醉飽則傷脾。犯之均使病劇。古稱壅疾。宜疏通氣道爲先。凡甘濕。補劑。及藥湯淋洗。恐引邪入絡。皆在所禁者也。

# 治氣血病之淺觀

四年級　朱天祚

夫人之生也。惟賴乎氣血。而病之發也。亦不離乎氣血。離乎氣必在于血。離乎血必在于氣。知二者之要。爲特說之。然學識淺薄。故加一淺字於其上。祈閱者有以敎之。

夫氣者。在外護衛皮毛。充實腠理。在內導行血脉。周流一身。盛則盈。衰則虛。順則平。逆則病。臟之所以相養相生者。皆此氣也。血者。水穀之精氣也。和五臟。調六腑。入于脉以灌漑一身。觀內經有云。『飲食入胃。取汁變化。生子脾。統于心。藏于肝。宣布于肺。施泄于腎。目得血而能視。耳得血而能聽。手得血而能攝。掌得血而能握。足得血而能步。臟得之而能液。腑得之而能氣。』旺則諸經長養，竭則百脉空虛。是以出入升降之道。濡潤宣通者。皆血之使也。明月尙有盈虧。况人生之氣血乎。內經云『百病皆生于氣也。怒則氣生。喜則氣緩。悲則氣消。恐則氣下。寒則氣收。熱則氣滯。驚則氣亂。勞則氣耗。思則氣結。憂則氣沉。』故凡七情之交攻五志之間。發則乖戾失常。淸者反爲濁。行者反而止。營運漸遠。肺失主持。氣乃病焉。內經云。『女子二七而經行。七七而經斷。男子二八而精通。八八而精竭。』可見精血之成。供三十餘年之運用。已先虧矣。况人之情慾無涯。喜怒不節。起居無時。飲食無度。營血亂行。內停而爲蓄血。外溢則爲滲血。氣血爲病之原。約均在焉。

夫切脉亦爲助醫者診斷之要素。故今亦分而言之。肺脉獨沉。或肝脉獨弦。乃氣病之輕者。六脉俱沉。或肝脾俱弦。乃氣病之沉重者也。血注於脉。少則澁。盛則滑。充則實。衰則虛。虛甚則微細。若大失血。則氣無所依。浮散於外。而見洪大中空之芤脉。

治氣病之法。素問有云。『調氣之法。結者散之。散者收之。損者益之。逸者行之。上之下之。摩之浴之。薄之刼之。開之發之。氣虛者掣引之。』今約分補降調破四法。一曰補氣。氣虛宜補助。如人參白朮黃芪糯米之屬。二曰降氣。降者下也。升則宜降。輕者如蘇子橘紅麥冬蘆根枇杷葉甘蔗漿。重者如降香沉香欝金檳榔之屬。三曰調氣。調者和也。逆則宜和。和則宜調也。其藥如木香沉香砂仁荳蔻香附橘皮之屬。四曰破氣。破者損也。實則宜破。如少壯之人。暴怒氣壅之類。藥用靑皮枳壳厚朴檳榔之屬。治血病之法。亦分爲四。一曰補血。血虛宜滋之補之。如熟地杞子人乳柏仁棗仁肉蓯蓉鹿角膠之屬。二曰凉血。血熱宜清之凉之。如生地白芍丹皮犀角地楡之屬。三曰和血。血欝之輕者。宜通之和之。如當歸紅花桃仁延胡索。皆通經和絡之品。四曰行血。血欝之甚者。宜攻之下之。如䗪蟲芒硝大黃之屬，皆攻堅下血之劑。又失血家。須用下劑破血。蓋施之於妄逆之初也。若謂血虛不可下。蓋戒之於亡血之後也。難經云。『氣主煦之。血主濡之。』凡氣病用氣藥而不效者。乃氣滯而血不能波瀾也。宜少佐活血之藥。血流而氣自通也。血隨氣行。氣行則行。氣止則止。故補血必補氣。氣旺而血自滋生。行血必先行氣。氣降而血自下行。凉血必先清氣。氣涼則血自歸經。醫者能於於此尋繹之。則其治氣血病一道。思過半矣。

# 藥物之研究法

二年級 張慶奎

夫病有千端。不外陰陽表裏之殊。藥有百種。不外性味功用之別。醫者既欲用藥以治病。則對於藥物。萬不能不研究焉。研究之法。不外明其性味。別其功用。蓋藥有寒熱溫涼之性。又有酸苦辛鹹甘淡之味。升降浮沉之能。厚薄輕重之用。或氣一而味殊。或味同而性異。皆不可混用也。如辛甘發散爲陽。酸苦涌泄爲陰。氣爲陽。氣厚爲陽中之陽。氣薄爲陽中之陰。薄則發泄。厚則發熱。味爲陰。味厚爲陰中之陰。味薄爲陰中之陽。薄則疏通。厚則滋泄。升降浮沉。可以貫通。防風味甘辛性溫無毒。升也陽也。其用有二。以氣味能瀉肺。以體用能通療諸風。木香味苦辛性溫無毒。降也。其用有二。調諸氣不可無。泄肺氣不可缺。半夏味辛平生寒熱溫有毒。降也陽也。其用有四。除濕化痰涎。大和脾胃。痰飲及頭疼。非此莫能治。陳皮味辛苦性溫無毒。可升可降。陽中之陰也。其用有二。留白補胃和中。去白消痰泄氣。以上略舉其三四。餘者類推。而研究藥物之法。亦可以悟矣。

# 流注流痰論

二屆畢業 傅永昌

去歲余實習於敝業師石筱山先生處。先生爲滬上名醫也。精傷科及針科外科。學驗俱富。往求診治者。日必五十餘人。余自受業以來。自覺經驗稍多。故不自量力。先將流注流痰之原因。症狀。療法。及流注流痰之不同處略述如左。惟讀者敎焉。夫流注一症。爲外科中難治之大症也。俗名攢骨流注。生於環跳者。名環跳流注。由傷筋而起者。名傷筋流注。其名雖異。其實同一症也。其來也遲緩。其愈也甚難。凡得此者。多生於先天不足。體虛之人。尤以未成年患此者多。且多生於骨節之處。由於跌打損傷。瘀血凝滯筋骨之間。久而不化。傷瘀漸漸化熱。內蒸骨膜。骨膜得熱則鬆而高漲。漸漸發炎。是乃與物理學所謂物得熱則漲。得冷則縮。同一理也。故此症之腫。非皮肉腫。乃有骨膜發腫也。由骨膜發腫而炎。故俗名攢骨流注。亦卽西醫之所謂骨膜炎是也。其症初起。經掣痠楚。行動稍覺不便。皮色不變。及早治之。則有消散之望。若失治待其漸發漫腫。按之不甚痛。生於環跳者。甚則筋骨牽强。足短不伸。此時治之。則難有消散之望也。此症一潰。收口者。更難得一二矣。如卽幸而收口。終成跛足直手。而爲殘廢者矣。總之。此症治之愈早愈妙。愈晚愈壞。此乃治流注之要訣。亦爲治百病之要訣也。其治法。流注治法。當分內外。內治。初起經掣痠楚。行動稍覺不便。皮色不變者。宜用散瘀通經宣絡之法。方用忍冬籐川牛膝當歸尾西赤芍川獨活炙乳香。炙地龍川撫芎澤蘭葉嫩桑枝絲瓜絡。若見漫腫無頭。按之不甚痛。筋骨牽强。足短不伸者。急宜投以溫散宣通經絡之劑。方用大熟地(麻黃四分仝打)白芥子淮牛夕當歸尾西赤芍川獨活炙甲片炙地龍炙乳香。澤蘭葉嫩桑枝絲瓜絡。此症潰後。卽宜投以補托養胃之劑。方用潞黨參生綿芪炙冬朮淮牛膝香白芷忍冬藤橘皮絡炙乳香赤茯苓香谷芽生甘艸。流注外治法。腫而未潰者。用桂麝散（方用肉桂三錢 乳香四錢 沒藥四錢 麝香一錢 五分 上四味共爲細末）滲陽和膏上貼患處。潰後治法。與諸外瘍同。先用提膿拔毒之法。後用生肌收口之法。流痰一症。生無定處。亦爲外科中難治之大症也。其來也遲緩。其愈也甚難。有由傷筋而起。傷瘀夾痰凝滯於經絡之間而成者。名傷筋流痰。有寒濕素重。復傷於筋。以致寒濕夾痰瘀交阻經絡之間。久而不化。成此者。名寒濕流痰。傷筋流痰。其症初起微腫微紅。漸發高腫。其形圓活如饅頭狀。按之微痛。久而漸漸色紅。疼痛益甚。四圍皆硬。其中一點獨軟者。方是膿熟。即宜用刀開破。乃可漸漸收口而愈。若夾寒濕者。初起微腫。皮色不變。久而高腫。其形亦圓如饅狀。按之不痛而軟。脉細濇。舌苔白膩者。其成也較遲。其愈也較難。傷筋流痰。高腫按之微痛。皮色微紅者。治宜散瘀化痰宣通經絡之法。方用忍冬藤炙佳蠶白蒺藜當歸尾西赤芍製半夏炙地龍炙甲片川獨活川牛膝淡昆布小金丹（用開水另服）絲瓜絡。潰後宜用托裏化痰養胃之劑。方用忍冬藤香白芷製半夏橘絡紅西赤芍大貝母炙甲片炙乳香淮牛膝淡昆布雲茯苓生谷芽生甘草。寒濕流痰。高腫皮色不變。按之不痛而軟。脉細濇。舌苔白膩者。治宜溫散化痰宣通經絡之法。方用大熟地（麻黃四分全打）白芥子當歸尾淮牛膝西赤芍製半夏炙地龍川獨活威靈仙淡昆布小金丹（用開水另服）絲瓜絡。潰後宜用。補托化痰養胃之劑。方用潞黨參生芪皮炙冬朮香白芷製半夏橘絡紅炙甲片淮牛膝炙乳香大貝母淡昆布雲茯苓香谷芽絲瓜絡。流痰外治法。初起未潰者。用黑虎散（方用蘆甘石乙兩用三黃湯製煅九次再用童便煅七次水飛 五倍子連殼內虫 各五錢 山甲生炙各五錢 乳沒藥去油各五錢 輕粉漂五錢 兒茶五錢 梅冰片二錢五分 腰黃水飛乙兩 全蝎廿只陰陽瓦炙 當門子二錢五分 大蜘蛛四十个瓦炙存性 蜈蚣廿條陰陽瓦炙存性 共研細末用磁瓶收貯不可出氣）滲陽和膏上貼患處。潰後外治法亦與諸外瘍同。

至於流注流痰之不同處。流痰雖皆由於傷筋而起。然其部位見症治法。各有不同者也。流注多生於骨節之處。病在骨膜之間。流痰則生無定處。病在筋絡之間。此其部位之不同也。流注見症漫腫無頭。流痰則高腫圓活。形似饅頭狀。此其見症之不同也。流注初起治以散瘀宣通經絡之法。

其甚者。治以溫散之法。流痰則無論初起潰後。皆當兼用化痰之品治之。此其治法之不同也

# 狐惑病新解

二屆畢業 沈逢介

狐惑一症。伊古及今注釋者。聚訟紛紛。莫衷一是。故解釋者愈多。眞義愈晦。如陳修園對於該症。認爲蟲病。王孟英認爲疫毒。唐容川更想入非非。以爲狐惑之惑字。乃蜮字之誤。解爲矩狐。若含沙射影之鬼蜮者相類。故有狐病。蜮病。之說。響壁杜撰。牽强附會。不足道也。際此科學昌明。文明進化時代。無稽之學說。必不能通行於世界。亦時勢使然耳。竊以爲古之所謂狐惑病。頗與今日之花柳病相類。考之今說。而愈明。證之實驗。而益信。敢貢一得之愚。維讀者鑒焉。

金匱百合陰陽毒狐惑篇有曰。『狐惑之爲病。狀如傷寒。默默欲眠。不欲飲食。惡聞食臭也。其面目。乍赤乍黑乍白。蝕于上部聲嗄。甘草瀉心湯主之。蝕于下部。則咽乾。苦參湯洗之。蝕于肛門者。雄黃薰之。』合以上種種病灶。凡患是病者。多數由不潔之交媾或間接之傳染。梅菌稽留。分裂愈多。則其病愈深。殆至第一期始。或第三期末。均有種種表現。或體痠頭痛。或默不飲食。或噁心泛泛或倦怠無神。合以金匱論狐惑症賅之。顯然爲今日之花柳病。夫默默欲眠。不欲飲食。爲毒菌深潛。血球貧乏之故。而神經爲之冲激。面目乍赤乍白乍黑。是菌毒停留血管使然。蝕于喉。是花柳病第三期之上逆。爲場頂開天窗之先鋒。蝕于下。是下疳魚口便毒也。推之毒火上薰。冲胃激肺則聲嗄。菌毒稽留下壅結核。爲肛門焮腫。處處吻合。益信吾言之不誣。溯吾國古時。實無儀器効力。研究醫學。所以缺乏良好成績。深爲浩嘆。然治該症之方。配合之精密。選藥之符合。良爲可法。若苦參之外洗。雄黃之外薰。藉以殺蟲滅菌。而甘艸瀉心之內服。唐氏極贊其妙。蓋甘草可以解毒。芩連可以殺菌。病久膿虛。人參乾姜。可以興奮調節機能。斡轉元陽。得以抵抗耳。嗟夫。晚近世風不古。梅毒一症。流行之廣。幾及鄉僻。應響於民族者甚大。

其唯一之治法。人第知西藥之洒爾佛散。(九一四六〇六)爲內外之特効藥。嗚呼。吾國在西歷紀元以前。仲聖早已發明之。惜後人少研究性。含糊讀過。致絕妙之法。湮沒而不彰。固不獨狐惑一症爲然。可勝歎哉。

# 腦疽症治概況

二屆畢業 劉壽康

或謂中醫哲學化。理想化。故精內科。西醫科學化。機械化。故精外科。嗚呼。此一偏之論。豈盡然哉。不觀夫後漢書方術傳乎。曰。華佗精方藥。心識錙銖。不假稱重。鍼灸不過數處。若病發結于內。鍼藥所不及者。乃令先飲以痲沸湯。旣醉無所覺。因刳破腹背。抽割積聚。若在腸胃則斷截湔洗。除去疾穢。旣而縫合。傅以神膏。克日卽愈。又如關羽鎭襄陽。與曹仁相持中流。被矢鏃入骨。佗爲破割療毒。又晉書魏詠之傳。生而兔缺。聞殷仲堪帳下。有名醫造門自通。謂可割而補之。自唐宋以降。代有名手。惜乎中世以來。重內輕外。而精是道者復多自祕。外科之所以不進步。職是之故耳。彼泰西醫學研究者。不遺餘力。進步之速。大有一日千里之勢。良以彼邦科學發明。公開研究。有以致之。雖然。亦尚未達完善之治療焉。視其每診一病。不分虛實寒熱。爲疔爲癰。輒砉然奏刀從事。未有不僨事者。夫癰瘍熱癤。固有可割可破者。若疔若疽。每見刀口成形。膿水淋漓。痛苦萬狀。瘡口紫黑。久久不歛。致成漏管。身體日虛。形肉消脫。夜分寒熱。盜汗頻頻。虛損成矣。而彼尙以爲結核耳。貧血耳。乃注射鐵劑。謂爲補血。殊不知無形之氣。早已耗散殆盡矣。我中醫見是症。則氣血雙補。兼以解毒。外敷以脫腐消毒。化管去水。見症治症。未有不告效者。腦疽其尤著也。茲將症治。略述如左。

A病名　腦疽。

B類別　(一)正腦(二)偏腦(三)透腦(四)侵腦　癰陽疽陰。寒熱別焉。

C經脈　正腦透腦。屬督脉血多氣少之經。偏腦侵腦。屬太陽膀胱氣多血少之經。

D病因　稟體羸弱。痰濕素盛。鬱久化熱。濕火上炎。或外襲時邪。引摯內熱。或榮衛失從。血脉栓塞失常。或素好膏粱煎炙。脂肪厚味而致。凡患該症。正氣多虛。不覩夫經有云乎。引膏梁之變。足生大疔。又云邪之所凑。其氣必虛。旨哉斯言。

E症狀（一）正腦在項中。初起如粟粒。不覺痛癢。漸腫漸痛。根脚散漫。或紅高聳。或色澤如常。瘡頂塌陷。或狀如蜂窠。寒熱交作。脉濡數或弦數。或見神昏口噤。

（二）偏腦。偏生于左右。瘡多平塌。餘仝上。

（三）透腦。生於百會穴前顖門之際瘡形仝上。恶寒發熱。頭疼疲怠。脉來數大。或虛數。

（四）侵腦。生于透腦右側下五處穴。初起焮紅腫痛。或紫褐色。瘡頂平塌。身體恶寒。面黃脉無常。

F治療　凡治該症。必識病機。審證既確。才無差忒。譬如焮紅腫痛。其症爲陽爲實。其狀高聳。其腐也速。其斂也易。其日淺。其病輕。其治易。如瘡形腫痛無頭。其症爲陰爲虛。其狀塌陷。其腐也遲。其斂也慢。其日深。其病重。其治較難。諸書俱云。正腦易治。偏腦難治。以督脉起下。貫脊行於上。毒不易陷。反能高腫。生於偏者。因膀胱二脉。起於額上。上貫巔頂。兩傍順流而下瘡毒最易下陷。故瘡多平塌。況督脉主一身之陽陽主通。易化易潰。故易治也。太陽膀胱主司寒水。其質寒。寒主凝滯。難起難發。難化難潰。故難治也。然亦不盡然。當視其症狀之陰陽爲斷。未可以地位之偏正爲定例也。其初起三四日者。概以消法治之。六七日外者、不消。當用托裏解毒。瘡頭透潰。則以排膿。再施以去腐生肌收口。茲擬方列後。臨診時又當隨症化裁之也。

（一）未潰　內消陽症焮紅者。脉來數大。舌苔見膩黃。外以金黃散三黃散。葱蜜調敷。內服清化之劑。

忍冬花　當歸尾　土貝母　炙甲片　大連喬　西赤芍　皂角針　艸節

牛蒡子　遠志肉　炙殭蠶

凡陰症皮色不變。脉來沈遲或虛數。舌苔有黃膩或薄白。外以金黃散冲和膏葱酒調敷。內服溫化之劑。

荆芥穗　大川芎　全當歸　青防風　西赤芍　仙半夏　西羌活

陳廣皮　土貝母　小金丹　一粒陳酒化服

（二）將潰——托裡——陽症四圍紅腫。金黃散外敷。陰症堅硬如石。冲和外敷。內服托裏劑

大綿芪　大川芎　皂角刺　全當歸　穿山甲　製天虫　京赤芍

甘草節　淡全虫　白茄蒂

（三）已潰——（一）排膿——外敷去腐膏散。內服排膿。使毒隨膿而泄也。

生黃芪　全當歸　天花粉　粉草片　生潞黨　大白芍　玉桔梗

大香菌　生白朮　香白芷　二寶花

（二）生肌——如得膿甚暢。毒腐俱去。才可生肌收口。如腐未盡。先以九黃繼以海浮收口。內服培補元氣兼收斂之劑。

西潞黨　當歸身　雲茯苓　大有芪　大白芍　山萸肉　大熟地

淮山藥　大紅棗　蜜炙甘草

結論——腦疽一症。當先辨其孰虛孰實。與夫陰陽寒熱。不見七惡者多吉。若瘡形未成。而精神已怠。七惡疊見。爲正不勝邪。大敗之候也。

## 小兒鎖喉風與斷臍之關係

二屆畢業　方逢道

醫者之難。難於辯症。而尤以啞科爲最。蓋小兒初生。骨氣未成全。形聲未正。悲啼喜笑。神色不常。言語咿啞。不足徵信。臟腑柔弱。易虛易實。醫者。操壽夭存亡之權。職責匪輕。苟不細

心體察。安能識其病之所在。而投以勝病之藥乎。如小兒生後。感患鎖喉一症。多難施救。生生死死。惟憑造化。其見於症也。初則不乳。嘩噪啼號。繼則聲啞。牙關强硬。終則咽喉腫閉。氣息難通。病變之速。駟馬莫追。醫者疑是胎毒。多投清火解毒之劑。屢治罔效。嗚呼誤矣。考醫書之論胎毒也。則以爲藏於臀命之間。如痲痘之類。必待風行癘氣之感。乃發。而風寒食積之傷。皆不足以引動胎毒。且胎毒之動。必先發熱。次序時期。井然不紊。而時症之作。不但無發熱之經過。卽其變症之速。爲症之險。實有過於痲痘。由此觀之。則鎖喉之非胎毒也。明矣。學者。未深究其源。窮追其本。認爲胎毒之變態。而以治胎毒之法治之。其不悞盡蒼生者。鮮矣。曾觀陳飛霞先生。所著幼幼集成一書。所論幼科各症頗詳。後之學者。宗之。屢奏奇效。著固善矣。惟於斷臍一法。不得謂無流弊也。閩省各地之助產穩婆。皆宗其法。每於小兒生時。先以苧絲緊紮臍帶。以艾火或赤松火燃烙而後剪斷。意以爲鐵剪之寒。恐傷胃氣。獨不思用火燃烙。祗宜於天氣嚴寒。小兒虛冷之體。若天氣炎熱。小兒陽盛者。烙之。則火毒內攻。五志厥陽之火。一齊煽動。風火相煽。血液沸騰。血熱而結。此鎖喉之所由成也。內經云。一陰一陽結。謂之喉痺。則此症之屬於火。不亦信有徵哉。仲景云。火氣雖微。內攻有力。焦骨傷筋。血難復也。是成年之人。筋骨間。仲景尙愼用火。而況小孩乎。況臍爲立命之根。可漫用火以撥其根乎。且咽喉爲生死之關頭。臟腑之樞紐。壅塞不通。瞬息卽斃。醫者明知其毒凝結。而以寒涼淸火之品治之。往往鮮克有濟者。夫豈寒不足以勝熱哉。亦以咽喉位高。藥力難到。而凝結之邪。斷非盪滌之劑所能建功。此所以藥雖的對。亦無如之何也。茲有消患未然之法。凡小兒初生。將其臍帶用蔴絲紮緊。以剪斷之後。遂以花龍骨。枯礬。蘆甘石。研末敷之。「此藥先宜備好以便應用」復用新棉絮蓋之。再以挪帶繞肚三匝。蓋小兒臍風。係由風乘臍隙而入。或浴兒不愼。以致禍起蕭墻。今以龍骨枯礬甘石等。旣能塡竅。又能收濕。不特無助陽生火之弊。且有禦風袪濕之功。此平淡而神奇之法也。若謂剪臍有害。則江浙之風俗。均用此法。而生齒之繁。何以甲於全球。是剪臍之勝於烙臍。不待辯而明矣。若小兒不能吮乳。則觀其口內兩頤有無硬塊。如有硬塊。江浙名爲螳螂子。卽口之所謂妬乳症是也。宜宗徐靈胎用青黛一錢 元明粉三錢 薄荷五分 冰片一分 研細末。擦口內兩頤。一日三四次。吐出涎而自愈。近日海濱妖婦。造割螳螂子之法。欺人取利。强者幸愈而弱者立殆。蓋兩頤內外各有表皮中。空處有脂膜一塊。人人皆然。而無智識者。輙以其割出之形。果與螳螂子相似。便信而弗疑。死而不悔。深可憐憫。靈胎云。除蘇松之外。天下並無患螳螂子而死者。斷不可爲其所愚而受害也。最近普及閩北一帶。受其害者。尤不可勝言矣。揆厥源因。皆由烙臍之咎。再進則爲咽喉腫閉。宜照前方內去元明粉薄荷二味。加以焙焦壁錢五個(或以蠶繭代之同一行血散腫之品爲咽喉科之要藥)煅皂角五分 殊砂二分 西瓜霜四分 研細末吹之。又刺其小手指文中出血。(一法刺其少商穴)則腫消而閉開矣。方經治驗。公之於世。保赤者。按圖而索。其或有豸歟。

# 短氣有微飲當從小便去之苓桂朮甘湯主之腎氣丸亦主之病溢飲者當發其汗大青龍湯主之小青龍湯亦主之判其一證二方之原理

二屆畢業 辛元凱

短氣者不必皆有飲。有飲者必皆從小便去。今短氣而有微飲。要當從小便以去之。然此病有由腎火不足。而脾寒者。有由腎中水火俱乏者。其由腎火不足。而脾寒者。是腎陽獨衰。胞室無熱。不能溫脾。脾因以寒。由是飲阻其氣。氣不能降。而吸氣短。飲不化氣。氣出因弱。而呼氣短。治須使飲下行。由小便而去。病始可愈。然飲之下行。必賴氣以降之。而氣之不升者則不降。觀於空氣以對流。其理可悟。故仲景師用苓桂朮甘湯主治之。方用茯苓轉水飲以下入膀胱。用白朮升脾氣。

而燥利水飲。甘草溫補脾氣。以助陽氣之升降。而桂枝爲主要。以能引心火下入血室。溫腎煖脾化飲而升其陽氣也。凡腎脾寒而有微飲者皆準此。其或欬滿泄瀉。而飲病劇甚者。則宜附子理中加肉桂茯苓半夏枳殼陳皮等品。不得以是方統治之。其由腎中水火俱乏之者。是腎水虧甚。腎火隨洩。腎因以寒。輸尿管萎縮。致腎不納水。水泛爲飲。呼吸氣短。則宜腎氣丸主之。蓋補腎水腎火以利竅。升陽氣以降飲。方中熟地山萸滋補腎水。茯苓澤瀉轉飲下趨。肉桂引火歸源。附子振陽興腎。皆使輸尿管因熱漲大。氣機通利。以植飲從便去之基礎。而山藥補脾。偕桂附振中下陽氣。使飲降於尿飲。以爲從便去之工作也。

又飲水入膈膜。不下走網油。以入膀胱。而溢出腠理。歸於四肢。身體疼重。此當汗出而不汗出。謂之溢飲。是病溢飲者。急當發汗以治之。然此病有內寒內熱之別。內熱者。由中焦有熱。一時飲水難下。由膈膜出腠理而歸四肢。後又外飲鬱陽，肺胃之間。內熱漸生。故宜辛涼發散。大青龍湯主之。方用麻桂從營衛以發汗。用石膏清三焦肺胃之熱。杏仁則降肺氣。使達於皮毛。甘草溫補脾氣使充飲於肌表。皆托其準邪。以出於汗孔。生姜從三焦走腠理四肢以散飲邪。使溢飲盡隨汗出。而無絲毫之留遺。表病有寒。故身重。而又疼。其表有寒襲。故當汗而不汗。大青龍湯倍加治之。兼從衛分以治其表寒也。內寒者。則由腎陽滯而脾藏寒。飲水不能利下。由膈膜外流腠理。而歸四肢。後又飲氣內侵。而脾氣寒。故宜辛溫發散。用小青龍湯主治。方用麻黃。從衛分以發汗。用桂枝從營分以發汗。甘草補中。乾姜溫脾。細辛升達胸中之陽。半夏降利肺衛之氣。陽升氣降。中氣溫調。更可佐助麻桂以發汗。而五味歛陽氣。可使麻桂發汗而不至於傷陽。芍藥歛陽氣。而又歛陰液。可使麻桂發汗。而不至於傷陰。觀四神丸之治鷄鳴瀉。用五味以攝陽。苓桂五味甘草湯之治衛逆。用五味以納陽。可知其歛陽之功用。又觀眞武湯之治心下悸。用芍藥以斂陽。桂枝湯之治中風。用芍藥以存津。則可知其斂陽而又斂陰矣。用此二味。又所以防過汗之弊。細辛溫少陰之寒。從下焦以散寒飲。尤具時長。與大青龍之用石膏。實遙遙對峙也。總之。腎陽虛衰而脾寒。其爲飲。當治以苓桂朮甘湯。使飲從少腹走入於膀胱。腎中水與火俱乏。其飲微。當治以腎氣丸。使飲從腎中尿管。以下走於小便。大青龍湯。治內有熱之溢飲。用辛涼以發汗。小青龍湯。治內有寒之溢飲。用辛溫以發汗。醫者臨證。務須按病用方。差之毫厘。失之千里。可不愼哉。

# 痧疹論

二屆畢業 程金麟

痘之與痧。同屬胎毒。而其見症用藥。不無清濁之分。霄壤之別。夫痧出于肺。痘出于腎。肺居于上。屬陽藏。腎居于下。屬陰藏。陽主氣。故有形而無汁。陰主血。故有形而有漿。痘則稀疏而對生。痧則稠密而亂佈。此見症之不同也。痘忌汗瀉以泄氣。痧喜消散以逐邪。此治療之有別也。然其變幻之速。殺人之甚。則無若何參差。天花稍較繁複耳。痧疹一週。卽可痊愈。痘非半月。決難全已。且落痂之後。每至結疤而成痲。然自種痘之法。發明以來。根本解決。而患者日益少矣。惟痧疹因無如牛痘之發明。每當溫風外襲。潛陽內動。此症流行時期。往往傳染迅速。甚至沿戶闔境。無有幸免者。一或失治。輒見夭亡。故其爲禍于人類。反較天痘爲尤烈矣。

前言此症屬胎毒。人未有不由胎而生者。其能免此胎毒乎。故在童年之際。必欲一染此疾也。然同是胎毒。而發有先後者。何也。蓋其能愼風寒。避傳染。且其毒有輕重。是以發有遠近也。然無論其發于何時。終以初次出者爲正痧。必重而險。治療宜愼。然用辛涼解表之劑。決無若何流弊。至於發而再發者。謂之諱痧。因無胎毒之挾雜。但爲時邪傳染。而來者。必輕而淺。亦有微出數點。卽汗出熱解而愈者。然終以稠密者居多。當其密不空縫之際。每與班毒相似。夫班屬陽明胃。痧屬太陽肺。臟腑不同。豈可以形之相似。而混爲施治哉。若細辨之。未始無別也。痧者。其形如沙。密而必見其粒粒之狀。生於皮膚之上。觸之有跡。與班之連片如錦。發于肌肉之間。捫之不覺者。顯然不同也。然皆以外出爲吉。內陷爲逆。世俗每以痧之多寡。而定其齊與未齊。此大謬也。孰知雖多而尚隱者，猶屬不齊之象也。然則由何而定之。當看其胸之悶與不悶耳。夫胸悶者。肺氣不利也。肺氣不利者。時邪尚鬱耳。時邪尚鬱者。痧疹未齊也。既知其未齊。則必用透發之劑矣。待其既齊之後。餘熱尚有未盡者。始可直進寒涼。否則形寒身熱之時。見其煩渴之勢。卽擬寒涼與服。未能清其熱。已先遏其邪。以致未發者則不出。已發者則內隱。于此等處。可不愼歟。

痧疹初起。必現形寒身熱。胸悶咳嗽等症。或有不咳嗽者。病必見凶。因此症發自心肺。邪鬱皮毛。咳嗽者。鬱而欲伸之義也。且肺絡時時振動。亦有發散之可能。若不咳者。無力與抗。痧疹難出之兆也。然以上諸症。乃普通之感冒。何以能決其必發痧疹哉。再看其噴嚏呵欠。兩目汪汪。夜臥善驚等。且此時恰有痧疹之流行。卽可斷其必發是症矣。然有決其欲發矣。而用辛平透表之劑。卽汗出而解。不再作痧者。此必前曾患過是症。胎毒已盡。血絡無熱。否則雖行表散。身熱亦不退。必至作痧而後已。痧既出後。又當辨其色。方書紅爲熱者輕也。紫爲熱甚者重也。黑爲熱極者危也。然又不可專以顏色定其生死。尙當旁參脈症。融合診論。始可操必勝之算。如未出之先。發熱之際。咳嗽宜多。而不宜甚。身熱宜和。而不宜過。又喜吐衄以分消其毒。切忌便閉以阻滯其邪。脈見洪大者。爲輕。四日現標者。爲順。遲遲不透者。則有數因。如表實難發者。正虛邪伏者。熱毒壅閉者。食滯內停者。皆當因症制宜。不可混淆者也。然終希其透徹爲第一要義。既現之後。當視面部陽位多者爲佳。脈以和緩有神者爲吉。三日漸沒者爲貴。大便泄瀉者。又當防其內陷矣。可知此症變幻莫測。全在醫者心靈神會。區區板法。不足恃也。

又有邪氣不一。每至挾發他症。更屬纏綿危險其最重要者。卽爛喉痧是也。此症發必一方。互相傳染。皆由天時不正。釀成疫癘之氣。由口鼻而直入肺胃。引動素蘊之伏熱。內外合邪。上攻其門戶。則咽喉腫痛腐爛。外達其皮毛。則胸背痧疹現標。此時只宜疏開橫達。重痧輕喉。不可雜用寒涼。以致痧毒內陷。燔灼愈騰。此爲喉痧。最當注意者也。待其痧子布齊。氣分之邪已淨。

始可大劑清營。又不可再行表散矣。此症來勢雖猛。倘能按步就緒。亦不難剋制病魔。設或鹵莽從事。則未有不誤致殞命者。余因此症。有關于痧痲。故持畧附數筆于此。至其詳且精者。尚望同志有以教我焉。

# 幼科之我見

三年級 陳承謨

幼科醫學。與家庭之福利。社會之建全。黨國之光榮。民族之强盛。成人之建康。優種之原理。各有深切之關係。蓋家庭之幸福。以無病爲原則。語云。無病小神仙。其斯之謂乎。但愿百年無病苦。不致一息有愁魔。亦未始非羨慕無病之清福。與禱祝二豎忽來纏擾之表現也。且也國家之成立。以人民土地主權爲三要素。是則人民與國家有深切之關係。可不言而喻。然成人能强健與否。小孩先天能聰穎健全與否。均與幼科醫學有直接間接之關係。於此可知幼科醫學。關係民族之盛衰。國家之强弱。誠至深且大。吾人如不要社會健全國家强盛則已。否則對於幼科醫學。豈可不深刻潛研乎。爰不揣淺陋。略述如下。

幼科之最重要者。厥惟痘疹驚風數種。簡言之。痘係胎中之陰毒。疹係胎中之陽毒。均屬先天遺傳之毒熱。至驚風則須辨係壯熱而來。抑虛寒而致。與夫胎風外驚署風食積等。均宜細察明辨。方可依證下藥。庶不致誤。

(一)痘瘡　痘瘡之證。自前清嘉慶年間英商多林文携牛種由呂宋至澳門。經邱浩川試用之得效。而仿效漸多。迨乎近世研究益精。而信仰者益衆。即天花之火焰。亦隨之消殺。化爲烏有。然痘係先天慾火之遺毒。蘊於骨髓深處。苟種不得法。腎臟伏毒。未能盡量發泄。難免無再發之患。故種痘須取兩臂清冷淵消鑠二穴。多種數顆。俾伏毒悉從少陽經穴而出。方不至復發也。愚意當此牛痘盛行之秋。業務者首須潛心研究播種之法。至輔助之中藥。乃第二步也。故略而不談。

(二)痲疹　痲疹之證。由手太陰足陽明二經蘊積熱毒而發。然亦時氣傳染之一種。故大人間亦有之。其發熱時。面浮腮赤。眼中流淚。多嗽嘔多。煩渴。甚則燥亂喉痛。唇黑神焦。通身紅赤。起而成粒。勻淨而小。斜目視之。隱隱皮膚之下。以手摸之。磊磊肌肉之間。其形若疥。其色若丹。治宜發散清涼。然初起又不宜驟用寒涼。恐寒遏熱邪。反而不出也。并切忌葷腥生冷風寒及辛熱補澁之品。蓋疹係胎中之陽毒。伏藏肺胃。非辛散以升發之。涼潤以清解之。熱毒固無由發泄。惟醫者如不明。反用熱補。則不特毒無由洩。且益增其熱。甚而登高狂歌。或奔入池中。狂癲作矣。吾故曰。痲疹之證宜發散而助以清涼。然此不過指一般而言。又須審其人稟賦之壯弱。後天之虛實。宜數宜涼。抑辛涼參半。則在醫者臨證之細察詳審。而通權達變也。若醫治失宜。調攝失愼。又能變生種種症候。特略舉一二於下。

A,痲疹不出。都係將出之際。受風寒暴襲。致寒鬱熱邪。不能外出。治宜辛散以升發之。

B,痲疹不透表 痲疹無論尖大細小。總以透表爲佳。若因風寒鬱遏。或中氣本虛。或火毒熾盛。致隱於皮膚而不能透出者。急宜細察其何因而施治之。

C,痲疹早沒。 疹未出三日而行沈沒者。或因風寒外鬱。或因熱邪內陷。或誤食酸斂。應分別治之。如係風寒所遏。邪反內攻而早沒者。宜消毒飲。加發散之品。如屬熱邪內陷。致喘急腹漲。宜白虎湯或涼膈散加減之類。如因誤食收斂之品。致伏匿不出。准熱喘欬者。宜猪胆汁製甘草煎湯頻頻與之。

D,痲疹下痢 此係熱邪內陷。治宜解毒行滯。疎風去積。

E,痲疹氣促喘咳。 此係熱邪不清、壅遏肺竅。治宜清熱。兼以理氣。

F,痲疹口氣不食咬牙唇燥。 多係熱邪蘊隆於胃。故爾熾盛嘔穢。治宜清熱解毒。

(三)驚風之症因致病之由不同。卽名稱亦隨之而異。玆摘述如下。

A,急驚風。 急驚之症。牙關緊閉。壯熱涎潮。竄視反張。搐搦顚動。唇口眉眼眨引頻併。口中氣熱。臉赤脣紅。二便黃赤。脈浮數洪緊。必先身熱而後發搐。由內挾實熱。外感風邪。心受熱則積驚。肝生風則發搐。肝風心火二臟交爭。血亂氣并。痰涎壅盛。關竅不通。風氣無所發洩。故暴搐也。治宜五苓加黃芩甘草煎服。或用百解散發表。次以木通散三解散通心氣再以牛旁湯防風湯之屬以疏滌肝經。安魂退熱。驚除之後。輕者投半夏丸。重者下水晶丹。俾痰去神清。免成癡疾。若倉卒之間。驚與風并作。宜五苓散加辰砂末箔荷湯調服。如風盛以生車前草搗爛瀝汁調白蜜滚水服之。至參蘇飲惺惺散開棺斧寧神丸之屬均可酌用。

B.慢驚風　慢驚之症。緣小兒吐瀉得之爲最多。或久瘧久痢。或痘後疹後。或因風寒飲食積滯。過用攻伐。或稟賦本虛。或誤服涼藥。或因急驚而用藥攻降太甚。或病後失於調理。皆可致之。多見神昏氣喘。或大熱不退。眼翻驚搐。或乍寒乍熱。或三陽晦暗。或面色淡白青黃。或大小便清白。或口脣雖開裂出血。而口中氣冷。或瀉痢冷汗。或完谷不化。或四肢冰冷。甚至腹中氣響喉內痰鳴。角弓反張。目光昏暗。脉沉遲散緩。虎口脉紋青而淡紫。此因脾胃虛寒。孤陽外越。元氣無根。除寒至極。風之所由動也。法宜先用辛熱。再加溫補。補土則所以敵木。治本即所以治標。宜先用逐寒蕩驚湯。後用加味理中地黃湯。若醫者不察。誤指爲熱爲食。再用寒涼。再行消導。或用胆星抱龍以除痰。或用天麻全蝎以驅風。或用知柏芩連以清火。或用巴豆大黃以去積。殺人如反掌。誠可畏也。蓋其先雖有寒暑實邪。一經吐瀉。業已全除。脾胃空虛。倉廪空乏。不論疹後。痘後病後痢後。皆當急用參朮以救胃氣。姜桂枸熟以救腎氣。否則虛痰上湧。命在須臾。古者男子三十而娶。女子二十而嫁。所生子女。無不體壯神足。今者十五六歲而行結婚者有之。十七八歲而行同居者更習見。其常以發育未全。所結晶之小孩。欲求先天之壯實。胡可得乎。况爲人父母者。又年輕識淺。溺于愛惜。每以糖品異味。給與小孩。而飲食失其時者。更屬意中事。果爾則嫩弱之腸胃。經此磨折戕傷。後天欲求不弱。又胡可得。又何怪小兒時患吐瀉之症乎。吾故曰。驚風之症。慢驚誠居其多也。

C.慢脾風　慢脾風之症。係慢驚日久。吐瀉損脾。或因吐瀉日久。體虛發熱而致。多見面青額汗。舌短頭低。眼合不開。睡中搖頭。吐舌頻嘔。腥臭噤口咬牙。手足微搐而不收。或身冷。或身溫。而四肢冷。脈沈微。虎口脉紋。必有紫絲青絲黑絲隱隱相雜。治宜用和平之劑。調養脾胃。循序漸進。毋求速效。或可十救一二。用錢氏黃土湯或錢氏金液丹與青州白丸子各半研勻米飲。或薄荷湯下一錢或一錢五分。餘如黑附湯異功散六柱飲之屬。均可酌用。

D,天釣之症。係乳母飲酒食肉。煩毒之氣。流入乳中。令兒宿滯不消。而邪熱毒氣。交乘於心。或蘊積痰涎。不得宣通。或胸膈壅滯邪熱。發時頭目仰。視驚悸壯熱。兩目翻騰。淚出不流。手足搐逆。不時啼笑。狀如鬼祟。甚至爪甲青紫。治宜蘇合香丸九龍控涎散一字散雙金散之屬。

E,內釣之症。由胎中受風及外驚所致。腹痛多啼。脣黑囊腫。傴僂反張。眼尾色赤。或內臟抽掣。作痛狂叫。或泄瀉縮脚。內外交乘。治法如下。(一)有外驚或內臟抽掣者。宜鈎籐飲。(二)腹痛脣黑囊腫者。宜聚寶丹。(三)因乳母醇酒厚味積毒在胃者。宜加味清胃散。(四)因乳母鬱怒而積熱在肝者。宜加味逍遙散。

F,小兒驚之由於暑風者。名暑風驚。蓋暑與心合。故喜傷心而驚搐作然。有直中者。有由胃熱肝胆熱傳入者。由漸傳入者。可緩緩用藥清之。直中之驚。一發卽死。辨之之法。視其驚搐方作時。額熱肢熱。脉大而微數者易治。若額熱肢冷。脉細數者難治。其法如下。(一)暑風驚搐。邪入心。額熱肢熱者。宜黃連瀉心湯。惟額熱肢冷者忌之。(二)四肢緩弛者。宜健脾。用茯苓薏米扁豆之屬。

至傷風搐傷食搐之症。凡小兒質弱體虛。或飲食過度。脾胃受傷。均能致之。治宜祛風補脾。此外尚有晨搐午搐晚搐夜搐之別。宜察其屬肝屬心屬肺屬腎而施治之。要之驚風之症。雖名目繁多。最要者亦不外寒熱虛實四字。如急慢驚風。一則壯實熱極而生。一則體弱病久而轉。知乎此。則治法宜涼宜熱。應散應補。固不待再計決矣。鄙人研究伊始。未知門徑。以上所談。自知錯誤良多。惟希高明不吝賜教。

# 痢疾治法概要

二屆畢業季荐朋

痢疾古人說他的名稱。叫做滯下。叫做腸澼。但是現在普通的名稱。叫做痢疾。西醫叫做腸胃炎。名稱雖不同。但是實際上是一樣。因爲這病的形狀。欲痢而又受阻滯。所以叫做滯下。其病在腸。稱爲腸澼。今人普通都將他稱做痢疾。西醫根據患痢而死的人。剖解檢視。見他的腸胃中發赤。甚至於油膜發腫。潰爛洞穿。因爲這個原故。所以將他的名稱叫做腸胃炎。但是依西醫看來。以爲這名詞。是甚爲確實。油膜發炎就是我國醫中指脾經之所屬的部分。腸胃炎。在古人早已稱他的名叫腸澼。那西醫這腸胃炎。豈不是與我國醫取名的意義相同嗎。其他國醫與西醫理論。亦甚相同。如西醫說腸胃發炎。油膜發腫。而致復痛痢膿。我國醫說調氣而後重自愈。和血而便膿自除。這個理論。與西醫的理論又甚吻合。但是要斷定痢疾。或腸胃炎時。須要以腹中一陣疼痛。急要登廁。臨登廁而又痢不出。免强痢出。或白如膿的膠粘。或赤如血。或紅白相雜。如魚腸的污穢。所痢不多。痢過痛除。有日緩而夜頻。有夜緩而日頻。有一時許。急欲痢。有日夜數次。或數十次。有發寒熱。有不發寒熱。如以上的病狀在國醫則定是痢。在西醫則斷定是腸胃炎。表面的名稱雖是不同。依據病的形狀。加以斷定則一。至於治法。西醫治痢之初起。用甘汞以蕩滌腸胃。或治蔴油以潤滑之。醫治方法。亦猶國醫的用木香梹榔丸。枳實導滯丸一樣。積去之後。則用次硝蒼單那爾煎鴉片末以濇歛之，亦猶國醫。用烏梅石榴皮龍骨牡蠣等法相似。在西醫重要內服藥。爲衣必格。考此藥是吐藥之類。他的療效。治嬰兒氣管炎。痰吐不出。以致胃經常失功用。若服衣必格糖槳二錢至三錢可使痰吐出。且有醫肺之功。所服的分量。不足使之嘔吐。則有瀉的功效。胃中之痰。卽由大便而出。胃經被阻。嘔吐不止者。每句鐘。服一厘之八分之一。至四分之一。至六七次爲止。卽可使胃經復元。而止其嘔吐。倘患痢服此藥。隔數句鐘。大便不見灰色。必加重。如患痢而兼嘔吐譫語。衣必格亦可用之。名醫芮質氏云。患痢而兼顯肝炎者。服衣必格則能抵去九分肝痺之患。所用之分量。每日服三十厘。用半月。至廿日之久。肝痺已成。必須刺破放膿後。將貴林溶液。射於膿穴。仍宜兼服衣必格。據以上考察衣必格療效。能治胃。醫肺療肝。通大便四項。與我國醫治痢處方。利肺。平肝。安脾。安胃。通大便四法相同。所以國醫治白痢主在肺氣。用白虎湯加杏仁厚朴桔梗以利肝氣。加白芍黃芩甘草使肝經不侮脾。肺不受刑。則可痊愈。如小便不利。加桑皮滑石。有寒熱可加葛根或用銀菊散。若是紅痢主在肝經。用白頭翁湯爲主。使肝氣上達不致下迫。則後重自除。這是仲景妙方法。但是痢症喜達。閉結者宜開。下迫者宜達。開之當從肺治。使不收濇。達之當從肝治。下迫乃解。我國醫治痢的方法。均是治肺。治肝。治胃。通大便着手。與西醫所用衣必格。醫肺。肝胃。腸四項相同。但是西醫雖是實驗得來。主治方法。萬不及我國經驗及臨症變通。而西醫所缺點者。對於噤口痢。休息痢。奇恆痢。未得具備治法。如我國醫治噤口痢。用救胃湯。方用生地白芍黃連黃芩玉竹花粉杏仁麥冬石羔枳壳甘艸等。或開噤。方用石蓮萹豆石斛北沙參麥冬白芍枳壳黃連甘艸生地等。休息痢。仲景以承氣湯下之。有用黃連末。調羊脂服之。或用清寧丸。或當歸蘆薈丸。奇恆痢。患瘀兼喉痛嗆喘。其症狠凶。但是大承氣湯。治此症。確有起死囘生的功效西醫對於這種症候。尚未聞有特效的藥。在我看來。中西醫。各有長短。爲醫的人應該取他的長補我的短。把中西醫的治法。融會貫通起來。那末病人受益不淺矣了。

# 風傷衞寒傷營風寒兩傷營衞三綱鼎峙說

二年級 舒榮鏡

風傷衞。寒傷營。風寒營衞兩傷。三綱鼎峙之說。歷來久矣。其始於成無已許叔微二氏。至方有執喻嘉言張路玉章虛谷氏等而蔚爲大成。其間。反對此說者。大不乏人。而以柯韻伯氏反對爲尤烈。更有唐蓉川氏。猶唱異說、揭樹風傷營。寒傷衞之與成許二氏所主張極端相反之明幟。然應和者甚少。馴至今日。乃復有陸淵雷氏。懷改革數千年來之舊說。而以西洋之生理病理。剖解析釋號稱國醫第一部聖典之傷寒論。溶冶中西醫理於一爐。匯會皇漢學派於一堂。慘淡經營。煞費苦心。其說雖未盡然。要之。簡明易解。殊合乎科學之原理。不無可取之所。榮鏡課餘之暇。偶翻舊章。感風寒營衛之混沌莫解。舉並皆是。然念及是四者實爲傷寒論之大關鍵。若黯闇於此。必不能洞明於彼也。榮鏡才陋學淺。對各家所說。未敢作肯定之判斷。故臚陳各家之主張。互相論辯。公理所在。欲益彌彰。孰是孰非。自有公論。於是。東鱗西爪。貫成一文。雖不免冗繁累積之誚。要在讀者洞明各家所說之非是。而知其所以非是焉。

在未入正文之前。吾儕當先明何者爲營。何者爲衛。

經曰。人受氣於穀。其清者爲營。濁者爲衛。營在脉中。衛在脉外。又曰。心者血。肺者氣。血爲營。氣爲衛。相隨上下。謂之營衛。由此。知其所謂營衛者。爲何物矣。

然則。所謂風寒者云何。

注家皆曰。風寒云者。六氣中之二氣也。風性疏散爲陽邪。寒性凝歛爲陰邪。從而知風寒爲何物矣。舊說之營衛既明。風寒分清。行文至此。即入正文矣。

喻嘉言先生論太陽經傷寒證治大意曰。

夫足太陽膀胱。病主表也。而表有營衛之不同。病有風寒之各異。風則傷衛。寒則傷榮。風寒兼受。則榮衛兩傷。三者之病。各分疆界。仲景立桂枝湯麻黃湯大青龍湯鼎足大綱三法分治之證風傷衛則用桂枝湯。寒傷榮。則用麻黃湯。風寒兩傷榮衛則用大青龍湯。用之得當。風寒立時解散。不勞餘力矣。乃有病在衛而治榮。病在榮而治衛。病在榮衛而治其一遺其一。與夫病已去營衛。而復汗。病未去營衛而誤下。以致經傷錯亂。展轉不已。顚頭一差。末流百出。於是更出種種節目。輔三法而行。正如八卦之有六十四卦。八陣之有六十四陣。分統於乾坤震巽坎離。艮兌天地風雲龍虎龜蛇之下。始得井然不紊。仲景參互錯綜。以盡病之變態。其統於桂枝麻黃青龍三法去復何疑。



中国近现代中医药期刊续编·第三辑

喻氏持之有故。言之成理。語勢滔滔。有條不紊。光怪陸離。一如八卦之有六十四卦也。作者閒之。爲之目瞪口呆。爲之徬徨回顧。幸者。敝同鄉慈谿柯韻伯先生出而辨之曰。

按許叔微云。桂枝治中風。麻黃治傷寒。大青龍治中風見寒脉。傷寒見風脉。三者如鼎立。此方氏三大綱所由來。而大青龍之證治。自此不明於世矣。不知仲景治表。只在麻桂二法。麻黃治表實。桂枝治表虛。方治在虛實上分不在風寒上分也。蓋風寒二證。俱有虛實。俱有淺深。俱有營衞。大法又在虛實上分淺深。並不在風寒上分營衞也。夫有汗爲表虛。立桂枝湯治有汗之風寒。而更有加桂去桂加芍去芍及加附子人參厚朴杏仁茯苓白朮大黃龍骨牡蠣等劑。皆是桂枝湯之變局。因表虛中更有內虛內實淺深之不同。故加減法亦種種不一耳。以無汗爲表實。而立麻黃湯治無汗之風寒。然表實中亦有夾寒夾暑。內寒內熱之不同。故以麻黃爲主而加減者。若葛根湯大小青龍麻黃附子細辛甘艸。麻黃杏仁甘艸。石羔麻黃連翹赤豆等劑。皆麻黃湯之變局。因表實中亦各有內外寒熱。淺深之殊也。葛根湯因肌肉津液不足而加葛根。大青龍因內熱躁而加石羔。小青龍以乾嘔而咳。而加半夏細辛乾姜。麻黃附子甘艸二方。以脉沉而加附子。若連翹赤豆梓皮。因濕熱發黃而加。諸劑皆因表實。從麻黃湯加減。何得獨推大青龍爲鼎立耶。何但知有風寒而不知有風熱。但知有中風見寒。傷寒見風之症而不知小青龍之治風寒。大青龍之治風熱麻杏甘羔之治溫熱。麻翹豆湯之治濕熱。表實中更有如是之別耶。且前輩之鑿分風寒者。拘於脉耳。不知仲景之論脉甚活而不拘。如大青龍之條有中風而脉浮緊。傷寒而脉浮緩。是互文見意發言。中風脉緩。然亦有脉浮緊者。傷寒脉緊。然亦於浮緩者。蓋中風傷寒。各有淺深。或因人之強弱而異。地之高下而異。時之乖和而異。證既不可拘。脉卽不可執。如陽明中風而脉浮緊。太陰傷寒而脉浮緩。不可設脉緊必傷寒。脉緩必中風矣。按內經脉滑曰風。則風脉無定象。又盛而緊曰脹。則緊脉不專屬傷寒。又緩而滑爲熱中。則緩脉亦不與指中風矣。且陽明中風有脉浮而緊者。又有脉弦浮大者。必欲以太陽之脉緩自汗。脉緊無汗。定分風寒。割裂營衞。他經皆有中風。皆不言及何耶。

要知脉緊固爲有力。脉浮緩亦不是浮弱。卽內經緩而滑。爲熱中之脉也。盍仲景憑脉辨症。只審虛實故不論中風傷寒。脉之緩緊。但於指下有力者爲實。脉弱無力者爲虛。不汗出而煩躁者爲實。汗出多而煩躁者爲虛。證在太陽而煩躁者爲實。證在小陰而煩躁者爲虛。實者可服大青龍。虛者便不可服。此最易知也。凡先煩不躁而脉浮者。必有汗而自解。躁煩而脉浮緊者。必無汗而不解。大青龍湯爲風寒在表而兼熱中而設。不是爲有表無裏而設。故中風無汗煩燥者可用傷寒而無汗煩躁者亦可用盍風寒本是一氣。故湯劑可以互投。論中有中風傷寒互稱者。如大青龍是也。有中風傷寒並提者。如小柴胡是也。仲景但細辨脉症而施治。何嘗拘拘於中風傷寒之別其名乎。如既立麻黃湯治寒。桂枝湯治風而中風見寒。傷寒見風者。曷不用麻桂各半湯。而更用大青龍爲主治耶。且既有中風惡風。不惡寒。傷寒惡寒不惡風之說。曷不用大青龍之惡寒主傷寒。麻黃證之惡風治中風。桂枝症之惡風復惡寒主中風見寒。傷寒見風耶。

方氏見三綱之分。而有風寒多少之陋見。喻氏又因大青龍之名。而爲龍背龍腹龍尾之奇說。又謂縱橫者龍之所以飛期門。及大青龍之位。青龍之說。愈工。而青龍之法愈湮。此所謂好龍者而不識眞龍者也。

大青龍之點睛在無汗煩躁。無少陰證二句。合觀之。知本方本爲太陽煩躁而設。仲景熱人誤用青龍。不特爲脉弱汗出者禁。而喫緊尤在少陰。蓋少陰亦有發熱惡寒身疼無汗而煩躁之症。此陰極似陽。寒極反見熱化也。誤用則厥逆。筋惕肉瞤。所必至。全在此處着眼。故必審其非少陰症。而爲太陽煩躁無疑。太陽煩躁爲陽盛。非大青龍不解。故不特脉浮緊之中風可用。卽脉浮緩而不微弱之傷寒亦可用也。不特身疼身重者可用。卽身不疼與身重而乍有輕時者亦可用也。蓋胃脘之陽。內鬱胸中而煩。外擾四肢而躁。第用麻黃發汗於外。不加石羔泄熱於內。煩躁不解。陽盛而死矣。諸家不審煩躁之理。以致少陰句無所着落。妄爲大青龍爲風寒兩傷榮衞而設。不知其爲兩解表裏而設。請問石恙之設。爲治風歟。治寒歟。營分藥歟。衞分藥歟。只爲熱傷中氣用之治內熱耳。

快哉快哉。敝同鄉鋒利卓絕之論。足拯吾徬徨四顧於危境也。且尤在涇先又辯曰。以愚觀之。桂枝主風傷衞。則是麻黃主寒傷榮則非是。蓋有衞病而營不病者矣。未有營病而衞不病者也。至於大青龍證。其辨不在營衞兩病而在煩躁一證。其立方之旨。亦不在並用麻桂。而在獨加石恙。王文祿謂風寒並重。閉熱于經。故加石羔于發散藥中。是也。若不過風寒並發。則麻黃桂枝已足勝其任矣。何必更須石羔哉。須知中風而或表實亦用麻黃。傷寒而或表虛。亦用桂枝。其表不得泄而閉熱於中者。則用石羔。其無熱者但用麻黃桂枝。此仲景心法也。炫新說而變舊章。其于斯道不愈趨而愈遠哉。

噫嘻。喻嘉言先生豈亦炫於新說者乎。鉤心鬪角。雄辨至此。有敝大同鄉章虛谷先生者。預知喻嘉言氏等鼎峙之說。勢將難倒。於是。倡言折衷之調。其在醫門捧喝初集論麻桂青龍湯有曰。昔人皆言仲景麻黃湯治寒傷營。桂枝湯治風傷衞。雖大綱如是。不可鑿也。鑿則經義反隘矣。夫仲景雖以營衞風寒立法。而辨析精微。用法圓活。若穿鑿其說。使淺學膠柱而不通。仲景之意也。蓋風未始不傷營寒。亦何嘗不傷衞良以寒爲陰邪性凝歛。而衞陽被窒。故腠理閉而無汗。豈不傷衞乎。風爲陽邪。性疎泄。而營陰被擾。故津泄而汗出。豈不傷營乎。況寒必挾風。寒多則風從寒之凝歛而無汗。風必挾寒。風多則寒從風之疏泄而汗出。故仲景常以傷寒。中風互辭表義。而有青龍麻桂各半等湯。則必辨析脈証以期藥病相當而已。卽如論中云陽明病脈浮無汗而喘者。發汗則愈。宜麻黃湯。又曰陽明中風。脈弦浮大而短。氣腹都滿。脅下及心痛。久按之。氣不通。鼻乾不得汗。嗜臥。一身面目悉黃小便難。有潮熱。耳前後腫。刺之小差。外不解。病過十日。脈續浮者。與小柴胡湯。脈但浮無餘證者。與麻黃湯。按此條本陽明兼少陽證。故宜小柴胡和解。若脈但浮。無餘證者。無少陽證也。而用麻黃湯發汗。以上兩條。既曰陽明。又曰中風。俱用麻黃湯。可見麻黃湯不僅治寒傷營也。中風而無汗。又可見風必挾寒也。論又曰。陽明病。麻遲。汗出多。微惡寒者。表未解也。可發汗。宜桂枝湯。又曰太陰病。脉浮者。可發汗。宜桂枝湯。夫陽明太陰。屬於肌肉。非如太陽之可分營衞。乃或用麻黃或用桂枝。又可見桂枝湯不僅治風傷衞也。又如太陽篇云。太陽中風。脉浮緊。發熱惡寒。身疼痛。不汗出而煩躁者。大青龍湯主之。又曰。傷寒脉浮緩。發熱惡寒。無汗煩躁。身不疼但重。乍有輕時。無小陰證者。大青龍湯發之。按本論云。脉緩汗出者。名中風。脉緊無汗者。爲傷寒。今言太陽中風。而脉浮緊又曰傷寒而脉浮緩。皆無汗煩躁。正表風必挾寒。寒必挾風之證治也。夫曰中風。風爲陽邪。性疏泄。則脉應緩。而汗出。乃挾有寒邪。性凝斂而壅閉營衞。不得汗。則陽邪內擾心肺而煩躁。蓋營通于心。衞通於肺故也。又曰。傷寒而脉浮緩。是挾有風邪也。陰邪凝滯氣血。身當疼痛。今挾陽邪。故不疼而但重。重者。陰勝。而乍有輕時。則陽勝也。此陰陽兩邪。互持不解。故亦煩躁而無汗。惟少陰亦有煩躁身重之證。則不頭痛。而脉微細。或下利腹痛。當用姜附溫經。斷不又誤投青龍。若無少陰證而煩躁。陽邪內擾心肺也。身重者。陰邪外閉營衞也。與上條同爲太陽經風寒兩傷營衞之證。故均用大青龍湯。既是風寒兩傷。合用麻桂兩法。去芍藥之酸攝。易石羔之辛寒。內清心肺陽邪之擾。外解營衞陰邪之閉。經脉流通。津液周布。則汗出而邪泄矣。一如龍之興雲作雨。使煩熱鬱蒸。頃刻清肅。故名大青龍。爲麻桂兩方之變法也。若內無陽邪之擾。而有水氣作逆。則去石羔之寒。易姜半細辛之溫。通陽逐飲。表裏分疏。不取其大汗。故名小青龍。是又大青龍之變法也。嗚呼。仲景辨證之精微。用法之圓活。如此。顧可穿鑿其說。而膠柱鼓瑟乎。須知麻桂兩大法門。爲風寒初犯太陽證治綱領。要在辨其有汗無汗。有汗不得用麻黃。以麻黃湯發散之力甚猛也。既已汗出。而更發之。則必大汗亡陽矣。無汗不得用桂枝。以桂枝湯有芍藥之斂也。既已無汗。而更斂之。則桂枝力弱不能表散陰邪也。雖當辨別風寒營衞。而又不可執泥穿鑿。必審其脉證宜否。而變化無窮。用所當用。此仲景心法也。或曰。韻伯柯氏言風寒兩傷營衛而分風寒之多少。是中行方氏之陋見。今子亦云然。得非仍方氏之陋乎。答曰。六氣之邪中人。無不相兼。不獨風寒爲然。經云。風寒濕雜至。合而成痺。又曰。風勝爲行痺。寒勝爲痛痺。濕勝爲著痺。豈非有多有少不同者乎。又不見仲景云。脉浮而緊。浮則爲風。緊則爲寒。風則傷衛。寒則傷營。營衛俱病。骨肉煩疼。當發其汗乎。今既曰中風。而脉浮緊。又曰傷寒。而脉浮緩。豈非特表風寒而傷營衛之證治乎。由是言云。固非方氏之陋見。皆聖經之明文也。且柯氏言。不必分風寒營衛。但當分表實表虛。有汗爲表虛。無汗爲表實。表實用麻黃。表虛用桂枝。雖但得其大綱。若不分風寒營衛。則必主牽混誤治何故。蓋風爲陽邪寒爲陰邪。陰陽不同治法自異。故仲景曰。桂枝本爲解肌。若脉浮緊。汗不出者。不可與。則治風之方。固不可以治寒。既曰解肌。則桂枝非實表之劑。若寒證脉緊惡寒。而反汗出者。正是表虛。豈可用桂枝解肌之法乎。若謂風傷衛而自汗者。爲表虛。何不竟用黃芪桂枝實表。而又用解肌之法。豈亦更使其虛乎。又如陽明證有自汗。而治法迥異。有用白虎承氣者。倘不細辨。而以自汗爲表虛。則牽混之誤害孰甚焉。可見柯氏之說。未能盡善。不合仲景之旨也。

章氏謂柯氏之說。未能盡善。則知大有其善處在者。可想而知矣。讀者二二相辨。自然了然。由愚觀之。章氏可謂折衷柯喻之說。而爲喻輩之修正派也。一方。固非難柯氏不分風寒營衛。但辨虛實之弊害。一方。明知喻說華而不實。世難公認。故特出風中挾寒。寒中挾風。寒傷營亦傷衛。風傷衛亦傷營。圓活之論。以固其壁壘也。舌來唇往。詭辯囂塵之際。有唐蓉川者。惑於喻氏。疑諸柯老。於是獨唱高調。自眩其說。曰。成無已以爲風傷衛寒傷營非也。蓋寒當傷衛。風當傷營。何以言寒當傷衛哉。寒者。太陽之本本氣也。太陽之陽。發于至陰。而充于皮毛。是皮毛一層。衛所居也。衛陽虛。則抬外寒。寒傷衛氣。而皮毛閉塞。故無汗。何以言風傷營哉。風在六氣。屬厥陰肝木。厥陰主營血。血虛則抬外風。故風傷營。營血雖與衛氣偕行。而究之皮毛一層。爲衛所居。肌肉一層。爲營所宅。故風傷營。則歸于肌肉中。而營不守衛。是以衛氣漏出爲汗。況無汗用麻黃。明是治衞氣之藥。有汗用桂枝。明是和營血之藥。注家何得混亂哉。唐氏以寒傷衞。風傷營立論。其與前說數家。雖不免有五十步笑百步之誚。然胆敢背叛經旨。創造新說。其胆量已覺不小。惜陽奉陰違。仍不脫陰陽五行之舊套。爲不足取也。且於風寒營衞。亦無確解。茲引陸淵雷氏說解曰。

風與寒爲六淫之二。古人以爲外感病之病原。考其實際風乃空氣流動之現象。寒乃人體之感覺。初非眞有一種物質名風名寒者。入而容於人體也。所以名爲中風。名爲傷寒。亦自有故。內經之法。以寒屬冬。以風屬春。春主舒散。冬主歛藏。此固徵諸外界事物而可信者也。熱病之無汗者。肌腠收縮。有似乎冬之歛藏。且大多數發於冬日。故名之曰傷寒。其有汗者。肌腠疏緩。有似乎春之舒散。且多數發於春日。故名之曰中風。古人命名之意如此。其實傷寒中風之病理。不過造溫散溫之變化。乃人體調節機能不能適應氣候之劇變所致。調節機能者。卽古人所謂眞氣。內經云。邪之所湊。其氣必虛。謂其眞氣虛而後邪從之也。後人誤以爲眞有風寒之邪。入而容於人體。生出種種議論。如風性舒緩。寒性勁急等。雖亦取類比象。然去實際遠矣。

淵雷氏解釋風寒如此。與篇首舊說所解不同。則中風傷寒之病理自與上述數家不同矣。又解釋營衞曰。

營衞之說出自靈樞。丹波氏所引是也。（中略）靈樞所謂營衞者。營指血漿。衞指體溫。體溫之來源。在內藏。（肝臟溫度最高）而隨血行以溫及四末。血之行於脉中也可見。故曰。營在脉中。體溫之隨血運行也不可見。故曰。衞在脉外。血之運行至靜脉而還流。故曰。精氣之行於經者。體溫之隨血運行至淺層血管而放散於外。故曰。浮氣之不循經者。營衞之故。如是而已。

由是觀之所謂營衞者血漿與體溫而已觀此說亦較篇首之解較近於理且看在大青龍證條註脚曰

注家見本論辨脉法篇及可發汗篇俱有風則傷衞。寒則傷營之文。遂以桂枝湯爲風傷衞。麻黃證爲寒傷營。又見本條言中風。脉浮緊。次條言傷寒脉浮緩。遂以大青龍證爲中風見寒脉。傷寒見風脉。謂風寒兩傷。營衛俱病。於是乎論太陽病者。有麻桂青龍三方鼎峙之說。自此說行。而太陽之病理晦盲而不可曉矣。夫辯脉法可汗二篇。本係叔和附益。非仲景之文。名爲中風。名爲傷寒。不過審證用藥上借以區別。既不知何者爲風。何者爲寒。更何從知其傷衛傷營之情狀乎。且傷寒中風之辨。只在無汗有汗。大青龍證既無汗。何從知其兼有風。風緊脉緩之故。亦因無汗有汗。則無汗之傷寒。安得有緩脉。有汗之中風。安得有緊脉。且安得以大青龍大發其汗乎。是故傷榮傷衛。本是虛言。中風脉浮緊。傷寒脉浮緩。必有譌誤。不得拔此以立說也。

若陸氏所言是也。則營衛二字。尙是問題。即使營衛二字存在而言。誠如陸氏所解。不過血漿與體溫而已。然此二者。互相作用。混不可分。然則豈有但傷其衛而不傷其營。或但傷其營而不傷其衛乎。風傷衛。寒傷營。或風傷營。寒傷衛之理。既不成立。則風寒營衛兩傷何所根據乎。讀者至此。不難公認鼎峙之說之是非矣。

風寒既無定質。營衛復屬模稜。然則中風傷寒究云何哉。此無他。中風傷寒是指其證而言。非指其因而言也。然則。中風傷寒之症。因何而成。答曰。中風傷寒二症之成。須視其人之體質及皮膚組織之如何若體質素强者。則必其人皮膚組織密緻而緊張。風寒中之。則現脉浮緊而無汗之麻黃症候。若以病理解之。是爲散溫機能之衰減也。何以言之。因風寒之邪。中於密緻而緊張之皮膚。則人身上立起自然。療能之作用。因而皮膚縮而汗孔閉。體溫已不能照常放散。然司血行之神經。初不因此失職。反因肌表感覺寒冷之故。血液愈挾高溫以向外。故脈浮而發熱。雖已發熱。又因皮膚與空氣之冷熱相差愈甚。故愈惡寒。而皮膚亦愈縮。縮則汗孔愈閉。體溫愈不得放散。於是。汗不能出。其時。淺層動脉之神經。隨皮膚汗腺。同時收縮。血液繼續充盈不已。遂緊張而爲緊脉。此傷寒病理之大概。(詳細請參考陸淵雷氏傷寒今釋)若體質素弱者。則必其人皮膚組織粗疏而弛緩。風寒中之。則現脉浮緩而有汗之桂枝症候。若以病理解之。是爲散溫機能亢盛。而造溫機能亦有相當的亢盛也。何以言之。因風寒之邪。中於粗疏而弛緩之皮膚。直入而刺激司造溫之神經中樞。使之興奮。造溫神經旣興奮。則造溫機能。因而相當的亢盛。亢盛則體溫之來源多矣。同時。因肌腠素疏。故易汗出。汗旣出。則知散溫機能而亢盛矣。此時淺層動脉。雖充血。然血管之神經。則隨皮膚汗腺同時弛緩。故脉緩弱而不緊張。此中風病理之大概也。至於大青龍症。爲麻黃湯症相似但尤重一等者。證脉緊。發熱惡寒。身疼痛。不汗出。皆同麻黃湯證。惟多一煩躁耳。脉浮緊不汗出。爲散溫機能之衰減。與麻黃證病理同一。夫煩躁者。裏熱也。乃由體造溫機能之亢盛。夫造溫機能亢盛於內。散溫機能衰減於外。其熱因之特高。故病太重。此大青龍湯證之病理也。至於各家所說。未遑細討。因非題目所關。故容他日詳論之。夫醫學之道微奥無窮。昔日以爲是者。而今日非之。今日以爲是者。而安知他日不以爲非者歟。莊子曰。其或是也。其或非也邪。其俱是也。其俱非也邪。我與若不能相知也。則人固受其黮闇。其誰使正之。

## 小柴胡湯逍遙散合論

二年級 朱 殿

小柴胡湯係和解之劑。少陽經之藥。逍遙散爲厥陰經之藥。厥陰與少陽爲表裏。故逍遙散亦和劑也。惟小柴重於祛邪外出。逍遙重在疏肝鬱氣。一治外感。一治內傷。故一以柴胡爲主藥。治樞邪也。一以歸芍爲主藥。和肝血也。觀夫小柴胡證之胸脅苦滿。心下痞鞕。時時嘔逆。與逍遙散證之兩脅作痛。頭痛。目眩。抑鬱不樂。小腹重墮。則不同。尤顯者。厥惟小柴證之脉弦細。寒熱往來。與逍遙證之脉弦大而虛。寒熱而非往來。此兩方主證不同之大概情形也。以言作用。則小柴胡以和解爲名。和解者不偏護太陽之汗。又不偏護陽明之下。處二大之間。聽表裏之邪自由選擇汗下之一路而出也。故其方藥。三經俱有。不汗不下之中。又可汗可下。此卽島壽所謂取表分近裏之半。與裏分近表之半。以定地位而施治是也。因胸脅苦滿。不但肝脾膵三臟腫大。胸脅部之淋巴腺亦腫脹結鞭。（淋巴系卽三焦。三焦之經爲手少陽。）故胸脅苦滿爲少陽證。用柴胡以舒淋巴腺之腫脹。用黃芩以清胸脅之炎症。以炎症影響胃臟機能。炎症去胃機能恢復。則苦滿去用半夏之降逆舒鬱。人參之救除養營。甘艸之甘緩培土。再用大棗生薑之太陽經藥。使樞邪從表而解。不汗而能汗之方也。若夫逍遙散則爲厥陰之和劑。亦治女子肝鬱病之通劑。女子以血爲主。肝藏血。故女子之血。肝臟爲多。又女子之氣善鬱。肝主疏泄。鬱則氣血不能條達。而月經不調。帶下。不食吐酸諸症叢生矣。逍遙散用歸芍能和營血。故用以爲君。使血液流暢。則肝臟作用無阻矣。內經云。邪氣之客於身也。以勝相加。肝之所勝者爲脾。脾受肝制。故脾靜脉之血。必先入肝而後輸大靜脉管。運用失職。故以苓朮培土。以防患于未然。柴胡疏泄肝經經鬱氣。使木氣調達也。用生薑薄荷兩味。用意尤妙。金匱云。夫肝之病。補而酸。內經云。肝病以辛補之。夫酸所以益其體。辛所以助其用。肝爲將軍之官。體陰而用陽。故味辛可以補其用。且肝鬱之病。非不足也。氣不調暢而失其用也。故用生姜薄荷二味。肺主降。肝主升。薄荷辛香發散。內經云。味薄則通。卽搖旗助吶之意也。甘艸以協諸藥。且甘艸炙。可以健脾而和中。有國老之稱。一舉而兩宜也。故服此則膹鬱之氣全消。因此而有逍遙之名。綜上而論。則小柴胡湯爲和解中兼表之劑。逍遙散爲和解中舒鬱之劑。然則柴胡除此主症之外。別無一他用乎。非也。直指方云。「小柴胡湯治男女諸熱出血。血熱蘊隆。於本方加烏梅。」然時醫均以柴胡爲升提藥。凡有頭眩頭痛。衄血。吐血諸證者。畏而不敢用。此風蓋起自潔古東垣。至于今。天下比比皆是矣。殊不知柴胡治胸脅苦滿。效如桴鼓。卽或不中病。亦未見有升提之害。夫仲景以目眩爲少陽證。孫眞人以柴胡湯治產後得風頭痛。楊仁齋以柴胡治諸熱出血。諸熱出血。非衄血於吐血乎。且經驗方云。柴胡一味。須重用至五六錢。可以降逆行血。加入方中同清熱止血之藥合用。以治鼻衄及吐血頗效。由此觀之。柴胡豈升提藥哉。人但知逍遙散能舒肝和血。其亦知小柴胡能治諸熱出血耶。故識數言。以殿吾篇。

# 「陰病見陽脉者生陽病見陰脉者死」新解

二年級 史敏言

經云。陰病見陽脉者生。陽病見陰脉者死。其立文如斯。而缺詳釋。余曾考查羣書。未能見有證可據之處。所釋者終不離乎陰陽五行運氣等類之理想作解。余苦之殊深。今特以余研究之所得。立稿于右。

陽病者。病之屬于進行性及機能亢盛之謂也。陰病者。病之屬于退行性及機能衰弱之謂也。如充血或臟器分泌加多。或體溫增高等。皆屬陽病。貧血或臟器分泌減少。或體溫降落。皆屬陰病也。脈之有陰陽者。與病之有陰陽。其義相同。蓋脉搏之由來。心臟一張一縮脈管收縮及血液循環所致也。夫人體血管。處處有之。故無論何臟有病時。血液之循環必受其應享。脈搏所以可以斷病之生死也。如患機能亢盛之病。血管之收縮必加盛。血液之流動加快。脈搏當亦隨之而較平時愈易見。愈快。愈旺。此陽脈也。反是患機能衰弱之病。則血管收縮必減衰。血液之流動減慢。脈搏當亦之而較平時愈不易見。愈慢。愈弱。此陰脉也。脈之屬于陽者。如大數滑等。屬于陰者。如沉濇微等。夫脈大者。因心臟張縮亢盛。脈管因此而全部擴張故也。脈滑者。亦因血行加速。充滿血管而起波狀也。故脈數者。心臟張縮亢盛。同時脈管收縮加速故也。此三者。皆可斷爲心臟血液循環受已病縮器之應享。而亦亢盛所致。故日陽脈。脈沉者。乃心臟張縮衰弱血行不暢而不能外達于表。故見于沉部也。脈濇者。心臟張縮減弱。血液流動爲之滯濇故也。脈微者。脈管收縮無力至甚。而致微似不見也。此三者亦爲心臟血液循環受已病之臟器機能衰弱之應享。而亦衰弱所致。故日陰脈也。又者。無論何病。既能引起血流同性質之變態。故陽病必見陽脈。陰病必見陰脈。今陽病見陰脉。陰病見陽脉者。此症情與脉搏相反。病之變態也。而何以陰病見陽脉者生。陽病見陰脉者死。蓋患機能衰弱之陰病。而反見機能亢盛之陽脈。此陰病之外形雖尙在。而心臟血液漸見亢盛。知其受病之臟器機能將轉機。而症情未恢復故耳。故曰生也。例如患心臟衰弱之貧血症。而見有力之陽脈。貧血之外態雖未恢復。而病之起發部機能。已漸轉機。血液既漸旺。而貧血之外態。亦可不久恢復矣。此卽陰病見陽脈生者也。陽病見陰脈者死。夫機能亢盛之症。而驟見機能衰弱之脈搏。此脈搏非爲應病而生。乃因病機能太亢盛而傷血液中之細胞而使血液流動不暢。故見陰脈。細胞傷則不能繼續各臟器之工作。故曰死也。細胞傷何以能血使流不暢。因血流全仗細胞活動之故也。例如體溫增高身發大熱煩渴神昏等。此機能亢盛也。而反見陰脈。此熱已傷及血內細胞。然細胞破壞何以能致死亡。蓋血內之血球。亦細胞之一種也。其有赤白二種。赤者能作血內吸養排泄化氧炭之介紹。白者能抗外界侵入之毒菌。又且食物之入于消化器。而能化成簡單物質者。全賴消化器內之分泌液溶化而後能。消化器之所以能分泌液質。得血液之榮養所以然也。今血內細胞因熱迫而破壞。則臟器不能得其榮養而失化物之能。乃致新陳代謝之工作停止而死。白血球熱迫而破壞。則失其抗毒之力。毒素則愈强。害擾全身而致身死。赤血球破壞則失其介紹血液循環呼吸之力。則致絕息而死。何以知血液內細胞破壞。脈反見陰故也。由是觀之。陽病見陰脈者死之原理。可了然矣。

## 仲景曰傷寒脈浮滑此表有熱裏有寒白虎湯主之此一節證治全以脉爲主按浮脉可指爲表熱滑脉不當爲裏寒裏既有寒更不當主以白虎湯試申明其義

三年級 欒鶴鳴

讀仲景傷寒論。至太陽篇。有云。傷寒脈浮滑。此表有熱。裏有寒。白虎湯主之。按此一節證治。設不於脈理求之。鮮不曰。其脈既浮滑矣。而又謂表有熱裏有寒。是言病不與脈合也。旣曰表有熱裏有寒矣。而又以白虎湯主之。是言方不與病合也。此讀書不求甚解。多誤至死於句下。不幾視仲景之書。有闕文耶。疑叔和之筆。有錯誤耶。而抑知此一節證治。亦惟求之於脉而已。醫苟舍其脉。以辨其證。以論其治。恐於此等章句。未有不以文害辭。以辭害義者。此不特粗工之坐誤此弊也。間嘗考歷代醫士。往往於本節證治。雖各逞其說。終莫衷一是。非徒爲後學多一疑問題歟。則如有方中行之言曰。此表有熱裏有寒句。乃傳寫之誤。是當作表有寒。裏有熱解。執是說者。非實爲白虎湯。而曲全其說乎。又如有沈堯封之言曰。此裏有寒之寒字。乃暍字之誤。按暍卽熱也。是當以暍字代寒字說。執是說者。非亦爲白虎湯。而漫托斯言乎。他如有徐亞枝之言曰。此裏有寒之寒字。當解以痰字。以痰爲火之象。滑爲痰之脉。是當以寒字作痰字解。執是說者。非又爲白虎湯。而囫圇其詞乎。噫此三說者。不過於本節證治。故作其說。要未於本節脉理中。明其義耳。今試卽方氏所謂之表寒裏熱者論之。是蓋昧於此爲麻杏石甘湯證。要不可治以白虎湯也。從表不解者。不可與此。此仲景所垂爲明訓也。何方氏矛盾其詞。竟未於浮滑之脉。一明其義哉。試再卽沈氏所謂之以暍代寒者論之。是蓋未思暍爲傷熱之候。宜應別論。此節爲傷寒之候。所主在脉浮。病在太陽經篇。知仲景固獨存深義也。何沈氏誤會其理。並未於浮滑之脈。一明其義哉。試更卽徐氏所謂之以痰易寒者論之。是蓋未察寒字從冫。爲水象。痰字從炎爲火象。以火作痰字解者。則不可也。況攷白虎湯之方義。在仲景從未與治痰也。何徐氏勉强其說。卒未於浮滑之脈。一明其義哉。今姑舍三子之說。而於傷寒浮滑之脈。以辨其證。以論其治也可。嘗攷傷寒之脈。其脉必陰陽俱緊。茲不曰緊。而曰浮滑者。知此脉由緊而變爲浮滑也。按脉浮爲在表。知非因風而浮者。知邪已由寒而熱也。脉滑爲在裏。此非由痰而滑者。知寒邪已由表而裏也。觀於傷寒有浮滑之脉。則知爲表有熱裏有寒者。亦以熱從寒化之邪。邪必不遽解。邪必傳入於裏。裏有表寒化熱之邪。邪雖本於寒。大易化爲熱。非卽經所謂。人之傷於寒也。則爲病熱之一證歟。明乎此。則知表有熱之熱字。裏有寒之寒字。皆可作邪字觀。皆可作熱邪觀。此王晉陽解說之意。其庶幾乎。則吾之意更有進焉者。據此表裏之寒熱。雖作邪字觀。於本節似未窮其理。即作熱邪觀。於本節猶未盡其義。是惟解之以由表及裏。同寒化熱之說。其說非較爲切合耶。觀仲景於本節論脉外。即辨其證。定其治。所主之以白虎湯者。實亦與篇所謂熱結在裏。表裏俱熱之大旨。而一以貫之也。至仲景不曰裏有熱。而曰裏有寒者。非實示人以病所由來之深義乎。

## 葛根黄芩黄連湯方論

二年級 陳家陣

傷寒三十三條云。太陽病桂枝證。醫反下之。利遂不止。脉促者。表未解也。喘而汗出者。葛根黃芩黃連湯主之。夫太陽桂枝症而反下之。邪由肌腠而內陷於陽明。脉促者非如數中一止之謂。乃脉象急促。表邪未罷。而裏熱已熾。故協熱下利。夫肺主皮毛。皮毛受邪。肺爲之應。今被下之餘。陷入於陽明。邪正交爭於肺胃。乃作喘也。此方亦表裡雙解之意。與葛根湯不同。葛根湯乃表重裡輕之方。邪氣將傳陽明而未傳之間。故以麻桂解太陽。葛根先涼解陽明。亦即鍼足陽明使經不傳之意也。葛根芩連乃表輕裡重之方。故重在芩連清裡邪。惟一部份在表之邪。仍以葛根使之外達而已矣。亦瀉心湯之變方也。惟瀉心湯純爲裡病之方。葛根芩連則兼解表。然葛根芩連實症之方也。設脉微弱之協熱下利。虛症也。又當以桂枝人參湯矣。

## 乳兒心理之發達談

四年級生 劉達志

健康乳兒。在生後一年間。其心理發達之狀況。頗有足供研究者。今舉醫界中調查所得者。略述於下。亦養育兒童者所應具之常識也。

(一)觸覺　觸覺者。對於感覺溫度部位(即外物觸於皮膚者之方位)壓力等而言。胎兒自四個月時。即感知溫度與壓力。自五個月。知部位。自生時即有舌鼻眼掌等之觸覺。(壓覺特銳)

(二)味覺　生時即有味覺。甘酸鹹苦。俱爲各別之反應。至一星期後。則知味之濃淡。

(三)嗅覺　由初生時。對於香臭。即有強感。但六七歲以前。一般嗅覺之發達。並不完全。

(四)視覺　生後即知明暗之差。且自第一日至第二日。頭即轉向光線方面。十日乃至二星期。則凝視物件。自第四星期。則爲鮮明之注視。自五乃至七星期。則逕視動物。自十星期以後。始視自己。至六個月時。則因距離之辨別。漸知其母。又見慣周圍。一年以後。則立體之意識。次第確實。(其以前無平面立體之辨別)

(五)聽覺　生後六小時而感音。至三星期間。則喜音樂。自十星期。則頭向音樂方面。自五個月時。則覺聲音之意味。一至十個月。則模倣他之聲音矣。

(六)運動　生後即起衝動之運動。反射運動。次第顯明。五星期時。始發笑。五個月間。則其手常出入於口。自五個月乃至八個月間。則或坐或臥。展轉反側。坐臥不安。自六個月以後。則有右利之傾向。(但自此以後左右手同樣舉動)又漸知匍匐。八九月時。則可玩弄玩具於掌上矣。

(七)言語　自五個月時。始發母音多之音。自八九月時。則加以如媽媽爸爸等之唇音。十個月後。則發重複之擬聲語。(例如舅舅娘娘之類)滿一年則發較正之語。

## 陽虛生外寒陰虛生內熱辨

四年級　王世開

嘗聞沸水易冷者。爐中無火也。柴木能燃者。乾燥不濕也。人身陽虛陰虛之變化。亦何獨不然哉。若陰陽並濟。營衛調和。互助其能。則自無內外陰陽寒熱虛實之偏勝。病亦自無從生。考人身保衛身體。抵禦外邪。調節體溫者。衛氣也。亦曰陽氣也。故天寒則衛氣集于表層。抵抗外寒。使體溫恆高于外界空氣。天熱則衛氣從汗外泄。使體溫恆低于外界空氣。由是可知陽氣爲人身衛外之干城。倘干城不堅。即衛氣虛弱。不能守其職。行其權。衛其內外。則外而六淫賊邪之侵犯。內而陰盛自內及外。皆莫能尅伏。此陽不外衛。能不生外寒乎。經云。陽受氣于上焦。以溫皮膚分肉之間。若上焦不通。則寒氣獨留于外。故寒慄。猶之爐中無火。則沸水易冷也。欲水不冷必加其薪。欲外寒不生。先固其陽。試觀握雪者。多手痛冷而色變白。此無他。陽氣不能勝雪冷耳。若擲其雪。溫其手。陽囘氣復。則手痛冷色白。隨之自除。而手反轉赤。其一證也。夫陰氣者。營于內者也。飲食勞倦。則脾胃受傷。形氣衰少。水穀入胃。脾氣不能爲之運輸。則谷氣減少。上下焦當亦隨之不能通行。谷氣精味因之不能宣受。則胃虛熱生。薰蒸胸中。以致水不能制火。則生內熱。此其一也。情慾不節。元精日耗。氣血日衰。筋骨日枯。形神日痿。以致陰虛水虧。不能涵養肝木。木無水。則肝木相火自盛。淫慾愈貪。元精愈竭。水愈虧。陰愈虛。相火愈旺。內熱益甚。此其二也。依此二端。可知陰虛不內守。必陽氣盛。陽氣盛。則自外以陷于內。而內熱生。猶之乾燥柴木。易于燃燒也。欲柴不燃。必令其溫。欲內熱不生。須制其火。補益其水。軾觀夏日花草。無水灌漑。則莖漸枯而葉漸焦。若移陰處。速灌其水。倘有挽救餘地。此亦一證也。由是觀之。陽虛則生外寒。陰虛則生內熱之由來辨證。可見一斑矣。

# 桂枝加芍小建中合論

三年級 錢公玄

夫桂枝加芍及小建中二方。均本桂枝湯加減而成者也。桂枝湯藥味不更。止重芍藥三兩。卽成桂枝加芍藥湯。本治發熱自汗頭痛惡風之太陽表證者。一變而爲治腹滿時痛之太陰裏證矣。余初讀傷寒。頗爲懷疑。閱諸家注釋。無非云。太陽誤下之後。由邪入太陰。仍以枝桂湯原方以升舉其邪也。然終不能適我意。傷寒論二十二條云。太陽病下之後。脈促胸滿者。枝桂去芍藥湯主之。夫胸滿者。表邪有入裏之勢也。仲景以桂枝湯去酸苦湧泄之白芍。則桂枝辛溫發散之力益彰。上升出表之力益大。與喘而胸滿仍與麻黃之理同也。由是觀之。去芍藥則辛溫升散之力大。加重芍藥當然可以入裡溫中矣。夫腹滿一症。在陽明則痛無止歇。按之愈甚。在太陰則時作時止。按之稍減。一爲虛症。一爲實症也。則桂枝可治發熱自汗之太陽各虛症。加重芍藥。使之入裏。當然可治腹滿時痛之太陰裏虛症矣。三兩芍藥之差。而治症之懸殊若是。製方之妙。後人望塵莫及。故仲景倜乎遠矣。

太陰腹痛。每兼見下利。泄下如醬色。夫脾爲陰中之至陰。故邪入足太陰。多從寒化。仲景以桂枝姜棗之溫。用芍藥引之使入裏不故。更一味而可以治之也。其實脾爲濕土。脾病則泄必濕。若兼見下利。可酌加赤苓澤瀉輩。脾虛則肝盛。不可不早爲預防。方中若以楝子元胡索製香附白夕藜等疏肝之品。亦須加入。藥品雖似複雜。取效蓋至速云。

桂枝加芍之理。既明。小建中湯亦猶是也。桂枝加芍藥則藥性入裏。更加膠飴一升。飴糖味甘。所謂甘者能補能緩中。可使諸藥之性。守而不走。純成一溫養中氣之方矣。程扶生曰。悸則陽虛。煩則陰虛。故以芍藥之苦以堅陰。姜桂之辛以扶陽。而復用甘艸大棗之甘溫緩其中。此爲陰陽兩虛之人。而立一養正祛邪之法也。蓋小建中必中焦陰陽並虛者宜之。其見症不可泥拘悸煩二字。嘔家中氣常易壅塞之人也。再以甘緩。其病必甚。故不可與。若純係中焦陽虛者。則宜理中之類。純係中焦陰虛者。則當與黃連阿膠。或芍藥甘艸湯復脈湯去姜桂之屬。不宜於小建中湯也。

## 冬令補品中之一頁

四年級生　馮伯賢

際此冬季。一般老者弱者。又先天不足者。又後天失調者。以其時屆冬令。萬物收藏之期。補而易見效力。故患者莫不思以補品以滋身健體。但因滬上品類甚多。須於個人相配者有効。相尅者反無益而有害也。不佞今所述者。乃海產中之一部份耳。

(一)魚翅　乃大魚中翅膀。魚之游行轉灣。以及一切動作。皆賴翅之効力。以其力之充足。故能補人類之中氣不足。

如一冬不怕手續麻煩。天天晨服淡服常服。必有重大之功効也。

產類　分中國福建甯波　香港阿登孟家錫美國呂宋。惟日產者亦有。不過佔一小部份罷耳。補力最足者。推英國呂宋王翅。

海參　乃海中動物之一。時在海底至陰之地味淡性微寒。一般陰血不足。宜將海參水發後。同建冰糖同燉食之。服於臨睡之時。頗見効驗。

產類　分東西兩洋。惟西洋中之烏元參爲海參中之最佳。

魚膠　卽魚中之肚。性溫質甚粘膩。氣味略帶魚腥。凡男子腎陽不足之症。如陽痿早泄。陽物不舉。舉而不堅。堅而不久。或其他腎陽虧損之症。宜唇膠鑤成薄片。燉烊後或放於膏藥中食之。或拌於早餐粥中食之。或單放冰糖而食之。惟質甚粘膩。脾胃不健。宜酌量服之。

名稱　有北洋黃唇膠南洋黃唇膠金山膠廣膠魚肚等名。種類甚多。惟服者宜南北兩洋黃唇膠爲最妙。効力亦効他膠爲宏大。

鮑魚　其殼卽中藥中之石決明。肉則爲鮑魚。味甚鮮美。淡者爲佳。爲滋補腎陰之品。目力不佳者。服之最宜。惟宜平服常服時服。方見奏功。

產類　分美日兩國。

淡菜　味淡色黃亮爲佳。乃海產品中之最有銷路。鎮江一帶。均以子淡菜爲消閒之食品。尤如滬上之瓜子大王。功用能滋補陰氣。凡陰虧之人。宜如閒食服之。必奏奇功。惟滬上均與猪肉同煑食之。或放於補藥中。

產類　分中國甯波名爲甯子淡。　香港名爲西淡。日本長峙名東淡。惟甯子淡爲淡菜中之最佳最妙也。

魚皮　卽印度洋大西洋兩洋大魚中之皮。名爲魚皮。味淡，質爲海產中最粘膩之物。血肉有情之品。能滋人類中有形之不足。惟脾胃薄弱。勿嘗試爲妥。服法食淡甜食者最佳。

產類　只有英國者爲最多。其次則中國福建溫州法國安南緬甸。市上有白魚皮者卽沙魚皮去沙而成者也。

# 煙癮杜根方

三年級 鄭春風

**來歷** 歐西譏我華夏爲東亞病夫此句格言是余奮求醫學之動機間接卽本方之動機所謂東亞病夫者鄙人歷年究心考察不外乎煙癮胃病花柳肺癆等弱種與滅族之疾揣其所由來者輸自歐西何能知之彼列强自百餘年來海禁大開舶來毒藥於吾華者到處皆有蓋借此僭措侵略政策把我四千餘年優秀民族爲屠宰場同胞呵快快覺悟起來一致摒除東亞病夫還給歐西罷現在先把杜煙癮方公登候有機會再把胃病花柳肺癆等單方揭曉因限於篇幅請讀者原諒文有不順者敢請高賢正之

**藥品** 食鹽 卽家庭內煑菜用的鹽

**試驗** 試以鴉片一斤或數斤投入食鹽數錢卽立刻起化學作用盡變爲廢料

**用量** 年邁久癮者每用一錢少壯新癮者每用五分

**服法** 每逢燒煙時先備熱水一杯帶殼鮮鷄蛋一枚候燒完將蛋破一洞納入食鹽乘熱服下

**效能** 鴉片內含尼古丁嗎啡兩質獨多人吸之其毒襲於肺部與肺液起化學作用生出一種蛆名曰煙蛆蘊蝕肺液卽肺部逐漸枯痿故用食鹽殺除一切煙蛆佐以鮮鷄蛋潤肺養營

**時間** 因病久癮者連服四月不因病而久癮者守服二月玩弄新癮者七星期杜根

**歷驗** 民國十八年花月雲南昆明縣吳君方智任福建漳州汀漳龍氣車公司測量師患三陰瘧多年經余治愈後陳及煙癮多年雖月薪豐裕盡付于煙城未審先生有妙方可杜否。余以前法示之如法循行三月零八日逢煙欲吐復數月偶遇於途余駭然蓋前後宛二人也

十九年四川藉王君慕法任海澄縣秘書年五十有餘癮期二十餘載備述昔乃富家子弟揮財如土原由嫖場致癮余以前法施之兩月有餘聞煙卽頭暈嘔惡

念年福建龍岩謝君知來年三十有八任澄浦聯防修機員原有欬血而癮期已六年於同年端月間口復嘔紅治愈後余以前法示之經二月有餘聞煙胸悶口吐餘食茲限於篇幅略舉數案餘效尚多不盡枚舉惟望閱者諒之

備考　鴉片（又名英粟）出于印度清末始由英吉利（即英國）輸送入華當是時清君腐昧惟大臣林忠君則徐知其害大聲疾呼終無之何乃遺下徐氏戒煙方吾人每以是方戒法不便是故鄙人不惴淺陋潛心究研有年方得此單味杜癮方之出世此方簡而便用雖窮鄉僻處亦可獲得願吾諸同道盍乎試之便知確有靈驗如神惟淺如僕難免有未盡闕如尚希高明之士有以教我無任羨幸

# 書麟筆紀

二屆畢業　方毓麒

## 肝陽

戊辰秋。余自浙東蘭谿醫校歸適抵家門家大父惶拽余袖而言曰。爾姑丈病急。命在須臾矣。孺子盍與一設法乎。既抵姑家。家人環姑而哭。排諸人。見姑丈手足拘攣。牙關緊閉。口流清涎。兩眼業已合睫。氣咻咻然。姑母謂余曰。爾姑丈患耳痛疾。數載矣。每月必發數次。惟曩日之與今日。險夷相啻耳。妾家何不幸乃爾。余慰之曰。請少安無躁。容孺子思之。既乃若有所得。囑家人與以銅元一枚。急赴藥肆買北細辛一味。研末。醋拌。綿裹。塞諸兩耳。越一時許。姑丈已氣順筋舒。四肢復故。欲啜熱粥矣。闔家額手以慶。姑母撫余且悲且喜曰。爾父已謝世矣。斯時爾僅五齡也。爾父亦業醫。今爾父歿而爾獨承父業。有其父必有其子。此吾家救命星也。彼庸庸者。可以休矣。余亟排議曰。偶得之耳。何足道也。越日與調養潛納法兩劑而痊。從此未發。後余在滬肄業。得姑丈書。謂已精神矍鑠。健步如常矣。

## 暑

陸麗京醫林新論云。人之遊于暑月。而清明在躬者。恃有元氣以勝之。無足害也。我龍民俗。暑月中暑。發痧。每自服香薷飲或天水散。殊不知香薷辛溫。走散眞氣。厚朴苦溫。推陷元陽。招暑引邪。莫過於是。而六一散之甘草性甘。善致中滿。喘脹滿滯。得之則甚。滑石利竅。表虛非宜。遺泄得之。精關益且不固。孫思邈常謂暑月虛弱之人。當常服生脈散或五味子。收斂五藏藏氣。余謂見症治症。有病則病受之。若濕困脾陽。服之適戀之也。烏可泥用。家表兄嘗于夏月赫羲烈日中。奔走赴鄉。歸家卽胸悶欲嘔。頭暈眼花。腹痛泄瀉。自服香飲薷益劇。家母囑其服梅漿及砂糖少許。竟獲全效。蓋梅漿收斂眞元。而砂糖則大助元氣也。

## 欬嗽吐痰

余患欬嗽吐痰。自八歲至今。爲時已歷十載有奇。每屆秋暮冬交。輒發。當晨曦時。欬嗆尤劇。兼吐白沫。畏寒殊甚。喜熱飲而不多飲。後偶閱丹溪方有枳朮丸法依法服之。盡十劑而斷根。初用枳殼二錢　白朮一兩　次枳殼與白朮各二錢　末枳殼錢半　白朮二錢　另用二陳湯吞服。家母嘗謂家嚴在世時。立有咳嗽治療簡法。初起用之輒驗。云欬嗽有寒熱之殊。感寒者。鼻流清涕。或微惡寒。宜服姜湯葱豉。挾熱者。夜咳較甚。喉癢微渴。淡鹽湯最佳。以其能順肺清火也。

## 食滯

表姪祿兒。年方週歲。手心熱甚。舌苔微黃。身熱不退。神形不足。防成疳疾。與雲苓。薏仁。厚朴。神麴陳皮。麥弟鷄內金。益智仁。等疎補中焦。兼參消食。兩劑而愈。

## 淋濁

幕友胡君。患血淋症。先淋後血。篡挾癢而脹痛。脈洪數。口微渴。應從精道論治。用生地。丹皮。牛膝。木通。琥珀。降香。白芍。歸鬚。兩頭尖。當門子。四劑全愈。方爲虎杖合導赤法。

## 論蝂

傷寒論論結胸熱實脈沉緊。心下痛。按之石硬者。大陷胸湯主之。金匱論寒疝繞臍痛。若發則



發

汗出。手足厥冷。脈沉緊者。大烏頭煎主之。同一沉緊之脉。而寒熱各殊。臨症者安可專憑脈乎。

## 夾陰傷寒

楊君國勳。浙東望族也。生平風流倜儻。固翩翩一濁泄佳公子也。嘗挾鉅貲。遊於吳越間。每謂余曰。當今時勢變遷。人情澆薄。得過且過可矣。何孜孜苦讀爲。余諷之曰。世間若吾子者。當作如是觀。若我鄉無寸土之遺。母子有窮途之哭。未可同日而語也。一日促電囑余赴平。來電云。麒。我疾急。吾子盍來一診。不得愈。亦可送我最後一別。余既抵平。乃赴旅邸。見楊君面黑氣促。冷汗如淋。躬身捲足。口幾及噬臍。見余入。柔聲曰。望君如望歲。京中數醫。均謂眞藏畢現。症入膏肓。疾不可爲矣。麒乎。袖手旁觀乎。抑爲我設一法也。余檢閱數方。均謂肝腎兩竭。眞藏外現。症候非輕。防成閉脫。余詢疾之始末。楊君乃曰。疾既至此。勢有不得不告吾子。抑亦自作孽也。初在平識私娼韻琴者。相憐殊甚。一日夜午。以室中碳氣太充故。裸體啓牕。復上床與姬狎。繼覺寒氣頻入。又起床閉牕。當夜卽腹痛欲死。韶琴則不翼而飛。枕件皮包。同時物隨人去。既恨且悲。而痛遽加。少腹尤甚。惟以顏面攸關。所以京中數醫。均未悉余底蘊以吾子忝在知交。只好盡情顯露。深爲我設一良法。余察其舌。黑而脹潤。兩手脈均沉伏至骨。寒邪深潛非用大劑溫運散寒不可。乃與川烏。附子。沉香。細辛。肉桂。吳萸。枳實。蘇梗。畢澄茄。益智仁。白芍。玄胡。數味。越一夜。卽告大效。昨來余校。謂之曰。曩日其樂云何。須知放下屠刀。立地成佛也曰。余知過矣。

## 唾血

龍游民衆教育館館長楊濟昌先生。一日邀余往。謂遍身癢甚。狂吐鮮血。診其脉兩寸洪大。察其色面赤氣粗。爲氣火太旺之故。與大黃黃連瀉心湯一劑而愈。後永未發。

張君酒客也。庚午夏。酩酊而歸。狂吐鮮血盈盂。脈洪數。舌鮮紅。亦與前法而效。

柏松老友。素體虛寒。一日狂吐鮮血。面色蒼白。神怠身疲。脈遲細。舌淡白。兩眼無神。頭暈目眩。爲氣不攝血。陰陽兩憊之候。與十全大補法加減而愈。

### 產婦發熱

產婦發熱。大致有三。惡露未淨發熱者。其腹必痛。感寒發熱者。其頭必疼。陰虛于內。陽浮于外。靡有所依。而發熱者。乃血虛也。

### 疔

故友趙君飛熊。名越天。浙江餘姚人。善隸書。立身端正。接物和平。人多愛之。與余交數載。頗稱莫逆。素有懼內癖。余嘗笑之。亦不爲怒。嘗曰。其主能下人。必能信用其民矣。不工於詩。而喜吟詠。家叔目其爲村婦罵街。亦不爲怪。曰。吾自鳴而已。不求工也。一日午夜。甫聞捶門聲甚急。且捶且呼曰。麒。內人病急。即與一觀。以速爲妙。既抵。飛熊謂余曰。內人不幸。額生大疔。譫語煩躁。大便已旬日不解矣。相與入閨。如夫人見其面赤氣粗。腦脹如斗。漫腫無頭。呼嘑怒詈。索飲不已。脈弦搏鼓指。舌焦黑。詢其生平。好膏粱煎煿。宜其如經所謂引膏粱之變。足生大疔也。矧鬱怒多火哉。又謂腹痛甚劇。手不得近。勢有走黃之候。急搗芭蕉根汁外搽內服。另立釜底抽薪法。用生大黃三錢 元明粉四錢 金銀花三錢 生石羔一兩 肥知母三錢 淡芩二錢 歸尾赤苓枳實各二錢 左牡利一兩 另搗芭蕉根冲服。後三日家人來謝云。謂自服先生之藥四劑。夫人已起床用膳。額疔踪跡全無矣。此不治疔而疔自已也。

余業師張山雷先生嘗云。刺疔用銀針。忌用銅鉄。治疔膏藥忌用桐油紙。癰疽宜灸。惟疔忌灸。癰疽藥宜酒煎。惟疔獨忌酒煎。皆以其助火也。

### 胃脘痛

家母素稟虛寒。輒患胃脘痛疾。發則唇青肢厥。冷汗如淋。口流青涎。舌苔淡白。余每以樟樹梨一味。研末呑之即效。急則治其標耳。圖本非宜也。

## 骨梗

辛未春。余任平濟醫院代理之責。一日。夜將及半。遽聞捶門聲。詢之曰。老太太被魚骨梗喉。業已歷三時。百法罔效。請先生一設法。余告以用鮮橄欖。及月石研末。另用威靈仙煎湯呑服。次日其家人來謝云。服後五分鐘骨化矣。

## 春溫

海門王司務。業木匠作。一日邀余往診。謂遽起惡寒。身作刺痛。口渴不欲飲。胸悶。大便數日不解。脈弦緊。舌厚黃。兩眼紅赤。頭痛如劈。此痰濕內蘊。新涼外加。欲達不達之候。與達原飲加減。服一劑。則汗出。而頭痛遽減。身痛亦除。惟舌苔化燥。口渴引飲。脈亦轉數。乃與桑菊銀翹法兩劑。霍然痊癒而工作如常矣。

## 酒濕

吳醉叟。以豪飲得名。劉義甫拔貢之高足也。放蕩不羈。不矜名節。少貧。爲鄉童子師。口不言窮。沽酒高歌。晏如也。一日大醉歸。途遇雨。夜即寒熱。兩眼黃赤。舌膩厚黃。譫語狂笑。不避親疏。脈濡數。頗如經所謂因于露風。乃生寒熱。余爲之立茵陳。梔子。薏仁。銀花。菊花。連翹。桑葉。竹茹。蒺利。黃連。雲苓。車前。一劑而痊。

## 腫脹

經謂病始于下。而盛于上者。先治其下。後治其上。病始于上。而盛于下者。先治其上。後治其下。隣居李媼。孀婦也。素體碩健。一日邀余往。視其頭面腫起至腹。滿腹青筋暴露。氣喘且促曰。余悶且將死矣。夫此症始于上腫。當發其汗。遂與金匱麻黃附子甘草湯四劑。汗出如珠。腹脹頓減。後與調理脾胃。月餘而痊。

## 疝

讀金匱要畧。得蜘蛛散一方。每擊節稱奇。而不敢錄用。良以方奇物毒。效驗是否確佳。昨赴傳雍言先生處。見病者自謂患痫數載。病時其氣自氣街上冲。百藥罔效。後得先生用蜘蛛散法而效。奇哉怪矣。按蜘蛛善走。桂枝溫通。用溫通而佐善走。斡旋其瘀寒積痛。有以治之否耶。

### 中風

隣居吳姥。嗜高粱及脂肪厚味。一日。忽然昏仆。診其兩脈。均上溢入魚。痰聲漉漉。氣將閉矣。急囑其子福康買牙皂半夏各等分。吹入鼻中。另立稀涎法。服後額汗津津。而神已復。乃立鎮墜潛納劑。用生鉄落。左牡蠣。磁石。白芍。勾屯。杭菊。歸尾。刺蒺。龍齒。黃芩。竺黃。浙貝 昌陽。等味而愈。

### 瘤

前龍游陳縣長公子伯翔君。左耳後生一瘤。據述業已五載。每覺自慚形穢耳。予告以用細鉄屑醋拌。放銅勺內煆乾。拌煆再三。用醋調敷法者。半月後。陳君來謝云。謂搽後頻覺患奇癢。復搽復癢。復癢復搽。不越旬日。而瘤已消。吾子其神乎。何方之奇效如此。曰得之古聖書耳。非吾神也。余不敢貪天之功。以爲已力。相與一笑。

### 驚

小兒急慢驚。古書無之。惟曰陰陽癇。所謂急慢驚者。後世名詞耳。正如赤白痢之類也。陽動而速。故陽病曰急驚。陰靜而緩。故陰病曰慢驚。此陰陽寒熱。表裏虛實。不可不辨也。同學金君學明。其內姪年方二歲。患肌熱泄瀉。肢掣發急。角弓反張。唇口皆白。脉沈細。眼上視。爲脾家虛弱。正氣隳憊。土病則木張。肝風內動。似搐而不甚搐。以睡而精神慢。虛象昭。夫治慢驚大法有二。初起以理中丸溫其中。兼用異功散調理。若已虛損。當速生其胃氣。附子理中最爲合轍。待陰退陽回。手足漸暖。青州白丸子甚宜。今是症脾胃虛損而致。當急扶中健土。溫運熯煦。方爲上策。用附子理中全方。加白芍。山藥。陳皮。麥芽。等味。盡四杯而愈。

### 中氣不足

津液涵濡。無氣不足以鼓舞之。則遲滯而不行。於是諸症蠭集。經所謂氣主煦之。血主濡之。豈無故哉。是故津氣附麗而行者也。觀夫尺有所短。寸有所長。物有所不足。智有所不明。數有所不逮。神有所不通。而津氣安無剝極必反。抑偏勝之處哉。庚午春。一婦人來就診。謂內熱溲赤。口渴引飲。曾請葉醫立方。服後益甚。言時並出前方相示。葉醫謂陰虛內熱。投以一派清涼養。夫是症儼係陰虛。然服養陰正宜合轍。何反增劇。既忽憶及經謂中氣不足。溲溺為變色之陰訓詁。心領神悟焉。乃謂之曰•夫人是恙。為中氣不足。氣虛下陷。津不上承。故口渴引水自救。溲溺為之變色也。乃立東垣補中益氣法加減。甘溫培土而愈。是殆所謂甘溫能除大熱歟。

## 胎漏

夫血能蔭胎。而胎中之蔭血。必賴氣以衛之。兩相既濟。然後可以涵養胎元，孳孳不已。家舅母姙娠三月。忽然腰痠腹痛。下紅色淡。或曰殆血虛胎漏耳。誰知其氣虛不能攝血乎。氣虛無攝血之權。血虛無涵胎之力。宜其氣益虛而血亦虛。血益虛而胎不安。胎不安而血亦下也。下紅者。胎漏也。血虛也。色淡者。陽虛也。氣虛也。究其所以造成斯症。何莫非氣血兩虛有以致之。治之惟大補氣血耳。遂立助氣補漏湯五劑而愈。

## 便血

夫便血之證也多矣。曰腸風。曰臟毒。曰結陰。曰痔漏。曰溼熱。曰中虛。命名不同。療法各異。家大父便血後。不知人事。口噤不語。脈來右關弦滑。左寸洪大。為痰濁蒙塞。心火隨之猖肆所致。推之火旺則心神不甯。故而神昏口噤。狂肆則迫血妄行。故而下血便紅。夫痰濁不除。心火不泄。鮮克效終。治當開泄痰濁。清甯心火。方為上策。不治血而血自止。若徒以見血治血。揣末棄本。其有不死者鮮矣。方用天竺黃。酒炒黃連。天花粉。連翹心。浙貝母。鮮竹瀝。犀角尖。胆星。昌陽。等味。四劑而痊。

裸記

# 臨證一得

二屆畢業 史學海

醫學家每喜著書立說。無非自炫其能耳。不足道也。如賫材扁鵲心書。則以爲上天所畀。景岳全書。則以爲遊東藩之野。而遇異人。陳遠公石室秘錄。乃竟託之歧天師雷公。驗方新編。則以爲華佗拿手禁方。嗚呼。不經之談。又孰甚焉。

祝由科海上林立。雖多荒誕。然其中亦有可奇可記者在。所謂祝由者。內經謂之移精變氣。可祝由而已。聽友盛君胞妹雅琴女士。左腕上患一疔。腫痛無頭。寒熱交作。其令堂素信神祇。乃赴街隅祝由科請治。余被好奇心引動。亦袖手旁觀。術者謂盛君曰。余已洞悉該疾。請許余顯一身手何如。乃剪黃紙小人一。貼諸壁上。用銅針刺紙人左腕上。方其刺入時。患然驀覺一痛。濃水淋漓，其腫頓消。旁觀者均稱奇不已。後術者僅向盛君索藥資兩角。盛君以一元鈔付之。嗟夫海角天隅。每多奇人效藥。奈多以自秘。殊可惜也。

煎藥和忌口兩問題。最宜考究。彼夫芳香行氣。一煎已盡其功能。而蚧類石質。少煎又安有藥性。補劑雖宜多煎。最多亦不過二服。散劑雖宜少煎。亦宜方沸後嘗。若徒執藥價太貴。多煎多汁之患。則清者已失其輕。濁者已失其墜。非徒無益。而又害之矣。忌口問題。亦當注意。若徒博一時之口吻。而貽害終身。不亦愚乎。

戊辰夏。余赴姐家遊。蓋姐家位羣山環抱中。取其靜復藉以避暑也。隣居某鎮。市廛寥寥。僅有襍貨及藥店各一，一日。余信步赴該藥店。見案頭有土炒白朮者。店中人先取生白朮一味。先用自來火燒焦。唾以口涎。擲諸地上。復踏以脚以爲土炒白朮。可恨亦復可笑，恨者。恨其懶。笑者。笑其智耳。噫窮鄉僻巷。國藥之未改良者有如是。可勝浩嘆。

馬勃代刀口藥甚驗。不知治愈幾許人矣。

大黑棗一枚。入青凡少許。煨熟。去棗留礬。治木舌重舌甚驗。

沈婦年三十二。性素沉默。寡言笑。病患經閉月餘。飲食減少。形體日羸。脉來弦勁。胸腹痞滿。口熱口乾。此乃鬱損心脾。木乘土位所致。夫心爲生血之源。肝爲藏血之藏。脾爲統血之經。心境不暢。肝不條達。脾失健運。氣阻血滯。痞滿生焉。五志不和。俱從火化。火爍眞陰。血海漸涸。故月事不以時下。必至血枯經閉而後已。將損未損。最是緊要關頭。目下要圖。先宜怡悅。論治則以斡旋中樞爲主。使脾胃漸開。條達肝氣。所納無阻。用藥如柴胡青皮川楝白朮潞黨雲苓玫瑰花之類。復合生地當歸芍藥補益陰血。調和衝任。加減十餘劑。經水已通。納食亦增矣。

方翁家道小康。有一妻一妾。妻妾時爭。翁固一老年風流者。屢責其妻。妻勢孤。終日抑鬱。飲食漸少。後即食入即吐。病進噎膈。絕粒已月餘矣。邀余診治。其脉細而弦數。形瘦骨立。陰虛體質。口乾思熱飲。當作氣鬱傷津治。遂用洋參麥冬石斛細地梨皮地栗生谷芽沉香鬱金養陰理氣數劑不應。又加重生淮藥。噎膈依然。竊思靈胎有言。噎膈皆屬頑痰死血。此症渴思熱飲。大爲辨症着眼。瘀血阻于胃口。得熱飲則稍適也。丹方有用生鵝血治膈甚效。當夜遂宰一鵝取血。乘熱下咽。稍頃吐出瘀血甚多。色紫夾痰。精神已疲。試以糜粥。竟不吐出。其後漸能用飯。今已復常矣。丹方之奇。誠有不可思議之妙也。

鄉東有高姓者。體肥色白。病痰飲症。時吐膩痰清水。盈盈盈碗。屢發屢止。客歲夏月飲病又作。雖當盛夏。而四肢不暖。中焦自覺痞塞不通。嘔吐膩痰。此外飲也。病本脾陽不足。飲食不化精微而爲痰飲。脾主四肢。中陽被阻。不衛於外。故四末不和也。治當捨時從症。而用溫藥和之。疏方如桂枝附片姜白朮厚朴雲苓蘇子芥子菔子之類。二劑而病不減。又加控涎丹八分。服後大吐膩痰甚多。中痞頓適。四末亦和。後用香砂六君子丸調理並屬常服。

鄰婦家境苦寒。二子一女。俱年幼。賴其操作扶養。婦則夜半方臥。辨色即興。誠一可尊可敬之勞工也。素體不強。時多疾痛。婦不以爲意也。某夕忽大崩大下。血幾盈盆。子女咸相驚大哭。余聞之往見其面唇皖白。氣息不已。脉來微弱。是將脫之兆。幸未頭汗。緣其操作過度。氣衰不能攝血而成崩。方不云暴崩非熱。並有血脫益氣之例。當用人參爲主。余鄉間無眞者。方用大劑別直有芪河膠石脂餘糧櫻炭益氣固濇之品。一劑而勢緩。再劑則血止。改用歸脾湯調理半月始居動如常。然亦幸矣。

夏秋之交痢疾最多。蓋暑濕生冷油膩相間爲病。而苦力尤以食滯爲多。村東蔣某一傭工也。其戚因事宴客。某亦與焉。大醉而歸。時當七月。炎炎之勢未減。露宿于外。翌日覺發熱惡寒腹痛赤白痢下。裏急後重。嘔噁不食。時已三日。方邀余治。此藜藿之體。腸胃素薄。一旦醉飽。復感風寒。神閉于外。滯積于中。而爲噤口重症。宜用喻氏逆流挽舟法。引邪外達。方用荆芥防風藿香泡姜。川連枳實川朴檳榔木香姜夏生姜等。二劑表熱已退。嘔噁亦減。惟痢下如故。腹痛更緊。此滯動而未盡下。如脉之有力。苔之厚黃。皆爲可攻之徵。改用大黃枳實檳榔查炭麥芽厚朴木香等。三劑痢數大減。嘔亦止矣。但覺四肢乏力。納食不香。用醒胃法香砂六君加減數劑而安。

丁某體質魁梧。平日好飲濃茶自晨至晚。必盡飲數壺方止。客歲年終。偶感風寒。先有惡寒發熱咳嗽。繼而週身腫脹氣喘。小溲不利。丁大驚。以爲大禍將至也。求治于余。診脉浮而弦。知風寒引動水濕。病名風水。夫腫之爲病。多關肺脾腎三經。脾主運化。肺主肅降。腎主疏泄。脾失健運之常。所入不化。上逆于肺。肺不肅降。膀胱氣化不行。則水分不泄。病根已伏。復感外來之寒。致成腫脹。治當疏散風寒。兼以通調水道。下輸膀胱。使水濕有出路。痲黃桂枝桑白杏仁蘇子開泄肺氣。外逐風寒。苓朮健脾。冬瓜仁苡仁澤瀉木通以利小便。二劑表邪已罷。氣喘亦平。四肢頭面腫減。惟腹滿未除。苔白脉反見遲。其脾陽不振。水濕盤踞不去可知。改方用附片肉桂潞黨白朮干姜葫蘆巴椒目連皮苓大腹皮陳皮等溫運利水。守方不更。服八劑腫勢盡退。後用健脾調理并戒其飲茶之好。

離家五十之步遙。有老翁焉。勤于農務。健步如飛。少壯之人不如也。夙有咳嗽宿疾。去冬更增氣喘之恙當時尚輕。翁亦未介意。新正月有戚朱自遠方來習岐黃。聞翁之喘嗽日甚。效毛遂之自薦。擬方請服。翁連嘗二劑。不特氣喘反甚。加以納少神疲。翁疑之。來舍商治于余。診脈初按似大再按無力。兩尺脈弱。乃問其喘時。覺有氣上逆否。曰有之。余曰此腎虛氣喘也。方乃肺實之喘大異。翁曰。何謂虛實。言次並取出前方。詳述服藥經過甚詳。閱其方皆破氣之藥。如蘇子葶藶杏仁降香青皮全福花之類。宜其反劇也。腎喘氣喘因乎眞氣不納。治以攝納爲要。用附桂八味作湯加五味故紙核桃肉紫石英厚杜仲等出入。五六劑而喘平矣。嗚呼。實其實。虛其虛。未有不債事者。醫者最當詳審。不能存濟世之心。反操殺人之術也。

濕溫一症。最爲纏綿。治不得法。每成壞症。卽治得其法。亦必延至二三候方已。蓋濕之爲邪。粘着難化。處于熱中。清熱適足以助濕。燥濕之品又多刼陰助火。種種棘手。宜其邪之戀戀不去也。時屆秋初。村人患濕溫者甚多。類多苦力。向余求治。並須速效。蓋彼等依人籬下。一年所得。糊口猶不足。醫藥之資。無所出耳。余思昔在彭師處得一治療濕溫之經驗。卽于濕溫初候。濕盛熱少之時。用半夏細辛白芥子三味。意在使濕盡化。再清其熱。病卽易治。投之果不出旬日而愈。然苦力體質多强。藥力雖猛。無傷也。若用于陰虛好色之輩。恐易刼陰而生變端。究非正治。此以備一格而已。

蔣某先患濕溫。煩熱胸悶。口渴脈數。余投清熱化濕數劑。發熱已退口亦不渴。反見胸悶異常。苔膩初疑其出痞。與芳香透達之品。二劑目暗先黃。繼之週身盡黃。黃色不澤而晦。脈來濡軟而遲。是陰黃也。熱去而濕獨存。素體脾陽不足。寒凉傷胃。虛黃外現。此變症也。夫疸成之因。不外濕熱二字。熱盛爲陽黃。宗金匱茵陳蒿湯主治。濕勝爲陰黃。宗茵陳朮附湯主治。疏方用茵陳附子干姜白朮蒼朮厚朴枳殼豆卷澤瀉通草等溫運脾陽利濕下行。附量三錢 姜量錢半 服之口不燥而反覺舒適。此陽虛之甚。連進五劑。胸次漸舒。飲食稍思。加減七八劑。黃色漸退。後用六君調理。其變症若斯。雖體質關係。然余不能無過也。

# 求融室醫談

二屆畢業 唐景熙

天下之事。無不順潮流以遷變。任氣運以推移。然天地之氣運。數百年一更易。國家之氣運應之。而疾病亦隨國運以遷異。如明季主暗臣弛。闖逆擻禍。而惡厲雜氣。亦如毒蛇猛獸。瀰漫於氣交之中。衆人觸之者·各隨其氣而爲諸病。如大頭瘟。蝦蟆瘟。瓜瓤瘟。疙瘩瘟等疫證。甚則有朝發夕死。呼病卽亡之慘。吳。又。可論之綦詳。前淸乾嘉極隆之際。朝綱整肅。乾剛獨斷。此陽盛於上之明徵也。故其爲病。皆屬盛陽上越之火症。雲間老醫。知此義者。往往投以寒涼。應手奇效。徐洄溪論之翔實。民國初造。中央無權。軍閥當道。是以病多中宮不振。肝氣肆橫之症。滬上名醫。每用扶中疎肝之法。輒能取愈。邇來世風愈下。氣運愈澆。人之稟賦更薄。腦筋尤弱。故有腦膜發炎之症。蓋此症每患於幼稺者爲多。卽因其腦體未充。而邪易直犯也。今昔體質厚薄之不同。於此可知。又如婦人懷孕。十餘年前。凡懷孕而腹中胎炁築動。必在五六月之間。若經居三月。卽略有築動者。可斷言其積瘀。而非孕矣。今則不然。妊娠三月後。腹中卽能動者，無足爲怪。由此觀之。疾病之應氣運。及人事以相變遷。豈不信而有徵哉。

腦膜炎者。卽傷寒中之痙病也。我國向有此症。西醫用其新譯名詞。不過以炫奇異耳。惟曩時之痙病。多由傷寒時疫傳變壞症而來。現象稍緩。不若今時之猝然直襲。其勢實有緩急之不同。推其病原。係由溫邪疫厲之氣。自口鼻吸受於肺。攝受於血。不傳於表。乘腦之薄弱。直侵於腦系。其與溫病邪傳於營、化熱刼陰。肝風潛動之證相彷。或因天時寒暄不常。流行感冒。痰滯交阻。蒙蔽腦筋所致。其治療之法。或疎邪解疫。或淸熱熄風。或芳香開洩。或豁痰通竅。皆可隨症選用。去年仲春。余族弟年方周歲。身甫熱卽痙厥四次。目閉昏迷。立延西醫視之。謂爲腦膜發炎症。決難施治。囑送入醫院。抽去脊髓中水液。以圖僥倖。闔室徬徨。余適往探望。診其脈數大。舌紅。苔黃薄。識其爲溫邪逕襲營分。直犯腦系所致。彷伏邪化火。內犯厥陰。夾痰蒙蔽心包之證。擬開洩厥陰。直清裏熱。以熄內風之法。方用紫雪丹五分。分兩次化服。鮮生地四錢。羚羊片一錢。另煎。鮮石菖蒲一錢。川貝母二錢。板藍根二錢。淡豆豉二錢。黑山梔二錢。天竺黃二錢。知母錢半。連翹心三錢。鈎藤四錢。薄荷五分。銀花三錢。元參錢半。金汁一兩。服後神志稍清。目能轉視。原方去紫雪丹。石菖蒲梔。豉。金汁。加丹皮竹葉。茅根。石決明地骨皮露。連服二劑卽愈。考內經未以腦部立爲一藏。對於腦病。素少論說。其意以爲足厥陰之脉。能連目系上出額與督脉會於巔。凡一切腦病皆隸於肝。治法可以相通也。此症之用清肝涼血之品者。亦職是故耳傷寒金匱所載之方。醫家奉爲經方。如能審證無誤。用合其法。則無不効如桴鼓。去歲季秋。霜降節後二天。適値星期日。余休假在舍。有陳姓者。住陸家浜路。年約四十餘。患氣喘病。呼吸困難欲絕。急不容緩。其妻情極。抱持同坐人力車。前來求治。時已申初。家祖父及家嚴均已出診。見其症勢瀕危。勉爲代診。察其脉浮而數。口微渴欲思飲。大凡寒飲喘欬。不應有口渴。今喘而口渴。乃肺有溼熱。而外束風寒也。與以痲杏甘羔湯參入白毛橘紅雲神半夏蘇子厚樸旋覆花諸味。二人相扶。怱促囘去。至明晨。余正欲整衣到校。忽見陳姓獨自健步進門。據云昨方服後。不及一時。其病若失。今則來求除根之方耳。乃曉之曰。圖免後患。須自珍攝。余尚年幼。敬謝不敏。頃聞本年仲春。前病復作。未及延醫。檢服舊方。一劑卽瘳。又鄰居謝姓。有二女孩。長年九歲。次七歲。均患蟲積病。時作腹痛。痛甚卽厥。身形羸瘦。同臥在牀。初請西醫診治。用山道年單綠汞等類。服後下蚘一二條。痛仍不止。延及二月餘。屢治無效。乃邀余往診。方用黃連、川椒、檳榔、蕪荑、鶴虱、使君子、雷丸、炒川楝、石榴皮、活貫衆等味。服後蟲雖不下。痛則立止。越六日。其痛復作。再服原方。腹痛卽止。而蟲仍不下也。一星期後。其病如前。余憶及金匱云。毒藥不止者。甘草粉蜜煎主之。竊思甘草白蜜。性極和平。鉛粉性雖有毒。而又重墜。少用些須。諒無妨礙。不料服後約六小時。二孩均欲更衣。各下蚘蟲半小馬桶。視之如麵。病卽霍然。今則體皆肥胖矣。又有一中年婦人。患肛門內作癢。常有細蟲。如蛆流出。西醫治以瓜沙木浸水。及啞囉泡水。更換射入肛門。雖或見效一時。終難剷除其根株。迺來問治。余思此蟲窩。必在肛門內周圍窪窩之處。藥水易流。不得稍駐。是以不能成功。乃選用前列殺蟲諸品。再加蘆薈甘草。煎成濃汁。用白蜜收膏。略以雄黃鉛粉。研爲細末調入。候稍冷。搓成如棗。納入肛門中。用至五枚。竟不復發。吾國經方之意遠義精。可謂神妙不測。余小子。初試一二。已獲奇效若斯。苟能悉心鑽研。其用變化無窮。誠有不可思議者矣。

有甬人黃姓者。患耳中常聞如軍樂中之喇叭聲。而又終日不食不覺飢。吃飯數碗不覺飽。百治無效。已經數月矣。延余往診。脉得弦滑。神志間有不清。此乃情懷抑鬱。津液不化聚蓄爲痰也。投以控涎丹一錢。迺作極烈之水瀉多次。瀉後病恙旋痊矣。今春有張葆生世交。患耳中如聞鳴鉦聲。以致不能安寐。一月以來。精神疲憊。而服藥罔效。乃招余往視。脉來弦滑而數。舌苔厚膩。其人形貌魁梧。體質素强。此病乃由痰飲壅積。溢於上焦。而阻於司聽之神經系也。令購控涎丹二錢。先服一錢。如或不效。明日再進。孰知伊將二錢併服。少頃之間。攪腸絞肚。大吐大瀉。而伏痰盡逐。妄聞立愈。閱三日。體卽健康如常。書云藥不瞑眩。厥疾勿瘳。良有以也。然每有病家不聽醫師。所囑之言。誤事亦復不淺。幸渠年富身壯不至委頓。亦云險矣。

病人之心理。對於醫者之信仰。關係頗爲切要。每有病人素信某醫。如遇病時。初延他醫診視。其所開之方。所用之藥。固未嘗有誤。而服後反覺不安。及仍延某醫治之。用藥相同。而服後頓覺病減，此其明徵也。余嘗治一人。因食魚不愼。骨哽喉中。余視其喉中。並無魚骨。惟略有紅腫。蓋骨已嚥下矣。而其人堅謂喉中哽痛。自覺魚骨尙刺喉中。余卽故意審視再四。云骨在是矣。乃假施手術。僞稱骨已箝出。并爲之吹藥喉中。其人深信不疑。且謂喉痛稍減。此雖以不誠治病。誑言欺人。然亦權變之行。苟能推而廣之。則可移易人之性情。而能療神志之病。如近世所謂催眠術者。亦卽權輿於此也。

凡足部患恙。如足腫足痛風溼瘡瘍等症。苟能悉心靜臥。則必易於奏功。蓋此種病症。大都由於風寒溼熱。稽留血分。下注於經。臥則溼毒之氣。不致久滯絡中。而能從營衞流行。迴翔四佈。循分泌。入膀胱。由溺道以出矣。故余每治流火足腫足踝疽臁瘡等。一切足部外症。必再三囑其日夜臥於床上。視病之輕重。或數日。或數十日。堅心守持。竟有事半功倍之速。此則幾經閱歷之秘訣。望勿河漢斯言也可。

凡爲醫士。操人生殺之權。臨床診治。必須息心靜氣。仔細推求。若相對須臾。便與方藥。最易僨事。令人夭折。厥罪匪輕。前有邑左劉公祠旁。蔡嫗者。年逾七旬。偶患失血症。其子急足。至促余速往診視。隨至其家。察其脉芤數。吐血盈盂。繼續不止。余執筆沉思。未得要領。病者忽云。昨晚喉痛如骨哽然。余迺檢視喉部。見帝丁左旁。有一小孔。血流甚急。遂書參三七蒲黃炒阿膠當歸沒食子白芨片等止血之品。而有粘性濇性者。自藥肆中購來。立卽研爲細末。用蘆管吹於出血之處。俄頃血止。竟不服藥而愈。後以飲食調養。康健如常。倘當時病者不告。醫者不察。開一煎方了事。必致亡血過多而亡。而人亦惟知其年邁。天年已盡。豈不寃哉。

## 診治芻言

二屆畢業　賴達五

洲自習醫以來。自愧所見無幾。所學不多。初未敢爲人治病。一日友人鄭君。因受傷損。歷治不愈。來商於洲。索前方視之。係三七、紅花、桃仁、當歸、鬱金、丹參等品。其人則短氣促急。咳嗽不已。偶一行動。則氣喘欲絕。寢食俱廢。診其脉虛弱乏力。因思內經一損損於肺。損其肺者。益其氣。爲投黃耆、黨參、白朮、炙艸、陳皮、五味、萸肉。一劑知。六劑乃愈。今述其事。并推其理焉。按是人雖因傷損。若有瘀血鬱結。症當兩脅疼痛。大便閉結。不當短氣促急。脉當弦勁滑濇。不當虛弱無力。或腹中脹痛。或譫語發狂。桃仁紅花。方爲對症要藥。否則通瘀破血之誤。不辨自明。今既受前醫之尅伐。肺已虧矣。腎已憊矣。脾胃亦將傷矣。無惑乎虛症之蜂起也。故用參芪以補氣。朮草以和中。五味萸肉以斂肺納腎。尤妙在陳皮以宣通氣機。古人所謂補氣先宜行氣。則取効之捷。復元之速。有斷然者。不彌月伊父又患霉濕。胸脘痞悶。他醫以芳香之品投之。未見進退。余治如之。一服而瘳。是乃病人之心理作用耳。

城北尤某。年四十四。患單腹脹。腹大如鼓。左脅疼痛。連及胸膈。坐臥不安。呼號不絕。飲食日少。形容日悴。前醫論治。有主脾不健運而用健脾者。有主水濕內停而用通利者。有主氣滯而用調氣者。有主血瘀而用破血者。雖更數醫。未獲少效。遂致委頓床褥。束手待斃。聞洲囘家。卽來邀診。切其脉兩關弦實。按其腹但脹不痛。舌胎厚大。大便久秘。遂疏柴胡金鈴子山梔廣鬱金白芍生錦紋青皮萊菔子枳實鷄內金一劑而痛胎大瘥。再劑而肝胃火平。厥病頓瘳。村中父老。見洲年少。問致效之奇。與前醫之誤。因告之曰。是人形雖羸弱。惟其脉來弦實。夫弦爲肝火鬱結。實爲胃中積滯。矧肝屬木。木不條達。鬱而化熱。熱積交阻。脹所由來。內經云。諸腹脹大。皆於熱。此症是也。故用柴胡白芍之疏肝。山梔金鈴子之清熱。使木勢平和。不致鬱遏。則脅痛自己。肝不疏泄。挾木勢而侮土。以致腸胃失其通降之權。食物因之停留不化。故用大黃枳實之通便。鷄內金萊菔子之消積。則腹脹亦消。余並無他技。不過審症用藥而已。不若彼等之舍症議藥。明爲陽明實積，而言脾不健運。不用導滯。反用健脾。祇顧其虛。不攻其實。雖屬姑息。適以養奸。明係胃中食滯。而議水濕內停。不通大便。反利前陰。既竭其津。又傷其陰。不特不能治病。反足以增疾。至用調氣以耗氣。破血以傷血。不察病情。妄投亂施。則一誤再誤矣。父老聞言。首肯而退。

陳修園謂瘧疾初起。俱宜小柴胡湯。一日一服。五日必愈。方中柴胡一味。少則四錢。多則八錢等語。余竊過之。夫瘧之種類甚多。有但寒不熱之牡瘧。非辛熱不解。但熱不寒之癉瘧。非甘寒不除。肺素有熱之溫瘧。治宜清解。瘧久不愈。結成痞塊。時發時止之瘧。又宜消痞破堅。均非小柴胡可愈。按小柴胡之用。乃風邪在少陽半表半裏之間。出與陽爭則熱。入與陰爭則寒。用小柴胡以和解之。若溫熱暑濕之瘧。槪以小柴胡治之。其不至僨事者鮮矣。吾且舉例以證之。如余娃其藩。於已巳秋。患瘧疾。先微寒而後發熱。熱則口渴引飲。面紅尿赤。心煩鼻衄。始延醫治。而是醫必係修園一派。即以小柴胡湯全方進之。致成熱渴煩躁。衄血淋漓。是時洲適秋假返舍。其父即召往診。脉來浮數而弦。舌苔微黃。此係夏日暑邪內伏。至秋所發之暑瘧。即內經夏傷於暑。秋必痎瘧是也。擬以青蒿扁豆解暑祛瘧。竹葉甘艸清心除煩。連翹花粉清熱止渴。生地茅根涼血止衄。豆卷木賊透瘧外達。兩劑霍然。夫此症誤以小柴胡治之。則衄流不止。陰血必有立亡之禍。蓋柴胡稟一陽初生之氣。香氣直衝雲霄。善能升陽上達。溫熱之病。少用之尙足貽害。可得重八錢之多乎。蓋陳先生善詆人非。而立言如此偏執。不得謂非智者千慮一失也。

家兄在藏。自甬歸里。感冒外邪。咳嗽頭痛。發熱惡寒。適洲他往。醫以蘇梗半夏陳皮防風桂枝等辛溫之品投之。不意寒邪不解。而反化熱入裏。舌變乾黃。心中煩熱。大渴喜飲。六脉數大。余以葛根竹葉蘆根玉泉散連翹杏仁花粉象貝蔞皮大劑進之。渴止熱退。惟咳嗽不除。胃納不佳。以原方玉泉散竹葉蘆根花粉葛根加桑葉枇杷葉桔梗麥芽二劑而安。按是症既受外邪。何以辛散不去。豈辛散之藥。不宜於風邪。抑外感之症。不可用辛散耶。此又不可不辨也。夫外來之邪。固宜解表。然解表之用。亦有辛涼辛溫之別。醫者不明溫涼。不足以言醫。凡風溫風熱之偏熱者。初起咳嗽頭痛。咽乾口渴。脉來浮數者。辛涼宜之。若風寒寒疫之偏寒者。初起頭痛項强。或一身疼痛。脉來浮緊者。辛溫宜之。二者霄壤。焉可混淆。此症本係風溫之邪。客於肺經。辛涼解表。一藥可愈。今反用溫散蘇桂。以致溫熱愈熾。肺液益傷。火灼金鳴。咳故不已。雖半夏陳皮。爲醫者通套。不知宜於風寒脾濕多痰之人。若風溫肺燥咳嗽者。服之反足戕軀。歷試不爽。嗣後化熱傳裏。故大渴喜飲。舌苔乾黃。熱在中焦。脉來數大。胃火鴟張心中煩熱。邪淩君主。駸駸乎將傳心包也。故先用清胃生津。輕清宣肺。以抑其勢。不致焦頭爛額也。次加化痰開胃。食進咳止。津液漸回。表裏通和。不求止咳而咳自止。不求退熱而熱亦退。俗醫不審病原 只知發熱惡寒。即屬風寒。辛溫解表。執爲一定不易之死法。毋怪其熱熾而增劇也。

## 雜組

# 校友會之前瞻與後顧

景芸芳　賴達五

吾院同學。遙如台吉。邇若吳越。不遠千里而來。觀摩砥礪。志合道同。不幾時而勞燕分飛。天涯地角。旣感星散之苦。復嗟無同堂研究之機。非校友會不足以使感情之聯絡。精神之團結。合羣策羣力。爲校友互通聲氣。而圖母校之發展。使中醫無散沙之譏。學術仍有日新之勢。此爲吾校友所應負之使命而當力行者也。

溯本會創始於十八年秋。第一屆畢業同學。熱心毅力。俱表同情。爲本會建事業。謀基礎。雖在萌牙之期。亦有蒸蒸日上之勢。迨至今夏。第二屆畢業同學。又踴躍參加。會員激增。會基鞏固。前途固方興未艾也。

今秋九月。本會有施診所之設立。蓋有鑒於滬上貧民無力就醫。吾校友各盡濟世之天職。爲社會略盡義務。此爲顧君兆奎黃君彝鼎二校友之發起于前。復有岑君冠華顧君應龍之努力贊成響應之。嘉惠病黎。保全康健頗邀社會隆視。則將來診務發達。經濟充裕。另籌相當會址及辦完全醫院。擴充而廣大之。不特本會之企望。蓋有志竟成。不禁馨香而默祝也。

邇來會中以及校友個人之事業。雖無形形色色可觀。然亦有旭日高升。前程遠大之勢。如馬君師贊之留學東洋。取長補短。吾道定有莫大之貢獻。景君芸芳服務母校。整理藥物。今春且代表母校出席中央國醫館。全國同志咸目爲醫界之花。顧君兆奎與謝君斐予結縭後。創辦夫婦醫室於崑



中国近现代中医药期刊续编·第三辑

山。同心濟世。冠出儕輩。而黃君彛鼎陳君中權岑君冠華葉君秉仁又合組國醫顧問社於滬西。本救世之精神。爲社會作顧問。爲民衆謀幸福。一心一德。益可欽佩。張君友琴問世梓里。楊君澹然懸壺北門。各樹一幟。自成一家。校友之發展。於此可見一斑。

凡人生固可喜。死殊可悲。本校友錢君公白董君學富。甫露頭角。不幸操勞過度。相繼而亡。在其父母固有喪明之慟。在我本會亦有折臂之嘆。言念及之。可痛也夫。

今日母校之同學。即是本會未來之校友。一脉相連。情同手足。凡本會所應改良及應改進之事。猶希諸同學加之指教。則來日本會自有蓬勃可觀之氣象矣。

師長之于學生。猶父母之于兒女。愛之切而望之遠。凡吾同學畢業後。自有相當之發展。非特個人之幸。亦即母校之光。深願諸校友猛鞭前進。不負師長所期望。則幸甚矣。

## 參觀杭州醫藥團體與漫遊西湖追記

二年級 朱殿

杭州中醫藥。素負實際精純之譽。西子湖頭。多卓識超羣之士。爲海內人士所景仰。今春本學院同學有旅杭醫學觀光團之組織。計勾留杭垣一星期。深覺彼地國醫藥界之聯助精神與團體工作。遠非他處所能望其項背。參觀詳察。借鏡資多。餘暇則欣賞明湖勝景。飽覽青山佳處。怡情迭放。逸興遄飛。洵屬快事。今特追而記之。雖然明日黃花。事成過去。但勝情如昨。聊誌鴻痕云耳。

四月二十三日。同學十八人。由教授董柏厓包天白率領。乘午後快車赴杭。下榻於南洋旅社。翌晨。全體團員往湖濱三三醫社謁社長裘吉生先生。蒙接見。備茶點以招待。就席暢論杭地國醫界之趨勢及設備。語多懇切。並導吾儕於該社流覽一週。參觀備至。裘君爲國醫界巨子。熱心創作。有口皆碑。著作頗多。馳譽遐邇。子媳均屬西醫。診察室有二。一中醫部。由裘君自主。一西醫部。即其哲嗣夫婦所任。社內一切陳設。均極雅緻。開窗四矚。湖山若畫。空氣頗佳。調養病軀。於茲爲適。社之剏設。均屬私資。規模如此。實裘君個人之力也。中西並設。有利于病生者非淺。凡或中醫治療無效。而就西醫部診者。必須附帶前方。以資研究。西法無效。得病家同意。治以中法。補偏救弊。惟實際是尚。上午九時前概行施診。以勞工黎明即起。爲便利貧民也。逾時則照章掛號。照例納資。然亦不斤斤。是以頗得社會之信仰。診務倍於從前。平均每日約數百號不等。別有藏書樓一。書約計百數十箱。不下數千種。搜羅今古。蔚然大觀。且多單行古本。家刻亦夥。書盈鄴架。博學多能。不愧爲杏林碩士之本色。繼由國醫公會吳君陪往省救濟院施診所參觀。該所均係中醫服務。是日就診者頗擁。大有山陰道上。應接不暇之勢。尋常每日約有二百餘號。夏季則增倍。花朝日種牛痘者。竟達一千餘人之多。誠開中醫界之新紀錄。治療室分傷寒。濕熱、外、婦、幼、痘、喉、傷、眼、針，等科。有司閽人一。挨次唱號。病者魚貫而入。秩序井然。又有手術室一。用具亦稱完備。配藥室一。規模整肅。空氣光線。亦均適宜。辦事員分頭工作。頗形忙碌。由黃主任招待。導入禮堂。分贈各類狀況表。與考察上之便利。禮堂之東。積有夏季防疫之用具。浙省公共慈善機關之信仰國醫。於此可見一斑。後由藥界代表葉君。邀吾人至國醫公會與藥業公會參觀各部組織。與內部情形。堪稱欽佩。並蒙分贈國產藥品之印刷品多種。繼至中醫專校。因新遷校舍。內部佈置尚未就序。由教務主任方君。領導略爲瀏覽一週。校址極爲寬大。課程頗完備。畢業已十四屆。學生現有百餘十名。蒙贈校刊及浙省醫藥月刊多份。仍由方葉二君。偕至胡慶餘堂。葉種德堂等號。經各該堂等主人接見。導往參觀飲片丸散參燕各部。及製造處。晒台焙箱磨堆刀鏟丸一切用具應有盡省。胡慶餘堂地廣約六十餘畝。職員二百有零。葉種德職員亦近二百。規模之大。爲遐邇冠。二號各設蓄鹿場多處。鹿各有百餘十頭。種德堂猶有標本大虎頭。陳列玻璃橱內。長約六七尺。高約二尺。毛色鮮黃。有黑色條紋間之。金睛閃鑠。宛然如生。此外如全虎骨。大玳瑁。穿山甲等物。悉經寓目。臨行時並承兩藥號各贈丸散膏單數十冊。以分贈各團員。整日奔走。雖形疲倦。而精神頗興奮。蓋杭地醫藥團體之精誠振刷。處處使人欽佩。而尤以醫藥。代表之方葉二君。招待殷殷。爲吾儕作嚮道。謬承青眼不辭辛勞。至今心中猶感銘無既也。翌日。醫藥界有歡宴之籌備。汽車數輛。至旅邸來邀。於是驅車至湖濱三義樓聚餐。中醫專門學校校長范傚文君。亦已蒞臨佇候。龐眉皓首。和靄可親。范翁係浙省名儒。文章道德。譽滿海內。近年對於國醫尤提倡不遺餘力。國醫教育中。如若翁。能有幾人。清高之氣溢於眉宇。與吾董師包師互伸瞻慕之情。大有相見恨晚之概。席間議論風生。對於國醫藥界之前途。頗多發揮與希冀。觥籌交錯。極一時之盛。至下午三時始盡歡而散。自吾儕抵杭後。三日中參觀各醫藥團體。及地方衛生事業等。每人均備有調查表。詳細情形。不喧縷述。總之杭洲醫藥團體精神。與工作之概況。遠勝于他省各縣。雖不能十二分健全。振作。亦可與他處較勝一籌。至第四日吾輩乃作湖上遊。一滌海上數月來齷齪之胸懷。西湖名勝甲天下。山亭水榭。風景天然。而尤以春光駘蕩中。柳堤草閣。更覺撩人。早晨僱小舟兩艇。分乘遊划。微波送槳。山色入湖。寄興於水雲鄉中。誠不知此身尚在人世間也。再泊湖心亭。登臨覽眺。九面烟鬟。四圍山色。全湖妙處。齊在眼前。昔人有云。若把西湖比明月。湖心亭是廣寒宮。此語洵描寫盡致矣。遊覽片刻。相繼登舟。囑舟子划向中山公園。經紀念塔。塔雄立湖心。昂藏有丈夫氣概。俄而抵岸。舍舟登陸。入博物館。參觀一週。在科學室前。見南菁學生旅行團十餘人。晤王家榮君。欣然道故。話別來情況。互傾積愫。明湖遇知己。豈非快事。坐談階石上。小敘即別。彼人係向孤山。我儕去謁岳廟。分路揚鞭。暫時告別。行抵西冷橋。覩蘇小小墓。徘徊瞻覽。感慨系之。紅顏薄命。埋恨千秋。不禁爲美人哭。墓有聯數則。各婉憑弔之詞。循湖濱行。再過有武松墓。風雨亭。鑑湖女俠秋瑾之墓。英烈之氣猶存。兒女英雄並茂。爲湖山生色不少。至岳王廟廟宇軒昂。懸聯滿目。敬仰之心。油然而生。武穆之精忠報國。實爲千古忠臣義士之濫觴。今乃身臨廟宇。將軍之英氣珊然。討逆之旌旗可想。鞠躬六拜。表示敬忱。旁有岳王墳。焚香祭拜者。絡續不絕。墓前有秦檜張浚等六人鉄像。任人唾罵。俯首不言。雖貼有此處不准小便數字之條。然兒頑身首。仍有尿流。磚木石棍。努力敲擊。以武裝同志爲最激烈。奸兒作惡。眞遺臭萬年矣。岳王廟聯有有句云「盡忠兩字。爲中國魂。看近年外患迭生。繼起英雄。誰秉箴遺襄大業。」讀之令人喟然長嘆。國事蜩螗。中原板蕩。處此危急存亡之秋。安能起武穆於地下一挽狂瀾耶。翌日。天公不美。細雨如絲。同學均欣然色喜。謂青山綠水。在煙雨濛濛中。別有一番饒趣。教授董柏厓先生笑謂吾儕曰。今日載興游湖。須邀歡伯同往。開我懷抱。豁我胸襟。一滌數月來之塵俗。當此滿湖煙雨。勝景清幽。一覩煙霧中之美人。西子有知。亦當笑我。遂囑舟子買酒兩瓶。菜數包。解維出發。微雨濛濛。青山雲籠。此中景象。有非畫圖所能描寫盡致者。嘆觀止焉。把酒談天。狂歌擊節。舟中無酒杯。盛酒以湖濱所購之小缽頭代之。包劍夫君酒量頗豪。船過西泠橋。白眼青天。痛飲一缽。於是同學西湖詩中曾有「蘇小墳前一缽頭之句」即吟此事也。弄棹至三潭印月。離舟登岸。入亭遊覽。水亭曲榭。佈置天然。內有照相館。綠鬢青眸之少女。多就此明湖勝地。鴻雪留痕。各處懸聯甚多。不暇細錄。余最愛俞曲園先生一聯云。「記故鄉亦有仙潭。看一樣湖光。添得石橋長九曲。至此地宜邀明月。問誰家秋思。吹殘玉笛到三更。」最爲工巧。下船環亭弄棹。近三潭。潭形入湖。倘載月來遊。尤有妙處。再過至花港觀魚。入高莊。至靜慈寺。覩濟公佛。佛前有古井。老僧繫燈下照。有一粗大之木。露於水面。據云。此即當年濟顛僧井中抽木。造屋之古蹟也。事屬離奇。實難深信。時已傍午。蕩舟至樓外樓午餐。飯後舟至館橋。抵孤山。登放鶴亭。背山面水。風景甚佳。亭後有林處士墓。梅枝紛擁。綠遍山林。昂首遙望。看西湖雨色。爲生平所罕見。東坡云。西湖雨亦奇。信夫。山下有馮小青墓。墓前有貞心洵若孤山靜。佳話今回處士傳之聯。內多遊人題筆。詩詞縱橫。煞是好看。同學王君係多情種子。墓前誦「卿須憐我我憐卿」之句。余笑曰。對小青墓而誦小青詩。君眞可人兒矣。余亦戲讀「人間只有癡於我。豈獨傷心是小青」一相對大笑。數十步外有一雲亭。與放鶴亭較小。亦多名人題句。琳瑯滿目。美不勝收。比上船。囑舟子搖過木橋。與二三同學上保俶塔。雄山聳主。階級有三百餘層。登峯造極。

身漸覺倦。山上有洋房一座。為夏日避暑所用。旁屋有守戶之人居住。乃相隨入山洞。曲曲灣灣。靡費周折。登高長嘯。碧水青山。齊收眼底。六橋烟柳。湖畔遊人。衣稀隱約。人豆而馬寸耳。下山乘原舟返掉。至旅邸身頗覺倦。稍憩即寢。越日晨。與同學十餘人。乘公共汽車至靈隱。（由岳王廟乘車。每位須大洋一角六分。較滬上價昂。）靈隱寺廟宇廣大。山峯挺秀對面飛來峯。昂然獨立。山洞石壁之佛像。大小齊有。焚香之人。頗形熱鬧。乃坐三生石上。稍息。時已及午購糉子數只充飢。同學中有倡言赴天竺一遊。再步行至龍井虎跑等地。一探青山深處。遂各乘人力車。抵上天竺。男女焚香者。比比皆是。而沿途跪拜索錢者。幾有五步一岡之概。年老殘廢者居多。風景以上天竺為最佳。廟依山立。香火極盛。亦勝地也。此處離龍井有十三四里之遙。山路不能車行。乃安步而走。泉水之聲。清幽動聽。山景奇突。人行其中。恍如世外。幾疑身入桃源。愈達妙境。初不自知也。至仰峯亭。四面環山。亭前有清泉一。水潺潺然。余與王君脫鞋坐石上。清流濯足。胸懷頓豁。無可名言。循山徑行。遙見獅子嶺。俄而玉龍井製茶總廠。入內參觀。廠在獅子嶺上。規模甚大。全體職工。有一百五十餘人。鍋有四十只。尋常每日出茶百餘斤。今年因茶葉欠收。出產減半。臨行時並蒙贈茶少許。折而下行。至龍泉寺。（在胡公廟內）係一石龍。口噴泉水於潭內。水清如鏡。中有小魚數條。遊行水面。一一可數。山僧捧茶來。清香可口。遂在亭內稍憩。臨去給茶資數角。並詳詢老龍井地址而別。一路山村女兒。短衣窄袖。坐田間採茶。詢是一幅妙圖。抵翁家山。老龍井在焉。觀覽一周。至行至陰陽洞。樂水洞。石屋洞等處。遍尋妙境。樂而忘返。竟不覺倦怠。翻山越嶺。至虎跑寺已下午二時許矣。入內觀虎跑泉。臨流瞻眺。風景別見不同。閣中有乾隆御碑。名人手筆多種。遊人鞭絲帽影。往來不絕。流覽一小時。即與諸同學趁公共汽車回旅邸。翌日清晨。乃乘早車返滬焉。

# 討日本文

一年級 沈玉笙

我國自甲午敗衂。民族之魂蹙。而倭冠之燄日張。東北三省。地大物博。蘊藏之富。天下莫之競。爲主人者棄而不顧。遂轉爲鄰冠所垂涎。藉其金錢。吸取我脂膏。展其武力。凌蔑我主權。鷹眈虎視。亟亟圖逐其侵略之野心。東北良民。呻吟縲絏之中。晼轉鉄蹄之下。蓋已數十年於茲矣。乃者我國當局。已漸曉其陰謀。燭其奸宄。於是奮起振作。以謀自救。實業之開發也。交通之促進也。在在予帝國主義者以重大打擊。帝國主義者懼。知經濟之競爭不克勝我。則憑藉其武力從事阻撓。必欲根本消滅我之建設能力始已。夫主權國在其領土內敷築鉄路。啓發實業。乃理所當然。豈容他人置喙。日本縱欲保持其經濟勢力。亦當從容緩商。以求正當之解決。庶不背國際親善之原則。而彼邦陰險兇很之軍閥實未足語於此。大利所在。猙獰畢露。兇鋒一逞於萬寶山再逞於朝鮮。黃帝之胄。無辜遭難者數千。公道人權。毀滅無餘。天下沸騰。方冀藉公理以制裁之。而不圖於九月十八之夜。以大隊武裝兵士襲我瀋陽。繼於由日佔我吉長遼洮。各要地。黃帝之胄。無辜遭難者。又以萬計。遼河血染。曾生殺予奪之不足。又復轉鋒北犯。逼走我馬占山將軍。侵入齊齊哈爾而襲中東路。從此東北三省。全部淪亡。竭我全國上下奔走號呼之力。曾不足以稍戢其兇厲。猶復諱殺人自衛。責我方以保僑。狡很恣肆。傲晲國際間。玩我國於股掌之上。可恨孰甚者哉。

嗚呼。二十世紀非所謂文明人道之時代耶。歐戰而後。世界人類所希冀。列國政治家所標榜者。非正義和平之音耶。以維持國際和平爲職志之國際聯盟。日本非會員之一耶。九國公約。非戰公約。非日本所簽字耶。曰敦睦中日邦交。曰維持東亞和平。非彼邦外交代表歷次之宣言耶。何言行之相反。至於斯極耶。何冒天下之大不韙。而無所忌憚耶。吾知之矣。今日之世。力而已矣。猛獸擇人而噬。强梁伏路而刼。使君子向之談揖讓。行見其不旋踵而身亡貨失。是故强權卽公理。君子之遇猛獸强梁。非力足以撲殺之。不足以言公理。

東北於三數日內喪亡最高長官「無抵抗」三字令之下。世界譁然。國體蒙羞。今者冠謀我日急。公道之門。呼籲無靈。此時舍全民一致奮起。武裝自衞外。再無自存之路。衆志如山。振我華魂。拼我肝腦。掃茲陰翳。爲民族生存。國家人格而戰。義不返顧。爲世界和平。人類正義而戰。理直氣壯。他日長白山邊。看公道與惡魔。拼命搏戰於烟火彈丸之下。願全國志士。投袂速起。共赴疆場

沈玉笙作於一九三一十一末日

# 別戀——獻給本級同學

二屆畢業 書麟

明媚底春光垂暮了。瞬息地過去了。杜鵑聲聲地催吾們歸去。同時夏風微微地吹來。大自然底一切。都抱了嚴壯氣象。葱鬱而繁茂的樹木。佈滿了大地。蔚藍色底天空。常常襯着幾片潔白底浮雲。那赫羲的司令。照耀着吾們底頭上。這是表示夏天特有風味的當兒。但是。唉。吾們底別離。就在目前。就在頃刻了。

別離別離。黯然銷魂底別離。在吾們短促的四年中。雖然小別了七次。可是都有重聚的時機。但是這次的別離。也可算是最後的別離。和以前的暫別。是不能用同等的眼光去看待。恐怕海角天隅。就此各別。再沒有重聚的希望了。同學的親密講貫。教師的熱心。教誨。數載攻勵的母校。和千里一遇的上海。怎叫吾們毫不留戀。怎叫吾們不清淚闌干。

回憶四年前的第一年。吾們由認識而交朋友。不能不說吾們的僥倖。又不能不感謝心境的介紹。吾們能夠不遠千而里來相聚。成爲契交。是多麼不容易的事情。既然這樣的不容易。而無情的時間。又把短短的四年匆促地帶走。唉。以前的。過去的。夢也似的往事。當吾們回憶起來。怎又不知如何的慨嘆。

當吾們在第一期大家會面的時候。還記在新秋的一夜吧。那銀河和芒星照着。秋蟬和紡織四面唱着快樂之歌。吾們沈寂的母校。驀然地充滿了許多異樣的口音。不同的服色。和陌生的朋友。在和對方通款曲的羞態。及言語不通時呆視的種種愉快印象。是何等地有趣。燦爛。現在離歌一唱

。勞燕分飛。歡樂的逝了。悲哀的臨了。吾的心境。不知怎樣突然起了酸性和辣性的作用。在沒有別的以前。似乎有許多貢獻諸君的話。但是到了臨別的當兒千頭萬緒。不曉得從何說起。只好把學問和良心的固有情形。來敬獻幾句。換句話。就是我送給諸位的小小禮物。這總算吾們不幸了。眞不幸得很。不幸生在這生產落後的中國。又值此中產階級崩潰最激烈的時期。使許多有作有爲的青年。大都無良好的教育。和發展天才。就商。就農只得鬱鬱地柔聲吞氣。家境清貧。更不堪設想。吾們眞不幸得很。不幸生在這中西醫藥冰炭的世界。又值此沒有第三者的人物來砥柱中流。雖然經過許多國醫同人的幾番波折。但總沒有澈底的成績。這大半是吾們國醫有許多老朽的積習太深緣故。但是也不能不感國醫同人的努力熱心。又不能不深謝母院創辦人的改造培植。又應該吾們自己用思想和力量來奮鬥。更應該勸同道者氣火勿太旺。而不自量力。彼此改成無謂的爭奪和話柄。於是吾們數千年來不更的醫藥精神。可以長久的永在。同時混濁的空氣也可亟極的澄清。各盡自己的力量好了。要知有一分的熱。才多發一分的光。沒有做大事。就做小事。歷觀古今偉大的人物。沒有不由做小事而做大事的啊。這是我衷心熱淚敬獻諸位的幾句話。

別了。別了。眞的別了。

前途珍重。努力奮鬥。

再會。再會。再會了。

## 答友人問病

四年級 章鶴年

新產氣血兩虛。營衛有偏勝。見「寒熱」不能斷其爲外感風寒也。咳因氣逆。該婦「咳」見於悲後。痛哭氣亦逆。或當哭嗆風。或產前素有濕痰。復感新涼均能致咳。亦不能遽斷其因於風寒也。即或產後寒熱咳嗽之屬於風寒。亦當變其常法。況在夏秋之交。殘暑未消。玄府開張之時。尤當遠辛溫發散之品。來函請甲醫用羌防等味。然藥量之輕重。症象之詳細。及病已何時。均未詳明。固不能武斷其爲誤。然細察其藥後現象。不無懷疑之處。「大汗至腹不至足」虛也。非羌防辛溫發散所宜也。「神昏」過汗陽冒於上也。「氣喘」過汗傷氣也。「四肢痛」汗傷裏陰也。似犯古訓虛虛之戒。猶幸藜藿之軀。未成新產三大症。實屬僥倖。至若「頭空眩寒熱不欲食」乃新產恆見之虛象。惟「咳吐膠痰」或由體素多濕所致。「苔白脈虛。」並非逆象。乙醫治以「宣肺滌痰。和營補血。」當中肯棨。故服後有「寒止熱輕。神清咳稀」之效。「面浮」亦隨之而退者。肺氣順而氣不上逆也。刻下「足漸腫。不欲食。氣喘肢痛。」仍然未解。鄙見乃脾腎兩虛之故。蓋胃司納食。脾主消磨。脾虛則消化不良。而胃呆不欲食。至於喘乃呼吸不勻。呼吸之成因。肺司呼而腎主吸。爲人身生理之自然作用。今產後元氣既虛。復被辛溫過汗之劑發泄其眞氣。則藏於腎臟之先天元氣被傷。失吸納之原動力。則氣壅於肺而上逆。是以呼長吸短而成喘。「肢痛」乃過汗傷陰。陰血傷而失榮之故。「足漸腫」者。足爲四肢一部份。脾主四肢。足又爲陰經起始之地。太陰脾土。少陰腎水。土水有相互爲用之妙。脾虛不能制水。腎虛不能行水。產後脾腎兩虛。四肢見腫者。亦屬恆有。且氣虛亦能致腫。其辨別之法，以手按腫處。隨手而起。如囊裹水之狀者爲水。若時腫時消。此屬氣虛。據是症而論。產後血已虛。再察其所經之過程及現狀。概可想見。當屬氣虛而腫無疑。法擬脾腎雙補以壯元氣。方用參耆補氣。歸芎補血。熟地附子以補腎。朮半健脾而化痰。甘草和中。陳皮理氣。車前澤瀉。行水而不傷陰。再參少量之炮薑。溫煦中宮兼能去瘀生新。又能引血藥入氣而生血。有調理氣血之妙。是否有當。尙乞指正。方附後。

潞黨參三錢 酒炒　當歸三錢　於潛朮二錢　黃耆三錢 酒炒　白芍三錢　炙甘艸六分　宋半夏二錢　陳皮錢半

熟地三錢　熟附子錢半　澤瀉錢半　車前子包錢半　炮薑炭六分

## 別江陰望江樓道來上人

二年級　朱殿

偶經山寺踏高樓。掃地焚香禪味幽。今夜撩人塵夢處。滿江煙雨一孤舟。
最是銷魂別後時。秋來何處寄相思。那堪望斷雲深裏。天遠城高雁獨馳。

一年級 陶蘊崑

## 貴陽賤陰

陽化陰從理頗詳。探求微妙孰稱長。時醫惡習偏陰藥。那識持生要貴陽。
病理深談氣血詳。幾曾一字涉荒唐。西醫不解陰陽義。徒執皮毛說短長。

二年級 陳家陣

## 小鳥

天生一副可憐姿。婉轉逡巡鏡畔時。正是羽毛未豐美。棲身何必羡高枝。

一年級 李彩華

## 南京歸來

(一)

豺狼倭賊太橫行 怒髮衝冠氣不平 拼把頭顱輕一擲 白門何處請長纓

(二)

冷落天涯泣楚囚 如煙如夢總悠悠 兒郎氣奪將軍醉 國事還憑異族謀

(三)

請纓幾度叩軍門 眼不逢青語不溫 我有倚天長劍在 抽來能壯國民魂

(四)

一腔熱血舟寒流 掩淚匆匆出石頭 猶願籌邊諸將士 暫因風雨念同舟

十、十一、作於中國醫學院自修室

## 吊黑省陣亡將士

二年級　魏平孫

憤懣塡膺爲國亡。丹心碧血照殘陽。雄魂莫作捐軀怨。勇氣猶存失地傷。千古留傳名姓重。往來經過骨頭香。羣英後起追前跡。滅盡倭奴盪恨腸。

對日自警

嫩水橋邊賊馬嘶。黑龍江上景光悽。華兒齊作雞鳴舞。日在東方沒在西。

倭賊無端虎視來。豈因華夏乏雄才。民心一致衝冠起。宰取奴頭作酒杯。

揮刀躍馬男兒志。投筆從戎效漢超。願掬忠忱報祖國。斬奴血濺嫩江橋。

倭奴強佔我山河。險似悠悠赴燭蛾。豪士不知亡國恨。隔樓猶唱繞梁歌。

## 詠紅鷄冠花

壽康

不共上林占洛陽。後庭獨自冠羣芳。雖無香韻隨風送。儘有嫣紅鬬晚粧。金鳳嬌羞常婢妾。錦鷄寵愛侍君王。隔江商女焉知恨。腸斷秋風哭海棠。

干紅萬紫鬬芳菲。環列瑤階拱翠微。莫說花開嫌色冶。非關酒醉始顏緋。臨風曼舞羞紅渠。侵曉雄聲達紫徽。留爾西風餐液露。孳孳舜跖念幾希。

## 無題

二年級　史敏言

長夜曙光一線。
突然地破曉。
殘冬示我以憔悴。

朝霞盡牠的苦惱。
寒風徹骨。
驚動我心苗。
彷徨的思潮。
終夜湧滔。
疲乏也不見得十分。
只是心弦狂跳。

★　★　★　★　★

回想起甜美的炎夏。
早早暮暮。
熱情與擁抱。
婉媚的雙頰。
荷花相映照。
嬝嫵的聲笑。
麗鶯伴歌蹈。
霎那間。
熱烈的情意離別了。

★　★　★　★　★

曙光啊。
你愛憐我這異鄉的飄泊者麼。
請你告訴我。親愛的她——依然。

## 和平之夢

史敏言

夜鶯在樹梢垂淚。
花朵在枝頭飲泣。
整個的大地長嘆息。
他纏綿在黑暗之中。
給一切夜之煩悶沉醉了。
他睡在「和平之夢」的懷抱裏。
甜美的微笑。

★ ★ ★ ★ ★

他夢見。
肉膊與鐵血。
戰勝了大地的一切。
他夢見。
人道與公德。
打破了秘神之門。
和平之大氣。
充滿在他夢的境遇裏。

## 藥名文虎

二屆畢業 書麟

一　顧目無親（生地）
二　三千紛黛胥紅多（守宮）
三　跳樑小醜居然也有壓寨夫人（鼠婦）
四　與韓荆州書（白信）
五　後遊赤壁（蘇子熟地）
六　趙雲過江奪阿斗（常山、鯽、使君子、獨活）
七　外國人糧食（粟糊）
八　南柯一枕聊作充饑（黃粱米）
九　伯道興悲（相思子）
十　神經所不屆（血餘指甲）
十一　足進而趦趄（羊躑躅）
十二　如來掌上玉芙蓉（佛手花）
十三　新剃鷄頭自芬（乳香）
十四　黑面和尚（密佗僧）
十五　膨脹（大腹皮）
十六　想吃米田共（狗腦）
十七　任他霜雪不低頭（忍冬藤）
十八　斷獄如神（決明）
十九　今日不成服（明天麻）
二十　雪（天花粉）
二十一　夏不饑（禹餘糧）

二十二　花姑子（香麞）
二十三　烏合之衆（草寇）
二十四　行不得也哥哥（滑石）
二十五　不俟著蔡（預知子）
二十六　神農（百藥祖）探幽燭怪（犀角）
二十七　杜鵑紅（子規血）
二十八　抗手李白（杜仲）
二十九　蔦蘿（兔絲子）
三十　綠林翘楚（盜冠草）
三十一　脫我戰時袍穿我舊時裳衫（木蘭皮）
三十二　爆竹聲（華撥）
三十三　外國人兒子（粉底格）（西洋參）
三十四　盤腸產（粉底格）（苦參）

劑名

一　未可贖刑（金不換）
二　醍醐灌頂（甘露飲）

古聖書

一　仲景施診掛號簿（聖濟總錄）
二　百年沈痾一旦而起（萬病回春）
三　與黃帝之言相彷彿（類經）
四　取彼之有餘彌補我之不足舍我之短吸引彼之長（中西匯通）

古名醫

一　滿江紅（朱丹溪）

二　搜羅骨董（陳藏器王好古）

近名醫

一　晉饑（秦之濟）

二　椿樹翠商岡（嚴蒼山）

三　雞聲唱曉（包天白）

四　丹溪做壽（朱南山）

## 附本院第一屆畢業校友概況（依姓字筆劃多少爲序）

| 姓名 | 籍貫 | 概況 |
|---|---|---|
| 汪汝椿 | 青浦 | 返里懸壺因診繁務忙音問久疏近況諒佳勝也 |
| 邵家驪 | 楊州 | 服務上海中一醫院並任衞生報編輯 |
| 吳國鈞 | 無錫 | 從師深造刻已懸壺問世矣 |
| 余鳳智 | 廣東 | 懸壺海上推銷國藥並任前全國醫藥總聯合會監察委員 |
| 姚錫韓 | 永康 | 入瞿直甫醫院精研泰西學術兹者術操中西乃又服務母校教授並集合同志創賽韓中西合組醫院於滬北出其所學嘉惠病黎匪淺鮮也 |
| 徐人龍 | 嘉定 | 從名師遊現已懸壺梓里生涯不惡 |
| 陳中權 | 崑山 | 從師一載並任母校教授一年及第二期校友會委員刻正出其所學集合同志共創國醫顧問社於滬西 |

| | | |
|---|---|---|
| 馬師贊 | 廣東 | 素抱匯通中西醫之志乃自本院畢業後卽東渡扶桑考入帝國醫科大學他日學成歸國術擅中西於吾道必大有貢獻也 |
| 張友琴 | 川沙 | 任母校駐院醫士者一年任敎授者二年又爲本院第二期校友會常務委員近因襄承祖業已於今春辭職歸里懸壺爲桑梓造福 |
| 張漢傑 | 南匯 | 張校友係浦東祝家橋九代瘋科之後裔在本院畢業後適尊翁謝世乃卽懸壺故鄉繼承祖業現瘋科診務更爲發達云 |
| 許華耕 | 宜興 | 懸壺宜興活人頗多 |
| 黃彝鼎 | 江陰 | 從名師實習以求深造並在華隆醫院担任診務一載近爲救濟社會人羣起見乃與陳同學等創辦國醫顧問社藉展抱負 |
| 景芸芳 | 太倉 | 連年任母校藥物敎授兼任中國醫院醫務家庭醫學顧問社第一分社主任曾爲本校友會第一二期常務委員會春代表母校出席中央國醫館後芳名更譟譽爲國醫之花云 |
| 錢公白 | 奉賢 | 合同志創設醫院於滬北甫露頭角詎操勞過度遂患吐血賫志以終嗚呼哀哉 |
| 謝斐予 | 武進 | 謝女士曾任母校附設醫院醫士半年又爲本校第一期委員自與顧君結褵後遂懸壺崑山同志濟世 |
| 韓國鏞 | 海門 | 創設醫院於滬上成績甚佳 |
| 顧兆奎 | 崑山 | 曾任母校敎授半年及第一期校友會委員去歲與謝同學結婚後卽創夫婦醫室於崑山 |
| 顧應龍 | 川沙 | 懸壺滬城兼任水木公所施診處醫務有年 |

# 第二屆畢業同學通信處

| 姓名 | 性別 | 籍貫 | 年齡 | 通信處 |
| --- | --- | --- | --- | --- |
| 方毓麒 | 男 | 浙江蘭谿 | 十九 | 浙江龍游大南門 |
| 方逢道 | 男 | 福建建甌 | 廿七 | 福建建甌府前號 |
| 王孟圓 | 男 | 江蘇松江 | 廿一 | 松江東門東明廠三七號 |
| 史學海 | 男 | 江蘇溧陽 | 廿三 | 溧陽黃裕大號轉 |
| 辛元凱 | 男 | 吉林 | 廿四 | 吉林省城西關前新街辛宅 |
| 岑冠華 | 男 | 浙江餘姚 | 廿一 | 上海赫德路電車公司對過葆生堂 |
| 沈逢介 | 男 | 江蘇上海 | 廿一 | 上海浦東三林塘三山堂國醫號 |
| 季荐朋 | 男 | 江蘇阜寧 | 廿六 | 阜甯西新溝鎮季合興 |
| 胡樹柏 | 女 | 江蘇嘉定 | 二十 | 上海南市豆市街厚德里四號 |
| 姚汝元 | 男 | 江蘇無錫 | 二十 | 無錫陳墅德茂暢號 |
| 高崙 | 男 | 吉林 | 廿二 | 吉林省城粮米行成德堂藥店 |
| 徐梓材 | 男 | 江蘇寶山 | 廿二 | 上海戈登路七一三號半 |
| 唐景熙 | 男 | 江蘇上海 | 十八 | 上海老北門內晏海路一五三號 |
| 商復漢 | 男 | 浙江淳安 | 廿一 | 淳安縣縣前街七號 |
| 傅永昌 | 男 | 江蘇上海 | 廿一 | 上海老縣基路後傳家街四十四號衡廬 |
| 楊忠信 | 男 | 福建泉州 | 廿三 | 泉州城內楊家園內 |
| 楊隱盦 | 男 | 江蘇南匯 | 廿一 | 上海半淞園起正豐里二號 |
| 程金麟 | 男 | 江蘇溧陽 | 廿二 | 溧陽經史館巷 |
| 董學富 | 男 | 浙江鎮海 | 廿一 | 新閘路大通路斯文里一二三九號 |
| 賴達五 | 男 | 浙江甯海 | 廿一 | 甯波寧象輪局轉寧海雙港何斌三交 |
| 葉炳成 | 男 | 江蘇江陰 | 廿二 | 無錫華墅 |
| 葉瑞鼎 | 男 | 福建南安 | 廿六 | 廈門泉州詩山社壇鄉 |
| 劉壽康 | 男 | 江蘇無錫 | 廿一 | 上海南市高昌廟半淞園路劉養和藥號 |
| 鄭俊 | 男 | 江蘇常熟 | 廿六 | 上海徐家匯徐虹路八十六號同裕繡花公司 |

## 編輯委員會題名




中華民國二十年十二月十五日

現代國醫

第八期　實洋二角

編輯者　編輯委員會

出版者　上海市國醫公會　上海南京路南香粉弄八十八號

發行者　上海市國醫公會　上海山東路南帶鉤橋十三號

寄售處　上海中醫書局　上海西藏路西羊關弄五〇三號

中國醫藥書局

印刷者　華豐印刷鑄字所

每月刊

# 現代國醫

第二卷第三期

中華民國二十一年一月

上海市國醫公會編輯印行

發行 上海南京路香粉弄八十八號

# 編者小言

（伯未）

凡事能剔除私見。依照公理。忍耐行之。未有不收優美之結果。本刊不含派別。尤不願以私見抨擊同道。而銷數日增。此其一。災民收容所施症部。本仁心主張。竭力救護。而就診者較西醫特多。此其二。蓋欲以私見迷惑衆人。爲決不能之事。而社會制裁。實勝於法律也。

本刊既爲上海市國醫之言論機關。對於同道之建議。自應儘量采納。此次夏同春君之提議添闢醫藥顧問欄。不特使同道收切磋之益。抑且使社會人士多一健康保障。尤見瘝痌在抱之仁心。除即自本期實行外。希望同仁。各抒偉見。同時並盼詢問者。務將經過現狀。盡情詳錄。無厭繁瑣。

本會設立之中國醫學院。院務方面。日見發展。學生成績。亦覺斐然可觀。本刊除已出中國醫學院專號外。並擬出一講義專號。以資就正於社會。特此預誌。

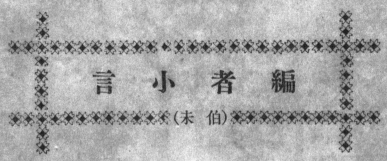

# 現代國醫第二卷第三期目次

## 醫事雜評

國醫界之義勇軍……李定沐
論國醫之治療鎗彈術……傅雍言
災民收容所之中西醫觀……傅雍言

## 言論

中央國醫館與振興中醫藥具體方案……俞大同
發揚國醫之八大方案……周禹錫等
醫家之道德等……龔霖霏

## 專著

五法大旨……丁仲英
診病奇侅……松井操譯

## 學說

血症要略……馮紹蘧
外感別論……傅雍言

微生物與六淫之邪究孰爲病源說……黃麗春
記中醫之外科治療……商智
金匱杏子湯方論……楊野鶴
痳黃與愛非特林……沈一星
胎兒轉身之我見……李健頤
辨症芻言……夏同春
通俗育兒談……秦又安
醫案
尤在涇晚年醫案……盛心如錄
澄齋醫案……謝利恆
膏方醫案……秦伯未
會務記載
醫訊
醫藥顧問
補白

## 醫事雜評

### 國醫界之義勇軍 李定沐

日本以暴力蹂躪我人民。踐踏我土地。凡血性之士。莫不奮臂而起。願決一死戰。本會所辦之中國醫學院義勇軍亦乘時崛起。當其第一次受檢閱於公共體育場。大雨滂沱。衣冠盡濕。泥漿濺佈。奔走不怯。各大學多數缺席。而該院旗幟。獨飃颺於場上。亦壯矣

夫吾中醫之有學校。僅二十年內事。有軍事訓練。僅三四年內事。義勇軍之組織。則此為第一次。在社會人士。以為中醫多守舊。缺少奮發有為之精神。今觀該院青年。不特可發民氣。抑可為國醫揚眉吐氣。况李彩華君之辭家從軍(事見本刊第六期)更何減班定遠當年投筆氣概。是不可不記。而不能使吾無言

抑有進者。義勇軍之組織。出於人民志願救國。不待法律規定徵兵。而民先政府之命令而以身先之也。國醫處此風雨飄搖之中。亦非自動振作。不能存在。故我國醫青年。既犧牲其精神。盡國民之天責。尤望本救國不忘讀書之旨。刻苦自勵。以冀國醫文化。同時進展。一方面以鐵血救國。一方面以學術救國。庶前途之勝利當更無量。而吾國醫義勇軍所負之責任。尤為重大。不待言矣。

### 論國醫之治療鎗彈術 傅雍言

嗚呼。國醫於歷代向有之病。得於學理經驗可攷外。不能集合全國專長人才。積極闡明。倘為阻止進步坐失勢力之一大癥結歟。近百年來。政府效法歐美。利用鎗炮。國家但有鑄造殺人之利器。而於治療鎗彈一科。未聞加以研究。國醫界亦坐視西醫之宰割不思加以匡救其一例也。今者聞廣西有一部份發明。能取出於肢

體。毋須鋸割。而對於腹內損壞。如何接補。尚屬未全。夫信有此專長之絕技。政府亟宜宣揚。完成其術。政府卽不宣揚。醫界亦宜研究。以資深造。不待言矣。然而政府醫界。不聞有奬勵重視之。其不欲國人之發明歟。抑以爲西醫已足恃歟。誠大惑而不解者也。古稱隨營醫生。名曰郎中。今則軍官惟知西醫。西醫祇仗軍官。不顧全國遍地人民。仍仰國醫去病謀生。以致再三鼓吹。取締中醫。衛生部不令列席。指摘內經。暢銷西藥。一如日本之明治時代。攷其實際。無非假鎗彈科而得勢。仗軍官力而作威。是故現代國醫。雖有數十萬行道之人。千餘萬賴醫藥而活者。無一敢抵抗之。嗚呼。然則現代國醫欲長足進步。擴張勢力。必於固有之傷科金創科外。獨立鎗彈一科。始有國醫置喙之餘地也歟。

## 災民收容所之中西醫觀

傅雍言

人莫不喜新而厭舊。吾中醫具四千年之歷史。其爲陳舊。無可諱言。然而病人未聞以舊而見棄也。何以證之。證之於最近之上海閘北第一水災收容所。凡不論男女老幼。進此所者。必經西醫防疫之針。不驗有無菌毒。亦不消毒器械。曾有災民。哭求免針而不可。願領妻女離此收容而餓死者。亦有患病。不甘服西藥欲强予之。則解帶將自縊者。及至本會國醫部組織完備。西醫方面幾無顧問。乃延聘外僑醫生。一見病人。竟用拉夫手叚。詎知益不願治。竟至死亡日多。然後社會方面。各慈善團。知國醫尚有可存之價値。但當事人不敢公然露佈報紙。夫本會之加入施醫。非欲炫長也。亦非欲與西醫爭一日之長也。迫於事實上不忍見無數哀鴻之呻吟也而不謂西醫所仇視爲陳舊不堪用者。竟受人之歡迎如此。其成績之超越又若是。故曰。凡事憑事實。是非自有世評。

# 言論

## 中央國醫館與振興中醫藥具體方案

俞大同

▲中央國醫館之任務

昔人有言。不志其大。雖多奚爲。斯雖常譚。然可爲國醫館之任務言之。吾國醫學。數千年來。因人自爲師之故。致學無統系。理無歸宿。語其現象。幾無日不在散沙亂石中。近雖設有學校。但於課程與教授上。或主守舊。或主兼新。紛紜聚訟。亦漫無標準。循是以往。微特欲謀振興之不可必。卽欲保其不就衰退。不可得矣。竊謂國醫館設立之宗旨。原不外謀舉吾國醫學之墜緒。將扶植而振興之。然可譬之一人。其心術原欲救人。而其施用方法。是否能救人。則又係另一問題焉。故國醫館。名雖爲振興中醫學。假其所取之途徑與規劃。不能從遠處着眼。大處入手。則其所得。必不足以慊喁喁之望。而完成其所負之使命。可斷言也。今爲國醫館計。可將各省分館。暫行緩辦。先設法集中全國之人材與經濟。以厚實力。而謀進行。倘所謂事半功倍者。意在斯乎。意在斯乎。

▲振興中醫藥宜由中央國醫館領導進行

吾國醫學。以從來不知措具體之方法。謀普遍之發展。聽其自生自滅。致日就衰微。良堪浩歎。近國人雖稍知振起。競設學校。然不有充厚之實力。於施教設備。不免無簡陋之虞。而鮮猛進之望。故欲臻中醫藥事業於發揚光大之域。非集全國之力以共赴之不可。欲集全國之力。則非先謀全國醫藥兩界有系統合組之團體不可。欲謀全國醫藥兩界有系統合組之團體。則非由國醫館領導之責成之不可。不然。如現下各地醫藥界。所立社會之名稱既異。而奴主之意見遂偏。遇事猜忌。彼此掣肘。不特無合作之便利。轉爲進行之障礙。前途茫茫。殊難樂觀。今幸中央有國醫館之剏設。而予素所主張之有系統的組織之全國醫藥總會。庶可得國醫館之領導而責成之。如全國醫藥總會。一經成立。便可使全國醫藥兩界。聯爲一氣。爲振興中醫藥之樞機。集中全國之人材與經濟。設立大規模之醫藥校。爲整軍經武之大本營。約言之。其步驟可分四種。一組織全國醫藥總會。二由全國醫藥總會徵集款項。三興辦大規模之藥學校。四整理藥務。茲就管見所及。縷述如下。

▲全國醫藥總會組織法

年來國內各地醫藥會。經先後設立者甚多。在上海有中華醫會。神州醫會。中醫學會等。推其宗旨。雖殊途同歸。惟其會員。皆散遍全國。且有入於彼而復入於此者。紛紜錯雜。莫此爲甚。外如前全國醫藥團體總聯合會之設。其初意亦不可爲不善。但以先有總會而後有支會分會。其組織上。要亦欠健全而乏系統。故各地多存觀望。難收一致之效。至全國藥業。雖與醫界關切最深。但向自爲謀。自立團體。不與醫界聯合。此種情形。亦決非在急圖振興中醫藥事業之下。所宜有。蓋往古醫家。藥由自採。入後醫不備藥。始別爲一業。然其相需相依之殷。仍永爲不可避免之事實。而有合作之必要。假藥業不助醫界協謀振興。自以爲不致消滅。實屬大謬。蓋藥業採備各藥。全恃醫爲之用。彼西醫日進無疆。而我不進則退耳。人進我退。久之又久。欲不消滅。其可得耶。況醫界之所以謀振興者。非如藥業之切要。不過既爲軒歧信徒。明知吾中醫學之有價值。不忍見其淪亡耳。故吾以爲不欲振興中醫藥則已。如欲振興。則宜由醫藥兩界。切實合作。組織全國有系統之團體。以縣爲基本地位。凡醫藥兩界。在何縣營業者。卽須入何縣醫藥會。其法。可由國醫館通告全國。遵照組織。先由各縣各自設立縣醫藥會。復由全省各縣醫藥會。推選代表。聯合組織省醫藥會。而全國醫藥總會。卽由全國各省醫藥會。選舉代表。聯合組織而成也。按上述所云。醫藥兩界聯合會之設。原不可缺。而近今中央會議議決令。以醫藥兩界。須各自分設。不能混合。則此舉難於實現。然國家以人民爲主體。政府機關。爲人民而設。所以領導之監督之者也。苟於人民有害。固宜加以取締。設於人民有益。定宜加以阻撓。而醫藥兩界。於職務上之連絡。學術上之研究。事業上之增進。正相需相殷。相維相繫。在在有合作之必要。當可邀准之也。

▲款項徵集法

全國醫藥總會。一經成立。對於徵集款項。卽易進行。蓋既同舟之相濟。庶衆擎而易舉。茲擬定徵集款項。分臨時經常兩種辦法。有謂範圍太大。不易實行。其亦不思甚矣。夫各國之於醫校醫院之經費。動以數百千萬計。其次者恆數萬數十萬之不等。卽如北平協和處常年費有五百萬元之鉅。其他可以概見。故能設備完美。日新月盛。彼以一私人之力。而有此宏舉。若吾竭全國之力而不得求其次。寗不可哂。且日言振興。不務實際。是何異不具豚蹄之祝。而欲篝車之滿耶。蓋欲求果。必先造因。所望同仁。奮袂共起也。

▲臨時捐徵集法

臨時捐額定一百五十萬元。爲醫校建築設備諸費屬之。其徵集法可分二項。

(一) 全國醫藥兩界。既有系統結合之唯一團體。則以前各地所立社會。一面宜各將名義。自動撤消。一面宜各將積存款項。歸併總會。以便消弭意見。利團結而厚實力。惟此點就醫藥兩界言之。醫界所立會社。既無悠久歷史。且亦鮮餘儲。而藥業則自早有之。範圍既大。積金亦多。一旦集合。爲數當鉅。

(二) 經總會議決。通告各省醫藥會。轉各縣醫藥會。召開全縣聯席大會。先由會員各自量力認捐。再由會員。向各方個人或團體。勉力勸募。一金不爲少。萬金不爲多。庶可收集腋成裘之效。

▲經常費徵集法

經常費。額定二百萬元。每年醫校及其他一切開支屬之。其徵集法亦可分兩項。

(一) 就全國各省藥行業。於批發藥料時。進出款項上。向客戶每兩或每元加收一分或五厘。

(二) 就全國各處藥肆。於每方單上。與購物滿二角以上者。向購者加收一分。上兩項辦法。皆輕而易舉。當不致有若何困難。但於表面觀之。似爲數甚微。苟一年內綜核全國計之。實非小也。可就上海一處計之而知。上海約有藥肆三百處。每肆每日平均以百分計。便可月得一萬元。年得十二萬元。若合全國計之。不亦大可觀乎。

▲醫藥學校之辦法

竊謂我國醫學。理旨宏深。非淺嘗者所能窮其奧窔。而代表其價值。遠之盧扁無論矣。而近如李東垣薛生白葉天士諸子。皆以過人之資。而復致畢生之力。故能造詣精湛。得心應手。後之學者。賦質既有未逮。而力又不克一貫。宜乎流品斯雜。每況愈下也。是以此後培養人材。不當揠苗助長。應延長學習年限。須預科三年。正科三年。研究院二年。但在此過渡時代。對招生授課。可分三種辦法。凡素未習醫。而年力已長者。可酌減爲五年。如已行醫。而程度不足者。可設備習班。期限可定爲一年或二年。然根本辦法。則非八年不可。以年長者。有悟性而無記性。必須招收十六歲以內。資質聰穎者。利其記憶力之富強。與無外務之分心。在預科時。除兼授生物物理等外。對基本醫籍。如內經難經傷寒金匱溫熱本艸諸書。訂定課本。可先爲粗解。使誦讀精熟完後。復由教師摘取各家精意。從首編輯講義。重加講繹。入正科後乃得專攻一科。或兼習數科。同時由西醫嚴密授以生理之組織。及解剖割治手術等法。待確有把握時則使之實習臨診並再入研究院。以資深造。庶出而問世。即成良醫。

▲課本

中醫學釋理精微。非熟讀深思。不能收徹悟之功。其基本醫籍。如內經難經傷寒金匱與各科專書等自當精加訂定。以便學生熟讀。庶胸中先有準繩。俾將來看書研理時。可得參酌之益。易收貫通之效。否則盡在疑似之間。如散沙之難集。力倍功半。非計之善者也。

▲教授

醫校之精神命脈。悉繫於教授之手。故教授之良否。關係前途。至爲重大。自當爲事擇人。廣聘醫林名彥。實學專家爲教授。可由各地醫學團體推荐。其標準宜以著作經驗爲衡。然待遇宜優。薪水宜豐。並須訂明長住院中。不將預問外事。致妨教務。

▲免費辦法

此次振興計劃。以培養人材爲先。既得集全國之財力。應採用免費辦法。若費用太貴。彼富有者既未必能刻苦自勵。而寒微者。必致裹足不前。其與振興之旨。不大相左乎。故爲培養眞材起見。除學宿費。與以免收外。卽服膳諸費如果力不勝而經本縣醫藥會之證明者。亦得酌加津貼。庶有志者不困於經濟。振興者得收其効果。

▲試驗管理與獎懲

試驗管理。應兩主嚴格。至試驗一項。無論入學考試。及臨時學期諸試。均宜有嚴格之規定。蓋非此不能促其勤奮。尤無由測其學力。管理亦宜嚴格。蓋非學原無以廣才。非靜尤無以成學。務必涵養潛修。方有會心之處。若舉動浮躁。性情惡劣。在學生則命有草管之害。在辦學者則死有由我之憾。故除運動游戲外。當使其勤於講習。肅穆無譁。遵守規則弗稍踰越。否則按章剔除。毋庸瞻徇。如有品學兼優者。亦應有名譽及現金之獎賞。以資激勸。

▲學院各部院舍及操場與體育室之建築

本院範圍既大。院址宜廣。須擇僻靜之處及交通便利者。爲適宜。本院期爲全國中醫最高學府。遠近來者必衆。以全國計算。每縣卽來一人。其數已大有可觀。故各部院舍。與課室寢室等。至少須預備二三千人之建築。其他如操場體育室等。亦一應具備。蓋因有優異之學識。而無健全之體魄。不能濟其用也。習傷科者亦須熟拳術。故操場與體育室等。更不可不有相當之建築。

▲醫學圖書館之利溥。固盡人皆知。而不知醫學圖書館之緊要。更有甚於此者。蓋以個人之貲力有限。而佳作名著。又不易遍尋。故惟有藉圖書館之力。向各處搜求集於一室。庶琳琅滿架。雅號書成。寢饋其中。何難淹博乎。又坊間所出醫籍。魯魚亥豕。訛謬滋多。且醫理不比詞章。可以上下出入。一字之辨。毫厘千里。其害不可勝言。故宜附設印書局。由院內教授。或另請名宿。將各種醫籍。精加校訂。正其錯誤。庶購取者得完美之本。研究者無歧途之失。此醫學圖書舘與印書局之宜設辦也。

▲醫學研究院

研究院可分設中西二部。中醫部由學院教授。或如聘醫林名宿主其事。可發行醫刊。凡國人遇有疑難。得互相徵答。以資闡揚。即如內經傷寒金匱諸書。其正文詮註。訛謬滋多。致後之學者。聚訟紛紜。莫衷一是。最好在醫報上按章逐句。由研究院先行立論解說。復徵求國人意見。一再考訂。加以糾正。則厥功甚偉。又學生在正科肄業期滿後。須再入研究院二年。同時在病院實習。當以每日臨診心得。及疑難病症。規定時間。互相研究。如成績優良者。始准授憑。出而問世。以照愼重。再吾國外科之精者。多非西醫所能望。而傷科之良者。亦具有驚人之術。若遇拆臂斷脛之時。可無庸鋸截。只須內服艸藥。外復將傷斷處。用藥包裹夾好甚或於折斷中間。取去碎骨。嵌以古錢。能於不旬間。侵斷者復續。損者完好。惜此輩多屬鄉間拳勇。無學力著書以傳世。僅於師弟間。私敎授受。且每諱祕不示人。致散失過半。論者憾之。此後應由本院通知各地醫藥團體。遍訪就地人民。於醫藥上有一藝之長者。皆得介紹來院。實行試驗果良。應優給酬金。以集衆長也。

西醫部宜聘淵博之西醫爲教授。設生理教室。與實驗解剖室等。以資專究人體組織。及割治之法之用。支海在容流。道貴納善。中醫所長。或西醫所短。西醫所專。或中醫所缺。其最顯著者。

爲西醫之解剖。至中醫雖內經又有剖而視之之言。華陀有解顱理胸截腸之法。但苦已失傳。不可復得。故遇症在攻之不可。達之不及之時。勢非施割治不可。每有拱手讓西醫之處。苟中醫能不深閉固拒。採西醫之長。以補我所短。嫻刀圭之術。以濟氣化之窮。則兩難兼二美具矣。惟兼習西醫一項。不可於初學時。卽以中西醫並授之。蓋西醫其形質而易知。中醫兼氣化而難明。務必待學生於正科期滿對中醫學理。已胸有成竹。入正科後。方得由西醫嚴密授以生理之組織。並須實地施行人體動物剖驗。及割治之法。須至再至三。明白了解。絕無疑義而後已。卽進一步而研究西醫之病理及治法。作中醫之參。卽可收駕輕就熟之功焉。然西醫善割。多不知陰陽虛實之分。每割之以遺患。此似可割之症。有不可割之理。苟能明於氣化。卽可無失矣。

▲病院

本院學生。既須視平日研讀與實習臨診之成績爲畢業之標準。故病院之設。勢不可缺。况時下社會民衆。正苦無完善之中醫院得資攝養。而引爲憾事。至其建築佈置。須有男女之劃分。與肺癆疫疾等之隔離。規模愈大愈佳。其中除中醫診病室外。如西醫之診斷室。及手術室等。亦宜有完全之設備。其建築法。可照仿新式者。

▲整理藥品方要

療病已疾。原賴乎醫。而醫之攝理施治。則恃於藥。苟藥失其効。醫欲假之圖功。何異緣木求魚。故振興醫學。宜兼及於藥。兩者並重。不能偏廢。茲縷述數端於左。

▲藥品陳列舘與藥物園

吾國藥品。首在察知其形色。辨別其眞僞。古之醫。藥多自採。今則醫不知藥。視藥別爲一業。然根本辦法。容非使醫識藥不可。但物歸藥用者。何啻萬千。而欲令醫家零星客察。甯屬易事。故當於醫校。設舘陳列。舉凡鳥獸虫魚艸木貝介金石之類。可供藥用者。宜悉爲採辦。不易生致者。亦必與其標本。花艸可另闢藥物園以植之。並宜將形色、性味、功用、生長時期。漁製方法。及出產地等。分類精加圖訂。以利稽考。而資研習。

▲獎勵種植與禁止出口

吾國藥品。首重道地。如雲苓川連於朮象貝蘇薄荷之類。務必產於該地者。始得氣味純厚。假易地植之。便立見退遜。近今以來。以不知提倡各地種植之故。致多告絕種。馴致外來劣品。充斥市面。影響人羣。莫可言狀。此後宜由各名產地醫藥會。積極提倡。獎勵合法種植。如白朮一項。以天生者爲貴。糞壅者次之。最好用種子隨山埋種。不施肥料聽其自長。則至期採取。盡屬佳品矣。諸如此類。不一而足。至近年藥價騰貴。國人以不勝其負担。每有改就西醫。改服西藥之趨勢。推厥原由。當不僅在藥品之減少。半由於藥品之出口耳。蓋年來各國。向內地採辦大家藥品原料。運往本國。加以提取。囘銷吾國。轉轉間不知奪我利權者若何。影響我國人負担者又若何。設不預爲之計。待乎中藥衰少。西藥充斥。積其難返之時。欲再圖挽救。恐已無及。故一面宜獎勵種植。一面宜禁止出口。

▲病除敗劣

各地藥商。多積習相循。祇知牟利。不知自好。或以假品亂眞。或以霉敗攙用。非獨昧心可恨。且因以自炫者。亦正復不少。要知非惟人命攸關。實亦我中醫藥興亡。絕續所繫也。蓋欺祇能蒙蔽一時。若久之又久。社會上咸知中藥之多僞。服之轉增危險。有不相率改服西藥者乎。故除由政府管理督查之外。所望藥界自動覺悟。放大眼光。痛除敗劣。在藥行則於蒐購時。無論該藥。產於國內。或來自外洋。皆須詳加究察。辨明眞僞。在藥肆則於某貨告缺時。亟應聲明。庶可由醫生以他藥代之。萬不能由我以假藥充之也。

▲徵集單方

吾國藥物。即一艸一物之微。每取意用之。亦可以單獨治疾。其奏効之奇。每有不可思議之妙。但多散傳失總。宜由研究院廣爲徵集。如用之果驗。當酌給酬金。藉開祕路也。

# 發揚國醫之八大方案

周禹錫　蕭尚之

一　創辦國醫日報

理由　報紙爲宣傳之要務。凡有關於民衆興革事宜。無不賴以哆發輿論。喚起督責。俾歸實現。故創辦中央國醫日報。爲籌備國醫館進行之第一要務。

辦法　由中央國醫館籌備處各委員負責。辦理中央國醫日報。凡有關於國醫館籌備情形。開會議案。組織章程。暨各地國醫提議建設意見。往來函牘。俱可盡量發表。逐日露布。辦報經費。卽由國民政府月撥五千圓經常費項下開支。按日分贈全國廿二行省、特別區域、各縣市政府、教育局、圖書館、醫藥團體。暨著名國醫各一份。

二　徵請國醫登記

理由　登記國醫。實爲調查各省縣市國醫學術之良莠。更爲編輯國醫敎材之先決問題。

辦法　由中央國醫館籌備處規定表式大意。分姓名、行號、年齡、學歷、著作。通訊、暨本人最近四寸半身像片一張。列表詳錄。逕投　鈞處。限若干時日徵齊。彙成全國國醫登記錄一冊。以備第三題實施。其登記手續由　鈞處訂定。卽在中央國醫日報中宣佈。凡經登記之國醫當逐日寄予中央國醫日報一份。藉以靈通消息。列表如下。

| 區分／姓名 | 行號 | 年齡 | 學歷 | 著作 | 通訊 |
|---|---|---|---|---|---|
| 周禹錫 | 以字行 | 三八 | 歷游同郡劉漢庵余瑞靈鹽山張壽甫重慶鄒趾痕諸先生之門習岐黃業懸壺近二十年 | | 四川隆昌縣東街拯瘼軒國醫館 |
| 蕭尚之 | 以字行 | 三三 | 幼多疾病嚴命習醫自修中國醫學近二十年懸壺十餘載 | | 四川隆昌縣南街嘗芝醫藥社 |

三 審定國醫科目

理由 查我國醫學書籍。多包涵生理、病理、診斷、治療、藥物、調劑、各項。無微不備。無科不有。以類相從。應宜加以劃分。此其一。歷代醫書。多至五千餘種。純疵互見。汰劣存優。應宜分別整理。以求普遍高深。此其二。各級醫學教科書。適合現代教育原理。應宜編纂審定。此其三。綜以上三點。審定國醫科目。實現在極不容緩。

辦法 由中央國醫館籌備處成立大會推舉董事會時。函聘現代名醫有著作行世爲舉國醫界所推重者十人勸理董事。負審定統一全國國醫教材科目編輯課程大綱責任。每科立定試編標準。說明編輯大綱。指導一定方式。而達第四題實施目的。管見堪任董事職任負審定責任者。如謝利恆、夏應堂、裘吉生、包識生、冉雪峰、王愼軒、徐相任、何幼廉、曹炳章、秦伯未、暨海內諸大明碩。皆學有根柢。奄攬衆長。各有著作多種。能溝通新舊。納哲學科學爲一軌。風行全國。咸圭臬奉之。用以指導國醫。必爲衆所心服。是否聘任。請由 鈞處裁奪酌定。

四 編輯國醫教材

理由 考古今之氣候不同。南北之風土有別。五方之民病各異。羣醫之見識因殊。若僅據十數人之學識才力眼光所編輯。必囿於方隅而不圓滿。欲收良好效果。惟仗羣策羣力。

辦法 按第二題登記國醫人員。各發第三題審定國醫教材標準科目表一份。由各地國醫。照方式量力編輯。各盡所長。或獨任一科。或聯合同志數人共編一科。或一人兼輯數科。限期成稿。繕正署名。逕投中央國醫館董事會查收。屆期徵齊。由董事會組織教材審查委員會。甄別取材。修正結果。次第登入中央國醫日報。分寄全國國醫。再加討論。幾經辯駁。修改純正。公認可行時。呈請國民政府立法院通過後。呈由 行政院內政部公布全國各縣市國醫館遵照實施。

## 五　統一國醫方箋

**理由**　從來立方。俱無法度。筆記寫實。抽象玄空。方式多端。各隨其意。病因脈正。每有不詳。其弊在未經科學之整理。故無一定之方式。將無以啓信崇作模範。自越醫何廉臣氏新定醫案程式。一病者。二病名。三原因。四症候。五診斷。六療法。七處方。八效果。庶幾分際清晰。事實詳明。醫家自此有法可循。以之處方治病。自得病家信仰。而收敏捷效果。一洗國醫築基哲學易蹈玄虛而無科學價值之誚。

**辦法**　由中央國醫館公布全國國醫。一律遵用八欄方式。改效果爲調護。茲將方式列後。並說明如下。

**中央國醫館法定統一全國國醫處方箋**

| 病者 | 病名 | 原因 | 證候 | 診斷 | 療法 | 處方 | 調護 |
|---|---|---|---|---|---|---|---|
| | | | | | | | |

中華民國　年　月　日　時國醫蓋章

一病者　不論男女。須將姓名、(如係婦女、稱某右、或某某氏、某某夫人、某女士)年齡、職業、住址、診次、一一書明。

二病名　有一病而古今異名者。如古稱腸澼。今稱痢疾之類。　又有一病而各省異稱者。如江蘇名痧。俗稱痧子。浙江名痲。俗稱瘄子之類。　有兩感並發者。如伏暑內發。新涼外束之類。　有先後兼發者。如先受濕後傷暑名曰暑濕。先伏溫後受濕名曰濕溫之類。有新舊夾發者。如暴感風溫激動宿病欬血之類。　有外感夾內傷者。如素因內傷氣鬱。外感風寒。先因內傷食積。繼受風溫之類。　皆須填寫正名。如伏暑兼新涼。風溫夾血。風寒兼氣鬱。風溫夾食積之類。　如用各地方病名。宜附以小註。以備有發生意外事故時之考查。

三原因　如伏溫為原因。感風寒為誘因。或夾肝鬱為素因。必先分析三因。或僅一因。或夾二因。或兼三因。

四證候　病狀謂之症。病期謂之候。如傷寒以七日為一候。溫病以五日為一候之類。其病有本症。有變症。(亦稱化症)有兼症。有夾症。有病後遺症。有瘥後復症。有未期壞症。或由原因誘因而各異。或由素因遺傳而轉變。均須詳細敘明。

五診斷　診察疾病之所在。斷定病症之名稱。以辨明表裏寒熱虛實。須脈舌與因症合參。切實發明病理。或疏經義以證病機。或引新說以資借鏡。能新舊匯通。具有世界醫學眼光者更善。

六療法　依診斷之結果。施確切之治療。以汗和下消吐清溫補八者為大法。以大小緩急奇偶複七方為運用。以補瀉重輕宣通滑濇燥溼寒熱十二劑為施治。以熨灌漬敷噴嚏齅角筩蜞鍼灸醪痲注導十五法為輔佐。或援引成法。或選藥制方。務宜與病針鋒相對。

七處方　或用成方加減。或用心得驗方。必須詳註用量及泡製。或外治手術。薄貼塗布。鍼灸割紮等輔法。均須列明。

八調護　調和藥劑之煮服法。調理病人之看護法。以及飲食禁忌睡眠起居等。俱於病理有關。故方後亟宜註明。免滋意外之虞。

六　徵集國醫藏書。

理由　我國醫書。汗牛充棟。除歷朝兵燹損失外。現在所存。不下五千餘種。其間學有心得。堪爲世資者固多。而附會穿鑿。無裨世用者。亦復不少。然各書之偏摯處。亦卽諸家之學力獨到處。自應悉數搜羅。加以整理。一一標其精要。正其疵謬。設局印行。以廣高深研究。

辦法　杭州三三醫社裘吉生。爲我國醫界藏書大家。富有世未經見之孤本醫籍三千餘種。此外濟南劉仲華。紹興何幼廉。上海謝利恆。所藏醫書亦夥。請由　鈞處。指派專員。分頭接洽。完全借出。分類整理。先將各書內容。倣經籍提要。案牘摘由之例。彙成卷帙。單本印行。分贈全國國醫。然後抉擇精微可法希世無儔者。儘先印出。以供醫學上之補助。而彰先哲著書濟世之苦心。

七　獎勵國醫名譽

理由　整理學術。端賴人材。公開絕技。尤資獎勵。近自日本。遠及歐美。於各種科學上有所發明公認者。無不獎之以學位名譽。是以人材輩出。科學昌明。國際地位。於以增高。國醫反是。以致高材緘默。絕技惜傳。欲發揚光大。非照東西洋例獎以學位。以資激勵。難收實效。

辦法　按第四題辦法。編輯教材諸國醫。經全國國醫公認其教材可行後。中央國醫館得開審查委員會。凡由一人完成一科。或一人編輯數科者。得酌獎博士碩士學位。由數人共編一科者。得獎學士學位。其餘當代名醫。有著作行世。而爲衆所公認。經審查委員會彙集開會審查。認爲有實效而無流弊者。亦得贈博士學位。以資獎勵。

八　崇報國醫先哲

理　由　醫藥之興。無非憫民疾苦。保衛民生。在昔先哲。苦心孤詣。不惜犧牲。出拯民瘼。退抒偉論。保民萬世。故我中華民族。代以繁衍。人無夭扎。各遂其生。我先哲功在中華民族。有不可磨滅者。法施於民則祀。崇德報功。紀念先哲。豈容或略。

辦　法　就先醫廟改紀念堂。由中央國醫館考查審定。將歷有昭代名醫。未列入者完全加入。並規定紀念日期。呈請　國民政府。通令全國國醫。一律紀念。民衆有願參加者聽。

此項建議爲國醫發揚光大之實施。希望　全國醫界同志。一致督促。以求早日實現。則無疆爲休。全國民實與　諸同志共之。

# 醫家之道德

重慶龔霖霏

夫醫學爲性命之學。醫家乃性命之宰。包匯天人之理。握司生命之機。豈易言之小道哉。故昔賢有云。必才德識三者兼具之士始可以爲醫洵見道之訓也。夫才識尙矣。無才則無以窮究學理之精蘊。無識則無以運變治療之技巧。固不足以爲醫。然德亦同可重焉。蓋無才無識而更無德者自不堪語矣。而有才有識者。若不能有德。其弊亦不可枚舉。其功恐猶不能折其罪。未可稱爲良工也。

竊慨夫今世醇風日靡。道德淪沒。趨時之士無不孜孜於名利。汲汲於富貴。以詐僞相尙。以鄙淫相夸。廉恥信義。掃地以盡。而習醫道者。亦多不能超脫於例外。愚竊以爲此乃大不可者也。故於茲特以芟除卑劣之惡德。修高尙之美德呼號於醫界。願醫界同仁有所猛省而知所返。愚何人斯。顧敢如是嚚嚚者耶。然一以醫道關乎民衆之生命。再則以有損全醫界之格譽。雖欲鉗口結舌而勢有所不獲已。故揭醫家之惡德與美德而直陳之於次。何舍何從。端任賢者。知我罪我。非所計焉。

▲醫家之八大惡德

貪　高訂診格。不別貧富。重財輕命。是醫之貪。惡德之一。

傲　矜持資格。爲難病家。大氣盤桓。是醫之傲。惡德之二。

妬　嫉視同道。攻譏異己。自暴鄙陋。是醫之妬。惡德之三。

怯　臨證游移。意存規邀。輕藥敷衍。是醫之怯。惡德之四。

詭　僞稱病篤。故用怪藥。詐欺取財。是醫之詭。惡德之五。

惰　日中猶寐。道遠不往。忽視病家。是醫之惰。惡德之六。

粗　臨診草率。相對斯須。雜疏方藥。是醫之粗。惡德之七。

鄙　入富貴門。阿諛逢迎。投人所好。是醫之鄙。惡德之八。

▲醫家之八大美德

廉　診格適度。貧病送診。不取非義。是醫之廉。美德之一。

惠　和藹可親。平近易與。不傲病家。是醫之惠。美德之二。

謙　持己若虛。臨診疑難。推讓賢者。是醫之謙。美德之三。

誠　病之症狀。藥之內容。詳告病家。是醫之誠。美德之四。

勇　攻補汗吐。用藥精專。心熱胆堅。是醫之勇。美德之五。

勤　黎明即興。道遠不畏。廣濟病者。是醫之勤。美德之六。

愼　辨症處方。周詳謹嚴。心細如髮。是醫之愼。美德之七。

直　不諛富貴。不阿人好。無勢利見。是醫之直。美德之八。

右條陳惡德凡八。美德亦八。攄思所及。容有未周。然爲醫者誠能唯惡德之務盡去。而善修其美德。以利世活人爲已任。則眞不啻爲仁人仁術。而實救世之天使。萬家之生佛矣。愚不勝馨香祝之。若夫不修其美德而怙惡不悛。以欺世詐財爲能事。則直等於賊人賊術。而實殃世之惡魔。醫界之蛇蝎矣。愚且不勝懍慄祓之。

抑更有進者。深願服膺「拜金主義」之君子。切勿妄以司命之醫道爲營利之良圖。盍往乎軍商政法之域。必能致若輩於富貴顯達之境也。先醫欒香崖有云『醫可爲而不可爲』。蓋亦深慨夫醫之誠不易爲矣。讀者其三復思之。幸勿以愚言爲河漢也。

## 香焦芋頭同食之害

曙初錄自青年修養箴言

嘉定徐子山言。一友吃香焦後。隨卽吃飯。菜有芋頭。吃飯不久。其形狀若中毒者然。大家莫明其故。後未幾月。又有一人。亦復如是而死。狀亦如前。請西醫驗其糞。謂兩物相反所致。知此人係吃此二物而死。前之二人。亦因之而死。一日往親戚家道及此事。羣相驚訝。試以二種和成一團。與雞食之。雞亦死也。又以二物。置於一器。次日卽完全淤黑。大失本色。是知香焦芋頭不可同食。因附錄於此。以期舉世咸知之。

專著

# 五法大旨

丁仲英

一曰發。爲表之重。藥用辛甘。蓋腠理密緻。非辛甘不能開發。故曰發。發者正表也。二曰解。解則輕於發。爲表之輕。藥用辛涼。蓋腠理將疎。惡寒已罷。邪將化而爲熱。但表病裏和。非辛不能散表。非涼不能解熱。故曰解。解者解肌肉也。三曰和。和又輕於解。爲表將罷。藥用辛者少。而涼者重。蓋邪將入腑而未深入腑也。曰表不可。曰裡又不可。發解兩法俱難。於半表裡。故曰和。和者。和半表裏也。四曰攻。攻則重於和。爲表已罷。邪將入腑。藥用苦寒。蓋邪自三陽經入者。結於腸胃。非苦寒不能攻。故曰攻。攻者攻實熱也。五曰救。救則與攻不同。熱則攻而寒則救矣。藥用溫熱。蓋邪不由陽經傳入。徑中三陰。名曰直中。內寒盛極。陽氣已危。故曰救。救者救危陽也。五法之中。所謂表者。汗也。所謂攻者。下也。然仲景傷寒。有吐、汗、下三法。而今又去其吐者、何也。蓋仲景三法。原爲驅逐邪氣而設也。邪在表則汗之。令邪從汗出也。邪在胃之上脘。結聚成實者。則吐之。令邪從吐出也。邪在裡卽胃腑。則下之。令邪從下出也。故汗之、吐之、下之。皆逐邪也。然則吐之一字。原爲胃之上脘而設。非爲半表半裏而設。何也。邪在表、禁吐。邪在裏、亦禁吐。至於半表半裏。乃少陽胆經。汗吐下三法皆禁。若一吐之。則變成壞病。今世方書。皆以吐爲邪在半表半裏。使後人受害者多矣。吐法取效者。十無一二。受害者、十常八九。故將吐法。置高閣。醫者口能言之。而實不能用也。蓋仲景用吐法。言表已除。裏證又不急。寸脈微浮。關脈微結。胸痞、口吐痰涎。方用吐法。亦未嘗爲半表半裏而設也。故另纂仲景當吐證法於後。不列於五法中。

## 五法次序說

凡傷寒之傷人也、必先入於皮毛。邪在皮毛。發熱如火燎。惡寒毛豎。鼻羹不得汗。皮痛不可近蓆。正屬太陰表證。無一毫疑惑。故曰發表。內經曰。其在皮毛者。汗而發之。此之謂也。由皮毛而傳於肌肉。則邪稍內進。惡寒已去。必唇焦熱盛。然口唇者。肌肉之本也。今見唇焦。則知邪在肌肉中。故不曰發表。而曰解肌。由肌肉而傳於筋骨之中。則邪更進內。必齒干爆而自汗。蓋齒者、骨之餘也。熱入筋骨。則齒干爆。肌肉者。人身之牆。司腠理開合者也。熱薰於內。致腠理開則自汗。二者皆熱在筋骨也。故用白帶湯。以瀉筋骨中之熱。由筋骨而傳於臟腑。則邪又更深。外證悉生。必惡熱便閉。下利赤黃。或腹痛時作。則甚發狂。此邪熱在臟腑之裏。故不曰瀉熱。而曰攻裏。有不由陽經傳來者。謂之直中三陰。則內純寒。外無陽經表形。必見厥逆、清穀、囊縮、甲青、等證。此直中之寒。故不曰攻裏。而曰救裏。總要識救字透。方可施治。以上五法。曰發、曰解、曰和、曰攻、曰救。將此五字，時刻打點。摸擬其狀。久之自然貫串。而歸於一矣。

## 陽經分經腑

三陽在陰者。可汗而已。凡言經者。皆邪客皮膚也。然經行皮之裏。肉之外。外邪之客於經也。有太陽之經。有陽明之經。有少陽之經。故可發、可解、可和。皆邪之在經也。故仲景云。三陽之病在經。則不可下。下之爲痞氣。爲結胸矣。三陽已入腑者。可下而已。凡言腑者。皆邪居腸胃也。然腑主藏水穀。傳送糟粕。邪之入於腑也。有自太陽入腑者。有自陽明入腑者。有自少陽入腑者。故可下、可清、可攻。皆邪之入腑也。故仲景云。三陽之病在腑。則不可汗。汗之爲譫語。爲竭厥矣。經腑分明。則攻法不致混亂也。

陰經分傳中

邪自陽經次第而入陰經。謂之傳經。可攻而已。凡言傳經者。言邪自外入內。爲實爲熱。不可用直中溫藥。誤投之者。名曰動陰血。是實其實矣。邪不由陽經而經入陰經。謂之直中。可溫而已。凡言直中者。言邪未從陽經而入。爲虛爲寒。不可用傳經寒藥。誤投之者。必致殺人。蓋重虛其虛也。能明傳中。則理中承氣。各當其用矣。

## 五法諸證

### 表證第一

浮脈、身痛、發熱、惡寒、目舌和、面慘灑淅、脊項强、頭痛、喘與咳嗽、四肢拘急、口不渴、二便如常、

以上諸證。俱邪在表。必待表解。方可攻裏。若誤下之。必爲痞、爲結胸、爲懊憹矣。

### 肌肉第二

脉尺寸俱長、目痛鼻乾、唇焦、漱水不欲嚥、

以上數證。俱在陽明之經。不在陽明之腑。勿將經腑一概混治。

### 和解第三

脉不浮不沉、胸中脹滿未經下過、嘔吐、耳聾、脅痛、頭汗出、舌滑、盜汗、往來寒熱、口苦目眩、默默不欲飲食、

以上數證。俱邪在半表半裏。此經有三禁。惟小柴胡一湯加減和解。誤用他藥。則變爲壞病矣。

### 攻裏第四

脈沉而有力、下痢溏黃水、自汗、潮熱、惡熱、小便多、腹痛、轉失氣、下痢腸垢、咽干齒燥、小腹滿而硬痛、不得眠、譫語、目不明、大便閉結、頭痛發熱俱止、手足心并脅下有汗出、舌胎

黃黑、及津液枯涸、

以上數證。不拘日數多少。俱屬傳經裏證。下之無疑。若誤汗之。必爲狂爲班爛矣。

救裏第五

脉沉無力、嘔吐清涎、囊縮、唇甲青、背惡寒、踡臥、多眠、乾嘔不渴、身痛如被杖、腹痛綿綿、下痢清穀、小便清長色白、四肢厥冷、過手肘膝、惡寒身疼、不頭痛發熱、四肢拘急、

以上數證。俱屬直中寒證。溫之無疑。

附表裏俱見證

一、頭痛發熱、表證也。下利清谷。裏證也。是表裏俱見寒證。

一、腹痛口渴甚。是裏證。脉浮是表證。是表裏俱見熱證。

一、大便秘是裏證。倘微惡寒。表未盡。亦表裏俱見熱證。大抵表裏俱見。疑似之間。若傳經裏證俱見。爲熱爲實。則以解表爲主。攻裏次之。裏急又在活法。若直中裏證俱見。爲寒爲虛。則以救裏爲主。發表次之。此治表裏俱見之大法也。

# 漢譯診病奇侅卷下

丹波茝庭先生編次
再傳弟子松井操子靜漢譯
太和春在廬主楊彥和錄按

臍中

人之壽夭。相臍可知也。疾之淺深。按臍可察也。故診腹之要。以臍爲先。蓋人身之有臍。猶天之有北辰也。故名曰天樞。又名曰神闕。傳曰。天樞之上。天氣主之。天樞之下。地氣主之

氣交之分。人氣從之。三才之所統。診之爲要。豈不亦宜乎。夫臍之凹也。是神氣之穴。爲保身之根。環中幽深。輪廓平整。徐徐按之有力。其氣應手者。內有神氣之守也。（公豐按。按之有力者。與按之牢堅者。相似而不同。宜熟察也。牢堅者癥瘕。或結實。或痛者。有燥屎之候。）若輭柔如纊。按之其氣不應者。其守失常也。突出而凸。氣勢在外者。其守不固也。至於弱如泥者。其命必不遠。何得永保天年乎。（公豐按。若臍因病突出者。是必膚服鼓服腸覃。石瘕之所至。雖未見其變。可知其疾往往不易治也。陽山△原文）

古人以臍中之動。爲君火之應。其平穩也。可以候氣。不可以候動。惟遭其變。而後可以候動。且知病之淺深也。稟氣虛弱之人。或不知節嗇。徇情縱慾。則臍中每日有動者。是二氣不平。眞陰不足之候也。腎氣盈餘之人。或愛精愼欲。則偶爾施泄。亦惟翌日有動已矣。難經謂當臍有動氣。則脾氣不足故也。臍立（彥和按立恐應誤）中焦之候。亦不可不審也。（公豐按。傷寒邪在陽明者。與平人吃傷飲食者。或劑中有動。妊娠亦或劑中有動也。○陽山△原文）

診腎之法。診腎間之動氣者。密排右之三指。□□□（△操按。原文逸三字。蓋或排密。）左之三指以安臍間。○和緩有力。一息二至。遶臍充實者。腎氣之足也。○一息五六至屬熱。○手下虛冷。其動沈微者。命門之大虛也。○手下熱燥不潤。其動細數。上支中脘者。陰虛之動也。（有積聚之人。或有寸口不細數。而診決于此者。宜詳審焉。）按之分散者。一至者。原氣虛敗之候。○吐血欬血。動甚而溢中脘者。不治。雖愈而復發。（無名氏。春長同。更有一則曰。中臍閉結。上下空虛者。吐血癒。△原文）

臍深而動沉。同於氣口脉者。實也。臍淺而動浮。無根力者。表也。（白竹△操按。表恐虛誤。）

凡諸病診神闕之脉。其應不浮泛。重按之則沉實而小者實也。虛者反之。實者服下劑而不得其中無大害。儻欲用攻下之劑。宜診此脉。以考定焉。神闕氣口水分之動脉。皆不可不診焉。診之用指尖。（郭東）

診腹先可診臍。按之有力者無病也。按之無力者難治也。○按之無力。如指入香灰中者。難治。（壽安△操按。按之無力者。按之無力如指入香灰。皆爲難治。而無輕重之分。今徵之於病者。按之無力者爲虛。未必難治。按之無力。如指入塵土者。虛甚也。難治。）

稟虛人。入房後二三日。臍中有動。腎氣有餘之人。其臍雖動。止於明日。（同上〇此二條三伯同）

診腹之要。在識臍蔕。絕與不絕。其吉凶可知也。臍蔕絕者。臍傍之氣脫。而臍與肉相离也。按之臍傍脫陷。如容指者死無日。臍傍凝堅者。爲脾胃虛。不脫不堅。氣實者佳也。（烏巢）

臍結緊而入內。按之則外皮動而臍不動者。佳也。重按至臍底而動者。惡也。人常臍結雖緊。往往臍根不緊。臍根緊而如菓有蔕者。佳也。（中孟）

臍絕者不治也。臍或左或右。推而移者。臍絕也。其絕。左右一方絕。而雙方絕者。未曾有之也。（白竹）

臍上下左右。推而不動者。常也。然氣弱者。推之則移於一方。右移者左絕也。左移者右絕也。上下亦然。是之謂臍頭。（南溟）

察元氣之虛實在臍。按之無力者。元氣虛也。表裏俱有力者。元氣實也。凝堅而如有力者。非氣實。是氣閉塞也。此症多於大病後。或多於痢病。痢病而如此者。邪實也。如積聚雖輕之症。按往凝結。其氣塞則凝。其邪去則散。然大病後凝結者。惡候也。表裏俱無力者。元氣不足也。（同上）

臍者通五藏而眞神往來之門也。故名之以神闕。則對當于腎。如南北極是也。凡臍者深大而堅固。左右上下推之不動、輪廓約束者。是爲眞神安全。倘有大病就可治。但暴病非此例。（台州△原文）

平人之臍堅實。上下左右推之而不動者。是氣血充實也。年高者推之則動。是精氣衰也。如水腫脹滿等。腹皮牽引而臍亦牽連。推之不能知其動否。然則決其虛實若何。必善於察輪廓之有無。萬不失一也。抑臍之輪廓。堅牢狀如烟管頭。其輪廓之剛柔盈蝕。可以辨其虛實。腎氣實者輪廓剛盈也。爲無病。爲壯實。其人遇大病。亦易治也。或輪廓蝕。或輪廓者。（彥和按。此句必有脫誤。當作或輪廓柔。或輪蝕者。）是臍根絕也。氣血耗虛所致病者。死期不遠。平人亦其命不長。神闕之强弱。輪廓之盈蝕。關腎氣之虛實也。古傳云。臍者對十四椎。則神闕之關。腎藏可知焉。以是知病之死生。

在神闕矣。臍大容李爲壽相。淺大者。亦爲壽相。小而淺者爲夭相。是相家之一觀法也。醫須識焉。臍固無動氣。今有動氣者。五藏敗也。宜與輪廓及腎間動參看。以决死生也。（同上。本條臍中無動。欠穩當。前溟諸說可從）

臍淺小者。不盡是短命。只以堅固不動移者爲吉。四十歲以上者。或動移。右推則右移。病人如此。則必死。年高而如此者。無害。是精氣襄以順序故也。臍之輪廓者。腹皮相聚爲輪。如小酒杯之底爲廓。其輪廓堅固者。眞元之氣强也。通常輪獨堅。輪廓全而臍不動移者。眞元氣全也。雖患大病不死。（楓亭）

腹之左右。腹筋緊實者。必空輭。是非空輭。腹筋緊實而臍深故然也。（別本淺井書）

脹（△操按。脹恐腫誤。）滿初起。預察之有法。腹部以臍爲要。面部肉端者口吻也。腹部肉端者臍也。臍傍應手如脹起而堅者。全身將腫之兆。是察腫氣一診法也。（白竹）

小腹（舊說。主張腎間之動氣。淺井與溟特不取之。今從。）

診心腹以柔手。鳩尾以下。臍下丹田氣海。順手撫下。用三指柔軟按丹田。內無障礙。呼吸相應。舉指則肉起。按之則隱然有力者。是謂之元氣之根本。假令得大病羸瘦甚。其病易瘉也。按腹應手無力。臍下軟輭。呼吸不相應。舉指而皮肉不起者。是元氣勞也。如此者。病雖輕不可治。（△操按。此候爲難。宜急輔元氣。未必不治。）若此腹候而有痛者。邪氣未退也。若腹中無一物。丹田冰冷。徹手背者三五日死。臍皮膚滑。呼吸相强而不强。柔而不柔者。是有元氣也。（南溟）

臍下筋强。或堅而氣盛。（△操按。氣盛。蓋氣脹之謂。）或肉隆起。累累如土封者。三焦不和之候也。（同上△操按。三焦不和之候。或及臍下者。有焉然其爲標準者。在中脘。如本條下元虛冷之候歟。）

壯年而臍下無力者。腎虛也。按之有力而溫和者。實也。老人下虛上實。故臍下氣弱而和輭。臍上至鳩尾外脹。是其常也。若老人而臍下氣强者。無病之人也。（壽安〇三伯同△操按。上虛下實。老者之常。今臍下氣强。老者豈帝無病之候。亦無壽之候也。）

臍之四傍牢者。腎虛也。腎氣燥者。宜八味丸。中虛

臍下斜橫。按之輭弱而無強力。手指如陷沒者。屬腎虛也。烏巢

小腹有脹力。直道筋起應手刺刺者。腎陽虛也。同上。彥和按。凡人飽食之後。左右腹筋輒見攣急之狀。但必太飽。始有此現象。臨牀時所不可不知也。

天樞以下。臍左右下。如瘀血。如大筋攣急。四五條應手者。必死候也。同上

【診腎】臍至小腹。輕手陷下。重手如按龜板者。腎氣之虛脫。◯臍下至曲骨。按之陷者痛者。眞水之不足也。◯一切病症。諸脉雖絕。而臍下溫。其動未絕者。有甦。彥和按。應作有更甦之希望。◯積在小腹。其動遲緩。時一止者。腎積也。彥和按。腎積之動。氣必上衝。金匱奔豚篇曰。奔豚病從少腹起。上衝咽喉。又曰。奔豚氣上衝。胸腹痛。往來寒熱。又曰。發汗後燒針令其汗。針處被寒。核起而赤者。必發奔豚。氣從少腹上至心。（傷寒論同）又曰發汗後。臍下悸者。欲作奔豚。（傷寒論同）◯男女臍下至曲骨穴。有一條筋如繩。以指按之不解者淋癧之候。無名氏◯末一則。原脫。今據春長神。△原文

病人臍下甲錯彥和按。腹皮枯皺如鱗甲之交錯。殆屬內有癰瘍之候。出金匱。按之孱輭者。不治。彥和按。金匱瘡癰腸癰浸淫病篇云。腸癰之爲病。其身甲錯。腹皮急。按之濡。（濡與輭通用）如腫狀。腹無積聚。身無熱。脈數。此爲腸內有癰膿云云。此蓋西醫所謂盲腸炎之已經內潰而劇者。故不治。平人則頓死。彥和按。臍下甲錯。己有內癰。按之孱弱。即前文如指入香灰中者。又謂元氣之虛實在臍。今元氣虛劇。而氣血又爲內癰所奪。雖爲形症暴發之平人。亦虞其頓脫也。陰虛火動者。動起於臍下。爽彥和按。應作夾字。臍上迫膈膜。故短氣吐白沫。又任脉肉脫。兩傍堅。中間五分許爲溝。◯弱虛勞勞瘵病末。則有此候必死。陰虛火不動者。臍下筋急如箸。又按之其手掌染青黑色者。陰氣絕之極也。在壯者臍下丹田。爪搔之。而有硫黃臭氣。則膏粱子弟有此症。血熱強者。臍下按之則出火。凡動氣多由水飲也。△操按。以小腹之動爲有水飲。恐屬概論。腎氣失守者。亦有動也。有內囗囗囗病不食。而中脘左右有動者。胃氣絕也。趺上不腫亦必死。奔豚氣必在任脉少陽之間。台州原文逸三字

非小便閉而膀胱脹大。見於皮外。或脹及臍上一寸許。或其甚者。臍上一般脹。而皆偏於左。左者。肝與陰囊之道路故也。同上△操按。以左爲肝與陰囊之道路。恐不確。

# 學說

## 血症要略

慈谿馮紹蘧

### 總論

夫血者。水火合德而生。其形象天一之水。其色法地二之火。取水之精以爲體。合火之神以爲用。人賴以有生。其出入升降濡潤宣通者。由氣使然也。故氣卽無形之血。血卽有形之氣。經曰。血之與氣。異名同類。人之一身。氣血不能相離。氣中有血。血中有氣。氣血相依。循環不息。以行新陳代謝之功。故萬物生成之道。惟陰與陽。非陽無以生。生者神其化也。非陰無以成。成者立其形也。人之陰陽。卽是氣血。陽主氣。氣全則神旺。陰主血。血盛則形强。血化於脾。總統於心。受藏於肝。宣布於肺。施泄於腎。灌溉於一身。無所不及。故爲七竅之靈。爲四肢之用。爲筋骨之柔和。爲飢膚之豐盛。以至滋臟腑。安魂魄。潤顏色。充營衛。津液得以宣通。二陰得以調暢。凡形質所在。無非血之用也。是以人有此形。惟賴此血。故血衰則形萎。血敗則形壞。而百骸表裏之屬。凡血虧之處。則隨所在而見其偏廢之病。是以血脫。則形何以立。血何所歸。亡陰亡陽。其危一也。然人何爲而病血。因血本陰精。不宜動也。而動則爲病。血本營氣。不宜損也。而損則爲病。蓋動者。多由於火。火逼血而妄行。多由於氣。氣傷則血無以存。故有七情而動火者。有以七情而傷氣者。有以勞倦色慾而動火者。有以勞倦色慾而傷陰者。或外邪不解。而熱鬱於經。或縱飲不節。而火動於胃。或中氣虛寒。則不能收攝。而注陷於下。或陰盛格陽。則火不歸源。而泛溢於上。是皆動血之因也。故妄行於上。則見於七竅。流注於下。則出乎二陰。或壅瘀經絡。則爲癰疽膿血。或鬱結於腸臟。則留爲血塊血癥。或乘風熱。而爲斑爲疹。或滯陰寒。則爲痛爲痺。斯皆血病之證也。若七情勞倦不知節。潛消暗爍不知養。生意本虧。而耗傷勿覺。則形氣之羸。形體之敝。眞陰因以不足。亦無非血症也。故凡治血者。當察虛實。是固然矣。然實中有虛。則於疼痛處。有不宜攻擊者。此似實而非實也。熱中有寒。則於火症中。有速宜溫補者。此似熱而非熱也。夫既明虛實矣。又不可不求其血之源。血源不明。治多舛乖。血之出於口者。有咽喉之異。蓋上焦出納之門戶。惟咽喉二竅而已。咽爲胃之上竅。出於咽者。必出於胃。喉爲肺之上竅。故出於喉者。必出於肺。然喉連於肺。而實總五臟之淸道。咽連於胃。而實總六腑之濁道。血之出於肺者。人知病五臟。而不知血出於胃者。亦多由于臟者也。何也。經曰。五臟者。皆稟氣於胃。胃者五臟之本氣也。然則五臟之氣。皆稟於胃。而五臟之病。獨不及於胃乎。古人云。嘔血出於胃。而豈知其亦由乎五臟也。凡胃火盛而大吐者。此本家之病。無待言也。至若怒則氣逆。甚則嘔血者。亦必出於胃脘。此氣逆在肝。木邪乘胃而然也。又如慾火上炎。甚則嘔血者。亦出於胃脘。此火發源泉。陰邪乘胃而然也。由此觀之。凡五志之火。皆能及胃而出於咽。豈僅胃家之病。但欬而出者。必出於喉。出於喉者。亦當察其五臟。嘔咯而出者。必出於咽。出於咽者。則五臟六腑。皆能及之。斯皆指上竅而言也。其出於下竅者。不出前後二陰。但前陰有二竅。血自精道出者。有尿血溺血血淋血崩血漏等症。自水道出者。亦有尿血之症。自後陰出者。有便血之症。然自前竅出者。須分精道水道。後竅出者。須分便前便後。雖症見於下。亦莫不關於臟腑。經曰。中焦不和。溲便爲之變。又曰。悲哀太甚。則胞絡絕。胞絡絕。則陽氣內動。發則心下崩數溲血也。斯非下症取中。下症取上之明徵乎。要知胃爲水穀之海。爲多氣多血之鄉。而實爲衝任血海之源。故凡血枯經閉者。當求生血之源。源者胃也。而嘔血吐血咳血咯血。前後二陰下血。亦當求其動血之源。源者臟與腑也。他如耳衄鼻衄舌衄齒衄肌衄。亦莫不與臟腑有關。斯而能明瞭於胸。不致妄伐臟腑矣。至於治法。靡可以滋陰行血肅肺疎肝。概施於諸血症也。須明其病源。察其虛實。或以脾胃爲急。或以心腎爲主。或主潤肺。或主疎肝。有是病。用是法。非漫然也。須知治血病以氣爲主。以寒熱虛實表裏。經緯其間。氣虛者。宜補氣。陷者宜升氣。逆者宜降氣。滯者宜行。外寒者宜散。內寒者宜溫。虛火者宜滋。實火者宜清。當用寒涼者。竟用寒涼。而無傷脾敗胃之虞。當用溫補者。竟用溫補。而無添火助邪之弊。活血行氣。非活血行氣。則血不痊。滋陰降火。非滋陰降火。則血不止。補中益氣。非補中益氣。而血症不愈。補托解散。非補托解散。而血病難復。以心陽爲主者。必當行陽固陰。以脾胃爲急者夥。必當調和中土。當潤肺則潤肺。當疎肝則疎肝。病因復雜。治法不一。審症自繁。用藥因夥。約述之。有八法四症。五治三方。細言之。則各經有各經之治法。各症有各症之治法。各經各症又有各經各症之專方。玆將血症之脉證治法。條分縷晰。詳述於後。藉供同道之借鏡焉。掛一漏萬。在所不免。翦陋之處。更難必無。匡我不逮。則幸甚矣。爰作總論。冠於此作。(待續)

## 外感別論

傅雍言

外感爲病。前人言之盡矣。而余所欲言。非猶前人所言也。竊謂六淫外邪。肉眼不能見。而易於感觸。因此觸覺類推。冒風則畏風噴嚏。感寒則惡寒凜慄。蒙暑則頭昏欲泛。著溼則肢軟倦怠。受燥則唇裂鼻乾。生火則心煩口渴等候。皆能隨遇而知。其體强者。有天然之抵抗力而自愈。如噴嚏自能散風。顫振生熱退寒。運動可以祛溼散火。靜養可以辟暑除燥。其次者。人事之防禦。如避風受暖以去風寒。居卑登高以除燥溼。納涼處蔭以清暑火。第三以食品克制。如葱姜辣椒之對風寒溼。瓜菓糖漿之對暑燥火。（拙論於劉河藥學會講義中。有蘿蔔蔓青。亦屬清泄冬溫之天然妙品。）至於用藥。已屬末著。況有輕劑不能却病。重則反有偏勝。故有不服藥爲中醫之諺。

又況有雜感而夾內因者。或兼不內外因而體虛者。或有遺漏胎產而相併爲患者。雖審問明辨愼思篤行。每見死多活少。然則醫者自病。必能深明而後可也。然亦有不克盡知者。余在二十歲。已代診二年。於暑令偶觸穢氣。卽泛泛欲嘔。頭目昏蒙。不堪其苦。必於頸頷提痧。用種種辟穢方法。以蠲此弊。然燥火之候常見。所以無一日斷水菓者約有十年。至二十八歲。開設大吉春藥店。偏嘗各藥。偶一外感。卽能自治。至民國二年。出席太倉縣議事會。有提議取締中醫案者。雖經駁斥而未議決。知行醫之前途危險。始將劉河醫學研究所。改組劉河醫藥學會。購辦一切譯本醫書。幷西藥器械等。自甲寅年。於上海中西醫學會彙課社。考取西學特等第三名。乃於劉河本鎭兼行中西醫法。不意於四十一歲之丙辰年。秋溫特甚。在中秋前後四十日間連診危篤之數十病人。有辭不獲命。診至死而後已者十餘人。心中懊惱異常。至九月望日邊。自病不克支持。諸藥罔效。加意煩悗。因彼時日有病人二三十。每病家二三人算。確有百人渴望余代除痛苦安慰家人者。焉可自病病他。不禁更爲之焦灼。又延將旬。壯熱不寐。脈數不倫。心悸亢進。神筋敏捷。異乎濕溫常態。已用清燥、苦寒、祛溫、瀉熱等法。卽西藥之鎭靜。解熱劑。亦無一效。一日思定清營、除煩、瀉心、平肝、解飢、降火、鎭逆、定魂、安神養陰等、十法。囑外甥陳得天。一一照當時病狀。配合成方。而彼寫半數。不辭自去。以爲神亂將狂。余則欲預備各法。留待同道諸君採擇。但是總歸無效。又延二日。偶見明瓦窗眼。有一點日光透露。由小而漸大。由明而漸糊。忽憶病人眼中。每見各種異樣狀態。恐余亦將見矣。思旣見小而明。大而糊。其能成花卉歟。定睛視之。果極美之花。轉思能花卉者。必能成人物。重視之下。果一端正之人面。更思窗間能成此影。則床帳間豈有不能成此幻影耶。迴神而熟視之。果見帳頂上花卉人物畢現焉。時家人都驚疑莫名。獨我老母具大慈大慧曰。爾病二旬。始稍能寐。近今旬日不寐。安得不眼花耶。況爾熱甚至思想亂。必須合目假寐。不許開眼講話。方得漸安。但余自知熱則血漲上騰。不獨入目視妄。而腦亦不得清明。若再寐而熱血歸於肝。必狂妄無制。老母曰我執爾手看爾睡。倘若爾有變。當卽喚爾醒。我五十年來。甞聞不能痲者狂。未聞由得痲而發狂者。余方略一安心。見一女子若有所喜。如曾相識者。乃演講其情形肖貌。家人云合目不言。祗靜一管水煙時。而講則至一管旱烟時不盡。心神亂極矣。余答曰實屬神筋敏捷。而非神亂之謂。當再合目凝思。一如方纔所見。其因若受其惠者爲三數。而又語家人以經過。若有次序更無端倪。斷然曰當再思之。則交睫惝悦撲朔迷離者五次。家人云總計三小時間。約痲二十分鐘。而余則尋思根究。確無一分鐘入黑甜鄉時。如受惠之三數何。其在算珠之十百千位間尙屬難辨。究竟有此惠又何。如爲代庖一事。其事又若何。如頗屬得意者。但溯思近來懊惱多而無一稱快事。如是復覺凡遇誤事者每在忽略。重又自問何因忽而誤乎。未竟又入欣喜之境。不覺其傍之可怖更甚。至是不禁自言曰。不念其怖之爲害甚矣。從此矍然不願合目假痲。追思立秋以來。治愈之病人。雖有數十無可喜。及思至二十日前。有范阿苟之詐死。由是知喜極不怖之有自若牧不鞭其後恍然明得病之源矣。當治范阿苟之病。在九月初旬下午。有西市稍一顆印宅。第三棟內范姓急病。來邀速去。余適東鄉囘在四時。知而卽至該屋門首。望見內已掛白布。默想來邀迄今。不過二小時。卽死決不及掛白。放膽步進。祗見亂柴滿地。知係范姓之宿孝堂。故無一人。高聲問曰。范家病人在樓上乎。答請上樓。及登樓見數人站在一小床前。有呼喚者。有拭淚者。余亦至其側。見一殭臥高枕之少年。目閉口緊如厥狀。按其額殊和暖。問何時起。曰飯後大哭變此。不言。有二小時不知人事。余恐氣厥。而必肢冷脈伏伙耶。按其腕臂果强直。而和暖如常。脈亦流利。扳其眼瞼。其睛上視。眼白不甚紅。余憶先君治一自縊後。用恐嚇法。乃曰此症名厥。必須用藥水針。於腦後針入其腦髓處。隨手可愈。但其痛異常。數日方已。遂將雙拇指甲。於其眉際。用力一壓。不應。曰必須針。但西法重病用重藥。恐將來大痛。有痛瞎眼。或痛聾耳。則不可怨針。針但能救命是耳。乃將右手按左手。而單以左拇指甲。按其人中。不顧其皮膚之破。竭力一壓。覺其頭一讓。余曰可。毋須針。但不知能否下咽。方可開方。當取開水來一試。先灌而於口角涎出。既而扶其頭。囑灌一大匙進其口。將頭一鬆。則其不及防。噎然下咽。否則至鼻內孔處。不能呼吸。而將於鼻孔穿出也。如是余曰。竅門開。可不死矣。乃書理氣之蘇梗烏藥鬱金等九味。下沉香米而已。惟在窗口書方之際。見病人之妹。與樓下天井中人手語。自掩其鼻。將手由東指而向北。似乎囑避中間之臭。由左次間而進之意。待書方畢。彼交一醫封。計銅元三十枚。余卽下樓。欲觀其樓下之柩殮否。及下樓至中間之門將出。東次間病人之父。問阿苟之病能治否。余曰已治而愈矣。問刻見將死。何能卽愈。曰不反則死。今厥復反則生。何疑之有。問用何法而厥卽復反。曰用藥針故卽反。問既針而再用藥否。曰我但說針而實未針。病已愈矣。方雖開不服藥亦可。問何以不服亦可。曰非眞厥故。彼曰阿苟因母死十日。要求其妹擔任喪費。故大罵大哭大擲大跳。想來何得卽死。尙欲叨叨詢問。而余聞死者已旬日。豈有尙不殮哉。望之果未抿蓋。而余遂出。乃父亦不送。當時至北宅見嬸母。卽講連日枉用心思。但見病者不能救。刻遇一詐病。不治而愈。幷逃與其父之言時。頗覺欣然。如屬生平難遇者。今方悟欣然答病之際。卽深受屍毒之時。豈非遇害於疏忽。受此女卅枚銅元之惠。使我命幾至危險而何。旋於夜半暫得身靜神安。正與師兄郁佩瑛。讀於書房。忽念我父母俱存。何親友之聯軸奠帳。皆輓吾父作古。語諸師兄。疑似未信。余竟至堂上一省。果見父親閱老母之操作。泰然如常。方欲慶喜不禁悲哀大作。被家人喚醒。曰先父之魂在家。速假竈籤於吾父靈前。虔誠叩求方藥。得香櫞佛手。蓋竈籤五十中。惟此芳香而合去穢之意。乃與二弟丕承。師兄佩瑛。及同道政楚珍陸斗華何少莊諸君。從事於祛穢瀉毒。如辟瘟丹、六神丸、三承氣、解毒湯等。三日盡香櫞佛手方三服。再求仍得此方。若有意揀此一籤。斷無如斯之巧且捷也。漸得由上而下。至少腹結毒。再進控涎丹、小金丹、桃核承氣湯等。及外敷之退毒千槌膏。待消毒盡淨。已兩越月矣。當時曾書一聯懸於醫室曰。中毒無知病危方悟。先靈不昧夢切見眞。又一聯曰。表裏溫涼聊宗家法。中西內外全賴朋情。懸於醫藥學會。其餘諸道兄處。亦有贈聯句者。惟病後勉勞。迄今留足跗之浮腫。以爲永遠紀念。是則醫必須知病之所由來。方可使從何而去。自治尚難如此。治人更屬不易。而况遇有雜感之如是而非。內傷之隱匿其源者哉。因作外感別論云。

# 微生物與六淫之邪究孰爲病源說

黃麗春

愚常見勞力之人。或因過勞過飽。偶觸炎酷暑濕而發痧者。審其病源。未必盡屬中氣素虧。毒邪內伏。每見農工勞力之人。方其飢也。狠吞虎嚥。方其出也。欣然就道。及冒暑濕薰蒸之氣。初覺胸膈懊憹。頃而發痧。在窮鄉僻壤。未得遽爾服藥。或針灸或石砭。（俗名刮痧北方亦有用石敲脊者）逮紅痧斑爛。不數小時而恢復原狀。依國粹醫學言。中暑濕之邪也。若依西醫言。凡病必由微生物。致病固微生物矣。試問針刺肌膚。石砭及表。並未及微生物。而病竟得愈。豈針砭亦具殺微生物之力乎。如此足證暑濕爲致病之因也可成立矣。考張氏醫通云。

『番沙一症。嘗攷方書。從無沙證之名。惟獨犯臭穢。而腹痛嘔逆。世俗以磁器醮油。刮其脊上。隨發紅斑者。謂之沙。甚則欲吐不吐。欲瀉不瀉。乾嘔絞痛者。曰絞腸沙。近時有感惡毒異氣。而驟發黑沙。俗名番沙。卒然昏倒腹痛。面色黑脹。不呼不叫。（沈又彭曰。上焦之氣壅矣。故不言。下焦之氣脫矣。故卒倒。）如不急治。兩三時即斃。有微發寒熱。腹痛麻瞀。嘔惡神昏者。或濈濈汗出。或隱隱發斑。此毒邪焮發于表也。亦有發即瀉利厥逆。腹脹無脉者。此毒邪內伏。不能外發也。所患最暴。多有不及見癍而殂者。經謂大氣入于藏腑。雖不病而卒死也。……』

發痧之病。其成因也不奇。而其愈也。單得嚏屁而蘇。針砭而愈者。則奇矣。尤以執微生物爲絕對病源者。見之而更奇。實國粹醫學。所謂六淫之邪。中暑濕耳。發痧之因。有中氣素虧。毒邪內伏。亦有外感客邪。豈西醫所謂微生物。即國醫之伏邪客邪歟。

西醫所謂病源。由于微生物。而以六淫之邪爲誘因。然考傷寒一篇。（傳染病叢書）載有注射消毒傷寒菌于人體。得以免疫。古時亦有服消毒傷寒菌。可以免疫。或曰。注射菌苗。由于消毒藥之力。然則。防疫可注射消毒藥可矣。奚必借重細菌爲。蓋消毒之菌。其行于人體。非特不足爲人害。抑且助白血球。與侵入之細菌。營周同化作用。因而免疫。然事實上有不然者。前歲報載。勞工因注射霍亂防疫菌苗。而疫仍作。竟似不注射而不病之意。卽今歲春。有種牛痘。而天花痘仍發之傳聞目見。竟有人議廢種痘。以免天花。細審其原。則知注射漿苗。或種痘之後。以爲可免疫矣。可以玩忽六淫之邪矣。其體已種菌。因外感六淫之邪。勾引其伏邪。漿苗因而復活，重營繁殖。因而致疫者。有之矣。實不知六淫之邪。實爲細菌活動之司令耳。

微生物繁殖于空氣之中。有一定之原則。若某種微生物。在若干溫度。繁殖力較旺。反之。溫度過。或不及。繁殖力必減。或某種適于濕。某種喜于低溫度。某種喜于燠。今以微生物繁殖情形。足證國醫六淫之邪。絕對足以駕御微生物。而微生物繁殖原則成立一日。六淫之邪萬不能打倒一日。

以破傷風菌、肺底討厮斯菌、癧菌、等而論。其侵犯于人體也。必借重于風寒。先頭疼、鼻塞、流涕。而後如寒似熱。開始與白血球。抗毒素對壘。反言之。其人甚壯健。無病象之外見。苟抽其血而臨顯微鏡之下。未必無一二微生物混雜其中。然其人固無病也。則可知六淫之邪。實微生物之司令。微生物不假六淫之邪。斷無發威之餘地。究微生物之繁殖于人體。亦有一定之地位。若實扶的里菌。(白喉菌)其繁殖力。以咽喉爲最大。然因部位之不同。而菌性因而有別。若咽頭實扶的里。喉頭實扶的里。及鼻灼實扶的里。其菌狀相類。而繁殖經過也不同。若肺癆、結核菌。形性與白喉絕對不同。但人體白血球、抗毒素。皆足爲敵。世有傷風不醒而成癆。斷不聞結核菌。出而爲白喉成因之代。然破傷風菌。久與白血球週旋。他菌可乘機而繁殖。于其勢力範圍。此所謂變症。卽破傷風菌。由喉鼻而下。爲肺喉頭炎。肺支加答兒。卽實扶的里。亦有腎臟炎。心臟痲痺、作病之可能。豈卽國醫所謂。傳變之暗示乎。若是則國醫學術上之地位想見矣。



中国近现代中医药期刊续编·第三辑

國產之生藥物。取其精或液。直接能否殺應病之菌。余不敢言。但以幾千年之經驗。啜之而利于病。其行于何經。舒何經之邪。則知國產藥。功用于人體某部位促該部白血球及抗毒素。興奮其直搗病灶之力。而況藥中。聞具有直接殺菌之力乎。能直接。能間接。且有圍韓救趙。虢亡虞舉之奧妙。且觀西醫之治病。認微生物爲絕對病源。直接殺菌。固占理想治療最捷地位。間亦有間接殺菌之法。不知益母卽漓子。扶正邪祛之法。一旦變症。卽手足無措。而傳變實病品之常事耳。此國醫之値得表揚矣。

注射藥劑。可稱爲眞直接殺菌乎。試觀破封固之管。接觸大氣。其不壞者幾希矣。則所謂直接殺菌。不假白血球、抗毒素之力。不爲功。間接殺菌。西醫亦有枕冰塊以治頭痛、發熱者。竟有濈然大汗。而病愈者。若以病源絕對爲微生物。則試問冰塊。固具殺菌之力乎。則南北冰洋之人。永免病矣。冰水之中。必無微生物發現矣。枕冰之法。亦不過降人體溫度。阻微生物繁殖。一任白血球一鼓克之耳。而國產藥。營間接殺菌。由桂枝不足治麻黃症。麻黃不足治柴胡症。知其完備矣。試觀西醫。凡熱病、寒熱、瘧疾等。祇用雞納霜單純製劑。未免有簡陋之譏矣。

微生物。侵犯人體。竟有抵抗不及。而不病者。以壯健人血液發現微生物。及勞工飲汚水不病作證。苟人體抵抗力足能殺菌。因外感六因之邪。白血球失其醱酵力。抗毒素阻其抵抗力。因而致病者。亦意料中事。不爲六淫之邪所犯。卽有微生物。不足爲患。可以注射菌苗爲證。單六淫之邪。能爲病。而不烈以發番痧爲證。由此而觀。國醫所謂外感六淫之邪。內伏毒邪。「邪」之一字。爲未發明顯微鏡時代。微生物之暗示。可以喩矣。

且微生物界。未必盡爲人害。默思我人。處空氣之中。微生物飄浮于空際。比比皆是。而人竟有數年而不病者。足見保攝之適宜。卽以微生物、能祟部分而論。人體有抗毒素、白血球。普足爲敵。而抗毒素、白血球。若無時時微生物之侵入。爲其剋毒之練習。則白血球將如遜清末葉之兵。飽食無事。一旦外侮之來。竟失其抵抗效力矣。則可謂能祟微生物。爲抗毒素、白血球之大補品也可。若乎酒醬之成。由于醱酵菌。則微生物可證未必盡屬有害于人。昔年美國衞生局。因檢驗中國出產之乳腐。發現微生菌。卽禁止進口。然美人見華僑。食乳腐而不致病。且作爲病中良好食品。于是引起硏究。卒知乳腐有乳酸菌。非特不足爲人害。且助消化。抑且有整腸之功。尤對于大腸菌。有相輔消化。殺有害微生物之力。況大腸中。亦有大腸菌。嘻。微生物豈可稱盡爲人害哉。

西醫所謂微生物爲病成因。實中醫之所謂六淫之邪。有以致之也。六淫爲風寒暑濕燥火。而風實居其首。風雖爲六淫之一。實統乎六淫全體。微生物爲百病之主因。而風實爲百病之主動。何以言之。內經云。風者善行而數變。爲百病之長。是爲鐵證。蓋中醫于數千年前。發明六淫之時。已知有微生蟲矣。今按風之一字從虫。非因風中含有蟲。風能致人生病源蟲乎。風字而去蟲。不成其爲風字矣。故余曰。如人不感六淫之邪。微生物何由得犯。雖有微生物。而無六淫。亦不能爲人害。試觀培養微生物。其能無故而飛宅乎。由此而觀。微生物無六淫之邪。不足爲害。余敢在西醫免疫學。解一疑點。而爲免疫學加一註釋。更足見國醫學術之高深。識見實超西人之先。中西醫界微生物與六淫之邪爭辯。可以息矣。

近有某西醫。因迷信微生物、絕對爲病源。力駁六淫之邪。爲不可靠。竟向國醫某名士云。今置微生蟲一杯。先生敢飲否。若余見之。因迷信免疫學。立而對曰。苟微生蟲加以消毒。余敢立飲。非特無傷。抑且免疫。惟懼六淫之邪。在外勾引。致消毒之蟲。在內跳動。先生將何以狡其辯耶。某西醫以爲微生蟲。祇有害于人。世有藥房。出賣牛痘漿苗。及防疫漿苗。白濁漿苗。整腸乳酸菌製劑。豈因某西醫迷信微生物。必爲人害之說。致製漿苗藥劑師飯碗磕破。免疫學因而取消。若某西醫之不信六淫之邪。足證其不用心于細菌學及微生物學。蓋微生物繁殖情形。與風寒暑濕燥火六氣。有密切之關係。今只知微生物。而不明微生物生活情形。不免有頭腦簡單之識矣

# 中醫之外科治療

商智

今之評論中醫西醫者。咸謂中醫長於內科。西醫長於外料。予謂西醫之外科。根據生理解剖試驗而來。有爲中醫所不及者。無庸諱言。但中醫之外科。察體質之虛實。從病能之實驗。其至精至當之處。足以壓倒西醫者。亦復不少。姑就治疔言。胡笠僧將軍左臂患疔。若用中醫外科治療。內服外敷。卽加以針刺。無是危險也。而西醫乃以任意割剖。畢其命。以治梅毒言。西醫所恃者六零六耳。論其功效。輕者注射一二次。重者不過五六次卽愈。然未幾時。梅毒復發矣。何則。僅憑一次之血液檢查。視爲無毒故也。中醫則分氣化傳染精化傳染兩種。氣化輕而精化重。氣化者毒在皮膚。湯劑足以治之。精化者。深入骨骼經絡。必須內服外敷。丸散並進。較之西醫。稍長時間而已。一愈之後。復發者殊不概見。由是觀之。中醫之外科。果不及西醫耶。鄙人兼習外科。歷有年所。略知外科情形。聽今人之評論。慮國粹之將墜。爰就引用古人外科成方之治驗。於疔瘡梅毒二症。各述一則於左。想我有識同志。當不河漢斯言也。

## ▣疔毒治驗

處州青田人吳夢華。年二十歲。兩顴各患一疔。大如白荳。色黃。光亮明潤。痲木作癢。誤以指甲抓。破頭面突腫如斗。目合唇翻。壯熱嘔吐。昏憒不省人事。察其顴部之疔。反凹陷不起。予曰。此疔毒走黃也。諺云。好瘡不上面。以面部神經密近於腦也耳。腦傷則迷。走神經所屬之心肺腸胃。失其作用。嘔吐昏憒。其明徵也。雖然若無風邪乘入。變症必不如是之速。但鄉間無藥店而病勢又非常危急。急取、野菊花花葉根枝。搗爛絞汁與服。以殺其勢。隨以七星劍方。蒼耳子三錢池菊花三錢豨簽草三錢地丁草三錢半枝連三錢蚤休二錢痲黃一錢加掛金燈俗名天泡子。小兒患天泡瘡。鄉人嘗取此子搗爛塗之。根一握以酒水各半煎。兼送蟾酥丸六粒連服二劑。浮腫漸消。人事已清。抓破之處。脂水流出。用九一丹敷之。將原方除去蚤痲蟾酥。加金銀花三錢皁角針五錢沒藥五錢清寧丸一錢五分連服三劑。腫消水稀。于九一丹內再加雄精少許敷之。復再用生芪三錢全歸二錢炒白芍三錢生草一錢遠志肉一錢茯苓二錢麥冬五錢蒼耳子一錢等味調治數劑而痊。

### 梅毒治驗

歙縣胡玉清，年四十四藏。出外經商。偶與患梅毒者同一榻臥。次日皮膚作癢。筋骨微痛。三四日間。發瘡如粟米大。身軀四肢。疏密不一。醫作疥治。月餘不愈。予曰。此氣化傳染之梅毒也。彼問何以知之。予曰。瘡發而筋骨痛。是以知之。蓋以皮膚組織薄弱不能抵抗梅毒氣燄之猛烈。故一發於皮膚。而相聯之筋骨。斯不免受其影響耳。若他瘡發生。何嘗有此。然而毒之自外而內者。仍使自內而外。乃用楊梅一劑散麻黃三錢威靈仙二錢生大黃二錢羌活五錢白芷一錢穿山甲一錢五分皁角刺二錢金銀花二錢蟬退一錢防風一錢以猪肥肉六兩煑取清湯。煎服溫覆取汗。連服三劑。遍身漐漐有汗。骨痛已解。此毒素從汗線排洩於外也。再改一方以防風一錢五分荊芥五錢刺蒺藜三錢生芪三錢全歸三錢撫芎一錢藏紅花一錢五分川黃連一錢五分甘草節半錢地膚子三錢四劑而愈。

## 金匱杏子湯方修園淺注補闕前人已開其先醫宗金鑑載此方而少一味當以何方爲宜論

楊野鶴

內經云。勇而勞甚。則腎汗出。腎汗出。逢於風。內不得入於臟腑。外不得越於皮膚。客於玄府。行於皮膚。傳爲胕腫。名曰風水。此探風水之所由來也。金匱水氣篇云。水之爲病。其脈沉小。屬少陰。浮者爲風。無水虛脹者爲氣水。發其汗卽已。脈沉者。宜麻黃附子湯。浮者宜杏子湯。此言水病脈象之異。以及治法之不同也。二者之說均精當簡審。誠足爲後人模範矣。獨惜治風水杏子湯一方。雖有其名。而藥品闕而失傳於世也。雖然亦有可攷者在焉。徐忠可尤在涇註云。疑是麻杏石甘湯。修園淺註補闕。亦宗其說。醫宗金鑑載杏子湯。僅云麻黃杏子甘艸三味。而未有石膏。執此二說而論。卽可斷其孰宜孰不宜矣。然則當以何方爲宜耶。曰當以金鑑杏子湯爲宜也。何則、傷寒論曰。發汗後。不可更行桂枝湯。汗出而喘。無大熱者。可與麻黃杏仁甘艸石膏湯。夫麻杏甘石。原爲陽盛於內。而表猶不解者。謂發汗淸裏之法也。本節云。水之爲病。發其汗卽已。末云。熱之爲病。自汗出也。用杏麻甘艸以啓太陰之氣。開玄府之竅。則風水得泄。而病自愈矣。安可以熱蘊在表之麻杏甘石之方。借來以治風水。而張冠李戴耶。不然麻黃甘石一方。出自仲景。果能用之以治風水。仲景何不云此方主之。而又另立一杏子湯乎。由此觀之。則金鑑杏子湯爲宜。而麻杏甘石湯爲不宜也明矣。且金匱曾云。水之爲病。脈沉者。宜麻黃附子湯。浮者宜杏子湯。夫沉屬少陰。浮屬太陰風水也。太陰卽肺。肺腎爲子母之臟。肺生水。腎主水。二臟受傷。皆能積水。而爲水病矣。水病由於腎生者爲本。由於肺生者爲標。夫肺腎經脈相通。本病連標。標病連本。勢所必然之理。本節腎水一症。既用麻黃附子湯。以溫其經。則風水之屬寒。而不屬熱也可知。既不屬熱。則麻杏甘石湯中寒涼之石膏。何所當而用之乎。張景岳云。夫有是病。而用是藥。則病受之。無是病而用是藥。則元氣受之。人身元氣幾何。若以寒症而投寒藥。是以寒濟寒。不啻入井復下石矣。能無陰受其損。而變生莫測乎。至金鑑杏子湯方。均爲發汗之品。與發其汗卽已一句。正相吻合。雖金匱杏子湯闕而不傳。玩用杏子湯之旨。卽可知金鑑杏子湯爲合用矣。再由是以觀。則不宜於麻杏甘石湯。而宜於金鑑杏子湯也。益明矣。然亦非示人於水病。一概不可用麻杏甘石也。不過屬寒者不可耳。果係屬熱。亦未嘗不可也。乃當今業醫之士。往往於金匱杏子湯一條。亦不嘗其屬寒。猶以修園淺註補闕爲是要。亦讀書未能得間也。

# 麻黃與愛非特林

沈一星

喘息者。乃不能十分完全吸酸除炭之機能。故血液之炭酸瓦斯愈增量。遂至呼吸中樞之興奮性。亦因行減退而呼吸障礙而致之。究其病原。種種不一。因鼻茸。扁桃腺炎、支氣管加答兒、子宮後屈等刺戟迷迷走神經而起之發作性氣管支肌之痙攣。如欲治喘。亦與治咳無異。不可不求其致喘之原。原不除喘不治。然喘發作之時。急用藥以止之。則不外乎阿特列那林(Adrenalin)。蘇柏喜本(Suprahypan)。安泰斯多(Antasthol)。等液注射之。此類之劑。對於老人血管硬化者不免不便使用焉。故吾國治此疾患之古方。大都用麻黃。其中因含愛非特林(Ephedrin.)。與現時西醫學理甚爲適合。其毒性甚微。每能使枝氣管痙攣立時弛放。而奏制止之效。且能持久。鄙人以此治愈喘息者。較他藥爲冠。但除藉藥力以外。其平日之飲食起居及戶外運動。尤不可不注意。以講求之也。

## 胎兒轉身之我見

李健頤

古云胎兒在母腹時。頭在上。足在下。外有胞衣包着。如地球之狀。至臨盆時。胞衣衝開。胎兒垂頭轉身向下。以上所說固是。惟云臨盆時。卽垂頭轉身。恐未必然也。余研究胎生學。略知胎兒轉身經過情節。請試述之。夫男子精虫入於女子卵黃核。爲男性前核。遂漸移近於女性前核。合之爲一。卽起變化。日更月易。乃成人形。其初兒頭固在上。後卽漸次移轉而趨下。三四月時孕婦自亦不覺其轉。動至五六月。卽蠕蠕移動。其頭大約循至腰脊之處。橫臥於腹腔。八九月殆至子宮下端。十月滿。卽到宮口。預備鑽出之機會。此爲胎兒轉身經過之大略也。如孕婦血氣虛弱。胎兒轉旋必遲。故有延至十二三月。或二十餘月。始生者。宜服補氣養血藥。以助其轉動。庶無難產之患也。否則胎氣枯澀。轉移遲慢。兒頭未經移至產門。偶一不愼。忽然受驚。或仆跌。以致影響胎兒。遂至迫出。或手先出者。爲討鹽生。或足先出者。爲踏蓮生。種種難產之原因。卽此之故也。嗣見賤內第二次之胎。順月時。先服補氣血藥。至臨盆。只見腰脊痠痛。並無腹痛。及困苦狀況。覩此情形。遂引起胎兒轉身之研究。若論胎兒及至生時。纔卽垂頭轉身向下。則當於轉身之時。腹中必見劇烈之轉動。奈何或腹痛。或腹不痛者。如腹劇痛。認爲轉身腹痛。其腹不痛者、亦可認爲不轉身乎。推原究理。可知胎兒至生時。卽轉身之說。大謬不然。請試用子宮鏡。檢查子宮內之兒頭。果是在上。亦係在下。自可瞭然矣。或曰如君所言。胎兒至八九月。頭已垂下。不待轉身。軀體倒懸。豈不危險哉。余卽謂之釋辯曰。胎兒在腹中。賴母血之榮養。其呼吸及排洩廢料。卽由臍帶爲之作用。況胎兒於胎盤裏。手足互抱。瞑目閉口。其氣嚥入丹田。猶靜坐家練丹田之氣。以成汞。復練汞嚥入丹田以化鉛。乃能辟穀不饑之玄妙也。

# 辨症芻言

夏同春

醫病非難、辨症爲難。寒熱有眞假。氣血有虛實。聲色有粗微淸濁白黃絳黑之分。差以一毫。謬以千里。是以前哲不忽於微。必謹之細。立望問聞切四大法門。以爲治病之準則。後人妄自矜能。舉手一按。輒便處方。一若表裏陰陽軀殼臟腑之細微曲折。不難了然於三指中。在道高識邃者間或有此技能。殊不知脈理精微。指下雖明。心中難悟。何如有形可察。有質可按者。一一明辨之愼思之。以形證病。以病證形。視察審而斷證始確。故辨症之要。第一宜看兩目。宣聖云。存乎人者。莫良於眸子。內經云。五臟六腑之精。皆上注於目。目系上通於腦。腦爲元神之海。凡人病陽症。目必開善見人。病陰症。目必閉。惡見人。腎將枯目多瞀。鼻將衄。目多昏。目白黃者、溫熱也。目白赤者、血熱也。目光烱烱者、燥病也。目色蒙蒙者、濕病也。目胞腫如臥蠶者水氣也。目胞上下黑色者痰氣也。怒目而視者、肝氣盛。橫目斜視者肝風竄。目中妄見。熱入心包。夜分自言。熱入血室。目有眵有淚者、病多吉。無眵無淚者、病多凶。目瞪、目陷、目直、目斜者。病多不治。以此論斷。百不爽一。第二、宜看脣口齒。內經云。聲口脣者聲音之扇。難經云。口脣者。肌肉之本。經又謂脾在竅爲口。其華在脣。齒爲腎之餘。齦爲胃之絡。凡口鼻氣粗呼吸疾者。外邪有餘。口鼻氣微。出入徐者。內傷不足。胃熱熾。則口臭齒燥。胃津傷。則口淡無味。胃濕盛。則口膩多苦。脾濕盛。則口乾拒飲。口鹹吐白沫者。腎水上泛。口甜者脾癉。口苦者胆熱。口辛者肺熱入胃。口酸者肝熱犯胃。口乾舌燥者心熱。口燥咽痛者腎熱。口燥咬牙者風痙。口噤難言者風痰。口角流涎者脾冷。口吐黏液者脾熱。口吐紫血者胃絡傷。口吐淡血者脾氣虛。口張大開者脾絕。口出鴉聲者肺絕。餘如環口黧黑者。口燥齒枯者。口如魚嘴尖起者。均在必死之例。凡脣焦赤者脾熱。脣燥裂者亦脾熱。脣乾而焦者脾受燥熱。脣淡而黃者脾積濕熱。脣淡白者血虛。脣紫紅者血瘀。脣紅而吐血者胃熱。脣白而吐涎者胃虛。脣紅如珠者血熱。而心火旺極。脣白如雪者血脫。而脾陽將絕。脣紫聲啞者虫積。脣繭舌裂者毒積。上脣有瘡。虫食其臟。下脣有瘡。虫食其肛。脣腫齒焦者。脾腎熱極。脣蹇而縮。不能蓋齒者脾絕。凡齒燥無津者胃熱。齒焦而枯者液涸。齩齒齘牙者。風動。前板齒燥脈虛者。中暑。下截齒燥脈芤者。便血。上齒齦燥。者胃絡熱極。多吐血。下齒齦燥者。腸絡熱極。多便血。行經多而齒忽咬人者。衝任涸竭。病必危。虛損久而齒忽咬人者。心腎氣絕。病不治。第三宜看舌胎。內經曰。心在竅爲舌。又謂足太陰之脈絡胃。上挾咽。連舌本。散舌下。足少陰之脈。循喉嚨。挾舌本。觀是舌因爲心腎脾胃之外候。故石頑著舌鏡。靈胎誕先著舌鑑。劉吉人著看舌八法。一看舌色。二看舌質。三看舌尖。四看舌心。五看舌根。六看舌邊。七看舌之燥潤。八看舌之老嫩。俞根初著六經舌胎歌。吳坤安著察舌辨症歌。從可知舌胎爲人軀最密切之關係。觀其形。視其質。察其色。如見舌肺肝然。但舌胎之現色。有黃白黑三種。而舌質之變色。亦有絳紫青三種。胎色白而薄。爲寒邪在表。白而厚。爲寒邪停中。白而滑或灰滑。或黑滑。皆爲脾濕上潮。白而燥。上有芒刺。捫之或糙或澀者。多爲熱極之下症。餘如淡白如無爲虛寒。宜溫則熱補。若變黃色。已入胃。黃而糙。黃而帶灰帶黑。黃而乾沙刺點。黃而中心瓣裂。或捲短者。皆爲胃熱蒸。腎陰下竭。急宜速下以存津液。至黑苔有青紫燥潤之不同。胎色青黑。而舌本滑潤者。爲水來克火。多脾腎陰寒症。胎色紫黑而舌本焦燥者。爲火極似水。爲胃腎乾涸症。若舌本由紅轉絳轉紫者。一由心經熱熾。刼傷經血。一由肝經火旺。刼傷絡血。惟青色爲肝臟本色。發現胃中。生氣已絕。雖有青黑寒化。青紫熱化之殊。總在不治之例。

未完

## 通俗育兒譚

秦又安

爲什麽巨富的人家。往往後嗣艱難。即使生了兒子。百般愛護。偏偏容易夭折。或是身體羸弱。倒不若貧家的小兒。隨隨便便的長成得容易。其中當然是有一個原因的。崇拜因果的人。以爲有錢的人家。大半是輕出重入。刻薄小民。所以天降之罰。使其絕嗣。這種論調。只能供給念佛婆婆吃素太太們的信仰。決不是醫學上所能承認的。吾嘗考察巨富的人。他所以能成巨富的。不外節衣縮食。看一文錢好像連城趙璧。不肯隨便用掉。終日持籌握算。千方百計。多一文好一文。尤其是日夜的提心弔胆。恐怕盜匪們來光顧他。天天過那憂愁恐懼的日子。眞所謂心勞形悴。我記得傅青主女科上面說。『婦人懷抱素惡。不能生子。人以爲天心厭之也。惟知是肝氣鬱結乎。夫婦人之有子也。必然心脉流利而滑。脾脉舒徐而和。腎脈旺大而鼓指。始稱喜脉。未有三部脈鬱。而能生子者也。』這不是七情和環境造成他不孕的焦點麽。把牠廣義的講起來。男子何常不是這樣呢。以致兩鬢如霜。猶虛膝下。于是千方百計。廣置妾媵。或是入廟拈香。求神許願。一日產了麟兒。便笑逐顏開。一闊其手面。送喜蛋呀。宴湯餅呀。希望人家恭維他。枯楊生稊。丁財兩旺哩。主人翁呢天天抱了小兒。朝也心肝。晚也寶貝。叮囑嫞人們千萬當心。別吹了風寒。受了驚嚇。好像從前的小姐一樣。不越閨房一步。開口一哭。便百般的安慰他。給糖果他。終是使他笑口常開。未到隆冬。已經絲棉呀。輕裘呀。多穿起來了。種種的待遇。可算至矣盡矣了。那裏知道天不做美。偏偏容易傷風受驚。尤其容易輕病轉重。由重而夭。反不若鄉村的苦孩子來得容易生長。講到鄉間人的生活。所謂鑿井而飲。耕田而食。黎明起來幹那耕田的工作。運動他的筋骨。飽受新鮮的空氣。晚上困倦了。倒在床上。便入睡鄉。或是工作完了。買一瓶酒。添一碗菜。償他勞苦的代價。旁人看他很辛苦。可是他精神上。無憂無慮。自得其樂。內經所謂「志閒而少欲。心安而不懼。形勞而不倦」。形精俱足。自然身體康强。後嗣也容易了。鄉村的小兒。怎比得富家的受用。每天不過吃幾碗麥飯。穿的不過是粗布。早上父母工作去了。隨他一個人。在冷風內哭著。烈日內曬著。有誰去當心他呢。不知日久成了習慣。就是生理上增加了自然的抵抗力。寒一點熱一點都不怕了。滬諺說得好。財多身偏弱。窮極病魔消。眞是一點不差呢。譬如一棵花草。很留心地保護牠。培養牠。天氣冷了搬進花房裏。太熱了移放陰涼的所在。養成嬌嫩的枝條。一經狂風烈日。就枯死了。反不著野草閒花。烈日曬著。寒風吹著。還是永久的存著。富人家兒子。也是嬌養慣了。天然的抵抗力。仍歸于天然的淘汰。無怪其難于長成了。講到小兒的哭。在生理學上。認爲是造物給他的一種發育機能。溺愛不明的富人。恐怕他哭壞了。百般的阻止他。拿糖果去引誘他。不知小兒脾胃薄弱。多吃了東西。最易釀成種種危險的脾胃病。所以泰西各國。對于小兒飲食的多少。及次數。是有一定的標準的。不是騙他不哭就算了。像吾國的富人的愛護小兒。就是間接的驅入死路。豈不可痛可憐。有的人說。大概富而好施的人。容易有子。這不是天的報施麼。誰知富而好施的人。得到一種良心上的安慰。他行種種善事。精神上不其然而然。發出無限的快感。大學曰「心廣體胖」。格言聯璧曰「作善不求獲報。自然夢穩心安。」不像鄙吝的人。防不勝防。憂不勝憂。度那囹圄式的日子。于是從七情上。應響到生理上。使他後嗣艱難。唉。富人們。你要早抱麟兒。不必求神問卜。只要多行善事。使心理上先得到安慰。消除一切憂愁恐懼的念頭。傅靑主曰『鬱結之氣開鬱結開無非喜氣之盈腹。自然孕麟有望矣。』還有。最要緊的。就是有了兒子。使其成爲健康的國民。幹一翻大事業。不要嬌養性成。貪吃懶做。使吾國多添了一個東亞病夫。家庭中多增了一個分利的人罷了。有什麽益處呢。吾這篇文字。不但可作富人的種子方。也許是强國强種篇哩。

## 記河豚毒

秦又安

去歲十一月二十日。上海同仁輔元分堂驗屍所。有乞人誤食河豚腸藏及子致死一案。錄之于后。以爲饕餮之戒。乞人王志山。寧波人。在法租界自來火街一帶。垃圾堆內。檢拾棄物。忽然發見魚子腸藏一堆。遂取而烹食之。詎入晚突然腹痛甚劇。卧地呻吟。若儕睹狀大駭。亟車送仁濟醫院救治。詎受毒過深。未及抵院。中途氣絕。考本草河豚甘溫有毒。宗奭曰修治失法。食之殺人。時珍曰。煮忌煤炲落中。輟耕錄云。與荆芥大相反。食之殺人。又河豚肝及子尤毒。必不可食。曾以水浸子一夜。大如芡實。世傳中其毒者。以橄欖及冰片浸水。皆可解。又一方以槐花微炒。與乾臙脂等分同擣粉。調灌之大妙。安按河豚爲庖廚珍品。人皆食之。非盡有毒也。據漁者云。另有一種敗河豚最毒。不可食。捕得即行棄去。或云敗河豚即雌河豚也。又上海閘老坊徐照元菜館。有油煎河豚子出售。大如黃豆。(生時如芥子大)。吾浦東亦有之。良以經油煎熬。其毒必消失矣。以余理想推之。其魚子腸藏。老饕必知其有毒。故棄之垃圾堆中。無奈乞人憒憒。竟貪食喪身。亦可哀矣

## 醫案

# 尤在涇晚年醫案

盛心如錄

▲肩背臂痛

邪風入中經絡。從肩膊至項背強痛。舌乾唇紫而腫。痛處如針刺之狀。此症內挾肝火。不宜過用溫散。惟可淸陰熄肝而已。

羚羊角　甘菊　黃芩　小生地　鈎勾　秦艽　丹皮

又攻背痛定。脊中尙如刀割。治在養血通經。

桂枝　阿膠　白芍　知母　生地　羚羊角　炙艸　鈎勾

欬而喘。肩背及腿環跳穴痛。脈數而小。肺肝腎三家之病。頗難治。

熟地　當歸　炙艸　山藥　杜仲　牛膝

肩背熱。每日自辰至申必發。則痛如芒刺。喉中乾痛。於今半載餘矣。此肝藏陰虛伏火衝逆肺家。其病爲橫。頗難調治。法當請肅肺氣。抑制肝邪。

白茅根　生地　青蒿　百合　苦貝母　川楝子　川石斛　茯苓

左肩臂痛不能舉。此血虛而風入也。名曰臂痺。

生地　桂枝　甘艸　陳皮　生姜　當歸　白芍　茯苓　大棗

身半以上。痛引肩背。風濕在手太陰之分。故行動則氣促不舒。胸膺高起。治在經絡。

活絡丹

右肩臂偏痛。引及背痛肢痲。此陽氣已薄。不能護衛所致。診脈緩小。當溫營衛。東垣舒經湯主之。

桂枝　赤芍　白朮　炙艸　當歸　海桐皮　片姜黃　磨入沉香汁少許

風寒襲入背俞。陽氣不通。閉鬱爲痛。宜以甘辛溫藥通之。

鹿角霜　當歸　炙艸　生薑　大棗　桂枝　白芍　豆卷

乍寒乍熱。肩背痛胸滿。病在肺家。

紫菀　厚扑　指梗　牛蒡子　杏仁　枳壳　通艸　知母

又寒熱已止。咽乾咳嗆。肩背痛。

紫菀　元參　貝母　杏仁　桔梗　枳壳　生艸　桑白皮

▲諸痛

痛在環跳膝後。遇風冷勞動卽發。喜煖惡寒。近日入夜欬逆痰稀。乃暴冷外傳太陽。內應少陰。水泛濁痰上湧。雖年尙壯盛。而陽氣不足。宜以補納爲治也。

腎氣去牛膝肉桂加　五味子　蜜丸

向係陽氣不足。酒食稍過卽瀉。痛着脘下映背。噯氣氣窒不通。必濕痰凝聚。久則絡脈不通而痛引前後也。當從鬱門議治。

茅朮　蘇梗　腹皮　陳皮　茯苓　炒延胡　厚抄　香附汁

脉大緩而無力。色黃痿痺無力。喜煖惡寒。心下痛連脅肋。此勞倦內傷。久則延成脾厥。脾主營。宜以辛甘溫養爲是。

當歸　茯神　桂枝　桂元肉　炙艸　炒遠志

牙齗帶紫。膝蓋痠痛。上年秋季爲甚。此濕邪阻於經絡。陽明之氣不司束筋利機。議宣通脉絡之痙。使氣血和平。

狗脊　白蒺藜　生於朮　漢防已　油松節　米仁汁泛丸

陽氣虛衰。不養於筋。風寒乘之。攣急作痛。宜薏苡附子散。

薏苡　附子　桂枝　當歸　白芍　甘草　茯苓

脾腎寒濕下注。右膝脛腫痛而色不赤。其脉當遲緩而小促。食少輒欲嘔。中氣之衰。亦已甚矣。此時當以和養中氣爲要。腫痛之處。姑置勿論。且未有中氣不復而膝腫得愈者也。

人參　茯苓　半夏　廣皮　木瓜　益智仁　炒粳米

腦後爲腎脉所過之地。風冷乘之；脉不得通。則惡寒而痛。法宜通陽。

鹿角屑　白芍　炙艸　生薑　大棗　當歸　桂枝　半夏

寒濕中經。左腿重痛。

桂枝　獨活　杜仲　遠志　川斷　木瓜　萆薢

身痛偏左。血不足而氣乖之也。

半夏　秦艽　歸身　廣皮　茯苓　丹參　川斷　炙艸

▲疝

肝氣內結。聚於小腹之下。棟成疝症。

川楝子　當歸　丹皮　橘核　青皮　查核　苓皮　桂枝

脉微濇左弦。跗踵痲冷。走動無力。少腹微滿。睾丸日腫。神呆衰老。畏風怕冷。陽虛疝瘕難愈。

人參　炒川椒　炒杞子　附子　茯苓　茴香　當歸

寒天久立。冷氣直入厥陰。少腹堅凝有塊。自覺閃閃。乃動氣也。過食必瀉。腑腸亦傷。不可泥子和流氣飲治之。自病連加遺泄。宜以理陽洩濁。

覆盆子　當歸　韮子　巴戟　茯苓　淡從蓉　遠志　桂心

鹿角膠一兩溶化代蜜搗丸每服三錢淡鹽湯送下

心下痞。按之硬。勞動則上逆而嘔。外腎腫大而冷。治溫則散。是上有寒飲而下爲寒疝也。宜溫之。

白朮　茯苓　乾姜　白芍　附子　川椒　肉桂　橘核

疝氣下濕。遇勞卽發。脉弱形瘦。法當溫養，

桂枝　歸身　炙艸　木瓜　川楝子

脉數、疝氣。

川楝子　茯苓　廣皮　炙艸　木通　當歸　查核　橘核

▲耳鼻目齒附衄症

脉數耳鳴。吐痰。天柱與腰膝痠。兩足常冷。此陰虧陽升。當慎補實下。

熟地　萸肉　山藥　杞子　兎絲　龜枚膠　鹿角膠

少陽之脉。循耳中走耳外。是經有風火。則耳濃而鳴。治宜清散。

薄荷　連喬　菊花　赤芍　黃芩　甘艸　木通　白夕利

火升頭痛。耳鳴必下痞悶。飯後卽發。此陽明少陽二經痰火交鬱。得穀氣而滋甚。與陰虛火炎不同。先宜清理繼與補降。

竹茹　半夏　茯苓　橘紅　鈎鈎　羚羊角　炙艸　川斛

病因風火襲入少陽。耳鳴不聰。早投補劑。留連膚腠。發爲瘍症。經久不愈。屢發屢止。是宜從外施治。兼服清上之劑者也。至於口乾引飲。心煩不寐。便溺數淸。則心肺有熱。而肝腎之陰不足以濟之。是當以肝潤益陰之品。清上補下者也。標本分治。並行不悖。庶幾於治有益。

淸上之劑。

花粉　銀花　甘艸　黃芪　當歸　白芍　丹皮　小生地

滋上補下之劑。

人參　麥冬　小生地　生百合　甘艸　五味　知母　山藥　茯神　棗仁

風火在肺。肺之絡會於耳。故鳴而不聰。

薄荷　杏仁　桔梗　黃芩　甘艸　連喬　木通

兩耳暴聾。兩寸浮大。風火在上。法宜清通。

方同上

風熱上甚。耳鳴汗出。

薄荷　木通　杏仁　桔梗　石菖蒲　連喬　黃芩　只壳　甘艸　竹叶

風火相搏。頭痛目赤耳鳴。

薄荷　枳壳　黃芩　連喬　杏仁　菊花　川芎　黑梔　細茶　丹皮

肺之絡會於耳中。肺受風火。久而不清。竅與絡俱爲之閉。所以鼻塞不聞香臭。耳聾耳鳴。不聞音聲也。茲當清通肺氣。

蒼耳　薄荷　桔梗　連喬　木通　辛夷　黃芩　杏仁　山梔　甘艸

腎虛精散。視物兩歧。經所謂精散則歧。是兩物是也。

熟地　萸肉　五味子　茯苓　山藥　甘艸

下多亡陰。目漸失明。所謂脫陰者目盲也。

白芍　阿膠　蓮肉　歸身　炙草　丹參　茯苓

風熱火蓄。腦髓。發爲鼻淵。五年不愈。此壅病也。壅則宜通。不通則不治。

犀角　川芎　蒼耳　淡芩　杏仁　鬱金

齒痛齦腫。風火上盛。

薄荷　甘草　丹皮　黃芩　山梔　枳殼　連翹　小生地

腎虛齒痛。入暮卽發。非風非火。清散無益。

加減八味丸淡鹽湯服

又齒痛減。鼻覺燥。

齒衄。齦不痛腫。色不紅紫。脈虛小而面黃白。手足不溫。此係陽明氣弱。血失所附而然。非清塞可治。

七味丸三錢

黃芪　牛膝　白芍　阿膠　炙草　生地　茯神　血餘炭

額準痛。齒縫出血。口苦舌乾盜汗。或表散。或飲酒。愈覺不安。皆陰虛陽浮所致。發散飲酒。更助陽泄陰故耳。當以靜藥益陰和陽。

熟地　龜板　茯神　五味子　秋石　茯肉　阿膠　牛膝　爲末蜜丸

齒痛腹滿。似屬兩途。診脈寸口溢出魚際。而兩尺細小無力。此是下焦陰火上浮。上失其濕。齒受其灼而然。補納陰火。兩病當愈。

十味腎氣丸

陰弱血溢。脈虛體倦。宜補陰斂湯。微兼清熱。

犀角　赤芍　丹皮　石斛　茯苓　生地　牛膝　炙艸　骨汲

又

犀角　木通　牛膝　杏仁　茯苓　鬱金

熱伏陰中。

犀角　白芍　骨皮　甘艸　靑蒿　生地　丹皮

清熱止衄。

犀角　生地　丹皮　白芍　甘艸　白茅根　接服六味丸

腎水不足。肝陽易動。春木正旺。地氣上升。人身應之。火升頭面。足跗常冷。乃陽不交陰。是陰血暗肋。陶節庵亦知動陰血。庸醫誤衄血。以冷藥治陰。自宜無效。

熟地　白芍　茯苓　溽桂　山藥　牛膝　澤瀉　丹皮　秋石湯調服三錢

衄血心熱。衄後心中痛。

犀角　生地　丹皮　炙艸　白芍　芽根　竹叶

▲咽喉附舌不語

秋月瘧痢。皆熱病必傷陰。少陰之液不承喉咽乾痛。當與滋陰。

鷄子黃　生地　阿膠　知母　石斛　麥冬

脉清小。陰不足也。肺燥欬喘。咽中生瘡。不能食。難治。

阿膠　山貝　生地　鷄子黃　麥冬　元參　炙草

風火留結肺中。咽痛欬唾。脉虛如數。頗難治也。

牛蒡　元參桔梗　甘艸　連喬　荆炭　阿膠

脾氣通於口。心開竅于舌。心脾有熱。則苦腫口乾而不知味也。

白朮　川連　茯苓　炙艸　廣皮　煨葛

又舌腫稍退知味。

照前方去廣皮加　石斛　白芍

寒熱後邪走少陰之絡。猝然不語。肩臂牽引不舒。宜辛通治之。

菖蒲　遠志　丹皮　當歸　丹參　木通　甘艸　茯苓

▲瘡瘍

肝主筋膜。其脉並少陰之經。與督脉會於巔。肝燥血鬱。津液結爲痰核。久凝如石。附着頸筋。

經所謂挾瘦也。不已則漸成勞損。茲脉數口乾。坐臥不寧。陰已虧矣。肝火尙熾。殊足慮也。若能息心調養。以百日爲期。結散津通。猶爲無恙。

製首烏四兩　川貝一兩　甘艸錢半　茺蔚子二兩　白蒺藜四兩　阿膠三兩

牡蠣二兩　丹皮二兩　夏枯艸四兩　海蛤二兩

蜜丸菉豆大朝服四錢暮服二錢開水送

腎陰不足。肝陽有餘。氣結液聚。項間生瘰。炎火金燥。時自乾嗆。此虛勞之漸也。治宜涼肝補腎。

阿膠　生地　元參　川貝　天冬　牡蠣　甘艸　茯苓

肝經液聚氣凝。爲項間痰核。病雖在外。而重本在內。愼勿攻之。愈攻則愈甚矣。

首烏　川貝　白芍　牛膝　炙艸　牡蠣　歸身　丹皮　生地

陽氣發泄。水穀氣蒸。留濕爲瘍。流膿之後。而睾丸偏在下焦。瘡疾皆濕甚欝熱之徵。宜用宣行氣分。健陽運濕之法。

白蒺藜雞子清製　米仁　茯苓　半夏　陳皮　生益智　生於朮　水泛丸

脈細而數。靑夏間水顆如疥。下焦先發。延及四肢。此先天遺熱。伏於陰分。垂天地之氣升越而致。病雖微淺之疾。除根最難。蓋除固易損難成。情慾之感皆與眞陰有累也。

虎潛丸

客寒留滯榮分則成癰。阻遏厥陰測溺。濇淸肝和血。乃大法也。

生地　丹皮　赤芍　木通　淡竹叶　茅根　茯苓

呃止汗減。裏症已平。當從事於外瘍矣。蓋瘍毒不泄。亦令人氣滿不食耳。

生黃芪　當歸　銀花　陳皮　茯苓　陳皮

瘍症以散食爲要。茲先和養胃氣。

川斛　茯苓　益智仁　木瓜　廣皮　穀芽

脉虛數。陰不足也。鼠瘻未愈。熱在大腸。恐其上傳肺家。致增欬逆。

杞子　天冬　龜板　黃柏　知母　五味子

# 澄齋醫案（續）

武進謝利恆著

王右四十四咳逆上氣。胸次痞滿。噫噯腹脹。脉不宣揚。以調和肝脾爲治。

紫菀茸一錢五分　款冬花一錢五分　旋覆花一錢五分　佛手花一錢五分　左金丸五分　全當歸二錢

大白芍二錢　陳廣皮二錢　焦白朮二錢　炙甘草五分

馮左四十六痞哽噯氣。食入運遲。肢體患風濕已久。初年肌表發冷。仍以前手効方加減。

川桂枝五分　法半夏一錢五分　旋覆花一錢五分包　赤茯苓三錢　製川朴八分　苦桔梗八分

代赭石三錢　建澤瀉二錢　製茆朮一錢五分　川玉金一錢五分　南沙參三錢　製稀薟三錢

生熟苡米各三錢

韓右廿六咽喉哽塞。三焦失宣。時常噫噯。脉滑。苔薄白。從氣分主治。

南沙參四錢　法半夏三錢　黑乾姜四分炒　台烏藥一錢五分　製川朴一錢五分　旋覆花一錢五分包

四製香附二錢　炒枳殼一錢　老蘇梗二錢　代赭石四錢　福澤瀉二錢

韓右卅六咽喉緊塞。時時噫噯。乃無形之氣病也。治宜疏降。

旋覆花一錢五分包　法半夏二錢　化橘紅五分　大白芍二錢　老蘇梗二錢　雲茯苓三錢

紫石英二錢　黃玉金一錢五分　製川朴一錢　鎊沉香五分　瓜蔞皮三錢

趙右四十二氣鬱夾痩。兼挾外感。阻於中脘。脹痞眩暈。得汗則熱解。汗收則發冷。脉弦滑。舌苔黃。標本並治。

清豆卷四錢　香白薇三錢　法半夏二錢　製香附二錢　嫩蘇梗一錢五分　川枳壳一錢五分
大貝母三錢　台烏藥一錢　製川朴一錢　姜皮一錢五分　甜杏仁三錢　青廣皮各一錢
姜竹茹一錢五分　炒神曲三錢

張左四十六內熱咳嗽痰濃唇乾口燥舌黃頭眩而痛腰腹俱疼脉左弦右咳肺腎同治
南沙參四錢　炒知母一錢五分　歸身一錢五分　懷牛七二錢　大麥冬二錢　象貝母三錢
炒白芍一錢五分　川續斷四錢　甜杏仁三錢　海浮石三錢　大腹絨二錢　黃鬱金一錢五分
鮮蘆根五錢　骨碎補三錢

朱左五十五氣撑咳嗽。胸次痞塞。食入作哽。脉細舌紅。便解如豆粒。慮成噎膈重症。
老蘇梗二錢　丹參二錢　全爪蔞四錢　赤伏苓二錢　製川朴一錢　大貝母二錢　蜜橘紅二錢
炒白芍一錢五分　法半夏二錢　廣鬱金一錢五分　甜杏仁二錢　台烏藥一錢　炒福曲三錢　川通艸五分

姜左四十四左寒熱咳嗽。氣急便數。血淋。脉來弦滑。舌黃根膩。肺邪移入州都。宜清上下水源。
紫苑茸一錢五分　炙蘇子二錢　眞阿膠一錢五分　猪赤苓二錢　苦桔梗一錢　甜杏仁三錢
塊滑石三錢　福澤瀉三錢　生甘艸五分　炙桑皮一錢五分　炙冬花一錢五分　生苡米五錢
車前子二錢　川通艸五分

王左四十六咳引左筋絡痛。勞傷已久。又感新邪。先爲化痰和絡。
旋覆花一錢五分包　炙蘇子一錢五分　大貝母二錢　延胡索二錢炒　當歸尾二錢炒　白芥子一錢五分
黃鬱金一錢五分　金鈴子二錢炒　桃杏仁各一錢五分　炒白芍二錢　絲瓜絡一錢五分

朱左二十六咳減。而右筋絡掣。痛未除。不能轉側。乃絡瘀凝結之症。治宜疏和。
旋覆花一錢五分包　桃仁泥二錢　川枳壳一錢五分　製香附二錢　白芥子一錢五分　延胡索二錢炒
台烏藥一錢　川鬱金一錢五分　炒歸尾二錢　炒赤芍二錢五分　陳廣皮一錢　炙甲片一錢五分
九香虫一錢五分炙　絲瓜絡一錢五分

王左廿七 咳嗽發熱。筋痛在右。血瘀痰滯。阻於絡中。治宜疏和。
旋覆花一錢五分 桃仁泥一錢五分 川枳壳一錢 黃鬱金一錢五分 白芥子一錢五分 光杏仁三錢
嫩前胡二錢 延胡索二錢酒炒 炒歸尾二錢 京赤芍一錢五分 炒蘇子一錢五分 絲瓜絡一錢五分

張左五十四 右痰阻膈中。風入肺絡。咳嗽氣撐。不能平臥。脉來細滑。姑投平降。
南沙參四錢 製半夏二錢 苦杏仁三錢 紫菀茸一錢五分 嫩前胡一錢五分 薄橘紅八分
白芥子一錢五分 款冬花一錢五分 炙蘇子一錢五分 旋覆花一錢五分包 紫石英四錢 枳　壳一錢
黃鬱金一錢五分 鎊沉香五分

楊右四十 風邪化火傷陰。欬嗽夜重。咳甚則嘔。肺腎同病也。
南沙參五錢 炙桑皮二錢 蘇　子三錢 萊菔子二錢 大麥冬一錢 紫菀茸三錢 大貝母三錢
鷄蘇散四錢包 金沸艸三錢 白芥子一錢五分 扁　豆四錢 炙百部一錢五分 生苡米五錢
枇杷叶三錢去毛包

張左三十一 久欬陰傷。痰吐如濃而腥臭。咽喉痒痛。胸膈掣疼。面浮足腫。脈來弦數。按之空虛。舌邊尖俱絳。防成肺勞。
北沙參三錢 甜川貝二錢 川百部二錢 細生地五錢 大麥冬一錢 北杏仁三錢 生甘草五分
蛤黛散四錢包 肥玉竹四錢 炙桑皮一錢五分 海浮石三錢 馬兜鈴一錢五分 生苡米五錢
枇杷叶三錢去毛包

吳左卅六 肺熱而欬。漸成吐血陰分已傷之候。防成肺損。幸舌苔不膩。投清肺育陰法。
南沙參五錢 地骨皮四錢 炙桑皮二錢 玉泉散四錢包 大麥冬二錢 一泉膠二錢 馬兜鈴一錢五分
枇杷叶三錢去毛包 肥竹玉四錢 細生地五錢 益知母二錢 蛤　壳五錢 赤茯苓二錢 生苡米八錢

# 膏方醫案

秦伯未



中国近现代中医药期刊续编·第三辑

慚無實學。浪得浮名。各地人士。輙抱沉年痼疾。疑難雜病。來就調理。入冬後。復率求膏方以去。夫膏方非專補益。既詳拙著膏方大全中。而余之膏方。遂尤有不能不離乎常軌者矣。選錄數則。就正明賢。（提要係舍弟又安所補。以便觀摩。）伯未志

## ■遺尿

（提要）閘北李君患遺尿症二年餘。日間用腦。或勞動過度。夜必多夢遺尿。約一小時一次。平居口泛鹹味。腰疼便堅。舌苔中見光滑。脈象微帶弦數。疊服補陰固濇。並經西醫施洗滌無效。

（方案）肝藏血而主疏泄。腎藏精而主閉蟄。精血不足。作用失司。用腦過度。多事勞動。夜間夢擾。遺尿頻數。職是故也。蓋用腦需血。勞動耗血。血虛肝火易擾。神魂不安。腎主二便。收攝乏力。一線相承。理所必然。西醫專治膀胱。單方徒恃固濇。宜其無效矣。矧有時口泛鹹味。腰際痠疼。大便乾堅。舌見光滑。無非腎虧之候乎。故其標在膀胱。其本在腎。其動力在肝。肝血充而腎自甯。腎精足而膀胱自固。依此擬方。膏以代煎。庶幾二載沉痾。蠲除一日。

潞黨參三兩　生熟地各二兩　山萸肉二兩　懷山藥三兩　製首烏二兩　煅龍骨二兩　煅牡蠣八兩

川杜仲三兩　川斷肉三兩　潼沙苑三兩　甘杞肉二兩　大芡實四兩　蓮鬚八錢　金櫻子三兩

北五味六兩　白歸身二兩　炒白芍五錢　桑寄生三兩　熟女貞三兩　大砂仁八錢　黑穭豆三兩

炙升麻五兩　雲苓神各三兩　酸棗仁三兩　柏子仁三兩　益智仁一兩五錢　桑螵蛸三兩　大麻仁三兩

合桃肉帶衣四兩　生白果四兩　龍眼肉六兩　巨勝子三兩　淡蓯蓉二兩

加阿膠四兩。龜鹿二仙膠四兩。冰糖八兩。收膏。

## ■頭痛

（提要）麥特赫司脫路永昌當奚小姐。患頭痛。痛在巔頂兩旁。當太陽經之部。惡寒特甚。雖酷熱天不得汗。倘能局部出微汗。即覺該部爽快。舌質淡白。脈象沉細而微。飯量起居均如常。得之三載。服藥如水投石。

(方案)巔頂。督脈之所過也。兩旁。太陽之所循也。二者皆主陽氣。陽氣虛於外而不衞固。則惡寒。陽氣虛於內而不上達。則作痛。是宜峻補其下。鼓舞其外。以精血有情之屬。合辛竄慓悍之能。一鼓而擒之。泛泛之劑。無益也。

生黃芪三兩　潞黨參三兩　全當歸二兩　大熟地四兩　大川芎一兩　北細辛三錢　原附塊兩五錢
淡乾薑一兩　甘杞子三兩　補骨脂三兩　川桂枝八錢　炙麻黃三錢　羌獨活各八錢　煨藁本八錢
粉葛根一兩　軟柴胡八錢　鹿啣草兩五錢　生白朮三兩　福澤瀉三兩　炒白芍兩五錢　明天麻兩五錢
潼白蒺藜各三兩　川斷肉三兩　香白芷一兩

加阿膠六兩。鹿角膠六兩。冰糖八兩。收膏。

## ■遺精

(提要)三馬路毛君。月必夢遺五六次。不遺反覺不適。夜間小便濇數。平居耳鳴腰痠。足軟痰粘。曾患外痔。下血頗多。脈細弦。苔薄膩。

(方案)內經云。君火以明。相火以位。位君火者心中之陽也。宜光燭朗潤。故曰明。相火者。肝腎之陽也。當潛藏伏匿。故曰位。而相火之位。必賴肝腎陰充。相火之動。必由精血兩耗。今按貴恙。月中夢遺五六發。濇反不適。夜間小溲二三次。艱而不暢。脉象細弦。舌苔薄膩。顯屬陰虧火熾之候。所以然者。肝脉絡前陰。腎藏主二便。火動于內。則逼其疏泄。陰虛于下。則勢見涸流。因是而上干清竅。則兩耳爲鳴。高犯胸肺。則痰膩欬難。因是而中不得養。則腰爲痠楚。下不得榮。則足爲耎弱。況且素性旨酒。濕熱壅盛。近兼外痔。營血損傷。故着眼之處。在夢遺溲數。發病之原。在陰虛火熾。此二十字可以包括貴恙而無遺。今惟滋陰以治本。平火以治標。最爲貼切。蓋火平則陰能靜。陰充則火自潛也。乘一陽來復之時。亟予大補陰丸地黃丸龍胆湯等加減。複方調理。

吉林參鬚一兩　生熟地各三兩　製首烏一兩　製黃精三兩　京元參兩五錢　潼沙苑三兩　熟女貞三兩

白歸身兩五錢　大白芍兩五錢　酸棗仁三兩　莧麥冬兩五錢　製黃柏二兩　龍胆草八錢　黑山梔兩五錢
淡條芩兩五錢　梗木通兩五錢　白蒺藜三兩　青橘葉兩五錢　石决明五兩　煅牡蠣五兩　花龍骨二兩
抱茯神三兩　北秫米四兩　製半夏兩五錢　川貝母二兩　廣鬱金二兩　甜杏仁三兩　川斷肉三兩
川杜仲三兩　靈磁石二兩　金色蓮鬚八錢　合桃肉六兩　大芡實四兩

加鱉甲膠六兩。金櫻子膏六兩。白紋氷八兩。收膏。

## ■解㑊

（提要）召樓奚表兄。秋初病溫熱甚篤。爲用涼下二法而愈。嗣後經他醫接治。精神復而不振。飲食香而不多。舌苔淨而帶白。入冬後復延余調理。投芳香和中等劑大減。

（方案）秋初病熱。用白虎承氣而愈。轉瞬數月。正氣不復。四肢乏力。納食呆純。邇來四君香砂。調理脾胃。漸見振作。蓋溫熱之病。最能耗傷津液。人所盡知。其實壯火食氣。涼藥損脾。故病後每見中宮陽虛。必用溫化收其功。此則人不盡知。知之亦不敢遽反前法以爲治也。今按口不渴。二便和。有時欬痰不爽。脉濡舌苔淨而帶白。中焦之氣。稍稍伸引。而尚未盡其鼓舞之能事。再宜健運脾陽。和降肺氣。膏以代煎。藥盡自健。

吉林參鬚一兩　北沙參二兩　潞黨參三兩　清炙芪兩五錢　生於朮二兩　淮山藥三兩　製首烏三兩
白歸身兩五錢　炒白芍兩五錢　桑寄生三兩　清炙草八錢　白蔻仁八錢　春砂仁八錢　炒扁豆三兩
炒苡米三兩　雞內金三兩　製半夏兩五錢　范志麯三兩　雲茯神三兩　新會白兩五錢　甜杏霜三兩
蘇子霜三兩　海蛤粉三兩　嫩桑枝四兩　酒秦艽兩五錢　晚蠶沙三兩　絡石藤二兩　藿蘇梗各一兩
炒穀芽三兩　佛手柑兩五錢

加霞天膏六兩。龜版膠六兩。枇杷葉膏八兩。白紋氷八兩。收膏。

## ■濕痰

（提要）新大沽路唐君。平居多痰。四肢風濕作痛。梅天尤甚。脈象濡軟。舌苔滑膩。常飲松針酒

(方案)足下之體。濕體也。足下之病。濕病也。濕喜乾燥，最畏淖澤。內應於脾。外應於肉。脾爲濕因。則津液不化。聚而爲飲。故痰多。肉爲濕漬。則氣血不利。滯而爲痺。故肢痛。其每發於霉天。正濕旺之時。昨歲病臥濕溫。亦濕氣之患。益足證明矣。化氤氳之濕。疎氣血之滯。爲不易之治。斟酌擬方。卽候高正。

別直參一兩　潞黨參三兩　天生朮三兩　雲苓塊三兩　淮山藥三兩　仙半夏二兩　製蒼朮八錢
製首烏三兩　霞天粬三兩　大有芪三兩　縮砂仁八錢　白蔻仁八錢　炒苡米四兩　車前子三兩
大芡實三兩　煨木香八錢　川樸花八錢　煨草果一兩五錢　炒扁豆三兩　福澤瀉三兩　款冬花一兩五錢
炙紫苑一兩五錢　白蘇子三兩　新會皮一兩五錢　全當歸一兩五錢　合桃肉八兩　大紅棗六兩
霍蘇梗各二兩　西秦艽二兩　嫩桑枝五兩　絡石藤二兩　虎脛骨一兩五錢　宣木瓜二兩　川桂枝四錢
加虎骨膠六兩。龜鹿二仙膠六兩。冰糖八兩收膏。

## ■帶下

(提要)川沙唐夫人。帶帶綿綿。腰背頭痛。脉沉細軟。舌白厚膩。已經十餘載。

(方案)治婦女病。當注意於奇經八脉。此傳靑主不傳之秘。而余所證實者也。按今背痛者。督脉行於脊膂也。腰痠者。帶脉行於季脇也。督脉上入巔頂。故頭亦爲痛。帶脉總束諸經。故帶因而至。脉象沉細而濡。舌胎白膩而厚。種種症象。俱屬督脉虛寒。帶脉弛廢。通常以脾胃主論。未曾得其病灶所在也。玆擬溫補督帶。復其機能。則不特諸病可愈。卽納少肢痠等枝節病。亦可因而免矣。

潞黨參三兩　清炙芪三兩　大熟地三兩　炒當歸二兩　炒白芍二兩　炒白朮二兩　金毛脊三兩
猪脊髓三條　川斷肉三兩　厚杜仲三兩　潼蒺藜三兩　製首烏三兩　炒山藥三兩　大芡實三兩
烏賊骨二兩　醋柴胡八錢　山萸肉三兩　甘杞子三兩　菟絲餅二兩　補骨脂二兩　炒澤瀉三兩
仙半夏兩五　炒陳皮兩五　酒桑枝一兩五錢　白果肉六兩
加虎骨膠六兩。陳阿膠六兩。金櫻子膏六兩。冰糖八兩，收膏。

# 會議紀載

## 十一月十日下午八時第二十二次執監聯席會紀

出席委員 朱南山 蔣文芳 薛文元 朱小南 朱鶴皋 包天白 吳克潛 唐亮臣 任農軒
丁濟華 盛心如 謝利恆 傅雍言 包識生 嚴蒼山 郭柏良 沈心九 沈建候 張鴻遠
陳漱庵 張贊張 夏重光 江仲亮

列席委員 倪衡甫 楊彥和 翁天生 胡佛 楊伯藩 馮紹蘧

主席 傅雍言 包識生 紀錄 繆曙初

行禮如儀

（甲）報告

一件 社會局批三件

一件 衞生局批二件

一件 各省水災急賑會担任以後災民給藥

一件 報告災民收容所本會醫藥隊經過事畧

（乙）討論

一件 蔣文芳提議本會應否定期舉行大會改選委員案

議決 大會日期自即日起先行接洽地點再行決定日期

一件　蔣文芳提議大會籌備委員之組織案

議決　公推丁仲英　郭柏良　薛文元　胡　佛　傅雍言　吳克潛　張汝偉　張贊臣　秦伯未　賀芸生　楊彥和等十一人爲大會籌備委員

一件　蔣文芳提議在大會之前應否徵求會員案

議決　登報徵求並通告全市國醫界在此徵求期內得免費入會

一件　第六屆未領完之容記執照應如何處置案

議決　函告介紹人轉致從速來領

一件　收容所醫藥隊應否將經過事略及統計報告先行呈報案

議決　照辦

一件　收容所聞將由慈善團體接辦本會醫藥隊應否繼續案

議決　推定楊伯芳　丁仲英　楊彥和　嚴蒼山四委員負責與善團接洽繼續辦法

一件　夏重光提議本月十二日爲先總理誕辰紀念應否舉行儀式案

議決　交宣傳委員會宣傳總理一生事略並通告會員在會所舉行儀式隨時來會向總理遺像行最敬禮

## 十一月二十五日下午八時舉行二十三次執監會議

出席委員　郭柏良　朱南山　薛文元　丁仲英　黃寶忠　徐志千　吳克潛　唐亮臣　沈心九　朱鶴皋　朱小南　沈建候　張鴻遠　傅雍言　嚴蒼山　丁濟華　包識生　包天白　陳潄庵　夏重光　盛心如　張贊臣　朱少武

主席　薛文元　傅雍言　紀錄　繆曙初

行禮如儀

（甲）報告

一件 災民收容所已由善團接辦本會醫藥隊亦繼續辦理

一件 大會日期已決定十二月十八日假座寧波同鄉會舉行

一件 社會局訓令本會備具醫藥隊捐册二十本蓋印分發代募案已遵令具復

（乙）討論

一件 災民醫藥隊藥資已無問題惟以後經常支出應如何籌集案

議決 捐款未繳者由會催收經常支出盡力節省醫士新給減半支給俟有的款仍舊照付

一件 醫藥隊議務醫員應否繼續前往案

議決 繼續前去按劃分發通告

一件 中國醫院函請設法欠款案

議決 辦法六項

一、醫院欠款由執監委員籌集最少每員以五十元爲最底限度凡因種種困難情形不便募捐者得書面聲明限十二月十八日大會前送會

二、組義籌募中國醫院基金委員會以原有委員爲當然委員再推舉熱心會務之會員爲委員

三、所發捐册弗得遺失

四、公推許壽彭　嚴孟丹　朱子雲　王依仁　蔡幼笙　徐麗洲　陳玉銘　陸慕君　沈韶笙等爲委員並得隨時添加

五、推舉醫院三院長爲募捐隊正副隊長並推郭柏良爲基金保管委員

六、醫院捐册送歸本會再由本會分發並先登載勸募廣告

## 十一月十九日舉行大會籌備委員會第一次會議

(出席委員) 楊彥和 張贊臣 胡 佛 薛文元 郭伯良 傅雍言 賀芸生 張汝偉

(主 席) 薛文元 (紀 錄) 張汝偉

(甲)報告

(一件)大會地址已商定寧波同鄉會演講廳于十二月十八日舉行(一件)徵求會員廣告業已刊登新申二報

(乙)討論

(一件)大會臨時職員之推定案議決推定(主席團五人)薛文元 朱南山 丁仲英 謝利恆 郭柏良 (糾察十一人) 嚴蒼山 秦伯未 盛心如 夏重光 倪衡甫 黃迪我 包識生 戴達夫 虞舜臣 陳玉銘 余鴻孫 (招待十五人) 沈建候 沈心九 吳克潛 朱鶴皋 張汝偉 何雷仲 丁濟華 胡 佛 任農軒 江仲亮 朱少武 陳存仁 萬筱山 張鴻遠 王鳳樓 (紀錄三人) 楊彥和 張贊臣 賀芸生 (司儀一人) 蔣文芳 (庶務三人) 黃寶忠 唐亮臣 蔣有成 (一件)邀請名人演講案議決函請 王曉籟 王一亭 虞洽卿 秦潤卿 方椒伯 葉惠鈞 (一件)呈請黨政機關派員指導案議決請市政府 市黨部 社會局 衛生局 國醫學會 藥材公會 拒毒會 納稅會 國藥公會 神州國醫學會 中華國醫學會 由秘書處備函分發 (一件)大會秩序單案議決下次討論 (一件)選舉票之印製案議決照前屆選舉票式樣中醫協會改國醫公會年月日下加『選舉人簽名』五字 (一件)決定下次開會日期案議決下星期四卽二十六日下午八時召集

## 十一月二十六日大會籌備委員會第二次會議

(出席委員) 薛文元 楊彥和 張汝偉 賀芸生 張贊臣 傅雍言

（主　席）　薛文元　（紀　錄）　楊彥和

（甲）報告

（一件）推定監筒二人　陸士諤　傅雍言　（一件）推定包天白　任農軒　唐亮臣　張鴻遠　四人爲唱票　（一件）推定嚴蒼山　陳漱庵　吳克潛　盛心如　繆曙初　何雷伸　六人爲錄票

（乙）討論

（一件）大會特刊宣言案議決特刊推楊彥和整理由蔣文芳　張汝偉　張贊臣　賀芸生及秘書處分別担任撰稿宣言交宣傳委員會担任　（一件）會場標語案議決交宣傳委員會擬定　（一件）修改會章案議決將以前社會局修改章程另印單張開會時舊章程仝時分發　（一件）下屆開會日期案議決十二月九日下午八時召集第三次會議

## 十二月九日第三次籌備委員會

（出席委員）　胡　佛　楊彥和　薛文元　張汝偉　張贊臣　郭柏良　吳克潛　傅雍言

（主　席）　薛文元　（紀　錄）　張汝偉

（甲）報告

（一件）張汝偉先生大會提案一件　（一件）龔小悟先生大會提案二件　（一件）請名人出席大會演講函已由秘書處備交楊彥和先生分別致送

（乙）討論

（一）討論標語案修正通過（二）郭柏良提議大會時添推糾察藉防有人搗亂案議決再添舉八人　沈心九　朱少武　張鴻遠　江仲亮　許壽彭　徐志千　楊伯芳　楊伯藩（三）租界捕房政治部請接洽案議　決推朱鴻皋先生接洽（四）重推司儀案議決推徐橘香先生特刊徵稿案議決請張贊臣吳克潛先生

各担任一篇十二日以前交會（六）推舉女招待案議決推景芸芳周惠仙二女士爲招待

# 十一月二十六日開第三次宣傳委員會

出席委員　楊彦和　張汝偉　倪衡甫　黄迪我　賀芸生　翁天生

討論

主　席　賀芸生　紀　錄　張汝偉

（一）籌備大會特刊宣言案

推定楊彦和先生

（二）擬定會場標語案

張汝偉擬定後下次討論

# 十二月十日下午八時廿四次執監會議

出席委員　薛文元　黄寶忠　夏重光　嚴蒼山　包天白　唐亮臣　陳存仁　包識生　陳濑庵

張贊臣　沈心九　沈建候　盛心如　傅雍言　朱南山　朱小南　朱鶴皋　郭柏良　朱少武

任農軒

主席　郭柏良　朱鶴皋　紀錄　繆曙初

（甲）報告

一件　浦東分辦事處十月十一月收支决算表二份黏據薄二本具領經費

（乙）討論

一件　收容所常駐醫士函請復議薪給案
議決　照上屆議決案辦理
一件　常駐醫士函告收容所醫藥組歸該所衛生股管理應如何辦理案
議決　每日造表報告
一件　浦東會員概歸分辦事處辦理案
議決　通過
一件　會員之未繳常費者應否除名案
議決　已繳常費者大會得出席未繳常費者列席
一件　醫院捐册案
議決　派員本會庶務員催收
一件　醫院學院歷年經費支絀應如何辦理案
議決　擬具原則交大會議決施行之

## 二十年十二月十八日第二屆會員大會紀錄

出席會員　三百八十二人
列席代表　社會局代表饒强生（市政府）（衛生局）代表許世瑾銀行公會　國藥公會張梅庵國醫學會戴達夫納稅華人會陶樂勤
主席團　薛文元　丁仲英　朱南山　郭柏良　陸士諤
紀錄　賀芸生　楊彥和　張贊臣
司儀　蔣有成

(一)振鈴開會
(二)全體肅立
(三)向黨國旗及總理遺像行最敬禮
(四)主席郭柏良恭讀總理遺囑
(五)靜默
(六)郭柏良致開會詞
(七)郭柏良報告會務朱鶴皋報告經濟
(八)黨政機關代表致訓詞
(甲)許世瑾　略謂貴會一年之努力工作成績斐然前途大有可為務望繼續努力
(乙)饒强生　謂國醫有數千年之歷史現應力謀進步低減診金力謀普及並一致加入此有系統之國醫公會以圖整個之發展
(九)來賓演說
(甲)陶樂勤　謂國醫深合自然深合科學吾人幸毋自餒努力與為洋藥張目之西醫相抗衡
(乙)張梅庵　謂中央國醫館上海市分館應由海上醫藥界共同籌組
(丙)戴達夫　國醫應一致團結職員當大公無私謀保障醫界之利益
(丁)　國人應提倡國貨國醫界尤宜努力更為迎合一般人之心理起見竟不妨國藥西用仿西法以製國藥
(十)討論提案
(甲)上屆執行委員會常務委員提議本會附設中國醫學院組織應予變更案(院長經費等四原則)
(一)中國醫學院受國醫公會之監督及管理。對外用國醫公會設立之名義。(二)中國醫學院院長。有處理院務之絕對全權。(三)中國醫學院每一年由國醫公會規定補助經費一千元。年終無論盈虧。完全由院長負責。不准另募捐款。(四)院長由國醫公會執監聯席會議決聘任之。(五)如有熱心經營該院而自願減低補助經費者。則以收受補助費之額數最低者。由公會聘任之。

議決　通過

(乙)龔小悟　提議籌設中國藥廠以資根本抵制仇貨案

議決　交下屆執監會積極辦理

(丙)張贊臣　提議上海國醫分館籌備委員應繼續力爭案

議決　通過交下屆執監會籌擬

(丁)擁護和平統一案

議決　交下屆執監會發表宣言

(十一)攝影

(十二)選舉執監委員

(十三)茶點

(十四)散會

## 上海市國醫公會第二屆會員大會當選職員名單

監察委員九人

謝利恆　丁濟萬　陸士諤　傅雍言　任農軒　陳漱庵　包天白　嚴蒼山　朱少武

候補監察委員三人

沈建候　戴達夫　朱小南

執行委員十五人

丁仲英　蔣文芳　秦伯未　黃寶忠　朱南山　包識生　薛文元　郭柏良　張贊臣　朱鶴皋　陳存仁　沈心九　夏重光　賀芸生　吳克潛

候補執行委員五人

盛心如　唐亮臣　楊彥和　丁濟華　許壽彭

# 全國醫學團體調查錄

## □山東醫藥總會

地址　濟南南門裏舜皇廟街

### ▲過去狀況

（成立年月）十七年十一月成立。呈明省府准照在案。

（沿革小史）本會於民國初年發起。原名醫學研究會。專爲研究學術而設。後因時勢關係。鑒於醫藥有聯合之必要。改組今會。

（事業舉要）會內爲救濟貧病。附設中西慈善醫院。於民國十七年九月成立。醫藥兼施。併附設藥業公會醫學研究所。

### ▲十九年狀況

（事　業）附設醫院。診治人數。比較往年加倍。醫學研究。日有進步。現正提倡藥物改良。以期適合衛生。

（經　費）無。

（職　員）分總務、交際、會計、文牘、庶務、審查、衛生等股。共二十七人

## □天津中國醫學觀摩社

地址　天津東門內文學東箭道

### ▲過去狀況

（成立年月）十八年十月十日。

（沿革小史）自中衛會提議廢止中醫藥消息傳來。凡我津市同志。無不奮慨。本社遂一面發起組織結合團體。以厚實力。一面通電滬上加入戰團。一致力爭。至十月十日。均已籌備就

緒。遂卽宣告成立大會。并選舉主席及常委。自此以後。卽實行工作。同志加入者益形踴躍。每至開會之時。風雨無阻。無一缺席者。此足見我醫藥界團結之堅固。奮鬥之熱烈也。

（事業舉要）除聯合國內外各團體喚起同情外。并注重實際之宣傳。在本市各新聞紙發表醫藥消息。鼓吹醫藥功效。評論西醫短處。宣揚中醫特長。幾無日無之。是以本市對於中醫藥之信仰。并未嘗因此而少減也。復在本市河北關上及南門外成立施診所二處。聘請本市名醫多人。輪流值日送診。一般平民抱病者。皆稱便利。并籌設藥物陳列所。以便宣傳而資研究。

▲十九年狀況

（事業）本年政府對於中醫藥業已明令維護。得以苟延殘喘。然同人益發勉勵。除仍繼續宣傳外。遂附設醫藥學社。以期培養中醫專門人才。又在南馬路及英租界設立施診所二處。以便平民。去年設立之藥物陳列所。得以搜羅齊備。并附設醫學圖書館。

（經費）本社經費。皆由社員入社費及特捐項下開支。惟以建設事業甚多。而無基本經費。頗感困難。幸賴同志竭力輔助。尚可維持現狀。

（職員）本社常務委員兼主席齊志學。委員倪汝舟蘇寶誠侯伯華宋宇鳴。幹事楊閣卿唐炳珊王伯倫吳元恆孫德昌曹潔茹等。

（刊物）醫學雜誌。每年出版兩期。每期一冊。另有同人觀摩集。每年出版一厚冊。

## ■平湖縣中醫學會

地址　平湖陰陽衖楊家橋堍文武宮內

▲過去狀況

（成立年月）民國十八年七月十六日。

▲十九年狀況

（經　費）由本會會員担任。
（職　員）常務委員奚可階鍾守誠程雨時。
（刊　物）平湖醫報。

## 石灣中醫協會

地址　石門灣接待寺

### ▲過去狀況

（成立年月）民國十六年三月。
（沿革小史）本會成立於民國十六年三月。由崇德、桐鄉、兩區黨部出席指導。並呈准兩縣政府立案。與地方各法團感情聯絡基礎鞏固去年全國醫藥總會成立。本會即加入會員焉。
（事業舉要）會中附設夏季臨時施醫所。由全體會員義務担任。

### ▲十九年狀況

（事　業）每年開全體大會。春秋兩次。每月開執行委員會一次。遇有特別事故。得開臨時大會或執行委員會。決議案件。遞交研究、建設、宣傳、交際、調查、庶務、文牘、會計、各股委員。分工合作辦理。對內對外。精神一致。
（經　費）會員入會時。收入會費半元。每年收常年費一元。
（職　員）會員五十二人。票選執行委員十一人。監察委員三人。再由執行委員中公推常務委員三人。
（刊　物）曾辦醫學特刊一種。後因經濟。材料兩俱缺乏停止。

## 江蘇興化縣支會

地址　中正門外圓通庵

### ▲過去狀

（成立年月）民國十九年三月成立。
（沿革小史）本會之設立。由陳卉春朱趾仁王石甫方靜山王聘卿五人呈請　總會。派員組織後。奉指令委陳卉春等五人負責籌備。陳卉春等五人遂召集全縣醫藥工三界同人會議。議決先行組織籌備委員會。推選素有名望者二十一人爲籌備委員。會址仍在解散之醫學公會。各籌備委員自推定後分部組織。均皆積極籌備。未多日經縣黨部縣政府批准備案。認爲民衆團體之一。全縣醫藥工三界。亦踴躍登記。呈報　總會備案。發給證書。籌備手續均皆完畢。呈請　總會暨縣黨部縣政府派員監選。旋于民國十九年二月選舉執監委員。三月六日正式成立。

### ▲十九年狀況

（事業）本會已辦有提倡國藥運動大會。衛生運動會。三一七紀念運動大會。又有內科研究會。外科研究會。幼科研究會。各會每兩週開會一次。討論當時之疾病。研究其治法。及預防法。又設立防疫醫院。因經費無着。加以不良者破壞。未及多時。未辦者圖書館。藥物陳列所。藥物研究會。泡製研究會。未辦之各事業。計劃已訂。一俟經費充足。卽行成立

（經費）以會員會費爲抵。

（職員）常務委員江蓉軒徐靄青顧餘齋陳卉春朱趾仁。秘書主任姜淑和吳魯賓。組織部主任方靜山王石甫。經濟部主任陳養和魏樂生。宣傳部主任徐國良姚明甫。建設部主任魏紹塘王聘卿等外。各部幹事共若干人。

（刊物）不定期刊物二十七種。定期月刊業已編輯。一俟經費充裕。卽行出版。

（其他）本會種種工作。未能實現之緣由。因成立未久。敝縣發生匪患。會址暫讓軍警駐守。各部因此停頓。

地址　汕頭外馬路四十七號

## ■汕頭市中藥同業公會

### ▲過去狀況

（成立年月）十九年五月五日成立

（沿革小史）本會從前由汕頭熟藥商號組織廣濟公所。十八年二月改組爲商協整理會藥業分會。仝年六月改稱爲商人總會藥業分會。十九年一月改稱爲商民協會藥業分會。同年三月商協會奉令結束。經召集大會議決。改組爲中藥同業公會。經呈請汕頭市政府轉呈廣東民政廳轉咨工商部核准備案。

（事業舉要）本會以聯絡感情。研究製造劃一價格爲宗旨。幷辦理國藥月刊。中醫藥講習社。以造就人才。發展國醫國藥。最近計劃。擬倡辦平民醫院。以利益平民。

### ▲十九年狀況

（經　費）本會經費由會員按月分甲乙丙三級負担。

（職　員）本會常務員黃季武　吳義民　林葆生。其選舉手續由執行委員十三人互推常務員三人。由常務員推一人爲主席。計黃季武兼主席。吳義民兼文牘。林葆生兼交際。

（刊　物）國藥月刊。　　地址　小東門城外炎帝廟

## ■全國醫藥總會溧水縣支會

### ▲過去狀況

（成立年月）民國十八年四月。

（沿革小史）該會於去年三月間由上海總會委定陳國樑爲籌備專員。陳君竭慮殫精。曆時兩月。已呈總會令准正式成立。會員共達百餘人。（醫藥工三界均在內）於九月三日舉行全體會員大會。並依法選舉陳國樑爲常委會主席。章耀先爲監委會主席黃雲管光文章麗生唐幼珍馬瑞麟等爲各部主任。於是分工合作。精神爲之一振。惟各鄉醫藥同業中人。尚有不明時勢之流、至今仍未遵章入會登記者。是亦困難之所在也。

（事業舉要）斯會本與研究會同一會所。自成立後即協助研究會。完成建築工事。除此而外。即在

通衢市道。設立衞生標語欄八處。餘因經濟支絀。雖有計劃。其如不能實現也。

▲十九年狀況

（事業）除協力完成研究會建築事業外。並按四季印發「衞生談」「標語」「告病者書」等刊物。惟以缺乏人才與經濟兩方面。祇能發行小品文字。甚屬簡陋。

（經費）僅有會員入會費一項。

（職員）執委會主席下設各部主任五人。監委會主席一人。監委一人。

## ■全國醫藥總會溧陽縣支會江蘇溧陽縣城內東門三皇宮 暫借城內上水關史菊坡公祠爲辦事處

▲過去狀況

（成立年月）全國醫藥總會溧陽縣支會成立於民國十八年四月。

（沿革小史）溧陽從前本無醫藥團體。於民國二年經已故醫生陳起黃等發起神州醫藥分會。至民十三年公舉法詠初爲正會長。沈雪生蔣嘯潮爲副會長。始向溧陽縣公署備案。民國十八年衞生部有取締中醫中藥等因。同道諸君大受刺激。由溧陽神州醫藥分會醫界公推沈雪生藥界公推張望溪赴滬爲出席代表。回溧後報告經過情形。醫藥兩界。遂組織全國醫藥總會溧陽縣支會。神州醫藥分會卽爲本支會之基礎。

（事業舉要）溧陽醫藥支會。今以人數甚少。經費無從籌集。各種事業。多有未辦。

▲十九年狀況

（事業）自溧陽縣支會成立後、百端待舉。凡中醫學校中藥陳列所醫藥報等等事業。正擬籌劃進行。不料溧陽地方土匪猖獗。變亂頻仍。丁此戒嚴聲中。集會尤在禁例。所擬一切事業。不得已而停頓。一俟地方平靖。自應次第舉辦。

（經費）由會員担負之。

（職員）常務委員三人法詠初楊竹笙趙仲林。執行委員九人張耀南楊竹笙沈雪生法詠初趙仲林童伯笙陶麟書蔣嘯潮黃敬唐。監察委員三人張望溪羅仁雄孫昌明。秘書史憲章。書記楊泮節。幹事王贊廷。

(刊　物)會章證書均印就頒發。醫藥報尚待發行。另有會員著作在編譯中。一經脫稿。當即付之剞劂。藉供衆覽。

(其　他)溧陽縣支會緣與現行人民團體法規尚有未合之處。當此訓政時期。擬即呈請溧陽縣黨部訓練部依據職業團體文化團體參酌糾正。

## ■全國醫藥總會廣東省分會籌備處　地址　廣州大德路蘇行街廣東中醫藥學校內

### ▲過去狀況

(成立年月)十八年三月三十日。

(沿革小史)本省醫藥界同志感覺我們中醫中藥受外力壓迫日甚。同時余巖在中衛委會提議廢止中醫中藥。我醫藥界大為憤激。於十八年三月三十日假座城西方便醫院召集全省醫藥界大會會議。當場議決根據上海總會章程。組織廣東分會。函請各醫藥界及職工團體舉出籌備員分部辦理。定名全國醫藥團體總聯合會廣東分會籌備處。暫在方便醫院辦事。當即呈總會及各主管官廳備案。後因方便醫院醫務日繁。地方不敷。于四月二十二日遷往蘇行街廣東中醫藥學校內為籌備地點。迄今年餘。疊次呈請廣東省政府立案。惟省政府俱行廣州市政府查復。市政府行衛生局核議。俱以總會立案。未奉衛生部行知到粵。故未准正式成立。

(事業舉要)(一)中衛委會廢止中醫中藥案。本分會曾致電總會。表示極端反對。致電全國各界團體請求援助。並舉派代表謝香浦君陳任枚君盧朋著君盧宗強君出席上海總會參加會議。

(二)教育部令中醫學校改稱傳習所。衛生部令中醫院改稱醫室。及禁止中醫參用西械

西藥案　本分會致電全國各界團體及總會力爭。並選派代表謝香浦君盧宗强君李錫如君陳國琪君出席上海總會參加會議。

(三)衛生部頒佈管理藥商規則。窒礙難行。由本分會呈行政院請令行廣東省政府及廣州特別市政府暫緩執行。俟修改妥協再行頒佈。

## ▲十九年狀況

(事　業)(一)三月十七日開三一七紀念大會。刊發國醫國藥三一七紀念標語四千張。分發各醫藥界標貼門。首以資紀念。會內陳列關于國醫國藥圖畫叁拾餘種。並印刷三一七紀念特刊貳千餘本。郵寄各團體。俾衆週知。是日到會者十五團體。共四百五十餘人。

(二)三月廿三日爲社會局廢止善堂。聘用中醫士案。本會開省港醫藥界代表聯席會議。由香港代表伍耀廷君何爾昌君譚惠羣君黃經碩君譚祥雲君往見伍伯良局長。請收回成命。省城醫藥界共拾壹團體。聯同呈請省市政府省市黨部請令行社會局轉各善堂仍用國醫國藥。

(三)五月二十九日廣州地方法院因受理梁任雄服毒案。致函本分會。並交來土藥樹根五塊囑驗。該藥係何名稱。有無毒素。由本分會開大會討論。詳細研究。驗出該藥是胡滿蘊。係草頭藥。攷其性質。味苦性寒有毒。食後令人臟腑發脹。若不從速施救。卽有性命之虞。經函覆法院以資考證。

(四)敎育衛生兩部呈覆行。政院文將中醫學校改爲中醫學社。本分會召集全省醫藥團體。呈請　國民政府請飭立法院頒行中醫學校規程。以資遵守。其立法院未頒佈規程。以前各省中醫學校曾經政府准予立案者。仍准維持現狀。以免紛更。

(經　費)籌備時期暫由各團體墊支。

(職員)廣東中醫公會代表謝香浦。廣東中醫藥校代表陳任枚盧朋著廖伯魯。光漢中醫學校代表盧宗強。廣州醫學衛生社代表周子容。杏泉堂行代表宗日垣陳岳峯。張大昌堂行。同德堂行代表戴道堅。昭信堂行代表余賞和。成美堂行。誠信堂行。愼業堂行。永昌堂行。中藥公會。廣濟醫院。國藥醫刊社。西關贈醫所。河南贈醫所。方便醫院。愛育善堂。廣濟醫院。廣州丸散工會代表何輝韓永業。廣聚藥片工會代表梁帶。

(刊物)主任謝香浦。文牘盧宗強。書記盧旨遠。管理財政任元堂藥店潘厚存。三一七紀念特刊。三一七紀念標語。國貨運動大會宣言。

地址　鸞石巷藥業會館辦事處黃沙路廿二號

## ■全國醫藥總會吳興縣支會

### ▲過去狀況

(成立年月)民國十九年三月十日。

(沿革小史)民國十八年三月五日成立吳興醫藥聯合會籌備處。三月廿五日正式成立吳興醫藥聯合會。本年三月十日改組成立吳興縣支會。

(有業舉要)(1)協仝中醫協會辦理施診

(2)協仝中醫協會籌備藥物陳列館暨醫藥圖書室。

### ▲十九年狀況

(事業)(1)辦理施診施藥。

(2)在常會期間提出關於藥物之改良。並議決加增鮮藥及布袋。

(3)籌備藥品陳列室醫藥圖書室

(經費)國藥公會担任一百五十元。中醫協會担任九十元。藥業工會擔任四十元。(以上常年費)如舉辦事業。另行勸募。

(職員)常務張禹九、周兆龍、宋鞠舫、陳紹箴、高成康。執委焦受益、龐榮昌、孫元龍、胡公朔、夏顯達、蔣逸山、俞海昌、潘瀾仁、吳衍升、忱慎甫、沈長興、許佩齋。監委傅樨雲、范麟書、戴琴治、朱煥章、任鼎鐘。

地址　漢口三新街江蘇同鄉會

## ■全國醫藥總會漢口市分會

### ▲過去狀況

（成立年月）十九年五月。

（沿革小史）本會係依照全國醫藥總會章程組織分會。於民國十八年十一月十六着手籌備。至十九年五月一日正式成立。

### ▲十九年狀況

（事業）漢口國醫刊。藥物陳列所。漢口國醫館。（在籌備中）漢口國醫院。（在籌備中）

（經費）經常費由各醫藥團體分認。每月二百元

（職員）『秘書處』陸眞翹　徐英蜚　蔡振祥。『宣傳科』謝滙東　王和安　梁子和　戴仲和　趙璞孫　沈德修　樊步青　胡子美　史復初　萬鶴年　曾效義　龔村榕　周慎甫　吳少和　曾少達　冉雪峯　雷心佛　陳讓泉。『經濟科』周尚文　張紹芳　嚴雲卿　王品山　陳讓泉。『建設科』劉幼齡　周文彬　李壽山　程青山。『組織科』黃富珊　傅純鄉　李玉菴　穆劍青　胡楚山。

（刊物）漢口國醫藥刊。

（其他）本會執監委員會人名如下。『執委會』張丹樵周尚文劉幼齡黃富珊謝滙東陸眞翹王和安許慕韓朱介福沈德修鄭沚荷傅純鄉程青山蔡嶽臣陳讓泉李玉菴楊質卿熊瀛洲黃錦軒杜益卿蔡振祥『候補執委』楊小川萬鶴年龔村榕李寶銘徐海珊戴守堯吳理臣『監委會』胡楚山梁子和熊雨農趙璞孫張海秋王蘇生易瑞庭『候補監委』王漢臣周桐卿

## ■全國醫藥總會武進縣支會

地址　武進城內神皇廟衖

## ▲過去狀況

(成立年月)中華民國十九年六月二十九日。

(沿革小史)民國十八年三月中衛會提案發生全國醫藥團體代表集會於上海。議決醫藥聯合組織總會。省縣分設分會支會。以收合作之效。因之武進中醫學會遵議與藥業公所及藥業職工會合力組織支會。並經醫藥工聯席之決議。設立本會籌備處於局前街李宅。以利進行。故是年秋全國醫藥臨時代表會開幕。卽以本會籌備處名義推派代表四人出席。迨十九年五月藥業公所遵照工商部頒行之各業同業公會法改組爲藥業公會。遂由醫藥工三團體各選代表組織代表大會。議訂章程。呈請總會及武進縣黨部縣政府備案。於六月二十九日正式成立。總會派代表張梅庵出席指導。並有縣黨部縣政府及各公團來賓代表。濟濟一堂。儀式莊重。爲武進醫藥聯合空前之紀念焉。

## ▲十九年狀況

(事業)本會初剏。事業皆在計劃中。茲將最近辦理者撮要如下(一)審查丸散依據章程。函知中藥學會推選審查委員。組織特種委員會。專任處理之。(二)創辦圖書館本。案由中醫學會之建議設立。規定經費洋六百元。業已籌足。正在進行中。(三)整理藥物名稱。一并交由特種委員會辦理。

(經費)本年經常收入醫藥工三團體各担任洋一百六十元。共計收入洋四百八十元。支出一項應繳總會費洋六十元。職員薪水約洋二百元。公役工食約洋一百二十元。紙張筆墨雜支等約洋一百二十元。共計支出洋五百元。不敷之數。仍由三團體分籌補足。

(職員)本會監察委員(主席)馬仲藩。(委員)吳近安王蘭文朱錦文仇仲慶張筱舫潘貽穀。(候補)談逸安朱錦賢朱漢江。(執行委員主席)李滌雲。(常務)屠士初童杏生屠博朱履安吳箕福王葆榮。(委員)錢同高沈潤庠徐懷楊伯堂董叔和張永海萬嘉淦潘霖生。(候補)張達方朱安穀耿銘之許作梅許榮慶。

# 醫藥顧問

『讀現代國醫。載有醫評、言論、專著、學說、醫案、方劑、紀載諸大端。綱舉目張。門分類別。立法之良。用意之美。洵非尋常之雜誌。可同日語。而諸名作尤能援古證今。崇實去華。是無異暮鼓晨鐘。可藉以發聾而振聵。裨益同人。宣揚國粹。豈淺鮮哉。第鄙見所及。似乎醫藥顧問欄。尤爲當務之急。蓋症有疑難。藥有專治。如遇難治症。病家得舉其病情。形其脈象。宣其苦色。且體質之肥瘠強弱。病勢之寒熱盛衰。時日之或久或暫。藥石之有效無效。一一登諸問詢欄。我同人本有痌瘝在抱之心。一見之下。靡不本其平生學識。素有經驗。因病答方。對症發藥。庶病家可無搶地呼天。受束待斃之凶。而醫家可以觸類旁通。收舉一反三之效蓋尺有所短。寸有所長。一病也甲所不能醫者。乙或能之。乙所不治者。甲或能之。智者之失。未必非愚者之得。互相揣摩。交換意見。舍其短而取其長。錄其瑜而棄其瑕。久久行之。吾知醫業之精進。必無微不至。而醫報之發展。亦無遠勿屆。蓋病者之父兄。或其妻子。或其友朋。無一不欲踴躍爭購。所以紹興醫學學報杭州三三醫報。均有問答一欄。鄙人屢有狗尾之續。茲願主編現代國醫者。另開一面醫藥顧問。以冀其盡美盡善。病家幸甚。同人幸甚。』右浙東夏同春君來函。本刊同人。極佩夏君主張。同時並接唐仲天君洵問函。爰自本期起。添闢斯欄。卽以夏君函爲引言云。

■泄瀉

（詢問者）阜寧縣建設局唐仲天君通訊處阜甯四灘墳吳萬源號轉。

（來　函）余有一病。擬乞貴主筆診斷。不卜能否。倘承不棄。請詳示爲感。特將病狀列後。余往年腹患。每交夏令舉發一次。或旬日。或念日。卽可告痊。發的形勢。腹中微痛。氣在內上下走動。每日要瀉幾次。今年春間。突然又發。較夏令稍好。在夏令發時。有白凍。此刻無。每日多則瀉兩次。少則一次。夜間則膨脹。糞完全被氣化洒。在胃底上下走動。夜眠後。到四五點鐘（俗呼五更頭）時。腹內膨脹。呼吸均覺心口受爵。甚則微痛。必然要起後。稍覺爽快。徐步行幾回。於是才得如常。余之私意。發濕要通。卽用大黃三四錢煎湯服下。不但無效。而氣尤很。後靜養略好。繼續又患瘧。先發時。氣凹下約有十餘分鐘時。方省人事。余本來體弱。該瘧好。發計三次。現已有十餘日未發。不卜將來發否。舌色淡白。刻腹患較前稍好。吃藥終不能除根。氣上下走動。如鳴一樣。夜裏較甚。氣很瀉洒糞。氣後瀉糞微乾。稍有不易消化之物食之。瀉下如故。但食量也不過少。每日稀飯。約吃兩碗。乾飯約兩碗。若爲胃火不足。飯量並不甚少。不解其故。特函奉告。煩神斟診。希賜回音。

（答　案）能食而瀉。是胃中無病。而腸之事也。小腸失化物之能。大腸有滑脫之慮。擬方用焦白朮三錢。煨肉果錢半。煨木香八分。炙雞金三錢。訶子殼八分。雲苓塊三錢。益智仁錢半。卽請裁奪。並候同仁各攄偉論。

## 編輯委員會題名



中華民國二十一年一月十五日

現代國醫

第二卷 第三期 實洋二角

編輯者 編輯委員會

出版者 上海市國醫公會 上海南京路南香粉弄八十八號

發行者 上海市國醫公會

寄售處 上海中醫書局 上海山東路南帶鈎橋十三號

中國醫藥書局 上海西藏路西羊關弄五〇三號

印刷者 華豐印刷鑄字所

▲本雜誌每月一冊。全年十二冊。
▲每期實洋二角。預定全年連郵二元。
▲凡本會會員。一律優待減半。實收一元。
▲廣告價格。全張每期二十元。一面十二元。半面八元。長期八折。

每月刊

# 現代國醫

第二卷第四期

中華民國二十一年八月

上海市國醫公會編輯印行

發行 上海北河南路老靶子路二四二號

# 編者小言

(伯未)

本期原定二月十五日發行。不意方付手民。而一二八之劇變驟起。陣雲壓城。狼烟滿地。居民流徙。百業輟廢。本會會務頓告停頓。而本刊亦隨之中止。迄今忽忽六月矣。玆本會已恢複舊狀。本刊爲會員研究之中心。照常發刊。卽以二月份爲八月號。抱歉讀者。無以自解。然事出非常。情豈得已。倘亦能爲讀者諒也。

本會最近舉辦之二事業。亦爲本雜誌最有力量之二帮助。一籌備圖書館。二擴充中國醫學院。圖書館之主事者。爲陳存仁張贊臣諸君。醫學院之主事者爲薛文元郭柏良朱鶴皋諸君。諸君對於醫界服務。夙著賢勞。對于本雜誌之扶掖。尤能不遺餘力。陳君謂「圖書館成立。當搜集家藏祕本。供本雜誌以不少之材料。」郭君謂「學院能擴充。卽學院基礎鞏固。莘莘學子。俱爲本雜誌之披堅執銳份子。」伯未忝任主編。時虞隕越。得此雄厚之後援。不禁爲之呼躍。特先誌此。爲讀者告。

# 現代國醫第二卷第四期目次


醫事雜評

祕魯政府取締華醫藥……秦又安

中央國醫館與焦館長……李定沭

胡廳長少吃的意義……朱殿

丹皮抬高市價……秦伯未

言論

醫學不可盲從論……吳鞠屏

治病管見……張汝偉

專著

診病奇侅……松井操譯

學說

溫病古訓……盛心如

自然療法……傅雍言

看小兒病經驗療治大法……胡佛

驚病雜說……王鴻孚
闢喩嘉言無肺者無尿之說……錢佩三

醫案

顧雨田醫案……張玉田錄
尤在涇晚年醫案……盛心如錄
澄齋醫案……謝利恆
淞南草盧新醫案……龔小悟

會議紀錄

## 啓事

(1)丁仲英君之五法總論。因事未曾錄寄。本期暫停。

(2)中國醫學院王輝中，劉子開，朱殿，袁秀生，周桂庭，魏平孫諸君。所惠稿件。因已付排印。不及刊入。準在下期披露。

(3)全國醫案團體調查錄。因編幅有限。暫停。

# 醫事雜評

## 秘魯政府取締華醫藥

秦又安

秘魯政府突於去年十二月十日。偏信西醫會片面理由。下令取締華醫藥。限自佈告日起三十天內執行。叠經旅庇華醫藥聯合會聯合秘京羣衆請求收囘成命。毫無效果。駐秘公使魏子京視若等閒。徒事敷衍。坐使懸案罔決。就目前以觀。其結果如何。未可確定。而關係華僑之安危。則實屬鉅大也。

雖然。華醫藥非秘魯之醫學。秘魯政府非華人之政府。以非華人之政府。排斥非秘魯之醫藥。猶有可言。若本國政府而亦排斥本國醫藥。創世界未有之奇聞。如吾中國者。則尤足痛心耳。駐外公使應負保護本國僑民之全責。華僑之居秘魯者。或恃華醫藥以生活。或賴華醫藥以健康。一旦取締。影響民生。何堪設想。乃魏公使漠不關心。甘受尸餐之誚。此亦吾中國之特點。而未聞於世界者也。西醫治療之成績。是否在中醫之上。人類蒙其宰割之荼毒。國家受其金錢之外溢。已屬無可諱言。不謂中國受西醫之蒙蔽而不悟。秘魯亦步武後塵而不醒。此則堪稱世界上之惟一難兄難弟矣。

嗚呼。吾中醫受西醫之播弄久矣。以西醫之主張。非將全國生命付託於外人不可。因事實上之不可能。乃掩飾政府。借政治力量以壓制一切。其手段無異鬼蜮。其情事無殊賣國。吾中醫雖弱。寗肯亦以鎭靜不抵抗終耶。

## 中央國醫館與焦館長

李定沭

國民政府知中醫確有提倡與改進之價值。因有中央國醫館之組織。焦易堂先生亦知中醫確有提倡與改進之價值。於是肯負館長之重任。蓋吾人於三一八之後。固無日無時不冀焦先生發展館務。上副政府之初衷。下慰醫界之渴望。

雖提倡與改進。非旦夕間事。而擬訂計劃。着着進行。期之三年五年。亦指顧間耳。今者焦先生已着手調查全國醫士矣。令各地組織分館矣。籌備學術整理委員會矣。在成立八九月間。進行之速。不可謂不力。吾人所仰望於焦先生者。茲更可堅實信仰而無疑矣。特吾尚有言者。焦先生以公私栗六之身。願分一部分時間與精神。爲吾醫界犧牲。吾醫界同仁。更當如何犧牲時間精神。爲本身事實謀鞏固進步。庶不負焦先生領導之苦心。此其一。中央國醫館之事業。端賴各理事之誠懇負責。免除一切私見。但求公衆利益。蓋理事之產生。由各地方所推舉。一人之言行。一地方之醫界與有關係。「不孚衆望」之事。幸勿再見於報端。此其二。苟如是。則上下一心。共同努力。國醫館之基礎可鞏固。國醫之地位自增高。而焦館長之犧牲方爲不虛。

## 胡廳長少吃的意義

朱殿

這次水災聲中。民政廳長胡樸安氏有關於水災調劑粮食辦法的意見發表。並提倡民衆少吃。既經濟又於康健有益。在這災荒的年歲。大家能履行少吃。亦不無小補云云。這個意見。雖近滑稽。確有至理。本來。我們每天所用的食料。是製造和修補體素及產生精力。在成人以後。無論食物的性質和分量如何。體重總不會增減得很多。不但體重沒有什麼變更。就是各種體素的比重。也是仍然在一定的界限內的。我們天天攝取了許多養料。而體重總不會增加。這就是表明我們納入和付出的東西一樣。換一句說。所吸入的氮——生質精的代表——一定統統排出。不然則牠得要加上了脂肪去。在這種氮平衡之下。肌肉是不會生長的。壯年的氮素出納。都是老在平衡之中。嬰孩及兒童所入的氮。比所出多。故身體發長。老人反是。故肌肉逐漸消瘦。可見得我們多吃。對於體素上並沒有多大功用。米的成分。是生質精。炭水化合物。和最少的脂肪。南方的人。都以米爲食料。照剛才所說的看起來。究竟要多少生質精。就能夠維持體素。使不致因衰亡的體素。而喪失其重量和能力呢。從經濟方面而論。生質精爲養料中最昂貴者。我們若可以減少生質精的食量。以至於不損傷身體爲限。豈不是比食多量的生質精經濟了嗎。從病理學上而言。飲食過多的生質精。常要發生腐化太盛等毛病。我們又何苦而食許多的生質精食物呢。歐美壯年人每日平均約食一百十五克。我國人多少。現在還沒有調查出來。有幾位生理學家的估計。我國大學生。每日平均約食生質精約九十至一百克。近來有幾位生理學家。做了許多實驗去找那身體需要生質精最低的限度。他們的結果。發現每日所食的生質精。就是減少至三四十克。也是不會損傷身體的。這就說。體重仍一樣地不變。而各種肌肉及神經的工作。也不受何等影響。由此觀之。我們每天所食的生質精。實在超過身體需要太多了。爲安全起見。如每天攝取六七十克的生質精。實際上已十分充足。我們又何必多費金錢。飽食多量的生質精。以勞吾們的消化代謝及排泄器官呢。

因此。可以相信。胡廳長所說。民政廳有一位科長每天祇吃午飯一頓。精神極好。身體亦狠強壯。並不因爲少吃。發現營養缺乏。而有體素衰弱的現象。在胡廳長演講詞中已有了一個極好的證明。照現在的情形。假使全國人民。都能夠提倡少食。非但是救濟粮食恐慌的一個辦法。對于個人身體上。也能得强健的效果。我希望親愛的同胞們。都依着胡廳長的話。實行少吃主義。人民與國家。都有好處。只怕許多民衆們。倒學得陳古漁先生的一句詩「偏到荒年飯量加」那就糟糕了。

## 丹皮抬高市價

秦伯未

本市國藥業同業公會。以藥行方面。抬高丹皮市價。開會反對。查丹皮爲極尋常之藥。十方之中。幾有半數采用。三年之間。每担祇售七八十兩。本年杭州客盤開價。亦僅每担洋二百元。乃本市最近開盤。竟漲至每担一百五十兩之鉅。較者三年前。增加一倍有餘。較諸杭州。以八折秤爲準。則滬杭密鄰。同客同貨。相差亦遠。吾不問是否藥行之用資本主義。盡情壟斷。操縱市面。但其壓迫中小商人。間接增加貧病者之負担。實與社會商情。俱有莫大之關碍也。

邇年來西藥。漸次侵凌。國藥地位。暗受喪失。普通病家。相率因國藥價昂。而改服西藥。卽以冬令補方統計。願施補血針魚肝油一類者。較往年增加十分之三。夫「鄰之厚。我之薄也。」一藥行方面。縱不爲中小商人計。更縱不爲貧病負担計。當獨不爲國醫藥界前途計。更獨不爲本身地位永久計乎。丹皮其小者也。其他當歸大黃等。以及一切藥品。無年無日。不在增高價格。平民之生計日蹙。而疾病之來。又不能免。吾爲良心所驅使。眞欲無言而不能。噫。

## 言論

# 醫學不可盲從論

呂鞠屏

▲先言小兒落地必進三黃及犀黃之錯誤

小兒係稚陽之體。譬諸花木。置之溫暖之地。則易發生。置之陰冷之地。則易僵枯。老輩以兒落地有胎毒。必進三黃湯。或犀黃。以爲可解胎毒。孰知胃病。卽從此而起。譬如大人落水。救起時。則灌以薑湯。得溫暖之性。則寒可解。小兒在胞胎內。溫暖已極。及落地。業覺冷不可支。手足無措。故啼哭。斯時急宜略爲措抹。用溫暖之物包之。喂以薑湯。以溫其寒。乃不喂薑湯。反喂以苦寒之三黃。寒與寒搏。則吐乳。吐久則脾陽不生。卽成慢脾驚矣。福幼編。用桂附炮薑。辛溫之品。云百中可救其五。此理甚明顯也。至以小兒臍糞不下。亦不可用大黃攻之。俟其新乳入肚。則黑糞自下。此新穀推陳穀之理。古書無驚風之說。小兒發熱。傷寒居多。急驚是溫暖太過。如大人發痧氣。故痧藥能治之。俗云若要小兒安。常帶三分飢與寒。是在爲父母者。善爲調護耳。余少不知醫。初生之女。卽患慢脾。後吾友。吾岳。示余以福幼編之方。始悟此理。自後余之子女。均戒用三黃。而口胃甚强。食亦不擇精粗。此明效也。如慮小兒有胎毒。不妨以銀花甘草。常喂之。最爲妥當。滬俗兒初生。無論貧富。必買犀黃喂之。須知誤事不淺也。再蘇松習慣。小兒如發熱。必用雙鈎藤以療之。不解何意。按鈎藤。有風治風。無風引風。此言內風也。並非風寒之風。吾兒服此者。每多角弓反張。卽用熄風法。亦無效。不若竹茹猶可溫通以挽救之。然此二味。盲從以用之。殺人不少矣。余另有碻證。非虛語也。言諄語藐。其如不信何。作俑者。其無後乎。

## ▲再言小兒痧疹之後誤服涼藥現狀

痧疹本係肺胃伏熱。初起。祗宜輕宣。不宜服胡荽(卽香荽)西河柳(卽檉樹枝)麻黃辛熱之品。如須宣發。止新筍尖。煎湯飲之爲妥。退後。亦不盡有熱毒。須審其病象。然後對症發藥。方可無虞。近時醫家病家。均泥於痧疹後有熱毒。須服地栗、蘆根、枇杷葉、白茅根、等味。以爲熱毒可解。孰知服後。熱不退。小兒反悶不出聲。甚至昏迷不醒。時作哼掙之狀。至夜熱甚。涼藥愈多。則熱愈重。此曷故也。盡中元甲子。溼土司天。無論老少。均有溼痰。痰遇溫則化。遇涼則凝。譬有痰一盂。蕩以涼水。則痰不去。沃以照湯。則痰浮起。專以地栗蘆根。解毒。毒不清。及現出昏迷哼掙之狀。病家不明此理・延醫治之。醫家泥於古法。復以涼藥加之。不死奚待。按遇以上各症。急用薑汁和化痰之藥。如萊菔子、茯苓、法半夏、陳皮等以溫化之。用焦山查、皂角子、等類以緩下之。黏滯下行。則熱退。然非一二劑不爲功。萊菔子可用。萊菔汁不可用。蓋有生冷之性。痰又滯而不化矣。近世醫家。喜用竹茹。(卽竹二青)如告以涼性。則以薑汁炒之。服後勢必胸悶氣閉。甚有不能出聲者。鬱久熱入氣分。則出白瘖。瘖如出透。猶可救。如出不透。必須用芳香之品。如鮮藿香葉鮮佩蘭葉鮮絲瓜葉銀花通草以透之。如再不透。必死無疑。此不死於病而死於醫也。(青竹茹誤用殺人甚多余有碻證不便登出)按竹茹性涼三家本草言有通經絡之功。痰未化。引入經絡。甚至手足抽搐。誤認爲驚。或針戳。或服牛黃犀角羚羊等藥。百不活一。涼藥之誤人。如是如是。吾於醫會中曾力言。而同道者。不惟不返省。且有問余吃竹筍否。可哂亦可嘆也。按竹茹、竹筍、竹瀝、功用不同。如地骨皮、天精草、枸杞子。獨非一物乎。何以各有所用也。近時醫家。無論何病。必湊以竹茹一味。幾內甘草同例。若遇胸悶。必大用特用。詢以何意。則以竹茹能開鬱對。夫鬱甚多。內經曾分晰之。余見溼痰溼溫。用竹茹者。不知殺人幾許。有時用溫化法挽回者。有時病深。竟不能挽回。詢以何人所開之方。甚有大名鼎鼎者。此味亦不能審。一得之獻。竊願同道者。勿以荒謬。而細加審察焉。則幸甚。

▲頭昏未必即是肝陽上升

肝木喜潤。水虧血燥。肝不得養。燥火上升於腦。則頭昏暈。此言中年以後。與色慾過度之人。若少壯與童體。焉有此症。近世醫家。無論男婦老幼。一病頭昏。必曰肝陽上升。墨守師承。牢不可破。亦不察其脉之如何現象。悉以養陰滋水爲劑。然而誤事不淺矣。余戚孫慎言。年十九。爲某校高材生。品學俱純。因家寒年幼。尚未娶婦。去歲患頭昏病。經其戚某醫治之。曰肝陽上升。每方必滋陰養肝。服數十餘帖。而人漸疲弱。余適至其家。診其脈滑甚。舌膩而白。余曰。此非肝陽。乃溼濁上冲也。再服前方。恐將不起矣。爲書一升清降濁之方。並囑其服後如何。望函告。以便再爲診治。後無音訊。未及一月。而訃音至矣。惜哉。又余戚徐某自蘇來滬。亦悉此症。臥其戚家。就某醫診治。服十數帖而不愈。一日請余。診脉畢。而某醫亦至。曰。此係肝陽上升。余曰。如係肚陽。有此十數帖滋陰之方。亦可全愈矣。况脉滑。並不浮弦。恐非肝陽也。某醫曰。昨脉的係肝陽。余曰。今日先生試再診之。診畢。問余曰。先生斷爲何症。余曰。脉滑舌膩。此溼濁也。胃屬陽明。額亦屬陽明。胃中溼熱過重。薰蒸於上。故額昏。此明證也。後開一疎化之方。余曰。某大膽。妄加三味何如。即爲加生炒苡米一兩。老蘇梗三錢。白薇三錢。果一帖而爽然若失矣。（按外感。頭亦昏。須臨時診斷。不可執定見。醫不可泥。即此之謂也。）

## 治病管見

張汝偉

病有不治之症。雖醫必死。病有不必治之症。雖不服藥。亦可愈也。病有不醫不愈者。病有誤醫而增重者。此醫學之所以難能而又可貴也。若醫者不識不治之症。盡病能治。盡治能愈。是天下無死人矣。若病者執不服藥中醫之說。又以爲病不須醫。則數千年醫藥之功效。固彰彰在人耳目。尤爲不通之論也。

總之醫非仙人。治病僅憑學識與經驗耳。然索索無精思。昏昏有俗情。診務極忙之人。在所難免。有醫生偏執己見以誤人者。如薛生白之治蔡姓中暑。因少婦在旁哭泣。疑是虛脫。斷爲不治。幸符姓醫。識爲中暑。投以六一散而霍然是也。有病家不知病因。醫生但憑報告而誤治者。如曾世榮治王姓子。頭痛頷赤。諸治不效。細審爲船篷小篾刺人皮肉。鑷去卽愈是也。有一種醫。往往極輕之病。必肆恫嚇。如外感咳逆。卽謂肺癆三期。濕熱泄瀉。便云虛脫在卽。又有一種。明是脉伏肢冷。厥脫俱見。仍是桑蘇甘桔。啻陽不和而已。明是完穀不化。飧泄鶩溏。仍是陳皮白芍。車前澤瀉。略化溫熱而已。一則太過。輕病致重。一則不及。重病致危。要非診病之仁心。乃是斂錢之方技耳。宜醫家之爲人輕視也。

有一種病家。往往輕病重報。如腹中畧見不和。動說痛如刀割。熱度不足九十。已云熱甚神糊。頭暈與頭痛不分。口乾與渴飲不辨。動輒嫌方藥之太輕。畧見小効。則曰病且加甚。病去七八。猶云無好二三。此種詐病欺醫。往往弄假成眞。又有一種人。病已神消骨削。腹脹如鼓。僅云氣力畧疲。精神不爽而已。明明迭進肥甘食滯。致成食復。猶云僅食米湯數匙。決不肯認有食積。如果診務宂忙。憑說主方。必至遷延貽誤也。

更有看護之人。不知病理。無力遺尿。誤爲出汗。肌肉腐爛。妄報經來。毫厘之差。千里之謬。醫者非細心體察。焉能得其眞諦耶。

余作此篇。經二十年閱歷所得之影響而發。其宗旨有三。一以自勉夫診察時之宜隨意留心。決不偏執己見。自用自專。二以促病家須眞實對待醫家。勿藏頭露尾。留難自誤。三以使看護之人。隨處體會。勿惶張。勿妄報。三者相濟。以治病情。庶幾可以十全矣。

昔吳門有名醫某。不許病家開口。診脉便知癥結。余忘年友張君。今年古稀外矣。曾告余弱冠時。曾患便血略血自汗等症。求某醫治。照例不開口。診脉畢。方上書氣機不利。外感風邪等云。用蘇葉牛蒡之屬。余友謂之云。余所診者。是略血便血自汗。今何以案上無一及之。而用此不相干之藥耶。某醫猶强辨曰。此系讕言。吾診不謬。夫如是爲醫。自稱高明。捫心自問。可乎否。夫見氣促之狀。而斷爲咳嗽。見淅淅之形。而告爲形寒。此覡巫之小技。江湖之秘術耳。實則大方脉家。不恥下問也。偉稟性戇直。泚筆書此。聊伸管見。諸同志以爲然否。

專著

# 漢譯診病奇核卷下（續）

丹波茝庭編
楊彥和綠按

臍下一寸有動者。奔豚之漸也。及臍上一寸者。奔豚之成也。台州

腎氣實者。小腹膨滿。不堅不軟。隱然有力也。修坐禪者。小腹堅也。夫腰痛者。不必疝。臍旁無凝結。小腹綿軟而腰痛者。得於腎勞也。腰肉脫。髓骨出者。必死。同上

小腹右旁凝結者。皆畜血也。其痛者。非食積蟲積之候。亦畜血或疝之候也。畜血或疝。而左邊凝結。痛者有焉。其所以然者。養血室以任脈衝脈帶脈之三脈。三脈者。分出於陽明氣衝。其分出處。瘀血凝結故也。同上

小腹燥屎者。必近迫橫骨。左邊累累成塊。其狀稍長。按之不痛。左邊充滿。則及右邊。同上○腹兩旁條宜參考。○彥和按。靈樞骨度篇。「橫骨長六寸半。」馬蒔曰。橫骨。即曲骨下。蓋臍下五寸爲曲骨。曲骨之分爲毛際。毛際下乃橫骨也。又靈樞憂恚無言篇。亦有橫骨。在舌本內。與此同名異處。

食先納內。左右剋化。後至水分。其糟粕爲屎。從臍右迴臍左下。而下出。故燥屎看彥和按此處必脫二『法』字以此部位爲準。燥屎經日者亦然。腸癰亦在此部位。按之而其痛如按癤也。在他部者。雖癰腫非腸癰也。東郭○燥屎之診候。本條與台州不同。以台州爲是乎。○彥和按。松井以台州爲是。實兩說皆是也。特台州言其外狀。言其病理。東郭言其內景。言其生理耳。夫「臍右」爲升結腸。「迴臍左下」者。經橫行結腸而入降結腸。「而下出」者。由乙狀結腸下直腸而大便也。此言其內景。言其生理者也。前條台州之所云。「近迫橫骨左邊。累累成塊」者。乙狀結腸降結腸之燥屎先聚。不得大便。則橫行結腸升結腸之燥屎。不能以次排洩。乃亦聚結。

此所以「左邊充滿。則及右邊」者也。故所言爲外狀。爲病理耳。

男子疝在臍右下。女子帶下亦在此。內經曰。男子七疝。女子帶下瘕聚。然則疝與帶下同其處。而疝者。重按則牽陰。其病輕則止於臍下。老疝者心下支痞。蟲積者左右拘急。臍右下有凝結也同上

通常疝塊者。大畧在臍斜下。脾胃不足之凝結者。在稍下處。或左或右。皆其候也。同上

老人臍下左旁動亢者。必死。咽喉腐爛症而此動亢者。亦必死。凡諸病此處動高者危。同上

脚氣勞瘵溼毒。皆有動於臍下五六分。任脉開一寸許。或左或右。勞瘵之動。虛而數。與脉應。脚氣之動帶弦。濕毒之動無定狀。宜參脉證也。三病難以臍動爲的候也。同上

臍下無力。重按有塊。全腹痛徹。五體難堪者虛也・臍下軟弱無力。輕按而痛亦虛也。南陽

臍下有堅塊而處處移動者。或爲小便不利。或爲轉傍。亦不爲害焉。或者有之。同上○彥和按轉傍當係轉胞之說

左臍下二寸許。有動者邪也。○痔之毒。肝膽之邪也。臍右下則痔也。淺井

臍右下二寸許。三行彥和按，靈樞衛氣失常篇。伯高答黃帝問井日。「必先別其三形。」係指膏人肉人脂人而言。此處之三行。似指臍旁第三道縱紋而言。然亦殊難諦辨。其或日本漢醫之特殊名詞歟。備考。處。有物鬱者。血毒或痔毒也。婦人則經水不調。脣燥足心熱。臍左下三寸許。三行處。按而筋攣者。疝也。東洋

腹中行

脾胃虛者。中脘以下至臍。任脉行筋脹大如箸也。宜補中焦。壽安。三伯同。又曰。難治也

腎水虛者。臍以下關元石門穴。任脉行正中。筋脹如箸也。宜與滋陰藥。夫腎虛者。中焦先衰。故中脘以下。石門上下。任脉行筋張也。同上○三伯南溟皆同。又曰。泄瀉而有此候者死證也。

古傳曰。腹之正中中脘。任脉行。幅員廣。氣盛者。爲胃熱。任脉臉穴。弱而無動者。爲胃寒。南溟○宜參考中口條○彥和按。原文脫一字。當係脘字

任脉見。按之應手者。爲惡候。是內部涸燥故也。手人內傷皆然矣。知其不足補之。臍上任脉見者。脾胃虛也。臍下任臍見者。腎虛也。大病者。任脉可見。而不見者。有腫氣也。最爲惡候矣。烏巢○彥如按。手人當係平人。謂無論爲平人。爲內傷。可決定其爲不足。而與補劑也。

臍之上下。任脉見者。爲脾腎虛。此脉見者。平人則將發大病。病人則至難治。勞傷等陰虛火動之證。多有此候也。久野

任脉怒脹强大者。或爲惡候。或不然。臍上至鳩尾。任脉張者。脾胃食滯之候。△操按。不唯食滯耳。胃虛亦然臍下任脉張者。腎虛之候。是所設惡候也。中脘鬱氣之人。終身任脉脹大。粗如煙管。而無災害者。或有焉。是以不謂惡候也。醫者宜精察。白竹◎按此說有理。要以他脉證參考。

任脉緊脹大。粗如煙管。從神闕上連心下者死。此說出靈樞眞百中也。台州

任脉連少陰筋脹大。粗如吹火筒。而無力者。往往病膈而死。同上○此說原南濱。又詳腫疾膈噎

久病腹皮貼背。當臍上下有堅結。排之不動者。是脊骨也。同上△原文

遶臍有凝結。按之則痛者寒疝也。宜薑桂烏附輩。同上△原文

臍上任脉。見狀如筆管。或凹成溝者。俱脾胃虛燥也。動氣隨發。脾胃虛燥。故膜亦瘦而無潤粘。膜瘦而無潤粘。故皮膚與藏府離。而見此二候也。脾胃得養則諸症復其本矣。臍下有此候者。腎虛也。肉滿而不開。潤粘而肥實。筆管狀不見者。腎氣足也。荻原

腹兩傍

【診肝臟氣法】時論曰。肝病者。兩脅下痛引小腹云云。經脉篇曰。其經布脅肋云云。故肝病其診在兩脅云。○輕按摩脅下。皮肉滿實而有力者。肝之平也。○兩脅下空虛無力者。肝虛及中風一切筋病之候。因其左右。以知偏枯。雖病未發而無所遁焉。○男子積在左脅者。多屬疝氣。女子塊在左脅者。屬瘀血。○動氣在左脅者。肝火亢也。無名氏△原文○中風診候詳肋下條。

痞症屬右者。是食積或乳癖瘧母之類。屬左者是疝積。及血塊之類也。陽山△原文

胃經行者。兩乳行也。其行凝滯。猶以之有積者。脾胃不足之候也。烏巢

胃經內陷胱者。脾胃虛也。死。中虛

腹哀穴名 大横彥和按。腹哀大横兩穴。均屬足太陰脾經。邊。其力甚弱者。其人必近死。白竹

腹之左痞者。腎虛或疝也。右痞者。氣鬱也。同上

腹之左痞者。十之八九疝也。從腎水耗而左邊痞。其痞遂入胸。同上

肝藏血而其部位在左。故左天樞。候血之盛虛也。血虛之人。從左天樞輕手候表則軟重手候裏則堅而如推板。是血分之燥也。血分者。左天樞之名也。肝藏血。其部位在左。故曰血 分南溟○此說本久野

滯食宿酒。俱着右脅下。胎毒亦然。唯胎毒者堅。貯食者柔也。東郭

胎毒者必在臍右旁。女兒右脅下。攣急强者。病瘰癧。瘰癧病而右脅下攣急强者。其毒從胎毒來。難治。東郭

凡腹之左攣急者。宜逍遙散。抑肝散等。和肝血之劑。右者建中湯宜之。東郭

外邪久不解者。腹筋左比右則無力也。與中風之肚肉胱者自別。所謂左右者。非膀之謂。卽肚腹內之筋也。又左上築之動者。外邪未解也。東郭△操按。有外邪既去而有動者。宜與他候參考。○彥和按膀字當係旁字

下焦之左右有動。其狀□者。耳鳴或耳聾。同上○彥和按。原文脫一字。疑係高字。

藥毒脾部。腹筋壅塞也。多於附子之毒。同上

臍左傍拘急凝結。而面色靑白。唇色紅。目下驗赤惡心。或吐淸水者。蛔蟲之候也。同上△操按。蛔蟲之候。膻中鳩尾之間有微動。學者宜潛心輕手候得之。

陽明胃經。按第二肋之端而下者。是也。以左爲主。自左冲逆。反拘攣者。爲水飲。左右拘攣。按之不痛者。雖痛反快者。是爲胃氣不和。或血虛。宜建中輩和之。○少陽膽經。按第三肋之

端而下者是也。以右爲主。自右冲逆者爲悪血。拘攣者屬肝鬱。台州△原文

大便閉。自左臍傍横至右傍。或左横骨邊。累累如納瓦石者。是爲燥屎。同上○宜互參小腹條△原文

經云。當臍右凝者。胃氣衰也。然胃氣衰者。其凝結在左。而後及右。或有不及右者。是之謂疝瘕起於胃氣衰。而運化不足也。又肝臟之氣見者。凝結於臍右下一寸許。台州△

左陽明經。拘攣而有動氣者。是食毒也。其動大。其拘攣連臍傍。而必上衝。其甚則遂發瘡。△操按。瘡蓋頭瘡。

水飲之動。從心下及左。○章門行厥陰少陽牽引者。宜溫藥下之台州

蚘蟲之候。亦在任脉之左。蚘居胃中故也。左硬滿而動。其動與水飲之動易混。重手按之則築築然細。或有大者。皆不連臍傍。而臍脉數。或大腹動。與脉相應。故其大小遲數。不可必期也。台州

右陽明厥陰硬滿者。肝鬱也。肝鬱者。血不和。宜與柴胡或四物之類。左腹痛蟲者積。或食毒。或水飲也。右痛者血也。雖他疾。非兼治血之劑不治。同上○彥和按。○蟲者二字。疑顛倒。

痞積疝氣。一切邪氣。着左者。不爲大害。着右者。或爲大事。不可不知。中盧○宜參看平人條

凡痞等在左者不爲大事。在右者爲大事。治之亦有難易。左屬陽而其治易。右屬陰而其治難。理然也良務○宜參動氣條

臍右傍胃毒着之。臍左傍之痛者。遺毒。或燥屎也。其上一寸許。有不順之候者。蚘蟲也。東洋

右脅下。按之筋牽引者。左足痛。左牽引者。右足痛。同上

鳩尾傍三四分許。按之筋見者。患目疾。幽門之上下。細筋見者。患耳鳴淺井

**歡迎投稿！**

## 學說

# 溫病古訓

盛心如

素問生氣通天論曰。冬傷於寒。春必病溫。

此言伏氣成溫之病源也。夫寒與溫爲對待之名詞。何謂傷寒。何謂溫病。曰。此因時令關係。冬令感冒曰傷寒。春夏感冒曰溫病。熱病。然則傷寒與溫病。兩不相涉。何以冬傷於寒而春必病溫耶。曰。此正言伏氣之爲病。有感而卽病者。有感而不卽病者。感而卽病者爲傷寒。感而不卽病。伏至春令而發。則曰溫病。內經於此凡二見。本言四時皆有伏氣。本篇爲溫病立說。故但節錄兩句。以明伏氣成溫之理。然則何以感而不卽病。寒邪究伏於何處。曰伏於膜原。膜原者。三焦腠理空隙之處。邪由皮毛而入。潛伏於空隙之處。無礙於正氣之流行。是以不卽病。待至春令陽和鼓盪。不容其潛伏。遂乘時而外發。此所以春必病溫也。但此溫病之名義。非春時感冒之溫病。實因冬令傷於寒邪。由潛伏而來。故曰伏氣。章虛谷謂伏於少陰。殊不知少陰腎藏爲人性命之原。豈能容邪而不卽病者。竊以謂孟英對于伏氣與外感。猶未能明瞭者。引此註釋。可以見矣。

金匱眞言論曰。夫精者。身之本也。故藏於精者。春不病溫。

此言溫熱之病理也。文字正面。固但指溫病而言。然當從廣義而講。所謂精者。非指腎藏之精也。實指一身之津液而言。內經言精字甚多。如食氣入胃。散精於肝。淫精於脈。輸精於皮毛。及飲入於胃。游溢精氣。上輸於脾。脾氣散精。上歸于肺。水精四布。五經並行。及營衞者精氣也。及本篇第十四節所謂穀生於精。汗出者精氣也之類。蓋此精氣。和調五藏。洒陳六府。爲吾人生身之本也。所謂藏於精者。爲人之精氣無損也。精氣無損。於四時之中。百病不生。又豈但春不病溫。一春字亦實該四時而言也。乃喻嘉言輩。對於冬不藏精。專指男女交媾房勞之說。以實其病由少陰而發。又何怪夾陰傷寒諸邪說。橫行於世俗。而流毒無窮歟。更進一層而言。則此節亦非專指伏氣可見。

熱論篇曰。凡病傷寒而成溫者。先夏至日者爲病溫。後夏至日者爲病暑。暑當與汗出勿止。

此釋溫熱之名義。及溫熱病初起治療之要也。古醫書以傷寒爲外感之統稱。難經言傷寒之類有五。內經言熱病者皆傷寒之類。人之傷於寒也。則爲病熱。故傷寒與溫熱。俱有廣狹二義。以時令而異其名者。則爲狹義。以病情而舉其名者。則爲廣義。故仲景傷寒論。實爲五種傷寒之總論。而中風傷寒溫病痙濕暍皆條舉於篇中。胡後人之憒憒耶。所謂當與汗出勿止者。卽三日以內。未入於藏者。可汗而已之謂也。無論伏氣與外感。在初起皆當發汗。惟辛涼與傷于寒邪之宜用辛溫者。則判若霄壤耳。

刺熱篇曰。肝熱病者。小便先黃。腹痛多臥。身熱。熱爭則狂言及驚。手足燥。不得安臥。庚辛甚。甲乙大汗。氣逆則庚辛日死。刺足厥陰少陽。其逆則頭痛員員脉引衝頭也。

此以下共五節。所以標明五藏熱病之證狀。實卽五藏爲病之提綱。及其病之微甚。推測其所以愈以逆之時期。並治療之綱要也。惟此節腹痛多臥。與後節脾熱病下頰痛煩心顏青欲嘔。應當互易。想是經文錯簡。同志秦伯未君。亦同此見解。可謂先獲我心。若隨文敷衍。以五行勝負。求圓其說。又安在不路路可通。毋乃於病理太遠乎。所謂肝熱心熱云云者。言五藏本經原有伏熱。不論伏氣。不論外感。在將發時期。必現其本經之證狀。及既發時期。卽與潛伏時期之熱邪。則歸於本經而外達於肌表。故身熱與得大汗而愈。其病機五藏皆同。肝病小便先黃者。厥陰與少陽爲表裏。少陽三焦爲水道。故小便先黃。若謂肝脉絡於陰器。與水道何關。此則於生理上。難以通解。頰爲少陽部位。所以作痛。青爲肝藏氣化之本色。故顏色發青欲嘔者。肝熱犯胃。而胃不和也。熱爭者。外淫之邪。內干於藏。與內因之熱。交爭而爲病也。煩與躁爲內熱微甚之分。諸躁狂越。皆屬於熱。熱則神經系被其擾攘。故言語錯亂。驚而不得安臥也。逆其氣。則由脊椎神經。從督脉而上犯於腦膜。故頭痛員員。脉引衝頭。因肝脉會於巔。卽西醫之所謂腦膜炎也。脅滿痛者。肝脉行身之兩旁。脅其要路也。所謂甲乙庚辛云云者。乃中醫醫學上之代名詞。而亦氣化之原理。猶數學上加＋減－乘×除÷相等＝之五種之符號。取其淺顯而易於推測。目下西醫所謂電氣療法光線療法等。以爲醫學上之新發明。其又何能越此原理耶。夫邪氣之客於身也。以勝相加。至其所生而愈。至其所不勝而甚。至其所生而持。自得其位而起。此皆以五相勝負乘除爲斷，所謂庚辛甚者。卽至其所不勝而甚之謂也。甲乙大汗者。卽自得其位而起之謂也。氣逆者。忤其藏氣。而治療失宜也。刺厥陰而並及少陽者。病在臟。兼瀉其腑也。古者湯藥與針刺並行。言針刺之理。而用藥可以類推矣。

心熱病者。先不樂。數日乃熱。熱爭則卒心痛。煩悶善嘔。頭痛面赤無汗。壬癸甚。丙丁大汗。氣逆則壬癸死。刺手少陰太陽。

按心與腦均爲神經所發源。而根據之地。故心病先不樂。心下膈膜卽心包膻中之地。經謂膻中者臣使之官。喜樂出焉。顯係神經系被潛伏之熱邪薰蒸而爲病也。內熱外出。外熱內入。故必數日乃熱。內外交爭。故卒然心痛煩悶。少陰主熱。少陽主火。火性炎上。故皆善嘔。而頭痛面赤爲火熱之色。膚表一層爲太陽經之地界。熱則津液內燔。熱則毛竅閉塞。故但熱無汗。且汗爲心之液也。

脾熱病者。先頭重頰痛煩心顏青欲嘔。身熱。熱爭則腰痛不可用俯仰。腹痛泄兩頷痛。甲乙甚。戊已大汗。氣逆則甲乙死。刺足太陰陽明。

按此節頰痛煩心。顏青欲嘔等證。當是肝病。而肝病條下腹痛多臥證象。乃是脾病。在上節已經註明。脾病頭先痛者。所謂因於濕。首如裹。脾主濕也。脾居腹中。故腹痛。多臥者亦爲濕熱之邪。犯及神經系。而爲其蒙蔽之故。所謂地氣冒明。及脾病嗜臥之類也。腰痛者。帶脉統于脾而圍束於腰。與金匱腎着湯爲一寒一熱之對子。乃謂胃脉合於氣衝。而機關失於約束者。此說似嫌太遠。腹滿泄者。所謂脾家實腐穢當去。亦卽濕邪下注于腸也。頷痛乃胃脉所繞行之故。吳鞠通謂肝病者非。

肺熱病者。先淅然厥起毫毛。惡風寒。舌上黃。身熱。熱爭則喘欬痛走胸膺背。不得太息。頭痛不堪。汗出而寒。丙丁甚。庚辛大汗。氣逆則丙丁死。刺手太陰陽明。出血如大豆立已。

肺合皮毛。爲人身皮膚之最外第一層。原屬太陽經之地界。然熱病而反惡寒者。肺氣熱則腠理泄而皮毛開。衞氣失護。不能風寒之外侵。故洒淅而毛悚。厥者形容寒悚之象也。所謂諸禁鼓慄。皆屬于火也。毛竅既開。故汗出而寒。在伏氣初起。本有新感相引。外感初起。原自惡寒。然則何以辨其爲熱病。則以舌黃辨之。若舌上白滑。則汗出而寒。原屬傷寒之陽虛證。須知白虎證有見惡寒者。此亦內眞熱而外假寒之一例。緣內熱既甚。衞外之陽。皆湊於內。故外及惡寒也。內熱與外熱交爭。則邪壅于肺。是以喘欬而不得太息。吳鞠通謂熱閉肺藏者非。倘肺藏果閉則當無汗而不當汗出也。胸膺之間爲肺部所居。背屬肺系。痰熱內壅。故而痛走不定。熱從肺系循背椎向上衝於腦。故頭痛不堪也。

腎熱病者。先腰痛胻痠。苦渴數飲。身熱。熱爭則項痛而強。胻寒足下熱。不欲言。其逆則項痛員員澹澹然。戊己甚。壬癸大汗。氣逆則戊己死。刺足少陰太陽。

腰爲腎之外府。所以先痛。腎脉貫脊。與督脉相會。太陽經脉亦行身之背。且腎與太陽之脉並貫於腦。胻卽腨也。(俗謂小腿肚。)凡所循行之經。故或強或痛或痠也。少陰本熱而標陰。太陽本寒而標陽。寒熱相搏。陰陽寒熱不調。或從本之氣。或從標之氣。故胻寒而足下熱。至于熱極爲寒之說。殊屬費解。腎爲水藏。主五液而惡燥。熱則水涸而液燥。是以苦渴而欲飲。急欲藉飲滋水以潤燥也。腎熱則氣不接於上。氣雖泄于頏顙。而實發自丹田。丹田有熱。則腎志非不樂。非特不欲言。而更懶於言矣。

以上五節。是五藏熱病證狀之提綱。豈可强分伏氣與外感哉。

肝熱病者。左頰先赤。心熱病者。顏先赤。脾熱病者。鼻先赤。肺熱病者。右頰先赤。腎熱病者。頤先赤。病雖未發。見赤色者制之。名之曰治未病。

此一節更補充五藏熱病之色診。在未發時之前。預治以殺其勢。有諸內者。必形其外。是以盎然現於面。此則上工治未病之技巧也。

治諸熱病。以飲之寒水。乃刺之。必寒衣之。居之寒處。身涼而止。

此一節總結以上諸條。並擷治療之準則也。夫熱者寒之。溫者清之。各安其氣。必清必靜。則病氣衰去。歸其所宗。此治之大體。以寒治熱。謂之正治。故不特投以清涼之劑。而衣食住三者。在調護之責任。必須避溫而就涼。更行刺法以泄其熱。如此而可使氣和。可使必已。乃喻嘉言欲以麻黃附子細辛湯以治溫病。不亦悖乎。

太陽之脉。色榮顴骨。熱病也。榮未交。曰今且得汗。待時而已。與厥陰脉爭見者。死期不過三日。其熱病內連腎。

少陽之脉。色榮頰前。熱病也。榮未交。曰今且得汗。待時而已。與少陰脉爭見者。死期不過三日。

此兩節言熱病之兩感證也惟竊以為本文下厥陰當是少陰。少陰當是厥陰。恐係從前傳寫之訛。若照原文穿鑿。心所未安。此當質之于諸同志者也。蓋太陽與少陰為表裏。少陽與厥陰為表裏。上節明言向連於腎。此可斷其必誤。且有傷寒之兩感者。可舉以對證。非敢妄改聖經。我輩後學。必當於此似是而非之處。加意搜討。方于醫學前途。有所發揚。何況彼為西醫者。現正喧賓奪主。伺隙進攻。此亦愚者千慮之一得。諸同志其以為然乎否乎。

所謂兩感者。藏府表裏合病也。如頭項强痛與口燥舌乾等症並見。脅痛耳聾與煩滿囊縮等症並見是也。今初起在三日之內。但見太陽少陽脉症。察其色診。榮於顴骨頰前。熱邪猶在于衞分。尙未與榮分相交也。今値此時。且得一汗。則在榮分之熱。亦得外達而解。設或未解。自得其位而起。所謂待時而已。今非但不解。而反與少陰厥陰脉症交相爭。見是表裏藏府榮衞連合爲病。夫病機以外出爲輕。向入爲重。今非但不得外出。熱反內陷。而與內熱連合而爲病。當此之時。汗泄兩難。其能免于死乎。期其不能過於三日矣。

章虛谷謂經文止舉太陽少陽兩證。不及陽明太陰合病者。以陽明可用攻瀉之法。不至必死。此補註頗有見地。

評熱病論。帝曰。有病溫者。汗出輒復熱。而脉躁疾。不爲汗衰。狂言不能食。病名爲何。岐伯曰。名陰陽交。交者死也。

以上三節。均言熱病之死證。但上二節之與榮相交與此節之陰陽交。同似而實異。上節爲兩感證。乃外熱與內熱交爭。連合而爲病。致藏府氣血、邪正混合不分。攻邪則礙正。輔正則留邪。氣血以并。營衞交困而死矣。此節爲外邪之熱交陷於內。通陽精而下降。內蘊之熱交爭于外。通陰精而外越。邪熱交爭。邪獨勝而正不支。陰陽交錯。救其陰則陽厥。泄其陽則陰竭。精氣內絕。陰陽交脫而死矣。生氣通天論曰。陰陽之要。陽密乃固。陽强不密。陰氣乃絕。陰平陽秘。精神乃治。陰陽離決。精氣乃絕。正謂此也。汗出輒復熱者。邪熱內陷也。脈躁疾者。裏熱外爭也。不爲汗衰。陽强不密。陰精外越也。狂言者陰不平而陽不秘。陰欲竭而陽欲厥。心神與腎志錯亂而無主也。不能食者。陰陽離決。脾胃之精氣內絕也。下文卽詳釋其所以然之理。

人之所以汗出者。皆生于穀。穀生于精。今邪氣交爭於骨肉而得汗者。是邪却而精勝也。精勝則當能食而不復熱。復熱者邪氣也。今汗出而輒復熱。是邪勝也。不能食者。精無俾也。病而留者。其壽可立而傾也。且夫熱論曰。汗出而脉尙躁盛者死。今脉不與汗相應。此不勝其病也。其死明矣。狂言者是失志。失志者死。今見三死。不見一生。雖愈必死也。

此承上文而明言其所以然之理也。所謂汗生於穀。穀生於精者。卽食氣入胃。散精於肝。淫精於脉。輸精於皮毛。穀入氣滿。淖澤注於骨。皮膚潤澤。迨乎腠理發泄。則汗出溱溱矣。是則汗本化于精。精本化于穀。推其原。則曰汗生于穀。穀生于精也。今病溫而汗出。乃邪氣交爭于骨肉。倘邪却精勝。則當熱已而不復熱。今反熱者。明是外熱交陷于內。而汗出爲陰精外越也。何況不能食。是精之化源已絕。而無所俾依也。得穀者昌。失穀者凶。其能久乎。更以脉尙躁疾。邪熱轉陷轉深。陰精轉浮轉越。陰精上奉其人壽。陽精所降其人夭。陽精爲邪熱深陷而因以下降。陰精爲邪熱浮越而不能上奉。明是邪獨勝而正不能支。不死何待。狂言更是陰陽離決之象。但言失志而不言神者。志失而神不俱失乎。猶恐不能明瞭。更引熱論之語以相對證。是脉不與汗相應。有必死之道者一。不能食，有必死之道者二。狂言。有必死之道者三。三者均陰陽交錯之象。見三必死。而能愈者其誰信之。卽暫愈於片時。亦回光返照耳。因此以觀。則所謂冬不藏精之精字。舉此條以相證。可知斷非指腎藏之精。俞嘉言之誤。毋須攻而自破。而藏於精者。春不病溫之說。正衛生預防之道也。且四氣調神論所言冬令閉藏之道曰。毋泄皮膚。使氣亟奪。明指皮膚所言。精者非汗而何。又按本條原文。解釋極爲明顯。因陰陽交三字。古來注釋不一。且與上節之交字。極易相混。姑就個人之意見。詳爲分晰。然猶嫌其過於羼雜。可見詮註體裁之難于妥貼。至後人而妄議前人之非。平心細思。亦當啞然失笑耳。

陽明脉解篇曰。足陽明之脉病。恶人與火。聞木音則惕然而驚。鍾鼓不爲動。聞木音而驚。何也。岐伯曰。陽明者胃脉也。故聞木音而驚者。土恶木也。帝曰。其恶火何也。岐伯曰。陽明主肉。其脉血氣成。邪客之則熱。熱甚則恶火。帝曰。其恶人何也。岐伯曰。陽明厥則喘而惋。惋則恶人。

此條原文明顯無餘。可不容羼雜詮註矣。

帝曰。或喘而死者。或喘而生者。何也。歧伯曰。厥逆逢臟則死。逢經則生。

此承上文陽明病熱甚發厥而喘。明言或生或死之理也。逢藏爲邪深入于裏。逢經爲藏還出於表。然喘厥均有閉與脫之分。厥應下之者。承氣之類是也。下之而不通則閉甚。連于藏而死矣。脉滑而厥者。白虎之類是也。淸之而不應則厥脫。連於藏而死矣。喘當急下。承氣之類下之而不通。則喘脫而死。此亦連于藏也。喘宜急開。麻杏石甘類。開之而不應。則喘閉而死。此亦連於藏也。

帝曰。病甚則棄衣而走。登高而歌。或至不食數日。踰垣上屋。所上之處。皆非其素所能也。病反能者何也。歧伯曰。四肢者。諸陽之本也。陽盛則四肢實。實則能登高也。帝曰。其棄衣而走者何也。歧伯曰。熱盛於身。故棄衣而走也。帝曰。其妄言罵詈。不避親疏。而不欲食。不欲食。故妄走也。

以上三段。均言陽明熱盛之病。陽明爲裏之表。其本氣爲燥。熱從燥化。不論新感。不論伏氣。故皆歸併於陽明。燥熱合化。則爲驚爲喘爲厥爲狂。因其熱有微甚之分也。胃絡通心。心藏爲神經之總系。（神經之起點。則發源于腎。其歸併爲腦。故心藏爲神經之總系。）神經被邪熱擾攘。輕則爲驚而至煩惋。惋極而喘。喘則發厥。甚則發狂。乃吳鞠通輩以爲逆傳心包。殊不知熱聚於胃。撤其胃熱。則神經自淸。蓋胃爲受病之處。神經處被動之地。不治其本而治其標。病在府而治其藏。遂使白虎承氣之證。一變而爲安宮牛黄至寶之證。而天下之患溫病者。皆歸于枉死之途。眞不知是何心肝。要亦斯民之應遭死難而已。此段經文何等明暢。故註解從略。將爲病之原理及治療之正規。就所見者以指示一條光明之路徑。不覺大聲疾呼。對於先輩。反言之過當矣。

生氣通天論曰。因於暑汗。煩則喘喝。靜則多言。

熱氣通于心。暑爲熱邪。而心之液爲汗。二火相煎。故因於暑則汗出而煩。煩則胸中之氣鬱而不伸。鬱則其氣上逆。故爲喘爲渴。暑熱爲陽。陽動而陰靜。所謂靜者似靜而非靜也。煩則熱已連于外。靜則熱猶潛于內。而邪已干心。神經系不能自立。言爲心聲。故多言不休。猶之飲酒者。在將醉未醉之際。則但自言語絮叨。若至大醉。則手舞足蹈而不自知矣。

刺志論曰。氣盛身寒。得之傷寒。氣虛身熱。得之傷暑。

此寒暑外症之明辨也。寒主收斂。收斂則無汗者多。故氣盛而身寒。熱主散漫。散則自汗者多。故氣虛而身熱。

熱論篇。帝曰。熱病已愈。時有所遺者。何也。諸病遺者。熱甚而強食之。故有所遺也。若此者皆病已衰而熱有所藏。因其穀氣相搏。二熱相合。故有所遺也。帝曰。治遺奈何。歧伯曰。視其虛實。調其逆從。可使必已也。帝曰。病熱當何禁之。歧伯曰。病熱稍愈。食肉則復。多食則遺。此其禁也。

此言熱病飲食之禁忌也。食入于胃。長氣於陽。病衰而餘火未熄。引而復燃。故食穀則遺。食肉則復。此卽傷寒食後之例也。其机要全在少愈之際。當熱盛之時。固不欲食。而亦不愛食也。迨其少愈。則饞涎欲滴矣。往往有翻覆而不能速愈者。未始非恣貪口腹之害也。

論疾診尺篇曰。尺膚而甚。脈盛躁者。病溫也。其脈盛而滑者。病且出也。

此以下皆節錄內經溫病之診法也。言尺者自尺澤至脉口。包括寸關尺三部而言也。在醫者診脉時。按其肌膚而熱甚。所謂捫之烙手也。再切其脉。則盛而躁。所謂盛者來往有力。躁者數之謂也。此可斷其爲病溫。倘其脉猶未見數象。但來往有力而兼滑者。是陽氣盛而微有熱。可斷其爲病機且向外出也。所謂脉盛滑堅者。曰病在外。又浮而盛者。曰病在外也。此節脉法當分兩截看。首句爲溫病之普通診法。次句所以明伏邪之診法也

平人氣象論曰。人一呼脉三動。一吸脉三動而躁。尺熱。曰病溫。尺不熱。脉滑。曰病風。脉澀曰痺。

一呼一吸。脉來六至。原爲數脉。加以尺膚按之而熱。此明是病溫。亦猶上一節首句之診法也。若尺膚不熱。脉亦不熱。但見滑象。此可斷曰病風。難經曰。中風陽浮而滑。倘滑而兼數。則陰陽俱浮之象。當是風溫；若尺膚不熱。邪亦不數。但見澀象。濇爲血少。此可斷曰病痺。倘濇而兼數。則亦難經浮之而滑。沉之散濇之謂。熱邪深入營分之陰虛證也。

**玉版論要曰。病溫虛甚死。**

虛則精却而邪勝。病後留者。其壽可立而傾也。

**熱病篇曰。熱病三日而氣口靜。人迎躁者。取之諸陽五十九刺。以瀉其熱而出其汗。實其陰以補其不足。**

此氣口人迎。非左右手之謂。古人對於治病。行遍診法。氣口爲手太陰之動脉。人迎爲結喉陽明之動脉。今氣口靜而人迎躁。則病在陽明。病起三日。三日以內。可汗而已。故刺諸陽以瀉其熱。則汗出而解矣。病盛則陰虛。並當實其陰以補其不足。若不顧其陰。則汗爲陰液。恐汗出精却陰竭而死矣。此實治溫病之喫緊大綱也。

**身熱甚。陰陽皆靜者。勿刺也。其可刺者。急取之。不汗出則泄。所謂勿刺者。有死徵也。**

上節爲遍診法。此節爲脈口診法。身熱甚而脉當躁疾。今尺寸浮沉而反脉靜。與診相反。設無其他死徵。則當邪正陰陽交戰之時。而有欲解之象。按傷寒論脉陰陽俱停一節。但得陽脉微者汗之而解。陰脉微者下之而解。則此節正與相類。所謂可刺。視其陽脉。由靜而躁。則邪欲從表解。視其陰脉。由靜而躁。則邪欲從裏解。乘其機而見取之。則汗泄而解矣。設脉無變動。則爲陽證陰脉。陽邪陷入於陰。昏沉困頓而死矣。

**熱病七日八日。脉口動喘而短者。急刺之。汗且自出。淺刺手大指間。**

吳鞠通於此節去脉口二字。而以弦易短。有意改竄經文。欲自證實其溫邪上受。首先犯肺之說。豈眞無明眼人耶；王孟英不案。實太粗心矣。脉口爲手太陰之動脉。明爲邪熱閉于肺。且見喘促。正屬麻杏石甘之證。得汗出而肺閉以開矣。手太指間。肺之少商穴也。

**熱病七日八日。脉微小。病者溲血。口中乾。一日半而死。脉代者一日死。**

。熱病當七八日之交。已經過一候。本經經氣相傳。正値陰陽互相交接之候。上節脉口動而短。故可從汗解。則邪却精勝而病愈。此條脉轉微小。脉與證不相應。原具死徵而見溲血口乾。則邪熱深陷於下焦血分。而引水自救。陰精已竭。不過一日半而死矣。脉見代則一藏之氣已絕。故一日而死矣。

**熱病已得汗出。而脉尚躁喘。且復熱。勿刺膚。喘甚者死。**

汗出而脉尚躁。是脉不與汗相應。此不勝其病也。本爲死症。若無汗而喘。如上節當急刺少商以冀得汗而解。今熱不爲汗衰。脉躁而喘甚。是陽厥陰竭。頃刻之間。喘脫而死矣。若再行刺法。是重泄其汗。急用生薑六味大劑頻飲。尚可救於萬一。亦王太僕所謂寒之不寒。是無水也。當壯水之主。以制陽光之例也。

**熱病不知所痛。耳聾不能自收。口乾。陽熱甚。陰頗有寒者。熱在骨髓。死不可治。**

痛者苦之謂也。熱病不知所痛。是神經麻木而入于昏沉。精脫者耳聾。水涸則口乾。不能自收者少陰之氣不能上接於清竅也。此爲熱邪深入少陰。乃陽亢而熱甚。重陽必陰。陰者陽之守也頗有寒者。熱甚而陰不守也。陰不能守則陰陽離決。是邪熱在於骨髓。死不可治矣。急用犀角地黃合清骨散勉救萬一。

**熱病已得汗而脉尚躁盛。此陰脉之極也死。其得汗而靜者生。**

**熱病者脈尚躁盛而不得汗者。此陰脉之極也死。脉盛躁得汗靜者生。**

二條同爲陰脉之極。所謂極者盡也。上條乃陰精爲熱所迫而外越。因脉而極也。下條乃陰精爲。熱所燔而內涸。因涸而極也。一爲脫症。一爲閉症。故同主死。得汗而脉靜者。汗生於穀。穀生於精。穀入于胃。脉道以通。邪却而精勝。是陰脉未極也。故生。惟其治療。在上條先宜撤熱以存陰。白虎承氣竹葉石膏之類是也。投之不應。急宜養陰以退熱。生脉六八味之類是也。在下條先宜泄熱以救陰。三黃石膏之類也。投之不應。急宜急下以存陰之類是也。以上共十一節。皆脉診生死之辨也。

**熱**病不可刺者有九。一曰汗不出。大顴發赤。噦者死。

此爲辨證情之死症也。太陽之脉。色榮顴骨。熱病也。內不出者。可行刺法。或辛涼泄衛法。以冀得汗而解。若汗不出而又加噦。噦爲腎氣上逆是交於榮而與少陰爭見。其熱內連於腎。期亦不過三日而死矣。若得汗而加噦。當視其前後。何部不利。利之則愈。

二曰泄而腹滿甚者死。

中滿者瀉之於內。故仲景于腹滿不減。治以大承氣湯。今泄而腹滿。非特不減。而反轉甚。是泄爲邪熱下陷。而陰氣下脫。滿爲邪熱內結。而脾氣內敗。其能免于死乎。

三曰目不明熱不已者死。

仲景於目中不了了睛不和者。雖微熱。猶當急下。蓋以燥熱相合。上走空竅。而五藏六府之精皆上注于目。精爲熱耗而散。陰爲熱甚而脫。精散則視歧。陰脫者目盲。熱不已則陰精散脫而死矣。

四曰老人嬰兒熱而腹滿者死。

老人者氣血就衰。嬰兒則氣血未充。熱而腹滿。不勝攻下。故主死。

五曰汗不出嘔下血者死。

此亦熱入血室之證也。按傷寒論太陽病。以火熏之。如不得汗。其人必躁。到經不解。必圊血。與此條可以互參熱病而汗不出。是熱淫於內而衛氣閉塞也。固與以火薰之之例相同。汗不出而熱邪內通。故上干清道而爲嘔。亦與不得汗火邪內薰而躁之例相同。熱邪不得外泄。則必犯營分而下血。此亦同于到經不解。必圊血之例也。胃中津液。輸於膀胱。行于脉外。而爲衛氣。入於血室。行于脉中。而爲營血。不能潤澤于皮毛。故汗不出。不能循行於經隧。故反下血。且熱迫于胃。津液上越而爲嘔。亡血忌汗。嘔吐忌下。血液兩奪。汗下兩難。無從施治而死矣。仲景未出方治。想亦難于着手焉耳。

又按汗不出而嘔。與汗不出而喘。雖同屬衞閉。然肺與膀胱則有別。故此條當爲熱入血室。因膀胱與胞宮並室而居也。

六曰舌爛熱不已者死。

舌爲心苗。腎脉繫于舌本。腎津上廉泉以出于舌。舌爛者津不上溯也。熱不已則津涸。陽亢陰竭而死矣。若舌爛而浸潤有津者。則爲胃熱熾盛。急用清胃大劑。如白虎或黃連解毒之類。或兼顧少陰。如玉女煎之類。尚可施治也。

七曰欬而衂。汗不出。出不至足者死。

欬而無汗。是爲邪閉於肺。自衂者愈。蓋汗與血同類。不從衞解而從營解。所謂衂乃解也。故欬而衂則汗不出而解。不發汗因致衂。衂而不解。是熱邪壅盛于經也。仍當發汗。（亦同于傷寒用痲黃湯之例）汗出而不至足者。膀胱之脉循髀至踝。而肺爲膀胱之上源。是肺精不能下輸于膀胱。而膀胱之化源已絕。謂非死徵乎。

八曰髓熱者死。

此卽前條熱在骨髓之例。蓋因熱邪深入于少陰腎部也。熱病以陽明爲淵藪。若至傳入于腎。醫者亦不能辭其咎也。

九曰熱而痙者死。腰折瘈瘲齒噤齘也。

痙卽西醫之所謂腦膜炎也。小兒患者俗名驚風。腰折者卽臥不着席。角弓反張之謂也。瘈瘲爲手足搐搦。齒噤齘者。卽口噤不語。牙關強而不開也。經云。督脉之爲病。脊強反折。太陽經行身之背。而五藏六府之俞穴。皆附於脊椎。熱淫于內。循脊推而上犯於腦。引起神經系之病理變態。而痙病諸證狀現矣。西醫于急性者。則謂之漿液性腦膜炎。卽小兒之急驚。于緩性者則謂之結核性腦膜炎。卽小兒之慢驚。不論緩急。皆當以熱治者也。熱病中之痙症。無汗者爲剛痙。有汗者爲柔痙。血液枯燥者爲虛痙。傳染流行者爲疫痙。西醫對于此症。猶無恰當治療。中醫則探本尋源。能熟於內經仲景諸書者。靡不應付裕如。惟因此症甚少。迨至流行時期。倘遇庸工。則措手不及耳。

# 自然療法

傅雍言

經云。風者。百病之長也。考風字之義。卽凡虫之謂。故國醫雖無化驗細菌之學。而亦有與世界各國競爭存在之道焉。例如余在十餘歲起。年患目疾。至二十餘歲。幾無間斷。已屬散光。視室中之燈火。其大如盤。若路燈遠至數丈外者。竟有大猶車輪然。曾於某年流行悪性眼病。本鎭(劉河)傳染之人。因而有瞽者。有眇者。余雖未全瞎。然視物近至不及五寸。用千倍凹鏡亦不過二尺。逾此則無見焉。時常生眵。以致睫毛易損。損則不克防禦塵埃。常使迎風流淚。然而近卅年來。能不再染眼病。乃於每晨用淡食鹽水擦之。比較任何中西眼藥。有利而無害；假設在途中。被灰砂襲入。可揉以未受之眼瞼。使染塵者流淚排泄而愈。若兩目同時被侵。宜掩一鼻而噴其涕。惟不可揉眼。如果痛甚。宜掩兩鼻而哯其嘴。用力噴氣。亦能淚流垢出而愈者。蓋七竅皆通。緣目則一塵不染。流淚爲其自然療法也。至於肺亦一塵不染。其咳嗽痰涎。與目之流淚同功。爲其自能排泄纖微雜質之工用。每見傷風者；不獨咳嗽痰延。亦有涕淚交流。因風(凡虫)粘着於鼻孔。眼瞼以內之皮。延於喉頭。漸及氣管。所以時人有甯肺止咳。順氣化痰之法。揣意反不如宣提令嗽。生津滑痰之爲優。諺云傷風勿好變成癆者。卽爲此凡虫侵入肺組織之故。如南方人受瘴氣。用人馬平安散。或臥龍丹。吹鼻能愈。余在二十五歲以前；頻見咳血。所以肺藏極弱。迄今每於吃食時。偶一講話。舌根後壓不週。微細之質誤入喉內。卽作咳嗆。必用潔淨白紙捻成細條。入鼻令嚏。乃能出或甜或鹹之流質。時或無質…惟覺物之氣味。化汽隨嚏而出。奏效神速。倘如業花廠工人、扱蔴絲、彈花衣。及拷石珠輩。而行此法。亦易知其芒屑出也。余於某日請人篩米。有舍親在傍受授。忽咳嗆頻仍。知其被米灰侵入於喉。令用此法。彼不以爲然。及連得嚏嚏。咳竟若失矣。蓋余有數十年之經驗。不再患目疾肺病。是否合於醫理。亦未敢必。但亦不悖古人。不治已病。治未病之旨歟明哲者察之。

# 看小兒病經驗療治大法

胡　佛

小兒三歲以前。形質微弱。不能診脉。但看他的病勢緩急。身體強弱。再看他的第二指節。寅卯辰三關。分男左女右。第指側近虎口處。第一節叫做寅關。第二節叫做卯關。第三節叫做辰關。這三處地方。小兒有病。必有脉紋外現。若只現在寅關。沒有過卯關的。倘容易醫治。通過卯關的。就難醫治。通過辰關的。更加難治。若一條紋路。從寅卯辰直透過的。這是死症。紋路青的是風。紫的是瀉痢。青紫色是肝木剋脾土。紅的是熱。淡白的是寒。再將面色嘴唇舌苔。合攏來參看。小兒的病。大概也可見了。到了三歲以後。方可看他脉。用手按上去。脉來六七至。叫做平脉。四至五至。叫做寒脉。九至十至。叫做敗脉。弦急。是氣不和。沈緩。是傷食。促結是虛驚。浮是風。沈細是寒。若脉勢來得亂的。不能醫了。

急驚風　這個病。小兒口眼歪斜。手脚抽搐。痰壅心迷。像死去一樣。這是肝經風熱的症。俗名叫做急驚風。當用抱龍丸。膽星(一錢)天竺黃(一錢五分)雄黃(一錢)辰砂(一錢)射香(二分)共研末糊丸。燈心湯送下。再服清膈煎製膽星(一錢)木通(一錢)白芥子(一錢)川貝母(一錢)陳皮(一錢五分)竹茹(一錢五分)石菖蒲(六分)這方子。皆是疎風化痰的藥。

慢驚風　這個病症。因小兒吐瀉成的最多。或因久瘧久痢。痘後疹後。或因飲食風寒積滯。用攻伐的藥太多。傷了脾元。也有因體質本虛。也有因誤吃涼藥。也有因先是急驚。用藥攻降太過。

失於調養。都可成這個病。病的見症。神昏氣喘，或大熱不退。眼開驚搐。乍寒乍熱。面色淡白青黃。或尿屎清白。口唇開裂出血。口中氣冷。或瀉痢。冷汗。四肢冰冷。肚內時有響聲。喉中痰響。角弓反張。目光昏暗。這是頂虛的症。頂險的症。俗名叫做天弔風。虛風。慢脾風。都是這個症。大凡因發熱不退。及吐瀉而成的。總是陰虛陽實。必成慢驚。並非感冒風寒發熱可比。不可用發散藥。當用培補元氣的藥。加姜桂引火歸原。必定要先用辛熱的藥。冲開寒氣。再用溫補。今把經驗二方。錄在後面。逐寒蕩驚湯。伏龍肝(二兩)丁香(十粒)炮姜(一錢)胡椒(一錢)肉桂(一錢)這五味。都研末。肉桂不可見火煎。一酒杯灌下去。吐瀉立刻就止。接吃後方。加味生地黃湯　熟地(五錢)當歸(二錢　吃三四劑後泄瀉不止卽去掉亦用)萸肉(一錢六分)枸杞(二錢)炮姜(一錢五分)條芩(一錢)棗仁(二錢)補骨脂(一錢)炙甘草(一錢)肉桂(一錢)五味子（一錢）白朮(四錢)這方內。加生姜(三片)紅棗(二個)胡桃(一個打碎)仍用灶心土(二兩)煑水煎藥。取濃汁大半杯。加附子(二分)煎水攙在內。諒小兒大小。分數次灌下去。倘是咳嗽不止的。加粟殼(一錢)金櫻子(一錢)大熱不退。加白芍(一錢)泄瀉不止。加丁香(六分)只吃一劑。卽去掉附子。只用丁香(七粒)隔二三日。只用附子(一二分)因附子的藥性太熱。中病卽宜去掉。倘用得太多。小便閉塞不出。如不用這味藥。沈寒在臟腑內。又固結不開。如不用丁香。恐泄瀉不止。這全靠醫病的人。隨時審察。見機用藥。這個方子。是救陰固本的要藥。治小兒慢驚的神方。若小兒吐瀉不止。微見驚搐。胃中尚可受藥。吃了乳的。就要瀉的。不必吃逐寒蕩驚湯。只吃這藥一劑就好。若小兒尚未成驚。不過昏睡發熱不退。或時發熱。時不發熱。日裏安靜。夜裏發熱。或午後發熱等病。都是陰虛。都宜吃這方子。若新病壯實的小兒。眼紅口渴的。這是實火。方可用清涼解化。但是實火的見症。必定大便不通。聲響神躁。並喜吃冷的茶水。若吐瀉交作。這必定不是實火。這方子都可吃得。倘是大虛的小兒。吃了一劑不見效。必須大劑多吃爲妙。

# 驚病雜說

王鴻孚

▲發驚之因治

夫曰。驚生於心。痰於生脾。風生於肝。熱生於肺。此一是之理也。熱盛生風。風盛生痰。痰盛生驚。此賊邪逆尅必至之勢。療驚必先豁痰。豁痰必先祛風。祛風必先解熱。而解熱又以何者爲先乎。肺主皮毛。皮毛爲賊邪入內之門戶。彼風寒暑濕燥火六淫之來。皮毛受之。卽入犯乎肺。而肺本出熱地也。燥火暑邪一入。則熱與熱依而熱盛。風寒濕邪一入。肺竅爲之閉塞。則熱無所洩矣。若解熱必先祛邪。往往只說解熱。並未說到祛邪。若不祛邪。如何退熱。眞不解悟。

▲驚癇死症辨

先君初明有曰。兒體不近肥痰不甚盛不省人事張目視人者。其在精威二穴。對拿緊了不知痛。竟無掙聲模樣。惟咬牙搖頭。此乃肺絕也。肺金形似鐘磬之類。空則聲亮。碎則聲無。治之無益。夏禹鑄曰。驚之爲症。症屬有餘不足之分。語云。寧醫有餘。不醫不足。旣曰有餘。何亦有死。我知之也。此乃肺氣先弱。肺主皮毛。淫邪一犯。肺實受之。是已弱又加弱也。由肝犯肺。由肝犯脾。理應犯腎。柰腎則虛位。却無實地。亦且水鄉風則可動。而樹與燥火俱不得入。其勢又難中咀。只得又順傳入肺。嗟嗟肺氣幾何。而能堪此重困耶。到此地位。須得返魂樹。西域內更生香。庶乎可活。

▲說明慢驚之由來

人動曰慢驚。余獨曰慢症。蓋此症多成於大病之後。或庸醫只見病愈。遂不防去路。初或悞汗下吐久瀉久而脾胃虛寒。故成慢症。慢字綏字。人稱急慢驚風。然與此症相差遠也。試問急慢驚風豈能一起而來急者。初病不知人事。慢症病久失調。致成脾寒。皆稱慢驚。這驚字與理相不合。除驚字更症字。是確實之當也。所以余稱慢症。凡成此症者。皆由父每怠慢之故。或有汗出不止者聽之。或吐瀉不止者聽之。以致汗久亡陽。吐久亡胃。瀉久絕脾。成難起之病。故曰慢症何驚之有。以慢症而去驚。皆庸醫見兒眼翻。手掣握拳。形狀似驚。故以驚名之。倘遇不察不足竟將有餘治之。或推或拿或祛邪透表。則下井而復落石也。內經云。慢症者。是脾虛屬不足之病。眼皮上下屬脾胃。若脾敗。故眼皮不能緊合而睡則露線縫。脾失元氣。故兩目無神。脾敗涎枯無統。故凝滯咽喉。而有如牽鋸之聲。手足乃脾所司。脾胃敗。則四肢厥冷。虛慢必生寒。寒則大便瀉青。而小便清利。便知爲慢脾之症。若療驚。則無驚可療。祛風。則無風可祛。除痰。則無痰可除。解熱。則無熱可解。惟脾間枯痰虛熱往來耳。陰虧。陽敗是也。治法宜以固眞湯加天麻勾籐。或六君子湯加泡姜。理中湯加附子。衝開寒痰。或可挽回。否則另無妙策。凡兒一到慢症。十僅能醫六七。蓋症至此。肺心脾三臟俱虛。胃氣大腸兩腑均敗。虛而不絕。雖久能生。如胃氣將盡。萬不可活。卽强藥之。亦活泛一二日。究非眞活也。然非假活將不足已見明定。全仗藥力之妙以適當。余見之甚衆。均生躊躇。於脾胃絕也。生死兩端。盡在脾胃。探消息便瞭然在目也。

▲卓溪叟之九憾

一憾桃筋割肉。五臟之病豈盡在筋。桃斷筋絡。不知當那藥味。六淫之賊。豈盡在血。血出又不知退那一經邪。這一種挑筋的。死後定在阿鼻地獄。如對於此情由說出理來。便不恨也。

一憾見病兒。似寒熱表裏虛實。茫然不知。竟將死病作活醫。投藥無效。活症作死病。竟然一藥偶中。活也卽居功自誇。死症能生。對此說出理來。予便不恨。

一憾見兒燒熱。熱不知燒從何感。並自何生。亂推亂拿。致見大啼大哭。出汗解症。偶然撞着。便自稱神。既自稱神。緣何有効不効。對予說出理來。予便不恨。

一憾活症屢藥不効。明醫一藥成功。不曰自已不知症實。且曰他有時運。這種情由。對予說出理來。予便不恨。

一憾不知症候。藥與病反。不說自己用藥不當。且曰兒母疏失。對此之理說出緣因。予便不恨。

一憾以丸散爲欺人之具。其實不值一文。動曰此丸此散不論中病與否。解包投服。藥到不愈。反索藥價甚昂。既屬珍貴。何故投之不瘳。對予說出理來。予便不恨。

一憾動用牛黃竹瀝貝母爲除痰要藥。痰有寒熱。熱痰見此。出滾湯澆雪。寒痰見之。竟是雪上加霜。不論寒熱。慨投兒服。對此說出理來。予便不恨。

一憾必用柴胡退熱。燒病有表裏之殊。柴胡祇治解表之味。脾虛腎虛氣血兩虛諸種燒熱。亦用柴胡。對予說出理來。予便不恨。

一憾湯頭有內減外加之說。加減原在湯頭內。看臟腑之有虛有實的。酌藥味宜多宜寡。或清病之來路。塞病之去路。外加一二味。此是變通妙手。如曰內可減。外可加。則四君子湯加兩味便六君子湯。十全大補湯減兩味便是八珍湯。對予說出理來。予便不恨。

夏禹鑄曰。恨人卽是恨己。業醫者。將此九恨以作醒人劈頭之一棒也。

## ▲闢諸驚之名之謬

凡小兒發驚而延村婦。或有庸夫多以鉄針於兒手挑筋破肉。噫。異哉怪也。此喪心之村婦。無資格之庸夫。不知驚之爲驚。而誤認爲筋骨之筋也。蓋驚者驚嚇也。由兒先有內傷復來外感。肺竅痰迷心無所主。一着驚嚇卽發也。不把豁痰以療驚。祛風以止掣。專以鉄針向筋肉而挑斷。以免筋抽。不猶止之兒啼。惟塞其口耶。況驚屬心。筋屬肝。若挑筋以治驚。明紀上有云。女壻牙疼。灸岳母的脚後跟是也。推前人所稱。蛇絲馬蹄鯽魚烏鴉等驚名之意。無非爲後之痴人立其名色。告以病表使易識耳。因見舌吐出如蛇舌。遂以蛇絲驚名。兒手方撑踢如馬蹄。遂以馬蹄驚名。兒口動如魚吮水。遂以鯽魚驚名。兒身黑似烏鴉。遂以烏鴉驚名。如執此以治驚。則當用雄黃以治蛇絲。絆馬繩以治馬蹄。香傳以治鯽魚。穿楊箭以治烏鴉。方爲中病之藥。然筋亦有時而抽者。何蓋筋屬於肝。血行於筋。氣以血行。肝有賊邪。則氣血與賊邪。交戰而不行。以致筋受風邪而抽掣耳。故豁痰以療驚。袪風以止掣。乃莫破之理。此乃醫驚之指南。凡我同志。萬不可以蛇絲諸詭名之爲正論。以殺嬰兒如反掌。愼之愼之。同登彼岸。功德無限。

# 闢喻嘉言無肺者無尿之說

淮陰錢佩三

喻西昌謂動物有肺者有尿。無肺者無尿爲證。閱悉之下。稍有疑竇。竊佩三於生理病理等學。素少研究。因幼時讀毛頴傳。有其竅八之說。乃考之他書。始信其然。如陸佃云。兎。吐也。明月之精。視月而生。故曰明眎。凡咀嚼者。九竅而胎生。獨兎八竅五月而吐子。王充論衡亦云。兎舐毫而孕。及其生子。。從口而出。余鄰畜兎。又提而驗之。果是八竅。於是但知兎缺溺竅。至有肺與否。彼時不知醫學。並未加研究。近乃實行將兎剖體。視其有無肺臟。與喻氏之話。究符與否。詎剖驗後。與喻氏之言。有大相矛盾處。蓋兎之爲物。參之於古。其無溺竅而無尿。已可知矣。今以解剖考其內景。實屬有肺。肺四葉。兩大葉居中。兩小葉附於兩旁。肺管粗如箸。此實地剖驗。亦毫無疑義矣。合而言之。兎乃有肺無尿。與喻氏無肺者無尿之說。實不符矣。又肺之用。任呼吸排洩炭濁氣於體外。設兎無肺。卽失其呼吸排洩炭濁氣之作用。失其呼吸排洩炭濁氣之作用。豈能有生理之足言乎。此由生理方面觀之。亦兎當有肺之一證也。似此。則喻氏所謂動物有肺者有尿無肺者無尿之理必錯。但海內外之大。生理專家。不乏其人。喻氏有肺有尿無肺無尿。是否錯誤。抑兎有肺無尿。另具生理。與其他動物不同歟。種種疑案。必能起而研究證明之。以除醫學上之一疑點。是固佩三之所樂觀焉。

又按本草綱目載李時珍謂兎尻有九孔。李瀕湖謂雄兎有二卵。均係不經之談。卽如兎之孕生日期。每月一次。而陸佃則謂之五月。亦屬不確。茲因喻氏動物無肺者無尿。與兎有肺無尿有異。故特將管見。貢諸貴刊。以資就正。想閱者諸君。必能樂於敎我。而不以無研究價値見笑也。

## 醫案

# 顧氏醫案目錄


卷上　時症

卷下　瘧　痢　肝火　肝風　痰　肝氣　疝　喘　中風　痺痿　黃疸　鬱　虛勞　咳嗽　肺癰　吐
衄　腫脹　噎鬲　痞　噫　噯　癃閉　遺泄　洩瀉　便血　淋濁　尿血　蟲　調經　崩漏
產後　熱入血室


# 顧氏醫案卷上

西嶹顧雨田先生遺著　吳縣張玉田錄

▲時症

先形寒肢冷。昏昏嗜臥。而後蒸熱體痛。胸痞悶。此積勞陽傷。風溫與濕相搏。舌絳苔白。將恐化而爲熱。且從表分達。

淡豆豉　杷葉　枳殼　連喬　葱白頭　杏仁　桔梗　麥芽

身熱肢冷。去來無定。得微汗。或止或不止。脈數左弦。舌苔白。神倦譫語。頭疼體痛。邪兼太少兩陽。若明日一候不解。恐其內陷。

陽旦湯

平旦更衣之後。寒熱勢緩。而脉來靜。舌絳苔白。溫邪挾濕。蒸中不化。病情尙未定着。且與和解化痰消息之。

溫胆湯加杷葉　杏仁

夜來先形寒。逾時而熱。熱後得汗而解。邪伏少陽陽明。竟有瘧狀。柴胡溫胆未知可否。

柴胡溫胆湯

屢屢得汗。熱已退解。但脉沉細數。舌絳苔微黃。咳嗽痰不易出。胸脅隱痛。且與理肺和胃化痰。以觀明日動靜。

溫胆湯去半夏加杷葉　杏仁　川貝　穀芽

漐漐汗出。脉漸和平。此時祇宜和胃養陰。使其神安加穀。宜內經法。

半夏　秫米　竹茹　橘紅　茯苓　炙草　長流水煎

多夢紛紜。神倦讝語。舌尖紅苔薄白。脉數空弦。穀食不加。此乃汗解之後。心陰內耗。肺胃熱邪又留未淨。再擬養心安神。清痰熱和胃經法。

西洋參　淮麥　竹茹　川貝　麥冬　南棗　茯神　半夏

寢食俱安。脉亦和平。扶正安神。一定成例。

人參　麥冬。茯神　橘白　淮麥　川斛

痰喘口渴。便溏肛墜。手足太陰皆虛。宜補土生金。

五味異功加麥冬　川貝　海石

素體極弱。心力俱勞。勞氣交虛矣。風溫乘襲。背寒身熱。心中嘈雜如飢。此屬內傷而兼外感者。病之輕重未定。姑從溫胆和之。

溫胆湯加玉竹條

素體陰虧。煩勞陽傷。冬溫乘襲。身熱九日。咳嗆氣喘。自利煩渴。徹夜無寐。口不仁而面垢。唇焦齒乾。舌絳。脉數濡。深恐正虧邪陷。當從肺胃清之。

犀角　桔梗　淡芩　杷葉　葛根　杏石　赤芍　甘草　蘆根

汗出不徹。熱出不退。咳嗆胸痞。唇焦渴飲。肺胃熱邪未清。仍宜宣洩上焦。

桑葉　淡豆豉　川貝　杏仁　漣喬　淡芩　甘草　杷葉　蘆根

妊娠八月。陡然昏厥。甚致上焦血溢。揚手擲足。發熱神昏。咬牙脉亂。冬溫夾痰。陷入厥陰。肝陽夾胎氣上迫。勢極危急。無從着手。不得已勉與暴厥應下之法。參入熄風化痰。以冀萬一。

白紋銀　羚角　石決明　只實汁　竹瀝　青苧結　黑山梔　鈎勾　礞石滚痰丸

殞胎既下。仍然昏痙暈厥。手臂强直。痰弦滑數。此邪痰惡血。蒙閉心包。正在險津也。謹防陡變。

羚羊角　鮮竹瀝　橘紅　澤蘭　查炭　石菖蒲　丹皮　姜汁　囘生丹一粒化服

未老先衰。勞倦感溫。身熱八日。熱退面青。肢冷額汗津津。神倦呃忒。痰喘如鋸。脉滑細如絲。舌濕而乾。邪熱匿於痰中。陽氣交脫之象。其勢不得不補。然須得補耐補乃幸。

人參　麥冬　半夏　竹瀝　紫石英　熟地　茯苓　橘紅　姜汁(三小匙)

得補雖安。虛態不減。病前遠行。振動陽絡。咳痰帶血。最恐多溢。此時又以和絡止血爲急。然納補之藥。仍未敢徹也。

人參　阿膠　川貝　竹茹　熟地　麥冬　茯神　藕汁　墨汁

溫邪九日。身熱不揚。瞀悶躁擾。舌絳苔白。氣鳴耳聾。痰咳不爽。斑發紫黯。隱約不出。兩脉濡細而伏。此屬邪陷膻中。有昏厥立危之勢。急急清營透達。希冀邪達乃幸。

犀角二錢　荆芥一錢五分　赤芍一錢五分　川貝一錢五分　杷葉三錢　牛蒡子三錢　漣喬三錢

青蒿三錢　鬱金五分　蘆根一兩

身微熱。四肢不溫。神蒙耳聾。舌紅渴飲。瞀悶譫語。斑發不焮。脉伏不出。溫邪痰熱內擾。蒙閉漸入心營之勢。恐陡然昏痙厥閉。今擬清營解表。辛香開洩。以冀轉機。

犀角　芍藥　川貝　杏仁　柴胡　桔梗　牛蒡子　連喬　鬱金　石菖蒲　杷葉

身熱不揚。昏狂呌喊。譫語喃喃。脉數不出。煩渴引飲。陽明邪火極熾。仍慮昏痙厥閉。再擬清營辛開。甘寒化熱。扶過兩候無變方可。

竹葉三錢　生草五分　犀角二錢　川貝三錢　菖蒲五錢　石膏五錢　麥冬一錢五分　生地七錢

杷露一兩

夜來得汗之後。昏狂煩躁似定。舌色亦少淡薄。但大便連行。而脉甚細軟。神志倦怠。最恐其邪去未淨。而正氣先虛。今宜清解和胃。安神養陰方

生地　甘草　川貝　茯神　竹葉　石斛　粳米　麥冬　石決

大生地　沙參　麥冬　川貝　川石斛　丹皮　茯神　石決

溫邪蒸熱旬餘。㾦疹發不出膚。舌紅苔白。大便溏泄。邪伏陽明。深恐裏陷變端。不可忽視者。

葛根　黃連　甘草　根喬　黃芩　桔梗　赤芍　茯苓　荷葉

病情如昨。泄瀉數減。脉來細數。而寸不出。乃邪熱入太陽陽明。舌紅苔黑。深恐昏厥

犀角　赤芍　赤苓　豆卷　黃連　枯芩　炙草　連喬　荷葉

熱勢退緩。舌紅苔濁。脉數口渴。陽明之邪未盡。小溲短赤。是濕熱癃閉州都所致

犀角　漣喬　滑石　竹葉　丹皮　草梢　赤苓　川柏

滋陰清熱

犀角　細地　丹皮　連喬　麥冬　茯神　川斛

溫病八日。身熱不揚。脉左空弦。右模糊。膺悶呃忒。面赤如醉。舌紅苔白。邪熱痰溫溷阻。其勢頗危。

旋復花　鬱金　杏仁　竹瀝　枇葉　川貝　豆卷　姜汁

大戰一晝夜。邪熱勢猛。幾危屢次。幸而膚黃斑透得解。轉致咽喉微痛。頰車失開。舌絳口渴。面油目昏。脉左數乃陽明之經猶熱。少陰之氣內虧。濕反化燥之時。猶恐散而復聚。今當清營滋化。理咽除痰。不致再生更張乃吉。

犀角地黃湯加連喬　川貝　竹茹　桔梗　人中黃

頰車失張。咽噎哽痛。少陰自虛。陽明尚未清肅。滋養少陰之中少佐清洩。

元參　生地　甘草　金石斛　桔梗　川貝　葛花　鷄距子

身熱不揚。氣逆咳嗽。痰中映紅。脉數左細輭。右浮滑。冬令過暖。蘊伏肺中。嗆傷營絡。恐增喘急。陰分本虧。只宜輕劑清洩。愼勿辛溫發散。

湯加藕肉　川貝　蜜炙枇葉

身微熱。畏風惡寒。瞀閉氣喘。體痛右甚。脉浮滑數。勞傷感邪。氣痺不宣。恐其厥逆。

蘇子　豆豉　只殼　前胡　杏仁　桑白皮　川朴　葱白　桔梗

肝氣挾痰塞逆。心脘掣痛。陡然寒戰壯熱。痙厥洊至。汗出如雨。膚熱如石。脉細如髮。語言不出。是痰邪內伏。肝風鴟張。正氣欲脫。危如朝露。勉擬扶正滌痰。回陽救逆。以冀萬一。

人參　龍骨　半夏　竹瀝　附子　牡蠣。紅橘。　姜汁

冬溫九日。身熱不揚。神煩瞀悶。脉數不暢。舌紅苔黃。手腕搐搦。痰邪內伏。肝風欲動。恐其復厥。

豆豉　杏仁　桔梗　橘紅　漣喬　半夏　葱白

形寒身熱。面赤戴陽。肝噁舌濁。脉沉細。少腹拘急。終宵不寐。氣上冲心。高年濕熱內盛。冬溫流入厥少。其勢危篤。與仲聖治法。則有驟效。

川連　附子　乾姜　黨參　烏梅　川柏　桂木　細辛　歸身　川椒

病後熱留營中。更兼喪明之痛。

犀角地黃湯加川貝　萱花

脉浮頭項强而惡寒。此太陽病也。病後陰虛。宜兼滋養。

桂枝湯加黃芩　生地

冬溫伏胃。蒸熱膚黃。嘔吐拒納。

藿香　茵陳　茯苓　連喬　半夏　陳皮　黃芩　神曲

此大頭天行毒也。若毒邪內攻則昏亂。何小視之耶。

普濟消毒飲

失血損體。勞煩感溫。防其新邪舊病。因時並發。

葦莖湯加南沙參　象貝　湖藕

風寒壅遏。食滯停積。肝氣上逆。寒熱昏躁。胸悶脉伏。勢將昏症厥閉。若此重症。如何來此就醫。勉擬方速再歸。而勿再來之。

黑梔　豆豉　枳實　杏仁　桔梗　鬱金　連喬　麥芽

肢冷身熱。煩躁呻吟。脉沉數冬溫食滯阻中。暴寒外遏。其勢棘手。

葛根　黃芩　連喬　甘草　柴胡　石膏　只實　麥芽

產後營虛。溫邪乘襲。寒熱匝月。咳嗆氣短。腹膨脉細神倦。恐其邪正兩脫。至險至險。勉擬一方。

桑葉　查炭　丹皮　茯苓　玉竹　陳皮　歸身　穀芽

冬溫九日。形凜身熱。脉細數。舌絳苔白。陰虧不能運洩。將恐邪陷昏憒。

黑梔　只殼　連喬　麥芽　豆豉　杏仁　桑葉　蘆根

身熱夜重。自利渴飲。舌絳苔黃。脉細嘔噁不食。陰虧之體。冬溫內伏。防其昏陷

葛根芩連湯加神曲　柴胡　赤苓　穀芽

高年積勞陽傷。冬溫久伏。咳嗆氣短。正不克邪之象。

豆豉　葱白　蘇子　杏仁　橘紅　半夏

冬溫之病。辛燥並進。肺胃受傷。木火上逆。咳嗆痰濁嘔吐拒納。理之極難。

竹茹　甜杏仁　米仁　冬瓜子　橘白　川貝　茯苓　稻鬚

積勞陽傷。營衛不和。或寒或熱。

桂枝湯加當歸　陳皮　茯苓

熱退不淨。咳嗆嘔吐。脉弦而數。寐則譫語。肝胆之陽。挾溫邪而上升也。

溫胆湯去甘草加青蒿　黃芩　生姜

身熱不揚。遍體浮腫。脉緊舌黃。口乾咽哽胸悶。冬溫內伏。嚴寒外遏。肺不淸達。最恐喘急。不是小病。

麻杏石甘湯

身熱去來靡定。得汗解而旋復。燥渴引飲。舌白中濁。脉數濡。不食不寐。此暑風濕熱。溷蒸陽明太陽。質素交虛。惟恐裏走。或得轉而爲瘧乃幸。

藿香　半夏　神麯　荷葉　厚朴　陳皮　茯苓　石决明

又診　夜來熱退不淨。神煩無寐。脉數輭。舌乾微黃。暑熱蘊伏。惟恐復熱。擬從肺胃達洩。

杷葉　杏仁　半夏　橘紅　茯苓　竹茹　荷葉

三診　果然復熱昏沾。鼻衄煩渴引飲。脉數不暢。舌紅苔白。小溲短赤。煩躁無寐。暑傷心氣。肺胃邪火鴟張。惟恐陰傷風動。已屆一候。病情未定。今擬淸解達洩。冀其轉瘧如何。

山梔　連喬　羚角　杏仁　豆豉　竹葉　杷葉　蘆根

四診　熱緩不退。脉細數不出。舌紅苔黃。鼻衄盈盈。煩渴引飲。徹夜無寐。暑熱深伏陽明營分。將恐熱迫陰陽。當清營滋洩。得轉瘴瘧乃幸。仍不可泛視也。

犀角　黑梔　竹葉　知母　地黃　連喬　茅根　貝母　西瓜翠衣

五診　夜來熱甚神昏。平旦醒而熱退不淨。似乎瘧象而未准者。但證陽脉陰深。恐正不勝邪。轉虛迅速。頗難立法。擬清氣熱和胃陰法。

洋參　麥冬　花粉　甘草　半夏　竹葉　粳米

六診　頭額常熱。身肢卽有退時。瘴瘧之象。今日之來。冀其較緩。不致昏憒沾語。庶無內陷之虞。仍擬清熱和陰。

洋參　甘草　粳米　花粉　青蒿　麥冬　半夏　竹葉　蘆根

七診　昨午表熱不壯。而自覺心中甚熱。陽亢陰虧所致。脉象摸糊。神煩無寐。額熱不退。舌心剝落。口苦呑酸。陽明濕熱不化。心肝氣火內甚。必須耐性以調之。如躁急心熱更張或多矣。仍擬扶正養陰。和胃安神。以消息之。

洋參　生草　竹茹　茯神　麥冬　半夏　橘白　青蒿　稻葉

八診　暑濕痰熱。溷蒸三焦。似轉瘧而去來靡定。朦朧將睡時。讝語喃喃。肢搐身瞤。神憒耳聾不聽。此屬臟陰內虧。痰火蒙閉。風陽竊動。尙慮變幻多端。急當扶正安神。熄風化痰。不致虛波陡起乃幸。

洋參　茯神　麥冬　羚羊角　橘紅　生地　石決明　鈎勾　連喬　竹茹

九診　身涼額亦不熱。脉象稍出。左弦右空。舌苔膩白。暑濕若有未楚者然。尙慮散而復聚。煩渴漸減。正亦漸弱。宜未雨而綢繆。勿使虛態畢集。

黨參　麥冬　石決明　鮮稻葉原本生穀芽　生地　茯神　橘紅　鮮蓮子

十診　昨身熱至曉退解。脉左弦右數。舌紅苔白。究是暑濕伏於陽明。而爲瘴瘧。扶正安神化痰清熱一定成則。

黨參　半夏　竹茹　石决明　麥冬　陳皮　茯神　穀芽　鮮蓮子

十一診　昨瘧之象。雖爲不宜。而熱退汗出津津。口苦咽乾。心恍體倦。二氣漸露虛象。必當以扶正養陰。以化餘邪。

十二診　昨發瘧得汗而解。玆診其脉。依舊弦數。得毋欲變日者耶。仍與扶正養陰。和胃化痰。

參鬚　生地　金斛　半夏　麥冬　知母　茯神　橘紅

十三診　熱甚而長。退時汗少口乾。舌紅脉數空弦。肺胃之邪尙蘊。心腎之陰已耗。急宜壯水以制陽光。鹹苦入陰。

洋參　知母　茯苓　石决　麥冬　金斛　橘紅　稻葉　蓮子

生地　知母　花粉　橘白　沙參　天冬　川貝　連喬　茯苓　蓮子

十四診　小補之後。餘熖復烈。瘅瘧三日不分界限。不易外達也。滋陰之中。復兼利濕消暑。

青蒿　知母　大生地　連喬　鱉甲　骨皮　六一散　荷葉　佛手

十五診　忽涼忽熱。汗出不徹。舌轉濁白。脉數不暢。究是熱蒸濕蘊。清滋養陰之中。兼滲三焦分利。

青蒿　知母　霍斛　神麯　鱉甲　骨皮　六一散　荷葉　鮮佛手

十六診　暑濕交蒸。熱不退解。汗出不徹。已屆秋冬之令。性天先生主以喻氏法。頗合病機。增損爲治。

桑葉　杏仁　阿膠　知母　杷葉　石膏　麥冬　川貝

附薛性天案

熱自裏發。値於暑濕交蒸之時。且奪精於病前。今爲期三候。寒熱不定。多於申酉之間。脉靜則身和。脉大則身熱。最易液涸風動。

●方漏

十七診　昨熱盡退。茲診脉仍數。額微熱。口苦耳聾。悉屬少陽陽明見症。暑濕未能盡化。而陰氣孤絕。陽氣獨發也。與仲聖方。淸氣熱養胃陰。

竹葉石膏湯用沙參加桑葉　丹皮

十八診　暑爲陽邪。心爲離火。暑先入心。汗乃心液。暑病三候之外。君主焉有不虧之理。擬加生白芍錢半。與性天先生同議。

桑葉　麥冬　茯神　甘草　半夏　橘紅　秫米　鮮蓮子

十九診　大淸大涼之後。脾胃焉有不虧之理。和脾胃務專參朮。恐其太早。若再淸更苦脾溏。曷若微淸微涼。則兩得其平矣。

桑葉　半夏　茯苓　麥冬　生白芍　絲瓜絡　橘紅　甘草　穀芽　鮮蓮子

二十診　少陰之脉。循喉嚨。挾舌本。茲以兼邪裏發。又被暑濕交蒸。疊進淸解。暑濕退熱邪之流弊未楚。是以咽痛噎乾。脉不數而少納四肢淸涼也。擬少陰立法

百合　阿膠　女貞子　蛤殼　貝母　元參　鷄子淸　旱蓮　麥冬

二十一診　咽紅腫痛。蒂舌下墜。口咽皆乾。舌紅苔糙。中心剝落。暑濕大病之後。心腎眞陰耗散。孤陽上僭。法當救陰潛陽。壯水制火。同　薛性天先生商議。

生地　阿膠　龜板　元參　天冬　白芍　知母　秋石　鷄子黃

二十二診　七夕表熱已解。而轉咽哽阻嘶。咳嗆痰稠。脉數右大。少陰本虧。眞陽上燔。酸苦滋救。仲景成法也。同議方。

鷄子地黃阿膠湯　猪膚　二十二加知母

二十四診　咽痛未楚。身涼復熱。不但陰虧火炎。猶有暑濕餘氣。時散時聚。今擬養陰利濕。從小便而出。

猪苓湯　三豆湯代茶

二十五診　咽痛漸平。大便頻洩。少腹急痛。舌苔灰白。暑濕餘邪挾食滯困中。恐其瘧變痢。宜從陽明開提洩熱。仍佐兼顧少陰。

葛根芩連湯　洋參　阿膠　白芍　佛手

二十六診　熱未復來。痢亦減緩。惟舌本絳而苔花。搭脉右甚數。肺胃餘邪未清。心腎之陰頗虧。此時尚須清肺和胃。滋養心腎。爲善後之計。

麥冬　阿膠　黃芩　佛手　川斛　白芍　炙草　鮮蓮子　（未完）

# 尤在涇晚年醫案

盛心如錄

▲婦女雜症經病　胎前　產後　崩漏　帶下　癥瘕

向來經水調和。。自上年冬季。每月經轉兩次。天柱節推即痠垂。心中嘈雜忽痛。頭面烘熱。脊背肢足常冷。於是經期落後四五日。此屬八脉不和。皆肝腎脂液暗傷。養液熄風。冀其奇充經調。不必縷治。

烏骨雄雞去毛頭足腸雜青蒿汁醋酒加水煮取膏　鹿角膠　茯神　桂元肉　杞子　生地　白芍　歸身　阿膠　龜版膠　天冬（卽用二膠一膏搗丸淡鹽湯送下四兩）

經來短少。脉左堅搏。嗽吐涎沫。夜熱汗出。肝血內枯。已屬勞損。宜進甘緩和養肝胃。令其納穀。庶可望其甦息。若見熱投涼。希圖治嗽。胃傷愈憊矣。

阿膠　生地　黑梔　女貞　川斛　沙苑

先腹滿而後經斷。是氣病及血。治以行氣爲主。和血爲佐。氣行則血亦行矣。

鬱金　川芎　延胡　赤芍　查炭　香附　枳殼　青皮　白蒺藜

脾虛生濕。氣爲之滯。血爲之不守。此與血熱經多者不同。

焦朮　澤瀉　白芍　廣皮　炙草　茯苓　川芎　牛角腮炭

火欬脉虛數。薄暮發熱。臥不得左側。時有咽痛。經斷百日。此虛勞之症。最難調治。姑與調補氣血。

阿膠　當歸　丹皮　茺蔚子　丹參　白芍　茯苓　炙草　牛膝

肝病及脾。故始於脅乳作痛。而繼及腹滿便泄也。衝任主胞胎而屬於肝。故胎滑不固。期在三月。

當歸　香附　廣皮　丹參　白芍　茯苓　澤瀉　川芎

寒熱泄瀉之後。經水適來而多。脉虛肢冷腰痛。此氣虛不能攝血之症。法當溫補。

人參　白芍　炙草　炮姜　當歸　杜仲

時邪閉塞上中二焦。而經水復非時而至。正虛邪實。頗費調理。擬方先解時邪。

藿梗　廣皮　木瓜　白蔻仁　半夏　茯苓　白杏仁

心下痞。食則脹。經斷數月。腹形不充。此非胎氣。氣血凝結。源不通則流自止耳。

代赭石　赤芍　香附　桃仁　枳實　神麯

腹滿足腫。泄瀉。此胎水也。得之脾虛有濕。

生台朮　茯苓　澤瀉　廣皮　厚朴　川芎　蘇梗　黃芩　姜皮

妊娠漏下。

生地　白芍　阿膠　炙草　當歸　川芎　艾炭　杜仲

脉鼓數。欬而下利。胸滿欲嘔。時復惡寒發熱。表裏上下。並受其病。而當妊娠七月。恐其邪陷傷胎。致成劇候。至於治法。不過和解表裏而已。

蘇梗　枳殼　腹皮　黃芩　葛根　茯苓　厚朴　桔梗　陳皮

胎前欬嗆腫滿。是脾濕不行。上漬於肺。手足太陰病也。治在去濕下氣。

茯苓　陳皮　白芍　澤瀉　厚朴　歸身　杏仁　蘇梗

臨月下痢。面浮足腫。少腹滿。小便少。此寒濕也。病在太陽。

蘇梗　川朴　陳皮　白芍　姜皮　茯苓　炙草　澤瀉　木瓜

新產少腹痛。惡血凝滯。

歸身　丹皮　延胡　鬱金　澤蘭　桃仁　查炭　丹參　陳皮　益母湯代水煎

產後感受時邪。發熱咳喘。胸滿神昏。正虛邪實。爲病非輕

荆芥炭　當歸　杏仁　鬱金　淡豉　葱白

產後時邪。舌絳脉大。於法爲逆。最要小心。

荆炭　薄荷　牛蒡　只壳　桔梗　歸身　連喬　杏仁　乾葛

產後惡露不行。小腹作痛。漸見足腫面浮。喘嗽腰粗。此血滯於先。水漬於後。宜兼治水血。如甘遂大黃之例。

紫菀　茯苓　桃仁　牛膝　厚朴　青皮　山查　延胡

又瘀血不下。走而上逆。急宜以法引而下之。否則衝逆成厥矣。

歸尾　滑石　牛膝　五靈脂　瞿麥　蒲黃　赤苓　通草

又膈寬而腹滿。血瘀胞中。宜以緩法下之。

大黃　桃仁　青皮　當歸　丹皮　赤芍　炙草

丸方

牛膝一兩　赤芍　延胡　蒲黃　川芎各五錢　丹皮　歸尾各八錢　五靈脂　桂心　桃仁各五錢

產後中氣不調。艱於運化。食少不飢。中脘按之痛。小腹偏左成聚。此肝氣也。病非輕淺。

當歸　川芎　茯苓　神䴹　白芍　香附　青皮　麥芽

產後先瀉後痢。淋漓不止。頭暈心悸。惡心口乾。時發瘧。胸腹滿。

炒白芍　澤瀉　鈎勾　天麻　炙草　川芎　廣皮　白夕利

又頭暈不止。惡心發瘂。

羚羊角　茯苓　當歸　麥冬　天麻　半夏　鈎勾　陳皮

丸方

生地　白蒺藜　當歸　白芍　半夏　白朮　川芎　天麻　廣皮　茯苓　元參　炙草

產後欬而失音潮熱。

荆炭　牛蒡　元參　丹皮　甘草　杏仁　桔梗　當歸

產後風溫

荆炭　秦艽　歸身　淡豆豉　杏仁　陳皮　丹參　澤蘭

產後未滿百日。下焦精血未旺。邪得入陰。遂發三瘧。緣眞氣內怯。邪不肯外出。醫藥淸散攻下。僅治三陽之瘧。遂致魄汗淋漓。乃陽氣失散。敗壞之象矣。

人參　茯苓　米仁　補骨脂　歸身　炒小茴香

產後溺閉。甚則衝逆作嘔。邪氣內亂。正氣不化所致。此非細故。擬法急行通泄。

滑石　澤瀉　茯苓　茅根　木通　猪苓　澤蘭　車前

產後去血過多。陰弱陽不獨行。聚而胸滿。筋脉失養而身痛。宜益陰利氣。

當歸　茯苓　茺蔚子　白芍　丹參　陳皮　杜仲　丹皮

胎前病子腫。產後四日卽大泄。泄已一笑而厥。不省人事。及厥回神清。而右脅前後痛滿。至今三月餘矣。形瘦脉虛。食少腹都滿。足漸腫。小便不利。此脾病傳心。心不受邪。卽傳之肝。肝受病更傳之脾也。此爲五臟相賊。與六府食氣水血成脹者不同。所以補攻遞進。而絕無一效也。姑議泄肝和脾法治之。

白朮　茯苓　木瓜　白芍　廣皮　椒目

妊娠六月。脾濕不行。溺少。膝脛腫。腹滿。氣喘。此名胎水。法宜疎利。

蘇梗 茯苓 澤瀉 木瓜 厚朴 陳皮 川芎。白朮

蓐勞下損。久則延及三焦。不獨八脉。晨泄嘔食。心熱下冷。吸短首痛。焉有寒涼止嗽清熱之理。扶得胃口安穀。月事仍來。方慶回春。

異功加 南棗

經行不止。

生地 當歸 丹皮 木炭 阿膠 白芍 川芎 甘艸

精血大下。最防汗暈暴脫。宜以法和之養之。

當歸 白芍 丹參 茯神 丹皮 炙艸

肝脾悒鬱。臟氣內傷。血無統御。崩漏不止。氣失運化。腫滿發黃。補則礙滯。通則益虛。殊費手也。

生朮 茯苓 香附 丹參 川芎 生地 白芍 阿膠 烏金散

又腹痛已止。血將住矣。增進再造丸健脾燥濕。每服一錢。米飲送日三服。

下血過多。脉虛血痿。饑而不能食。頭痛氣衝。最防虛脫。

人參 阿膠 當歸 蒲黃 丹皮 白芍 茯神 陳皮

暴崩去血過多。絡中空虛。浮湯挾內風以動。心悸筋脉痿軟。每經來必病。奇經已乏。最難調治。

炒熟地 白芍 阿膠 女貞 湘蓮 旱蓮草

產後陰虛陽冒。發熱口乾。脈芤而數。氣喘神昏。病非小可。急宜安養除熱生陰。不爾慮脫散。

生地 麥冬 知母 甘艸 丹參 茯神 穭豆

經斷三年。發熱四月。形瘦脈數。腹痛便溏。溺則少腹痛。此厥陰血枯氣滯。少陽生氣不榮。太陰中氣不治。病非輕淺。苟非調理。經年不能愈也。

青蒿　白芍　炙艸　茯苓　廣皮　鱉甲　丹皮　牛膝

經不調。腰痛帶下。胸中痞腹滿痛。

歸身　白芍　杜仲　川斷　丹參　白芍　陳皮　茺蔚子

又腹痛已寬。口乾腰痛帶下。

生地　白芍　丹參　川斷　茺蔚子　當歸　川芎　杜仲　牡蠣

丸方

生地　川芎　丹參　杜仲　牡蠣　山藥　甘草　當歸　白芍　香附　川斷　丹皮　茯苓

廣皮

衝任帶脉俱病。腰痛帶下。心悸胸滿。面熱足冷。

當歸　茯苓　丹麥　白芍　丹皮　牡蠣　香附　半夏　麥冬

脉右寸獨大。自產後經年不復。腰痿火升。是爲下虛。但二月欬嗽至今。恐有風溫上犯。先以辛甘淨劑。清上不傷下焦爲是。

玉竹　沙參　麥冬　炒川貝　桑叶　生艸　元米湯煎藥

淋帶經年。下墜液傷。奇脉不攝。脉數下冷。用通攝方。

紫石英　鹿角霜　茯苓　補骨脂　芡實　湘蓮

冬季腹大。大便不爽。以通陽洩濁。初用相投。久則不應。久寡孤陰無陽鬱慮。至少腹結瘕。其病根在肝。五旬外正氣日衰。邪不可峻攻矣。

熟地　山藥　丹皮　小茴香　川楝子　萸肉　伏苓　澤瀉　爲末水泛丸

左肢痲木。經連宿瘕。中年從未生育。脉數。怒則腹脹。和肝胃之陽。卽調經要領。

生地　生香附　知母　穞豆皮　當歸　查炭　鹽水炒砂仁

形瘦脉虛。下多白物。腰痛膝弱。飲食減少。中下二焦並虛。非輕症也。

生地 白芍 炙草 川斷 丹參 當歸 茯苓 香附 杜仲

又

桂枝 當歸 茯苓 牡礪 炙艸 熟地 白芍 杜仲

舊積之痰飲。與新感之暑濕。相合爲瘧。發則嘔吐胸滿腹痛。宜以吳又可法治之。惟是適當妊娠。而瘧病不已。則有半產之虞矣。

艸果 黃芩 知母 茯苓 厚朴 陳皮 白芍 生姜

## 澄齋醫案（續）

武進謝利恆著

談三十六 勞乏傷榮。風邪入絡。欬嗽腰疼。脉軟帶滑。欬甚則見血。絡傷之症。先爲袪風化痰。和通經絡。

炒蘇子二錢 光杏仁三錢 淨桃仁一錢半 川續斷四錢 旋覆花一錢五包 大貝母三錢

歸鬚二錢(炒) 懷牛膝三錢 白芥子一錢 黃鬱金四錢 京赤芍一錢五包 骨碎補七錢

絲瓜絡一錢五分

戚三十七 欬嗽嘔血。病已有年。中脘結痞。勞傷脾肺所致。先和血絡。兼肅肺邪。

炒蘇子二錢 光杏仁三錢 淨桃仁一錢五分 製軍炭一錢五分 嫩前胡一錢五分 大貝母三錢

歸鬚一錢(炒) 炮姜炭五分 紫菀茸一錢五分 黃鬱金一錢五分 生白芍一錢五分 炙黑草五分

枇杷叶三張 藕節二枚

王右三十五 欬逆上氣。曾經吐血。經事一月兩至。內熱口渴脉數。當從鬱火論治。

旋覆花二錢(包) 酒芩炭二錢 丹元參三錢(各) 烏賊骨四錢 炒蘇子三錢 肥知母二錢

大白芍二錢 大麥冬二錢 炙桑皮二錢 象貝母三錢 炒丹皮二錢 枇杷叶二錢(去毛包)

顏卅五 內熱欬嗽。胸背引疼。陽絡損傷。痰中帶血。喉癢口甘。脉細濇。治以清潤。佐以宣絡。

大豆卷三錢　白蘇子一錢五分　光杏仁三錢　淨桃仁一錢五分　香青蒿一錢五分
旋覆花一錢五分(包)　大貝母三錢　當歸鬚一錢五分　香白薇一錢五分　佩蘭叶二錢
黃鬱金一錢五分　炒赤芍一錢五分　炙桑皮一錢五分　瓜蔞皮三錢　鮮茅根七錢

王四十四　浮芤弦急。是爲革脉。咳血多年。遇春必發。肩背痛甚。足痿無力。舌尖色絳。胸脘掣痛。以通絡爲主。育陰佐之。

旋覆花二錢(包)　延胡索一錢五分　南沙參四錢　炙生地五錢　西秦艽一錢五分　川鬱金一錢五分
懷牛膝二錢　桃杏仁二錢(各)　女貞子四錢　旱蓮草三錢　絲瓜絡一錢五分

吳右五十二　喘咳多年。甚則吐血不得臥。惡寒發熱。頭痛胸悶。脈緊。舌尖紅。根苔白。先投降氣爲治。

南沙參三錢　法半夏二錢　炒白芍二錢　炒黑乾姜五分　全福花一錢五分(包)　薄橘紅七分(蜜炙)
炙黑草七分　炙北五味五分　炒蘇子二錢研　甜杏仁四錢　炙桑皮一錢五分　海浮石三錢
鎊沉香四分

潘右五十三　嗽血頻頻易出。右脅掣痛。舌苔黃膩。內熱渴飲。脉來弦數。陽絡傷而氣載血上行也。

北沙參三錢　旋覆花一錢五分包　炒赤芍一錢五分　廣三七一錢　大麥冬二錢　桃杏仁泥一錢五分三錢
川貝母二錢　懷牛膝一錢五分　肥玉竹四錢　炒歸鬚一錢五分　生苡米五錢　炒知母一錢四分
蘆茆根七錢各　茜草根一錢五分炙

朱卅一　欬血屢發。多年未愈。絡中掣痛。虛火易升。顴紅面赤。肺腎肝俱傷。亟先清養肺氣。通補兼施。

南沙參五錢　生　地五錢　川象貝一錢五分各　旋覆花一錢五分包　當歸鬚一錢五分　大麥冬二錢
馬兜鈴一錢五分　桃杏仁二錢三錢　赤芍藥二錢　蛤殼五錢　懷牛膝三錢　絲瓜絡一錢五分

功勞子叶各三錢　寗嗽金丹三粒

高右四十七　氣鬱已久。兩傷肝肺。咳嗽吐血。頭部眩暈。胸腹痞脹。脉來弦滑。姑投降氣再議。

南沙參三錢　大貝母三錢　法半夏二錢　白歸身一錢五分　嫩前胡二錢　苦杏仁四錢

桑白皮一錢五分　炒白芍二錢　蘇子梗一錢五分　製川朴一錢　大腹絨二錢　川鬱金一錢五分

茜草炭一錢五分　鮮藕肉一兩

許右二十二　風燥刑金。咳嗽早盛。痰中帶血。鼻衄頭痛。喉痒而痛。舌紅苔黃不渴。脉來滑數。先與清養肺陰。疏通肺氣。

蘇子二錢蜜炙　荊芥炭一錢五分　甜杏仁三錢　元參二錢　嫩前胡二錢　炙桑叶一錢五分

象貝母二錢　炒白芍二錢炒　蘇薄荷七分蜜炙　黑山枝二錢　瓜蔞皮三錢　生蛤殼五錢打

茆根七錢　藕汁一小杯冲

王右四十九　欬嗽痰中帶血。入夜尤劇。氣撑難臥。脉細舌膩。胸滿。氣虛痰實。病爲難已。

南沙參三錢　蘇子梗各一錢五分　法半夏二錢　炒白芍二錢　全福花一錢五分包　甜杏仁三錢

薄橘紅五分　煅牡蠣五錢　紫石英三錢　象貝母二錢　海浮石三錢　懷牛膝三錢鹽水炒

鎊沉香五分　靈磁石三錢煅

張卅九　帶血雖止欬嗆未除。痰滯不爽。左脅掣痛。育陰和絡主之。

南沙參三錢　甜杏仁三錢　大麥冬二錢　女貞子三錢　全福花一錢五分包　象貝母三錢

陳阿膠一錢五分蛤粉炒　旱蓮草二錢　紫石英三錢　黃鬱金一錢　大白芍三錢　大生地六錢

川百合四錢　絲瓜絡二錢

莊五十　嗽血有年。胸膈時痛。痰多口渴。舌色淡紅。肺胃絡傷。漸成損症。頗難治療。

潞黨參五錢　川貝母三錢　肥玉竹二錢　陳阿膠四錢五分蛤粉炒　旋覆花一錢五分包　大麥冬二錢

川百合四錢　白芍二錢　紫白石英各二錢　炙蘇子二錢　桃杏仁泥一錢五分三錢　炙甘草五分

懷牛膝二錢　鮮藕肉一兩　荷叶絡一具

張右三十六金水兩虧。陰虛火旺。內熱骨蒸。咳嗽吐血。脉來細弱。當求子母相生治法。

南沙參三錢　甜杏仁四錢　眞阿膠一錢五分蛤粉炒　京元參三錢　大麥冬各二錢　川貝母二錢

炙甘草八分　炙生地五錢　肥玉竹四錢　肥知母二錢　生白芍二錢　懷牛膝三錢　黛蛤散四錢包

女貞子四錢

侯四十一欬經一載。金破無聲。夜熱痰鹹。面色萎敗。肺痿之候也。

南沙參五錢　馬兜鈴一錢五分　女貞子三錢　生苡米一兩　大生地五錢　黛蛤散五錢包

桑白皮二錢　京玄參五錢　功勞子叶各三錢　甯嗽金丹兩粒

# 淞南草廬新醫案

龔小悟

▲喉痧案

(病者)張德明男性十一歲住眞茹區

(病名)喉痧

(原因)風邪侵入太陰肺經。久漸化熱。以致風火並攻。發爲喉痧。

(症候)初起身熱畏寒。舌白頭疼。漸即週身發現紅痧。繼而咽喉赤色劇痛。未幾腐爛。粘痰湧多。口渴喜飲。唇燥口裂。納食大痛。粒米難投，按脈弦數。病勢危險異常。防其變幻莫測。

(診斷)寒熱頭疼。發現紅痧者。風邪犯肺也。咽喉痛腐。痰多口渴者。邪化爲熱也。當擬涼表之劑。

(療法)以秘製珠黃散。吹入喉中。去其腐點。止其疼痛。以蒡蟬前桔象貝薄荷等。疏風化痰爲君。以梔翹薹芩丹銀赤芍等。清肺泄熱爲佐。

（處方）炒牛蒡，二錢　象貝母二錢　大連翹錢半　湖丹皮錢半　淨蟬衣錢半　薄荷頭五分
炒蔞仁三錢　金銀花三錢　嫩前胡二錢　焦山梔二錢　淡黃芩錢半　西赤芍二錢
白桔梗一錢　加馬勃押煎五分　燈心五十寸　河水煎服

（復診）一劑即汗。紅痧已透。身熱雖退。喉痛如前。依然腐爛。痰多唇燥。急進涼解。清熱降痰。

（次方）鮮生地四錢　淡黃芩錢半　象川貝各二錢　大連翹錢半　人中黃五分　炒蔞仁三錢
金銀花三錢　湖丹皮錢半　鹽水炒元參二錢　焦山梔二錢　大青叶三錢　燕竹瀝一杯

（三診）喉痧腐爛。痛脹退減。粘痰稍稀。惟口渴唇燥。喜飲冷水。此熱壅於肺也。仍進清降。

（三方）鮮生地四錢　花粉片三錢　淡黃芩錢半　鮮石斛四錢　淡天冬二錢　京川貝二錢
大青叶三錢　炒蔞仁三錢　湖丹皮錢半　京元參二錢　生石羔一兩

（四診）左咽之痛已止。而右喉仍有爛痕。肺熱尚未清也。可守前意出入。

（四方）京元參二錢　金銀花三錢　眞川貝二錢　大青叶三錢　淡黃芩錢半　細生地四錢
炒蔞仁三錢　淡天冬二錢　川木通錢半　湖丹皮錢半　海浮石三錢

（五診）喉腐較前大減。惟痛猶未息。熱邪尚留肺中。仍啇前法益損。

（五方）小生地四錢　川木通錢半　金銀花三錢　海浮石三錢　焦山梔二錢　淡黃芩錢半
炒蔞仁三錢　大連翹錢半　地骨皮三錢　湖丹皮錢半　蘆　根一兩

（六診）喉痧腐爛已退。痛亦減去五六。惟吐納稍覺哽疼耳。此新肌未老。肺熱未清之故也。再仿前法增易。

（六方）淡黃芩錢半　眞川貝二錢　細生地四錢　地骨皮三錢　湖丹皮錢半　炒蔞仁三錢
潤元參二錢　金銀花三錢　黑山梔二錢　活水蘆根一兩

（七診）紅痧已退。喉痛亦止。惟神痿無力。兩足痠楚。此因病久胃虛。腎元虧乏所致。當進清補

之劑。

(七方)大生地三錢　炒白芍二錢　白云苓三錢　炙甘草五分　建澤瀉錢半　懷牛膝二錢

西洋參二錢　牡丹皮錢半　地骨皮三錢　麥冬肉二錢　野於朮三錢

(効果)三月十一日身熱。至十三日晨。發現紅痧。卽覺喉痛。始延余治。用涼表藥服後。熱退痧透。十四日。改用涼膈。痛腐退減。十五十六日。繼進涼解。喉腐大減。十七至十九三日。再服清熱藥三劑。其熱全清。後用清補藥一劑。而恢復健康。

## ▲纏喉風案

(病者)李玉如年三十一歲業農住李家橋

(症名)纏喉風

(原因)風熱久伏于肺胃兩經。近因暴怒。肝陽上升。侵動伏火。火勢攻冲。津液受灼。盡化爲痰。痰助火威。益形驕橫。壅塞喉間。而成斯患。

(病狀)喉間腫痛。帝丁懸脹。氣窒不通。頭疼難忍。牙關噤閉。舌本絡强。言蹇流涎。外項纏腫。如蛇之形。痰鳴喘咳。脈數無根。危在旦夕

(診斷)肝陽與伏火上攻。以致喉痛頭疼。脈數無根者。熱甚而伏也。實屬險矣。

(治法)先用針刺頰車穴後。牙關得開。卽用元明醋。探出稠痰。再用針刺喉間腫處。俾洩毒血。卽吹秘藥。以息其痛。外敷一步散。使退項腫。方用平肝清火之品

(處方)甘菊花三錢　象貝母二錢　湖丹皮錢半　京元參二錢　羚羊片一錢濃煎先服　瓜蔞仁三錢

鮮生地四錢　代赭石三錢　西赤芍二錢　花粉片三錢　加掛金燈三錢

覆診

(病狀)頭疼已止。喉痛未息。痰涎稍稀。喘咳略平。項腫亦減。脈已有根。惟數象依然未除。險途仍難離也。

診斷　頭疼止則肝陽平矣。喉痛脈數者。肺火猶未清也。

(治法)擬以清肺之藥。

(處方)小生地四錢　淡天冬二錢　炒蔞仁三錢　大連翹錢半　金銀花三錢　花粉片三錢
眞川貝二錢　人中黃五分　焦山巵二錢　京元參三錢　加淡竹叶三錢

三診

(病狀)喉痛已息。脈形數象亦減。惟時有咳嗽痰粘。口渴津竭耳。

(診斷)咳嗽口渴。肺熱未清之故也。

(治法)再與清潤肺經。可以已矣。

(處方)天麥冬各三錢　海浮石三錢　甘中黃五分　湖丹皮錢半　細生地四錢　金銀花三錢
京元參三錢　花粉片三錢　炒蔞仁三錢　京川貝二錢　加燕竹瀝一兩　炙葉皮三錢

▲風熱喉風案

(病者)趙建秋年念六歲住楊家橋業洋務

(症名)風熱喉風

(原因)風邪侵于太陰肺經。漸化爲熱。風火上行。所致此病。

(病狀)咽喉痛脹。吐納不舒。稠涎湧多。時有畏寒頭疼。按脈數而且弦。

(診斷)畏寒頭疼者。風邪犯肺之象也。蓋肺主皮毛。邪由孔入。直達嬌臟。嬌臟卽肺也。故一經受邪。便爾憎寒。繼則頭疼矣。咽喉作痛者。熱氣上灼之故也。涎稠而湧者。肺熱則津液皆化爲痰矣。勢非淺視。防變莫測。

(治法)擬以辛涼。清宣太陰之絡。

(處方)炒大力子杵二錢　白桔梗一錢　凈蟬衣錢半　象川貝各二錢　青防風錢半　嫩前胡二錢
炒佳蠶二錢　京元參二錢　荆芥穗錢半　薄荷頭五分　加馬勃押煎五分　燈心五十寸

覆診

（病狀）咽喉痛脹退減。吐納稍利。畏寒頭疼亦止。惟脈仍弦數。

（者斷）脈弦而數者。風熱留于肺經。尙未肅淸。所使然也。蓋弦爲風。數爲熱。脈訣詳言。無用細述。

（治法）當宜宣淸肺經餘熱。則痊矣。

（處方）鹽水炒元參二錢　眞川貝二錢　人中黃五分　西赤芍二錢　細生地四錢　大連翹一錢

金銀花三錢　炒蔞仁三錢　湖丹皮錢半　焦山巵二錢　加燈心五十寸

## 診餘雜錄

謙齋

浮名足累。而醫之浮名尤足累。余終日惕勵。不敢自怠者。卽懼此也。易具陰陽動靜之妙。醫合陰陽消長之機。變化不測。醫易同理。故「濟」爲心腎相交。「過」屬癥瘕之象。「觀」是陽衰之漸。「遯」藏陰長之因。特無有能演而出之者。爲可惜耳。

沈堯封云。治病如治賊。必須識賊之所在。斯不勞而獲。倘賊在此界。反於彼境捕之。則彼境無辜之民。徒增擾動。而此界眞賊。且不治而日熾矣。日寇犯境。以不抵抗而失地矣。余謂醫家以輕淸無過。敷衍病人。與不抵抗主義。正相彷彿。殆至邪勢猖獗。而欲奮臂反攻。難矣。

# 會議記錄

## 十二月二十五日下午七時第二屆第一次執監會議

出席委員　郭柏良　陸士諤　賀芸生　盛心如　唐亮臣　沈建候　吳克潛　包天白　沈心九
包識生　嚴蒼山　黃寶忠　丁濟華　楊彥和　任農軒　陳存仁　傅雍言　薛文元
丁仲英　夏重光　朱鶴皐　陳濑庵　謝利恆

主　席　丁仲英　陸士諤　紀　錄　繆曙初

（甲）報告

一件　市黨部執行委員會函　一件

一件　郭伯良先生提案　一件

（乙）討論（第二屆會員大會交執監會辦理）

一件　籌設中國藥廠案

議決　保留

一件　擁護和平統一案

議決　一致贊成

一件　國醫分館籌備委員應力爭案

議決　交常務委員會同監察主席團辦理

一件　中國醫學院變更組織案

議決　推舉薛文元郭柏良爲正副院長
一件　上次談話會執行委員會互選丁仲英朱南山薛文元等三人爲常務委員秘書處主任蔣文芳財政科主任郭柏良組織科主任張贊臣審查科主任秦伯未庶務科主任黃寶忠監委會互選謝利恆陸士諤傅雍言等三人爲主席案
議決　通過
一件　市黨部函請籌設閘北施診所案
議決　派員積極籌備
一件　郭柏良提議籌建中國醫學院院所案
議決　交原提案人辦理
一件　朱鶴皋提議本會財政支絀職員應予改少案
議決　交常務委員會核辦
一件　包識生提議學院新院長速予接收案
議決　放假以前由舊任院長負責

## 一月十日下午八時第一次執監會紀

出席委員　黃寶忠　沈心九　陳存仁　任農軒　傅雍言　包天白　夏重光　楊彥和　吳克潛　薛文元　賀芸生　郭柏良　秦伯未　丁仲英　丁濟華　嚴蒼山　盛心如

主　　席　郭柏良　紀　　錄　繆曙初

(甲)報告

一件　社會局批二件
一件　東台縣中醫公會函一件

一件　收容所常駐醫士函一件

（乙）討論

一件　遷移會所案

議決　通過交庶務科會同各科主任辦理

一件　新會所設立圖書館案

議決　通過並推秦伯未張贊臣楊彥和賀芸生陳存仁爲徵集圖書及設計組織委員

一件　組織俱樂部及討論組織大綱案

議決　通過

一件　災民收容所本會療治災民醫藥隊應否結束案

議決　一月十五日起辦理結束並函本市收容災民委員會各省水災急賑會報告結束再函常駐醫士即日起辦理結束事宜

一件　上屆賬册應請推出查賬員案

議決　公推傅雍言任農軒會同本會繆曙初辦理

## 十二月二十八日第一次常務會紀

出席委員　薛文元　朱南山　丁仲英　郭柏良　黃寶忠　張贊臣　秦伯未

主　席　薛文元　紀　錄　朱鶴臯

行禮如儀

討論

一件　佛慈藥廠開幕案

議決　推謝利恆出席致送立軸交庶務科辦理

一件 執監會提交本會經費支絀應予裁員案

議决 裁會計員會計職務交秘書處繆曙初兼充

一件 國歷新年本會休假日數案

議决 放假三天

一件 療治災民捐册由本會呈請社會局轉送藥材公會代募現據無力勸募應如何辦理案

議决 再行設法

## 一月廿五日第三次執監會因數不足改開談話會

出席委員 十二人 紀錄 繆曙初

(甲)報告

一件 災民收容所本會醫藥隊由本市收容災民委員會函商現仍繼續辦理

一件 本市收容災民委員會函 一件

一件 祕書處主任蔣文芳函 二件

(乙)討論

一件 常委朱南山函請辭職案

議决 挽留

一件 執委朱鶴皋函請辭職案

議决 挽留

一件 遷移會所案

議决 暫緩舉行

# 四月二十一日舉臨時執監會紀

出席委員　傅雍言　包識生　沈心九　吳克潛　包天白　丁仲英　丁濟華　張贊臣　薛文元
唐亮臣　蔣文芳　任農軒　黃寶忠　楊彥和　郭柏良　嚴蒼山

主　席　傅雍言　丁仲英　紀　錄　繆曙初

行禮如儀

（甲）報告

（一）本會自滬戰發生後各項工作頓告停頓後經臨時執監會議中派繆曙初暫行維持同時移遷會所

（二）江仲亮先生函　一件

（三）秦伯未先生函　一件

（乙）討論

（一）關于被難會員應如何辦理案

議決　會費交免隨便

（二）會證執照之被焚應如何補給案

議決　登報通告來會登記

（三）會所應否擴充案

議決　暫假郭醫室呈報社會局備案

（四）職員及薪給之雇定案

議決　雇用兩人每人薪膳三十元五月一日起

（五）未被難會員會費應如何收取案

議決　照收

(一)預備會員會費應否先收以補支絀案

議決 先收入會費

(一)災民收容所損失應如何善後案

議決 呈報社會局請示辦理

(一)醫院學院應如何善後案

議決 暫停進行

(一)各處科主任及常委車馬費案

議決 今年暫行取銷

(一)執委秦伯未函請辭職案

議決 挽留

## 五月十日舉行四次執監會紀

出席委員 盛心如 傅雍言 沈心九 沈建候 賀芸生 包識生 楊彥和 郭柏良 黃寶忠 蔣文芳 朱鶴皋 朱南山 朱小南 任農軒 嚴蒼山

主　席 郭柏良 紀　錄 繆曙初

行禮如儀

(甲)報告

(一)社會局批 二件

(一)衛生局批 一件

(一)江仲良先生函 一件

(一)收容所職工函 二件

(乙)討論

(一)被難會員補領執照應否呈請衞生局減免費用案

議決　通過推舉執委蔣文芳于星期五會同國醫學會前往接洽

(一)收容所藥工薪給應否撥付案

議決　照賬支付二月

(一)中國醫院捐册應予函催收還案

議決　通過

(一)收容所損失社會局批令向水災委員會接洽應否推舉代表案

議決　根據監委嚴蒼山報告函復江仲亮

(一)來會請求補領執照並不踴躍應如何設法案

議決　由到會委員口頭轉告

(一)執委黃寶忠請求保證另假分診所案

議決　備函保證

(一)根據中國醫學院院長報告請求設置設計委員會籌議下學期院務案

議決　推舉薛文元郭柏良黃寶忠秦伯未朱鶴皋蔣文芳丁仲英並指定朱鶴皋爲召集人

## 五月二十日舉行臨時執監會紀

出席委員　秦伯未　黃寶忠　盛心如　傅雍言　包識生　賀芸生　包天白　薛文元　嚴蒼山
朱南山　朱鶴皋　朱小南　蔣文芳　謝利恆　任農軒　郭柏良

主　席　薛文元　郭柏良　紀　錄　繆曙初

行禮如儀

（甲）報告

（一）中國醫學院院長薛文元郭柏良函　一件

（二）衞生局批　一件

（乙）討論

（一）被災醫士補領執照案

議决　呈請市政府暨善後委員會諮令衞生局免費補給

（二）中國醫學院院長辭職案

議决　挽留下學期起並推朱鶴皋先生爲主持處主任辦理一切院務並負一切經濟上責任

（三）中國醫學院舊欠案

議决　前賬槪歸本會會同前院長設法清理

## 六月五日舉行臨時執監會紀

出席委員　包識生　蔣文芳　楊彥和　郭柏良　包天白　朱鶴皋　唐亮臣　沈心九　沈建侯　張贊臣　傅雍言　薛文元　任農軒　嚴蒼山　盛心如　黃寶忠　丁仲英　謝利恆　陳濑庵

主　席　薛文元　傅雍言　紀　錄　繆曙初

行禮如儀

（甲）報告

（一）市政府批　一件

（二）市政府通告　一件

（三）薛麗生律師函請鑑定林玉如醫生藥方函　二件

(一)元大藥行爲中國醫院欠賬函　一件

(一)永祥印刷所發票　二張

(一)七屆中醫登記已經開始報名本會業經通告預備會員來會登記

討論

(一)薛律師函請鑑定林玉如醫士藥方案

議決　查案答復

(一)中國醫院前欠元大藥行藥帳應如何辦理案

議決　交原經手人查復

(一)永祥印刷所欠款案

議決　關于本會部份查核撥付關于學院欠款由原經手人核復

(一)收容所損失木器案

議決　交蔣有成赴馮柳堂處接洽

(一)中國醫學院擴充院務案

決議　推舉朱鶴皋先生爲中國醫學院主持處主任負籌劃經費暨院務之全責一切全權辦理

(一)本會會所應否遷移案

議決　遷至學院每月津貼房租五十元

(一)本會及所屬機關負債頗多應如何補救案

議決　開募特捐卽席由朱南山　丁仲英　郭柏良　各認四百元　傅雍言　嚴蒼山　黃寶忠　丁濟萬　各認一百元　謝利恆　包識生　各認二百元　沈心九　沈建候　任農軒　張贊臣　陳漱庵　丁濟華　包天白　各認五十元　唐亮臣　三十元

# 六月三十日臨時執監會紀

出席委員　薛文元　蔣文芳　丁仲英　夏重光　吳克潛　盛心如　朱南山　朱小南　朱鶴皋
包識生　丁濟華　唐亮臣　黃寶忠　傅雍言　沈心九　任農軒　包天白　陳滶庵
秦伯未　沉建候　朱少武

主　席　傅雍言　薛文元　紀　錄　繆曙初　報　告　蔣文芳

行禮如儀

（甲）報告

（一）江仲良先生爲水災收容所損失函一件

（一）澳門中華商會爲廢止內戰電一件

（一）國醫學會爲擬訂國醫公約請推代表函一件

（一）執委郭柏良函請辭去本兼各職函一件

（一）浦東分辦事處函請撥付經費一件

（一）馮柳堂先生爲水災收容所器物函一件

（乙）討論

（一）江仲良先生收容所損失案
議決　再函水災急賑會設法解決

（一）國醫學會擬訂國醫公約請推代表案
議決　查卷函復並推蔣文芳傅雍言張贊臣三人爲代表

（一）執委郭柏良函請辭去本兼各職案
議決　函復挽留

（一）浦東分辦事處具領經費案
議決　照帳撥付

（一）執委夏重光請求在閘北設立施診所案
議決　通過並由本會呈請備案

（一）現代國醫月刊應否續出案
議決　續出三期

# 編輯委員會題名




中華民國二十一年八月十五日

現代國醫

第二卷 第四期 實洋二角

編輯者 編輯委員會

出版者 上海市國醫公會 上海南京路南香粉弄八十八號

發行者 上海市國醫公會

寄售處 上海中醫書局 上海山東路南帶鈎橋十三號

中國醫藥書局 上海西藏路西半闕弄五〇三號

印刷者 華豐印刷鑄字所

▲本雜誌每月一冊。全年十二冊。
▲每期實洋二角。預定全年連郵二元。
▲凡本會會員。一律優待減半。實收一元。
▲廣告價格。全張每期二十元。一面十二元。半面八元。長期八折。

每月刊

# 現代國醫

第二卷第五期

中華民國二十一年九月

上海市國醫公會編輯印行

發行 上海北河南路老靶子路二四二號

# 編者小言

（伯未）

伯未以栗六之身。肩任本刊主編。時虞隕越。近以腦病時發。益覺難以兼顧。爰俟十二期出滿。告一段落後。堅決辭請本會另委賢能。庶於本雜誌之前途。得以充分發展。惟一年來備受閱者之愛護。曁投稿諸君之不時賜教。私心彌感。特此預佈。並誌謝忱。

本期中朱殿君之「如何救濟農村病夫」一文。可謂目擊心傷之作。惟今日之習醫者。誰不以利爲目的。欲其自動到農村去。爲事實上所不可能。則惟有請就地就近之醫藥團體。速組施診所。以救燃眉之急。今夏松江縣第五區公所設一暑期施醫局於顓橋鎭。負病抱恙而來者。每期達六百餘人。雖不能完全解除痛苦。要知在農民心目中。何嘗不視如大旱之雲霓。此事實上所最易行者也。噫嘻。昔者以醫爲濟世之術。故其心仁。今則視醫如商業。故惟利是圖而其心凶。農村病夫之呻吟。永不到於市儈之醫之兩耳。吾讀朱君文。愴然久之。

袁秀生君之「怎樣配稱現代國醫。」沈禮同君之「現代國醫應有之態度」對于醫界。極力批評。以期改進。有如暮鼓晨鐘。發人深省。非爲點綴本刊作也。其他劉子開、張汝偉、王輝中、林德星、周柱庭、吳小香、黎年祉諸君。闡揚學理。俱有一讀之價值。而郭若定君之「新漢藥覺。」以新的理論。解釋舊有的實驗。尤覺名貴。

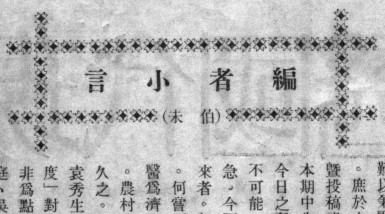

# 現代國醫第二卷第五期目次

醫事雜評
上海國醫分館……秦伯未
國醫之危機……王一仁
如何救濟農村病夫……朱殿
言論
怎樣才配稱現代國醫……袁秀生
現代國醫應有之態度……沈禮同
專著
新漢藥覺……郭若定
五法總論……丁仲英
診病奇侅……松井操譯
學說
傷寒宜先汗後下論……劉子開
內經半解……張汝偉

外感成溫與伏氣成溫的研究……王輝中
秋燥論……林德星
脘病論治……周桂庭
今夏時行霍亂病原治驗之經過……吳小香
白喉喉痧痲疹之鑑別及治療概要……黎年祉
瘧疾問答……何右之
談談困人的天氣……魏平孫
守素齋藥學筆記……王錫光

醫案
朱鶴皋醫案……朱殿錄

會議紀錄
執行委員會……
監察委員會……

醫林消息
武進中醫公會會史……

# 醫事雜評

## 上海國醫分館

秦伯未

上海國醫分館。籌備成熟矣。董事產生矣。成立之期不遠矣。此固上海國醫界之幸事。抑知焦館長苦心積慮之力乎。

當上海醫界。不幸有分館之糾紛時。伯未曾發表意見云。「上海組織分館。以言乎名。無名可貴。以言乎利。無利可圖。是則所謂非法之籌備委員。亦不過本其良心之所當爲而爲之而已。反對非法之各公團。亦不過因其非合法不足以昭隆重信服而爲之而已。決不爲分館之名利爭。即決不以名利使分館不能成立」今果然矣。經焦館長之從長計議。使雙方之各趨極端者。站立於同一戰線之上。於此蓋足證明當日之糾紛。俱爲分館之前途爭。非爲分館之名利爭。

雖然。吾上海醫界既同心協力以扶植分館之成立矣。而分館僅軀殼耳。其魂靈猶繫於醫界同人。欲使達到分館事業之目的。惟同人之是否繼續努力是視。吾願上海醫界由視其成立。而再進一步以培其長大。

## 國醫之危機

王一仁

一民族之立國。其權操之自我則存。操之自人則亡。舉凡政治經濟教育無論矣。即以醫藥而言。因歷史之遞嬗。又有風土習慣之異宜。精粹所在。不容以口舌爭也。揆諸學術無國界之義。吾人初無敵視外來醫藥之意。所可慮者。賓喧奪主。民命有旦夕之厄耳。以近事言。自中日釁興。因抵貨而及於藥品。於是習日醫者改用他國之藥。頗感形格勢禁之患。易事而觀。英美德法初非吾土。一旦藥品斷絕。苟遍國中而盡行西醫者。不將束手待命乎。即論醫學。則以各國之創化日新。隔年留學之所得今日已成芻狗。吾方移植國內。步趨不遑。不於此日而速為改轍創造之圖。則中國之民命。不待政治經濟教育之淪亡。而已去生日蹙矣。夫中醫學術。含哲學之精。具科學之骨。雖以機械解剖之缺乏。未能為精細之闡發。然其聽於無聲。視於無形。因象徵而顯實。由顯實而具條理。在經驗上存亡救亟。自有其顛撲不破之精神。謂中醫為非科學者。非妄則誣也。中國藥品。因地大物博之故。上至日月。下至蟲魚。無不備為療治之需。徒以機製之未興。每感精粗之不別。揆厥醫藥進化之稽遲。皆以學術振導之不力。馴至社會視聽。默化潛移。將謂西醫有寄命之功能。而國醫僅舊方之勦襲。循是以往。民性失民命危。吾人生當此日。而國學國產喪於斯時。此吾人所引為莫大之憂戚者也。竊謂欲冀挽狂瀾。惟有合衆擊之力。共圖砥柱之方。求學術以立職業。則職業之價值眞。捨意氣而勵精神。則精神之作用著。凡我同志以為然否。

# 如何救濟農村病夫

朱殿

現今中國農村經濟的狀況。已到整個破產的時期。最大的原因是被帝國主義商品經濟的掠奪。加以歷年天災的損失。兵匪的蹂躪。貪官汚吏的搾取。重利的盤剝。因之生產低微。經濟枯竭。農戶收支不敷。多數不能維持他的生活。乃造成這嚴重的不景氣現象。在事實上告訴我們。中國農業的危機。已到不可不注意的地步。從民國四年到現在。米的進口額。每年總超過二百倍以上。失業的農民。逐漸增多。全國荒蕪的土地。逐漸擴大。農民常因市面缺米而富戶居奇。以致吃糠而發生搶米的風潮時有新聞。——如無錫、嘉興、海門等縣。農業如此凋敝。農民生活如此痛苦。有關係國家民族前途很大。在眼前最令人觸目驚心的事——可說是我這次在鄉村發現的一個危險性。就是在艱苦掙扎中的農民自身所受的病苦。貧苦的農戶。連麪包問題尚不能解決。生了病。無力求醫。更無處求醫。於是呻吟床第。聽疾病的自然變化。像這樣死於非命的。更不知凡幾。每年貧苦農民的死亡率。假使確實調查起來。為數驚人。我國以農立國。人口百分之八五是農民。農民康健無保障。這是夭亡民族元氣的一個重大禍機。不可不急謀救濟的。

我這次回到故鄉——江陰。在農村看到許多可悲的事實。在我未到的前兩天。後村一位農夫叫王德才。患了極重的濕溫症。他是一個在經濟破落下的勞農。有一妻和一位六歲小孩。平時生活苦得很。替人家做做田工。尋幾個錢。家裏麥飯一天吃兩頓。還不得飽。今年收到幾斗豆子。賣了好久賣不掉。生了這慢性病。別說請醫生診治買藥吃。連柴米都沒有來源。他的老婆和兒子。整天睜看眼睛。餓着肚皮朝他哭。不幾天。這位悲慘境遇中的王德才。竟不耐煩的一命嗚呼了。他遺下來的寡婦孤兒。只得各自分途去掙扎自己的生命。像這王德才的遭遇和歸宿。在現今農村狀況之下。司空見慣。可不算希奇。同時我便感想到這種問題。消極的講起來。究竟在一般醫生們身上。我個人觀察的結果。農村的醫生。多數是一知半解淺陋的中醫。不學無術者流。甚至有許多非驢非馬的醫生。在鄉間混廝。西醫吧。數百里內找不到一位。近幾年來。農村經濟漸呈枯竭。更造成一種可怕的現狀。就是稍稱正式的醫生。因不能維持他的生活。紛紛向城市跑。——各縣城廂醫生都激增，上海中醫竟達二千餘人。於是城市醫生有人滿之患。鄉村遂鬧醫荒。在貧農固無力求醫。即小康之戶。欲延醫竟難得良醫。我勞苦神聖國家命脈的三萬萬四千萬農村同胞。在康健來復的路上。除托命於泥塑木雕的偶像之外。亦祇能束手待斃。

我們要認清國醫的生命綫在農村。住在城市高唱改進醫藥的中醫們。應有一個總懺悔總覺悟。總自新。趕快打消株守城市鑽尋營業的惡習慣。大家聯絡起來。籌募的款。有組織的下鄉。創辦農民醫院。施診所等。救濟這般在水深火熱中的農村病夫。改造農村國醫。解除農民痛苦。這是現代國醫唯一的責任。同時一般西醫們。也應當設法向鄉下跑。中西醫打成一氣。共同保障我民族的康健、時疫醫院要移設到農村去。防疫針要注射到農民身上。我很希望全國的中西醫界同志。聚精會神來討論這救濟農村病夫的一個重要問題。

## 言論

# 怎樣纔配稱現代國醫

袁秀生

大凡學術不進則退。不退則進。今觀現代國醫的地位。國醫的精神和學術。簡直可說絕少進步。在這不進步的時期內。是有危險性的。假使不去努力改進集中精神去研求。一定由退步歸于消滅。自從中央國醫館成立以後。在理想上國醫的地位是提高不少。可是事實非然。現在的中央國醫館。好像錦州失守時的中央政府。徒負了一個空名。不做實際的工作。以致引起了社會上的漫罵聰明的想操縱。愚笨的便譏諷。正直的從旁批評。消極的看了嘆息。中央國醫館是國醫最高機關。裏面佈滿着這種散漫的景氣。國醫的地位。怎能提高。國醫的精神。怎能振足。國醫的學術。怎能進步呢。幾年來善唱高調的人。唱着「親愛團結」無非似一中全會所說的「精誠團結。一致對外。」—同樣的虛僞。同樣的空泛。致於知識略新頴的人評着「中醫的不進化。完全因爲思想太陳腐。不求改進。門戶之見太深。」—這不過一小部的見解。不得一概而論。以我看來。國醫的衰落原因。不是在故步自封的那派人身上。是在腦經不新不舊的人身上。這種人認爲中醫的學說。完全荒繆的。他們視爲中醫非西洋化不可。這好比鄉下孩子初到上海。驀地裏看見許多華麗堂皇的房屋。紙醉金迷的景象。心想把鄉間的房屋。搬到上海來住。鄉下的田地。搬到上海來種。他不知鄉間有鄉間的妙處。城市有城市的熱鬧。要想鄉間熱鬧。可在鄉間慢慢的建設起來……也是一樣的。何必太急進呢。這種新派舊派思想都是一樣惡劣。故我證爲凡在現在的潮流。做一個現代國醫。須有現代化的思想。有高尙的品行。有博愛和平的精神。有創辦國醫教育的毅力。如此。國醫的地位。精神。學術。自爲進步不致被那般十九世紀不新不舊的人們批評攻擊了。

「要有現代化的思想。」建國家。治天下。是有一定的步驟。由軍政、訓政、憲政、如是整齊地幹下去。才有良好的結果。假使大家意志不一。你如此。我那樣。思想既不同。步代又各異。結果弄得本身的事業永遠不得上軌道。不得進步。同時反演成了許多的糾紛。像這種猪黨狗派。只有出風頭撈銅錢的計劃。那裏有改造的思想呢。中國醫學也是受了這種同樣的糾紛。鬧得天翻地覆。無非也是抱着這種懷思想。近來各派所著的書。不下數千種。好的有。壞的也有。中醫的結晶。是在這裏。中醫的腐敗荒誕。也在這裏面。陳陳相應傳下去。弄得後來讀者無從下手。我們既知道中醫的長處在驗方。短處在理論。就應該胆大心細的去找尋有價值的理論。編集起來。同時把不合實用貽誤後學的荒謬書本。根本肅淸。不容再傳流下去。這是整理舊說的手段。改良理論的責任。在整理過程中。一面要把原有價值的學說。用科學實驗的方法。解晰淸楚。明明是肝液分泌減少，胃納不佳。消化不良。偏說是木尅土。像這一類的術語。用生理、物理、病理、等學。拿來解釋。將陰陽五行等玄妙理論。須實際的改良。使中醫學的眞面目。顯露在這光明世界上。使人人明瞭。人人認識。這是用科學的思想。現代的目光。改進舊說的責任。整理學識的人。要有高深的學識。和臨床的經驗。及銳利的目光。堅决的手段。國醫學的基礎。當然要高深。中西醫的學識。須有研究。具有敏銳的頭腦。又要光明磊落的態度。然後平心靜氣地負此大責。互相攻計。是劣醫所爲。是非功過。自有公論。百世亦有定評。用不到拚命的說自己好。駡人家都不是。所以我認爲現在的整理舊學。和改進舊說的人。自炫其能。强出風頭。試問整理和改良的好成績在那裏呢。此事簡直使人悲觀。這些人都不配稱爲現代的國醫。要做一個現代的國醫。須有現代化的思想。和負現在的責任。

「要有高尚的品行」中醫的腐化。不單是在學說陳舊。沒有時代化的思想。品行是很有關係的。講到品行。遵重道德。品性淸高的人。固然很多。可是品行惡劣的也不少。中醫界的精神敗壞。和道德式微。大半是他們所造成的。別的且不談。單講吸大煙吧。全國中醫幾乎有十分之四五是中鴉片毒的。因爲中醫都是勞神不勞力。絕少運動。性情疏懶。所以容易吸上大煙。旣有了癮。要想戒除。可是比任何事都難。大凡初戒鴉片煙的人。思想銳減。精神疲弱。都不能用腦力。待過相當的時期。身體恢復了康健。才比吸煙時强壯有勁。我有一位中醫朋友。年紀有四十多。是有煙癮的。他每和我談到吸大煙的痛苦。怨恨萬狀。恨不得馬上戒除。可是一頓煙不吃。切脈的思潮也沒有。一張醫方簡直開不下去。到現在他還吸着煙。沈淪在苦海中。唉不想爲民衆解除痛苦的醫生隊伍裏。竟有這許多病夫弱種之流毒。眞眞令人駭嘆。還有許多不重社會和家庭齷齪糟塌任意欲爲。失却清高的本態。放棄改進學說的責任。眞要替他們可惜。更可一種人專門鼓竹槓。擅長損人利已的惡技倆。——唉。我這枝筆。已不願再細細地寫下去了。……總之這些人是中醫界的腐化份子。是中醫敗壞的禍劊。當然說不到是現代的國醫。要做一個現代國醫。必須有良好的品行。和高尙的道德。

「要有博愛和平的精神」待人和靄。是醫生的基本精神。無論對病人對同道。都要如此。否則病人一見醫生氣盛言驕。性情粗暴。就要失掉信仰。對同道則易傷感情。容易渙散團體精神。譖言暗謗。講人是非。他的本領一定不爲高的。總是得不到社會人士的信仰。更有因爲意見不同。思想各異。診病時對西醫診治的方子。故意評擊。如何不是。如何失當。無非要献媚己長。攻人之短。這本是「小人所爲。」「君子不齒。」在學識淺陋的人。總善於攻訐。學識稍優的人。都不願作此醜態的。中醫界之不能精誠團結。結癥就在這裏。應當趕快的心理上改革。消除這種惡脾氣。惡思想。才是。還有一般居奇自守的人。夾了幾張驗方。傳子不傳女的不死不告人。他們行醫的目的。是爲糊口。祗有自已。沒有國家。沒有民族。更顧不到醫術的興衰。有得幾張討飯式的小本領。就要騙人騙已。可憐我們中醫幾千年來的零碎精華。大都爲那些「寧可失傳。不給家奴」的敗類送掉。現今流散在民間的驗方。還很多。爲了自秘失傳而得着這不幸的結果。到現在一般不知不覺的人。還是抱着秘方自傳牢不公開的舊思想。所以中醫學的長處找不到。短處倒看見。要想把各種驗方羅輯盡致。一齊歸納起來整理。非常困難。這是整理中醫學說的一重難關。這些沒有民族思想的人。在此中醫將要淘汰的緊要關頭。亟應翻然覺悟。大家抱定博愛和平的精神。消除派別。公開研究。齊心戮力的來救整個的中醫。做一個現代的國醫。萬不可學對付日本時的許多大人物的態度。

「要有創辦國醫教育的毅力」歐美各國的文學家。常有從診察室裏跳出。而中國的醫生却多從八股文裏鑽出。兩下的學識優劣。已可想而知。這些頭腦冬烘的醫生。讀了幾本湯頭歌訣神農本艸臨證指南就替自己家內人或親戚朋友們看看病。治好了是他的僥倖。醫死了委諸天命・因此學中醫實在便當。靠中醫吃飯也便宜。把自己本身。看得既這樣輕微。——巫道之術。於是民衆也認爲江湖小術。不是與世界藝術相提並論。你想。只樣的把中醫學糟塌下去。那能不一天天的衰落呢。他們平時還要收幾個學徒。做自己僕役。當當差。學徒呢。三年五載的幹下去。學到的見識也有限。老實說。他們本來也只要偸得先生幾張方子。能看幾種毛病。至多學到先生的全付本領。已算是歡天喜地。很可以像先生在街頭巷尾。撈幾個錢。龍生龍。鳳生鳳。賊養兒子握壁洞。這句話是不錯的。他先生的學識。是如此。學徒的本領不見得比他大。這些拜門人做學徒的人。大半是讀書不成。學劍不成的無聊青年。學得點雕蟲小技爲將來糊口計。他們根本是沒有改進思想。反容易中食古不化。故步自封的餘毒。全國每年製造出這許多學徒。爲數頗大。如此中醫的根本。怎的不要糟呢。故我認爲國醫教育是占重大的地位。談到國醫的教育。眞要叫人氣死。全中國祗有幾個中醫學校。而規模還不怎樣好。設施還不怎樣完備。教材還不能統一。有的守舊。有的激進。有的折中。這類的學校。不是研究醫學的教育機關。是製造未來許多學術糾紛的大本營。是做私人的工具。是放大的學徒傳習所。有的以新說眩人。不求實際。畢業出來的學生。只會亂批評別人不好。自己連醫病都不會。有的以所讀書爲教法。謹守舊法。頑固不化。目的祗要學生滿口陰陽五行。能看幾種病。研究學理。是沒有用的。所以說現在竟找不到有一處教法完善。理論與實驗並重的醫學校。這是中醫的前途多麼危險的一回事呀。治病是醫生的先決條件倘只圖理論翻新。不注意臨證實驗。坐言而不能起行。這是教育上的缺點。倘只求看病而來。那麼他不好便去拜先生做學徒。看病的成功時期。只有比學校來得快。一張無價值無地位的文憑誰又希罕。於是原有幾個學校辦不發達。無人敢出來再創造新的。而學醫的青年。因爲上學校和拜師差不多。都情願從師。不願意進一虛名空頁的學校。因此國醫教育永遠的不得發達了。學校本是產生新生命之母。學生是改進中醫的靈魂。負有中醫興衰存亡的責任。假使國醫教育是營業式的。機械式的。傳道式的。不健全。不發達。國醫地位。就永遠不得提高。學識就永遠不得改進。這是一定不變的道理。換一句說。要想把中醫改進。地位提高。必須從辦理教育着手。只要看西醫界對於學術上改進。他則全付精神。是灌輸在醫學教育上。西醫的學校比中醫多得數十倍。他們每年產生出西醫戰綫上的人材。超過中醫百倍。只是學說戰爭上的一弱點。大不可不急謀補救的。現在國醫教育界缺乏人才。缺乏經濟。已經到破產。就是聘請幾位教授。都覺得困難。這是一個顯明的例子。其他種之設備更不必談。我現在把他分析開來講。缺乏人材。是眞的。因爲辦教育必具有以上所說的。有現代化的思想。整理舊說。融化所知。更要有辦教育的基本精神。必需養成學生們有愛自己不媚外的觀念。同時要着想理論與技術並重。不可有偏見。有派別。這才是辦國醫教育的人材。現因沒有好教育。就沒有好人材。沒有好人材。更沒有好教育。糊塗話教授糊塗人。糊塗人辦理糊塗事。國醫學前途。眞不堪沒想。缺乏經濟。這不是絕對的。因爲有力量創造的人很多。或環境關係。或思想陳腐。或感覺人材缺少。都容易減少辦教育的毅力。這還容易設法補救。祗要大家抱有爲學術奮犧鬬牲的精神。就是毀家興敎。也是光榮。捐資助學。本是一件很好的事。政府早訂有褒獎的規則。希望國醫界同志人人負起責任來有力於經濟的拿出錢來。有學識的拿出本領來。同心合力的創辦國醫教育。教材統一。設施完備。打消私收學徒的觀念。

人人受同一的敎育。同一的趨向。這才是有效的工作。有這種偉大的觀念。創造的毅力。才是現代的國醫。才是現代國醫中的俊傑。

以上所說的思想、品行、精神、毅力、四種是現代國醫模範的條件。也可以說。是現代國醫的鏡子。現代的國醫們。不妨對這鏡子照照。看看自己的影子，有沒有這種思想。這種品行。這種精神。這種毅力。假使一樁都沒有。就應當發奮地努力爭求。事在人爲。只要自己去幹吧。

# 現代國醫應有之態度

沈禮同

何謂現代醫。現代醫者。適合現代潮流之醫生也。敲詐恫駭之名醫。可稱爲適合現代潮流之醫生乎。嘻。彼自道自命耳。余意要不爲。欲爲現代之醫者。祗少應具下列幾樁良好的態度。

（一）生活平民　醫者之奢。爲世所嗤。衣以綾羅緞匹，食以山珍海味。用錢揮土。臨診之餘。或涉戲院。或跑賭窟。或押娼妓。或……眞闊乎特闊矣。咳。渠不回首一睹水災中戰區內之同胞。其狀悽慘。其形堪憐。同爲人類。能不動夫中乎。故余以爲現代之醫者。生活絕對平民化。否則非現代之醫生也。

（二）診金適度　名高望重之醫。診金之昂。異乎常例。貧者罹病。休思求活。蓋診金夠不上耳。如此重財輕命之敗類。余素痛恨之。醫乃仁職。婦孺咸知。而況處此國危累卵。民不聊生之際。診金高昂。豈爲醫者應有之態度耶。故爲現代醫者。診金務宜適度。龔君所謂「貧者施診」（見本刊三期）誠哉。

（三）珍惜光陰　光陰於醫。更爲寶貴。一日之內活人無算者醫也。除醫外。何能爲此。然大半醫生非臨診終日。普通以每日臨診六七時計。則尚餘八九時。在此有餘時中。爲醫者極應研究學理。或閱讀羣書。學無止境。醫理無涯。精益求精。造福社會。造德人羣。庶不負宇宙之生也。

（四）不吸鴉片　多半醫者。悉爲癮君子。滬上尤甚。有問其故。曰醫生吸煙。思想充足。於病理大有裨益。嗚呼。如何說得。古今文豪醫聖。若孔子、若墨子、若軒岐、若仲景、難道彼等亦吸鴉片乎。鴉片亡族絕種。其害甚於洪水猛獸。醫生乎。汝之職務爲救人水火。而今竟自趨水火耶。故爲現代醫者。絕對遠離鴉片。

現代醫者應有之態度多矣。請參看本刊七期葉君現代國醫六要。及二卷三期龔君之醫家之道德。恕不多贅

## 驗方錄爪鱗

秦又安

1 濕瘡浸淫紅腫。用敗醬草搗爛塗之極效。

2 蜈蚣咬傷用碱侵醋中搽之卽愈。

3 飲滷汁者血凝而死。惟食豆漿可解。因滷得足漿。凝漿而不凝血矣

4 反胃症百藥無效者。可覓狗糞內食而未化之骨。煅灰以開水冲服效。

5 飲食停滯不化。卽以其物燒灰。調服二三錢卽消。

6 痲皮纏。腹部紫紅而皮厚。足彎處現紅筋。食蠟蠋油可愈。或用芋艿。剝去皮生食亦驗。

# 專著

## 新漢藥覺（禁止轉載）

郭若定著

### 第一類　興奮藥

凡藥物。能刺激腦脊髓。及末梢神經。鼓舞其機能。而奏興奮之効者。皆謂之興奮藥。

▲生理作用

一、興奮心臟之機能。催進血液之流行。

二、亢進腦之機能。刺激神經。快利呼吸。活潑精神。

三、盛其淫慾。去其睡眠。

▲醫治作用

一、凡虛脫。失氣。貧血。以及呈衰憊之狀態者。皆用之。

二、用小量。則致興奮作用。用大量。則反致痲醉作用。

#### (一)高麗參　吉林參

性狀　本品係參科多年生草本。爲粗長之根。色黃白。嫩部紅潤。均有光彩。味苦而帶甘。

主治

一、爲强心興奮藥。能維持心力、肺力。規整脈搏。順利呼吸。鼓舞神經。興奮精神。用於急慢性虛脫。有特効。

二、用於性神經勃起無力。陽萎、早洩、遺精等。有効。惟性神經勃起過度、而夢遺者。忌之。

三、爲止血藥用於大失血、血後病、止血、强心有特効。

四、爲强壯藥。有催進養化機能。及赤血球活動之力。用於貧血。萎黃。神經衰弱。精神不振等。用其小量。同其牠補血藥久服。有効。

五、爲健胃藥。用於虛弱者之食慾不振。用其小量。

**用量** 强心興奮每劑二錢(飲片分量二錢下倣此)至八錢强壯健胃每劑(二分至八分)

**禁忌** 本品不可用於急性熱病之初中期。及有充血興奮狀態者。惟心臟呈虛脫狀者。不在此限。

**製劑** 用原品臨時水煎爲良。

**處方**

一、 高麗參或吉林參煎三錢 (獨參湯)

右水劑、濃煎。頓服、頻飲。治大失血、呼吸困難、氣不接續、脈搏虛數無力、或遲弱將停、種種虛脫症狀。能止血强心。

二、 高麗參煎六分 白朮流膏二錢 茯苓煎三錢 甘艸密膏一錢 (四君子湯)

右水劑。分三回熱服。治虛弱、萎黃、食慾不振。健胃。

三、 高麗參煎三錢 生黃芪煎三錢 化龍骨煎八錢 煅牡蠣煎八錢

右水劑。分三回熱服。止血强心。并治陽萎遺精。

四、 高麗參煎六分 白朮流膏一錢五分 黃芪煎一錢 當歸素八分 茯苓煎三錢 熟地流膏三錢 白芍膏一錢 桂枝酒四分 遠志酒一錢 陳皮酒一錢五分 五味子膏四分 甘草蜜膏一錢

(人參養營湯)

右一日量之流膏劑。分三回開水冲服。治貧血、萎黃。神經衰弱。體虛畏寒。肢體瘦倦。食少作瀉等症。補血健胃。

附醫案一、周某。廿餘歲。農。既往症、曾經跌打下血。後患熱病。至今兩旬未愈。現在症、體溫三六・五。脈搏遲慢。每鐘分五四至。額上冷汗津津。手觸外有微熱。目合。神倦不醒。咳嗆多痰。胸腹半日前訴痛。睾丸上引。舌苔微膩。診斷、熱病末期。心臟疲虛弱脫。擬用參附。因係熱病。附子暫緩。處方如下。

高麗參（二錢）生黃芪（四錢）煅龍骨（八錢）煅牡利（八錢）（强心收斂爲主）大丹參（二錢）川貝母（三錢）甜杏仁（三錢）辰茯神（三錢）浮小麥（四錢）煨金鈴子（三錢）青橘葉（十片）（行血祛痰緩和神經爲佐）濃煎。服後一旬鐘。汗收神醒。思食。次日。胸腹痛差。手觸皮膚已不熱。體溫脈搏均起。仍用參、去黃芪龍骨牡利丹參。加鬱金枳殼珍珠母。服三劑。人能行動。後停藥兩星期。時發夜熱。改用西洋參青蒿佐祛痰藥而愈。

（二）附子

性狀　本品爲長圓或正圓不等之地下塊莖。正中者名爲烏頭。附於旁之小子。卽名附子。味苛辣如灼。

主治

一、爲强心回蘇藥。用於一切疾病之虛脫。若脈搏沉慢細弱。或將停頓。大汗不止。體溫低降手足踡伏。以及大失血、大吐瀉後。呈虛脫狀者。可急用之。

二、本品有興奮神經。鼓舞細胞。增進體溫。喚起全身一切機能之力。爲興奮刺激藥。治僂麻質斯痛風。血行障礙。神經痺痛。及一切機能弱化之病。無不奏效。

三、用於慢性消化不良。胃腸攣痛。泄瀉不止。或完穀不化。與牠藥同用。奏鎭痛止利之功。

四、有利尿發汗作用，用於心臟腎臟病水腫。有效。

用量　每劑八分至五錢强心回蘇可用至一兩

禁忌　本品不可用於急性熱病。及腦充血。血壓過高。狂譟。幷一切機能亢進之病。

製劑改良　用本品規定之原料。製爲百分比之酒浸劑。　如設法提出有效成分。供作注射用更佳

處方

一、　附子酒三錢　乾姜酒三錢　汽水　適宜

右水劑。熱服。頻飲。治虛脫。厥冷。大汗。大吐。大瀉。胃腸變痛等。

二、　附子酒一錢五分　高麗參二錢　龍骨煎八錢　牡蠣煎八錢

右水劑。熱飲。頻飲。治大失血後。脈搏不起。氣不接續。用以維持心力肺力。幷適用於一切虛脫。

三、　附子酒一錢五分　白朮流膏二錢　白芍膏一錢　茯苓煎四錢　生姜精(幾滴)(眞武湯)

右水劑。分三回熱服。治水氣腫滿。甚則全身筋肉瞤動不止者。

四、　附子酒一錢五分　桂枝酒　一錢五分　白朮流膏一錢五分　甘草蜜酒一錢　(桂枝附子湯)

右水劑。分三回熱服。治痛風及神經痺痛。

五、　附子酒二錢　麻黃精六分　細辛酒六分　甘草蜜膏二錢(麻黃附子湯)

右水劑。分三回熱服。治心臟不振。而外有感冒、其症狀爲脈沉弱而身發熱者。

(二)桂枝尖　肉桂(附)

性狀　本品爲肉桂樹嫩枝之最末梢。色褐赤。味香竄辛辣而帶甜。

一、本品之主要作用。能刺激末梢神經及使末梢微血管之充血。爲强心利尿藥。用於心臟衰弱血行障礙。脈搏微弱。及有關心臟之水氣腫滿等症。

二、用爲解熱藥。治肺炎流行性感冒。窒扶斯傷寒等。初起之發熱而兼惡寒者。有頓挫之功。

三、爲鎭痛引赤藥。治急性慢性關節僂痲窒斯痛風神經痛等。有効。兼可外用。製爲百分之二十之精酒浸藥以搽擦之。

四、鎭咳袪痰藥。適宜於水樣狀濕痰。與牠藥同用之。

用量　每劑八分至二錢。

禁忌　本品不可用於熱病之中末期。肺結核。肺咯血。及有興奮症狀之病人。

製劑改良　用本品規定之原料。製爲百分幾之酒浸劑。提出有効成分。去其刺激性而作注射用。

處方

一、　桂枝酒二錢　白芍膏一錢五分　生薑精(幾滴)　甘草蜜膏一錢(桂枝湯)

右爲一日量之水劑。分三回熱服。被覆取微汗。治流行性感冒窒扶斯傷寒篤初起之發熱而惡寒有汗者。解熱

二、　桂枝酒一錢五分　附子酒一錢　生姜精(幾滴)　甘草蜜膏一錢(桂枝甘草湯)

右水劑。分三回熱服。治僂麻質斯痛風。神經痛。

三、　桂枝酒一錢五分　薤白酒三錢　半夏末三錢　括蔞仁油三錢　白酒(適宜)

右水劑。分三回熱服。治心胸痺痛。(交感神經系)鎮痛祛痰。

四、　肉桂末八分　茯苓末三錢　猪苓末一錢五分　白朮末二錢　澤瀉末一錢五分　(五苓散)

右爲一日量之散劑。開水頻送。治腎臟心臟水腫。

(四)乾姜

性狀　本品爲大小不整之地下塊莖。色微褐。味苛辣而竄。

主治

一、爲興奮囘蘇藥。用於厥冷、吐、瀉、虛脫。

二、用於消化器病。慢性腸加答兒。消化不良。泄瀉不止。利下膿血等症。能促進吸收。間接奏止瀉之効。惟痢疾初起。不爽而重痛者。忌用。

三、有鎮痛鎮吐作用。用於消化器系胃腸寒性變痛、及嘔吐。有殊効。

四、爲祛痰鎮咳藥。能快利呼吸。增加分泌。用於水樣狀之新久濕痰咳嗽。

用量　每劑六分至三錢興奮回蘇可用至一兩

禁忌　熱病。肺結核。肺咯血。赤白痢不爽。黃痰燥痰。及諸充血症狀。

製劑改良　酒浸劑或粉末

處方

一、　乾姜煎一錢五分　高麗參煎一錢　白朮流膏二錢　甘草蜜膏一錢　（理中湯）

右水劑。分三回熱服。治慢性消化不良。泄瀉不止。健胃、止利。

二、　乾姜煎三錢　蜀椒煎二錢　黨參流膏二錢　米飴糖二兩　（大建中）

右水劑。分三回熱服。治胃擴張症。上下走動。如見有頭足。手不可按。嘔不能食。健胃鎮痛。

三、　乾姜煎二錢　粳米煎一盞　赤石脂末一錢　一半煎一半呑

右水劑。頻頻呑送赤石脂末。治漫性腸加答兒、下利便膿血而不重痛者。（按此症以用日藥吸著收斂劑Alsilinアルシリン爲佳）

四、　乾姜酒一錢五分　五味子煎八分

右水劑。分三回熱服。治虛咳。

（五）酒精　黃酒（附）

性狀　本品爲揮發性透明無色之液。有特異竄透之香氣。

主治

一、爲興奮强心回蘇藥。用於虛脫、失氣。如急性心臟衰弱。肺炎丹毒白喉產褥各種急性熱病初期。以及重傷、血行障礙、脈搏沉弱虛數不整等。最宜。

二、用爲强壯藥。能亢奮胃腸機能。催進吸收。凡萎黃病。貧血病。腺病性。佝僂病性。及重症恢復期。或年高體衰之人。其消化機能及體力異常疲憊者。與牠藥同用之。

三、爲輕微麻醉藥。用其適量。精神可以稍舒。如因刺激憂鬱、以致神經興奮過度而起失眠。則用稍大量。可以暫時催眠。

四、外用爲刺激引赤鎮痛藥。如挫傷、血瘀、僂麻質斯性、神經痛性、疼痛。知覺運動麻痺。以及局部腫痛而不炎熱者。用爲塗擦劑罨法料等。內服亦奏引赤鎮痛之功。

五、爲牠藥之賦形藥。用以溶解興奮藥强壮藥。浸出其質液。可以促藥物之被吸收。及使作用之速顯。

六、有制腐作用。又能除去脂肪。無論皮膚器械綳帶料等。如須消毒。均宜以酒精洗滌。

用量　內服隨酒類年齡疾病體質而異。以適量適病爲宜。

禁忌　本品對於急性熱病中期。高熱發狂讝。肺咯血。腦脊髓膜症。血壓過高。以及動脈變硬。腎臟病。胃腸潰瘍等症。均忌之

附錄

稀酒精　以酒精七分。和汽水三分而成。

黃　酒　以紹興產者。名狀元紅、花雕、爲最。愈陳愈佳。大抵救急暫服。酒精力大。强壮久服。黃酒爲良。牠如葡萄酒白蘭地。各隨個人之嗜好而異。

(六)樟腦

性狀　本品爲白色半透明結晶性粉末。近日機器精製者。爲白色柔凝之塊。味微苦而如灼。有特異之臭氣。不溶解於水。酒精及以脫哥囉仿謨。均易溶解之。

主治　一、爲興奮藥。能亢奮延髓、及心筋機能。而於增進呼吸中樞爲尤著。適宜於麻醉藥中毒之血行衰弱、呼吸衰弱。以及外來侵襲之急性虛脫。用酒精溶解。內服之。有卓効。并治陽萎。救急、如以樟腦製劑注射之。其効更速。惟內損之病。雖亦可用。然不能根治。不過稍

延時日而已。

二、用於舞蹈病、百日咳、呃逆、神經性嚥下困難、及止淫慾亢進。用多量能奏沉靜之効。惟亦無根治之功。又與牠種袪痰藥配合。以袪痰兼亢奮之目的。適宜於老人之肺炎。

三、外用爲刺激、防腐、鎮痛、殺蟲等藥。製爲樟腦酒或粉末搽擦之。用於跌打、關節閃挫、僂麻質斯性、神經性、疼痛。弛緩性潰瘍。皮膚搔痒。凍瘡。蓐瘡。白喉。骨潰瘍。及諸種植物性寄生物性皮膚病等。

用量 內服每回五分至一分爲沉靜藥一回一分至二分注射劑每管一回

禁忌 熱病。及興奮症狀。

製劑 一、樟腦精以樟腦十分。和稀酒精九十分而成。爲澄明無色之液。內服每次一湯匙。或外用於僂麻質斯疼痛神經痛凍瘡未潰等。

二、樟腦水溶性注射劑。皮下或靜脈注射。

(第二類發汗解熱藥下期續)

# 五法總論

丁仲英

## 五法問答

### 發表

問曰。脉浮何以是表證。答曰。浮者脉在肉上行也。按之不足。如浮木然。內經曰。寸口脉浮。主病在外。外者表也。若邪在裏。脉必沉細。又焉得浮。故一見浮脉。屬表證無疑矣。又問曰。脉浮固屬表。倘見裏證。而脉尙浮者。治法何如。答曰。裏證脉帶浮者。表未盡也。必先解表。而後攻裏。仲景曰。解表不開。切勿攻裏。太陰篇曰。腹痛脉帶浮者。桂枝湯加大黃。結胸症脉浮者。不可下。然裏證固當下。今脉浮者。又不敢攻矣。若表證已罷。便閉譫語。脉浮者。當從灌下之。此取證不取脉也。

問曰。發熱何以是表證。答曰。寒鬱於腠理。則閉塞而發熱。翕翕然作。摸之烙手。此熱卽發於皮膚之外。而內中無熱。名曰表病裏和。」試以內經諸論證之。曰。風寒客於人。使人毫毛畢直。皮膚閉而爲熱。可汗而已」又曰。體若燔炭。汗出而散」又曰。人之傷於寒也。則爲病熱。大汗熱自解也。由此觀之。熱之屬表明矣。故見發熱。卽屬表邪未解。雖一月半月之久。還當解散。」又曰。發熱固在表。倘發熱便結。裏證又急者。治法從表證乎。從裏證乎。答曰。裏急者當從權。亦不敢離表藥。何也。以三黃石膏湯論之。其湯治發狂口渴。及發熱證。內有麻黃者。爲發熱設也。以如是裏急證。不敢純用寒涼。尙加辛散。兄尋常不以發熱爲表證治乎。此可破千古之疑矣。」又問曰。據子之言。凡發熱皆在陽經。而不在陰經。仲景云。陰發熱者。當用麻黃附子細辛湯。此何以故。答曰。少陰發熱者。表裏俱傷。有寒爲之直中。非傳經少陰也。雖名曰直中。今見發熱。亦不得純爲直中矣。故用麻黃附子細辛。令表裏兩解。乃發散溫中也。若傳經少陰。則惡熱而不發熱。然表證熱。與少陰熱。何以別之。蓋少陰發熱。脉來沉遲。外無頭痛。或見厥逆清穀。諸寒證。此爲少陰證似太陽。」若此證兼有頭痛者。是表裏俱見。爲兩感寒證。又何以爲少陰熱乎。總之裏證盛急而發熱。則利藥尙加麻黃。少陰發熱。溫藥加細辛麻黃。可見發熱屬表證。無可疑惑。故仲景云。三陰無身熱。

問曰。身痛何以爲表證。」答曰。寒傷榮。邪之客於人。必始於皮毛肌肉。今寒入於四肢。焉有身不痛之理。故內經論咳云。時感於寒。微則爲咳。甚則爲泄。爲痛。又針經云。寒甚則痛。熱甚則肉消咽破。然內經舉痛諸症。皆以寒名。未有以熱而曰痛者也。卽此論之。知寒爲痛昭然矣。故曰。凡見身痛。屬寒無疑。宜以辛散。令氣血流通。而痛愈也。又問曰。身痛既爲表證矣。諸傷寒書。言裏證有身痛者何以故。答曰。裏證亦有身痛。乃直中裏證。非傳經裏證也。若傳經裏證。則屬熱。熱主血行。又何身痛哉。」然直中裏證。而身痛者。乃寒氣襲人。臟腑陽已衰危。而氣血凝滯。故令身痛。宜急溫之別之。若頭痛發熱。而身痛如繩摶者。表證也。無頭痛發熱。而身病如受技者。直中也。又問曰。外太陽表證皆具。有身痛不用麻黃。而用四逆者何也。答曰。表證悉具。脉當浮緊。反沉遲無力。不可用麻黃湯。蓋病者素有虛寒。致脉不能浮緊。故用四逆。此則證似太陽。脉似少陰。假脉浮緊。正屬太陽。又孰敢用四逆者哉。此取脉不取證也。問曰。悪寒何以是表證。答曰。人身外爲陽爲表。寒屬陰邪。今表虛爲寒所乘。名曰陰盛陽虛也。陽虛不能過其膚衞。致表空虛。雖在蜜室。亦引衣自蓋。設之悪寒。仲景云。陰盛陽虛。汗之則愈。故悪寒正屬表證。若熱在肌膚。必裸體煩躁。使他人蓋覆。反自棄之。是曰悪熱。又焉得設裏悪寒乎。一見悪寒。卽知寒侵肌膚。急投辛甘。愼勿猶豫。一又問曰。諸書言裏證亦悪寒者。何以故。答曰。裏證悪寒者。直中也。非傳經裏證有悪寒也。蓋傳經者。熱已入腑。必悪熱甚。又何爲而悪寒。非直中有悪寒者。亦寒盛極。致陽微不溫。故悪寒。比之傳經悪寒。無頭痛發熱爲異。經曰。發熱悪寒。發於陽也。無熱悪寒。發於陰也。又問曰。悪寒固屬表。傳經裏證盛急亦微悪寒者。治宜何如。答曰。裏證微悪寒者。表未盡也。亦先解表。然後攻裏。故仲景云。解表不開。不可攻裏。攻之爲大逆。若裏證危急。死生在呼吸間。又當從權下之。此活法也。又問曰。誤下而成結胸。令邪結在胸。而疼甚急。倘悪寒者。何以治之。答曰。結胸爲醫誤下而成。今悪寒者。是邪未盡。結於胸中。必先解表。方服陷胸湯。若誤攻之。表邪又結於胸。其人必危矣。故結胸有一毫悪寒。亦不敢攻。可見悪寒屬表無疑矣。

問曰。脊項强。何以是表證。答曰。太陽經起於目內眥。上額交巓項。下行入項。走肩膊。由背脊至足小指。邪氣容於背脊。循膂上下。故脊項强屬太陽表證也。至於他經。各行其道。又何有脊項强者乎。又問曰。項强屬太陽。當發表。又曰結胸項强者。宜急下之。何以故。答曰。結胸項强。非其項强也。蓋結胸誤下。致表邪入結於胸。胸與項相去不遠。今邪結於上焦。而襯於項。致氣不得交通。其首能仰不能俛。俛則胸中痛甚。危在須臾。故結胸項强脹者。當急下之。非太陽經項强也。已經下過。其首能仰不能俛。俛而胸痛者。結胸項强也。

問曰。喘何以是表證。答曰。肺主一身之皮毛。寒邪外侵。必從毛皮而入。肺又司氣之升降。今表受寒邪。斂束於肺。致氣不得上下。故喘。試以麻黃湯論之。內有杏仁者。爲肺經設也。麻黃所以去皮毛寒熱者也。皮毛與肺同氣連經。故一見喘。卽是表證無疑矣。夫久病喘者。尙有麻黃杏仁劫之。况新病者乎。又問曰。喘旣爲肺爲表。指掌賦曰。喘滿而不惡寒者。當下而痊。何以故。答曰。有一等傳經裏證。因便秘不通。致濁氣上冲。而成喘者。（肺與大腸爲表裏便閉故喘此症頗多臨症宜審）此則不出於肺。故當下之。又必察外證有一毫表而喘者。非裏證也。誤以爲裏。而便攻之。則大逆矣。故仲景曰。喘家無裏證。宜倍投杏子。明言喘屬表邪也。

問曰。咳嗽何以是表證。答曰。肺爲五臟之華蓋。形有七葉下覆。寒邪乘之。則葉斂束。不能開發。致氣上冲。故內經曰。時感邪寒。乃爲咳嗽。凡見咳嗽。便屬表證無疑。又問曰。裏證亦有咳嗽者乎。答曰。裏證有咳嗽。便屬表證直中。而不屬傳經也。直中咳嗽者。亦寒急上束於肺。故咳嗽必下利淸穀。四肢厥逆。外無表證爲異。倘兼有表。證而咳嗽者。又非直中咳嗽也。」若傳經則無咳嗽。以傳經爲熱。熱主流通。分氣出入。又何得有咳嗽。」又問曰。裏證無咳嗽。有言咳嗽屬火者。何以故。答曰。嗽而屬火者。雜證嗽也。病者有虛實二火。火主炎上。亦令咳嗽。或先受寒起。咳久則變而爲熱。亦屬火咳。二者皆久病也。內外無寒證。惟咳嗽而已。故有新久之別。新則爲傷風。爲傷寒。久則爲虛火。爲實火。風寒者。發散之。虛火者從治之。實火者請涼之。曰逆治。曰從治。皆實證嗽也。」至於傷寒。一見咳嗽。非表證卽直中也。不得設傳經有咳嗽也。問曰。頭痛何以是表證。答曰。三陽經。上至於頭。惟太陽經脉最長。其疼居多。少陽陽明。俱有頭疼。各取其證以名之。故一見頭疼。卽是表證矣。」又問曰。三陰證無頭痛。厥陰經何故有頭疼也。答曰。三陰經至頸而還。何得頭疼。惟厥陰與督脉。會於巔頂。而都攝諸陽。故有頭疼。然厥陰頭疼。亦不嘗見。必嘔吐涎沫。內無熱證。屬直中也。當溫之。」傷寒傳至厥陰。倘頭痛脉浮。爲欲愈不愈。用小建中湯。

問曰。四肢拘急。何以是表證。答曰。寒侵皮毛。則拘急。內經曰。寒多則筋攣骨痛。熱則筋弛脉緩。故四肢拘急。卽是表證」又問曰。陰證亦有拘急者何也。答曰。直中陰經。因純寒拘急。若傳經陰證。則屬熱。熱則傳舒。又焉得拘急乎。然直中拘急。何以別之。身熱頭痛。表證也。無身熱頭痛。直中證也。汗吐下後。四肢拘急者。此津液內竭也。血不榮關筋骨。當用眞武湯。然必問其曾經汗吐下否。

問曰。目舌和。何以是表證。答曰。目者五臟精華之所係。舌者可以司味。因寒熱而變之者也。若臟腑有熱。則目必黃赤。舌必乾枯黑色。今目舌如常。知邪未入臟腑。表病裏和。目舌如常者。卽屬表證無疑。

問曰。脉不出何以是表證。答曰。脉者。血之府。若熱則血行。豈有脉伏之理。惟表受寒澡。故脉伏。又問曰。裏證亦有脉伏者何也。答曰。裏證脉伏。惟直中有之。乃寒極凝滯也。故用四逆加猪胆汁以治之。若傳經裏證。則屬熱。熱則血行。何得脉伏。又問曰。有陽厥逆脉伏者何也。管曰。熱脉伏者。百無一二。外或見大熱證。脉雖伏。而指必溫。又或有痛處。疼極故脉伏也。至於尋常脉伏。非表證卽直中矣。

問曰。口不渴。大小便如常。何以是表證。答曰。皮毛肌肉爲表。筋骨臟腑爲裏。邪在表。內裏和平。故口不渴。二便如常。若熱邪傳裏。灼臟腑。必口渴便閉。或下利腸垢。而小便短赤。拂其常也。故曰。口不渴。二便如常。則表病裏自和也。

（待續）

# 漢譯診病奇侅卷下（續）

丹波茝庭編
楊彥和祿按

## 肋下

痞有爲大事者。脾胃之氣衰。運行無力。飲食不剋化。邪氣滯集。遂成痞。其痞切迫肋下。狀如板。按之痛。是由中氣之虛。年漸漸重而然也。此人往往後爲腫氣脹滿。遂至死。故腫氣脹滿將發前。既有此痞。診腹可以預知焉。（良務）

患中風者。其二三年前，章門（彥和按。足厥陰肝經穴名。在臍上二寸。兩旁六寸。）行至腰骨。直筋如絕。按之無力也。左脇下如此。則左半身不遂。右脇下如此者。易治。（彥和按。素問調經論。血之與氣。并走於上。則爲大厥。厥則暴死。氣復反則生。不反則死。此西醫所謂腦充血之證。亦即中醫所謂中風證也。惟氣與血之并走於上。故其前驅證中。有章門至腰骨之直筋如絕。按之無力也。分左右者。朱丹溪曰。半身不遂。大率多痰。在左屬死血瘀血。在右屬痰。有熱并氣虛。云云。質言之。則左屬血。右屬氣也。）是由氣之順行也。治方二三年前。認得此候。急服補氣順氣之劑。久服爲善也。（壽安〇陽山同曰。蓋以腰者腎之外候。而掌一身之轉移開闔之故也。又三伯白竹玄悅同。）

凡人不論肥瘦。章門穴以指按之。其指先壓筋。深入季脇下者。必三年內發中風。是先師歷功之秘訣。百不失一也。（南溟）

有四十歲以下而肋下無力者。與強仕以上者。（彥和按。強仕。當係強壯之誤。以上。係指四十歲以上而言。）自異也。是其處陽氣薄。故雖偏枯痿。季脅至腰髖骨攣急者。其手足亦攣急。其病成者不可救。季脅下不攣不急。無力而偏枯者飲也。可治。廢者不可治。（台州）

章門診法。一偏如常。一偏柔濡（彥和按。濡字。丁度集韻。與洪武通韻。俱乳充切。與輭軟同。）者。不出三年。發偏枯。宜預日日多灸於其柔濡處。以助陽氣。而驅除飲。又一方拘急。一方如常者。壯者無害。四十歲以上者。左則逐飲。右則宜和肝且灸。（楓亭〇彥和按。以楓亭之說。對勘前條台州之文。作一比例。則台州之起頭數句。應作「有四十歲以上。而肋下無力者。與強壯之人。或四十歲以下者。自異也。……」然就台州原文解釋。亦未始不通。蓋謂未滿四十歲。而肘下無力者。與強壯之四十以上之平人。亦有所不同也。）

章門上一寸許。按之痛者。其手痛也。章門下一寸許。按之痛者。其足痛也。（淺井）季脅肉無減者。雖他證似中風。不可爲中風治。（彥和按。季脅肉無減。卽非血之與氣幷走於上之大厥。）多食滯。或類中風也。必可診左右脅及中脘。其位不結聚。手足不仁者。痿證也。（荻原）

## 腹痛（心痛）

凡醫得卽功者。腹痛與嘔也。治腹痛。其要有六。曰積痛。曰食痛。曰蚘痛。曰飲痛。曰瘀血痛。曰腸癰痛是也。此六者。甚不易辨。而更不可誤。誤則至死者。食痛與腸癰痛也。余診病多年。經驗之久。辨之如黑白菽麥。今述其大概。〇食痛者。心下附背。按之凹可容手。是食積痛也。此證用備急圓。（彥和按。卽金匱三物備急丸。千金方稱之爲張仲景三物備急圓。惟諸家註金匱者。多至「婦人雜病脉證幷治第二十二」爲止。而此丸則載在「雜療方第二十三。」故非一般之金匱要略書中。所可尋獲。和於趙開美本之金匱要畧中見之。藥僅大黃乾姜巴豆三味。然非體實便秘。不可輕投。）則吐下而止。然用香砂平胃之類爲佳。（彥和按。此方穩妥。酌加山查神麴麥蘖穀蘖。或保和丸枳朮丸之類。又按所謂心下附背者。如係胸痺不得臥。而心痛徹背之證。則當用枯蔞薤白半夏湯。）〇積痛者。心下脹。不如宿食之着背也。然此證亦劇。則有其動附著背。而心下柔者。（彥和按。金匱五臟風寒積聚病脈證幷治篇。問曰。病有積有聚有槃氣。何謂也。師曰。積者臟病也。終不移。聚者腑病也。發作有時。展轉痛移爲可治。槃氣者。脅下痛。按之則愈。復發爲槃氣云云。則前條食痛者。爲槃氣。本條積痛者。爲臟病。其痛必有常處。始終不移。徐忠可云。此積非癥瘕之類。亦未必有形停積。天下之物。皆從無中生有。乃氣從陰結。陰則黏著也。觀諸積大法云。積在喉中。結陰可知。不然。則喉中豈能容有形之物耶。和又按。此證通治。宜局方五積散之類。）〇蚘痛者。潛心按之。（△操按。用指尖診之）有築築應手者。（彥和按。靈樞論疾診尺篇云。肘後麤以下三四寸熱者。腸中有蟲。又宜參看腹兩傍條。台州與東洋之說。）〇瘀血痛者。多在臍旁小腹。按其痛處。則有塊應手。（彥和按。按葉香巖云。蓄血看法。以小便清長。大便必長爲是。）黑飲痛者。其痛動移無定處。有積氣則飲聚結於此。（彥和按。此證痛時。必兼眩暈。或嘔冷涎。其脉必滑。）〇癰腸痛者。十之九在右。（彥和按。腸癰西醫命名曰盲腸炎。盲腸卽大腸之上段。上接小腸。難經四十二難曰。大腸。……當臍右。）按之右腹自異於左腹。其肌膚滑滑。（彥和按。金匱千金之論腸癰。均設力皮甲錯。而東郭反謂肌膚滑滑。恐係不滑之誤。）右足攣急。小便淋瀝也。此症似疝似蚘。醫爲疝或蚘治而不愈者。多腸癰也。大黃牡丹皮湯。桃核承氣湯下之。其痛頓止。小兒亦多此證。宜潛思。（東郭〇台州曰。腸癰左臍旁壅腫。右亦有之。又曰。又有小腹癰者。

左右不容承滿（彥和按不容穴在臍上六寸五分鳩尾下一寸去中行各三寸。承滿穴在不容下一寸均屬足陽明胃經）部位。患滿痛。按之彌痛。或引於胸腹中。奔響漉漉有聲。時吐水汁。吐則痛減。是爲澼囊。（彥和按。兩脅刺痛。名曰澼積。澼囊則未詳。）宜溫藥。宜減飲食。（台州

## 良醫良相

（永）

本年十月二十二日里凡爾電，愛沙尼亞醫藥界負有盛名之戈尼克教授，今日被邀組織新內閣，醫治國家財政痼疾，戈氏爲愛邦獨立時重要人物之一，已脫離政治舞台多年，倘允出山。將組一超然內閣云云，按以醫學家掌新內閣，眞可謂良醫良相矣。

## 學說

# 傷寒宜先汗後下論

劉子開

余所讀者仲景書。余所守者仲景法。傷寒金匱者。仲景書也。汗吐下溫清和補者。仲景法也。二書推傷寒爲先。七法以汗下爲要。所謂溫清和補吐者。僅供臨床之參酌。故暫闕之。似無不可。

▲西醫謂傷寒之起因。爲一種桿狀菌。作祟於病者之腸膜。此固得之鏡檢。足以取信於人。並可補我國醫之不足。惟無識之徒。以桿菌盤踞腸膜。遂不問病期之久暫。證狀之緩急。孤意施以下劑。以期一盪而清。非徒無濟。抑且有害矣。試觀誤下後之貽成結胸與痞。以及胸滿脈促。利下不止。胸滿煩驚。小便不利。讝語。一身盡重。不可自轉側等病變。從可知傷寒表證未罷。不可遽以下劑攻之也。仲景有云。『傷寒嘔多。雖有陽明證。不可攻之。』若仲景之聖。尙如此審愼週詳。此吾儕所宜拳拳服膺。朝夕弗諼者也。然往昔不知傷寒病。係一種桿菌爲祟。故絕少原因療法。惟猶豫觀望。今旣明矣。採用原因療法之下劑。謂爲無效。而反貽禍。其故又安在哉。蓋桿菌雖在腸。而爲病則不限於腸。此因凡百生物。有一定之榮養。必有一定之排泄。雖微如細菌。亦莫不皆然。其排泄體外之穢物。卽所謂毒素。一經腸壁吸收。則移諸血管。繼及全身諸毛細血管。同時體內蛋白質。脂肪等。燃燒過甚。故發高熱。兼之自然療能。已準備驅此病毒。使向汗腺排出。故頭痛項强惡寒等證。相繼交作矣。仲景深明此義。故設原因療法之麻黃劑。以發汗爲先若汗出不已。則以輕散緩和之桂枝劑。繼之於後。人身一切機能。旣得外界藥力之援助。則

漸可恢復原狀。其殘留腸中之病菌。遂不免爲已復原狀之機能。漸次撲滅。故一汗而解。毋須再用下劑也。總之。傷寒初期。病毒多侵於表。少猖於裏。故下劑在所當禁。若一汗不差。轉入陽明者。庶可以下法繼之。然亦前輕後重之治異也。輕者病菌少。而自然療能較強。故病菌一次產生毒素。被腸壁吸收後。遂不能再事活動。而陷於消滅。重者則因自然療能衰滅。而病菌必夥。除被吸收之毒素。爲汗劑排泄外。尙源源產生不已。瘀留毒素。被吸收入腦。則神經感受障碍。而爲讝語撮空。瘀塞血管。則爲潮熱。終因血壓發生反射。衝開瘀塞血管。而自汗濈然矣。是時進以下劑。尙屬不可。必也病靑與糞塊結成一團。而自覺腹滿疼痛轉失氣者。乃可於三承氣中。審擇投之。不然。勢必貽下利不止之禍。仲景垂戒云。『陽明病。潮熱。大便微鞕者。可與大承氣湯。不鞕者。不可與之。……若不轉失氣者。此但初頭鞕。後必溏。不可攻之。攻之必脹滿不能食也。……』噫。先汗後下。雖爲治傷寒之大法。若置仲景之垂戒於度外。一味背道而馳。致蹈誤汗下之禍者。直仲景之罪人矣。

# 結胸論

仲景之書。精詳簡當。審證立法。秋毫無遺。惜乎病理一道。猶嫌缺乏。正未能饜足學者之心也。尤以書傳已久。不爲淺人攙入刪改者。豈可得乎。例如結胸篇中。類多瑜瑕相混。使後學無所適從。故不揣譾陋。爰將結胸篇中。舉其要者。混而釋之。世有鴻儒。另有高見。足以斥吾謬者獲益非僅個人已也。

(原文)病發於陽。而反下之。熱入因作結胸。……所以成結胸者。以下之太早故也。

……頭痛發熱。微盜汗出。而反惡寒者。表未解也。醫反下之。……膈內拒痛。胃中空虛客氣動膈。短氣躁煩。心中懊憹。陽氣內陷。心下因硬。則爲結胸。大陷胸湯主之。若不結胸。但頭汗出。劑頸而還。小便不利。身必發黃。

傷寒六七日。結胸熱實。脈沉而緊。心下痛。按之石硬者。大陷胸湯主之。

傷寒十餘日。熱結在裏。復往來寒熱者。與大柴胡湯。但結胸無大熱者。此爲水結在胸脅也。但頭微汗出者。大陷胸湯主之。

太陽病。五六日。舌上燥而渴。日晡所小有潮熱。從心下至少腹鞕滿而痛者。大陷胸湯主之。

太陽病二三日。……及下之。若利止。必作結胸。未止者。四日腹下之。此作協熱利也。

結胸者。項亦强。如柔痙狀。下之則和。宜大陷胸丸。

寒實結胸。無熱證者。與三物小陷湯。白散亦可服。

小結胸病正在心下。按之則痛。脉浮滑者。小陷胸湯主之。

結胸證悉具。煩躁者。亦死。

夫歷來詮註傷寒者。不下百餘家。有若剝蕉抽繭。層出不窮。余能記憶及之。則爲山田氏。丹波氏。以及近世祝曹陸諸氏而已。彼等皆以結胸一證，爲誤下太陽水氣結於胸下立論。其說若持之有故。言之成理。然水氣所以結於胸下之原理。則未嘗道及。未免智者一失也。憑個人之研究所得。結胸一證。必係胸管破裂。考破裂之原因。約分三種。有因胸管狹窄者。有因寄生蟲嚙破者。有因病毒及藥毒之化學刺戟者。苟一日此種有害物質。流入管腔。則卽起環流障碍。而瀕於鬱積。久之又因淋巴壓持續亢進。破裂之虞。遂難免矣。漏出之淋巴液。及混合物。或上潴胸腔。或下入腹腔。則隨其輕重而定。所現證狀。亦因之有異。如胸水。腹水。胸痛。或下利是也。舉凡太陽表證。法當汗解。俾組織內之有害物質。得以隨汗排泄。以減輕淋巴吸收。轉向他部排出之負担。醫者不知。誤與下劑。使欲從組織排出之毒質。不能遂意。而告困於出。則淋巴乃起救濟作用。盡量吸收此等毒質。向他部推消。若淋巴管狹窄。或蒙受病毒藥毒等之化學刺戟。則經過胸管之頃。潰然破裂。或爲意中之事。漏出多量之液體。於胸腔肋腔之內。而結胸之病遂成矣。再因病毒等刺激胸肋膜腔神經。則發生劇烈之疼痛。按之如石硬而痛者。卽此故也。詳考大陷胸湯大陷胸丸之藥理。又富於解凝。鎭痛。促進吸收。及排除諸作用。（西醫有下藥能促進吸收之說見病理總論二集）正與以上病證病理。不期而合。其宜於湯或宜於丸者。因病證有緩急故也。若漏出液體下入腹腔之內。則不作結胸。而爲協熱利。至於誤下之後。或不作結胸協熱利。則證明胸管能適當擴張。不因有害物質之鬱滯。及種種之輕度刺激。而爲破裂。惟組織久受病毒之困。其緊張度較緩。以及呼吸障碍等。均不能催促淋巴管之運動。則未免有使循環衰減。致將欲排出之物質。不能盡量遞消。於是混入血液內。繼則滲出毛細管外。小便則緣之不利。遍身乃發黃矣。若夫小結胸病之病理。亦不外淋巴液流入腹腔內。因受刺激。而發生炎證。故疼痛。惟較輕於前。但以小陷胸湯之解凝消炎。則已足焉。其不作協熱利者。蓋滲出液較少於前故耳。至於寒實結胸。則與前後二證。大相逕庭。緣此乃肺藏有滲出液停蓄。故以三物白散以吐之。吾人能考其藥理。自無餘蘊也。

結胸者項亦强。如柔痙狀。云云。山田氏竟謂但鞭而不痛。屬於鳩胸。陸氏則謂慢性雜病。要之首標結胸二字。則已賅括結胸應有之主證在內。主證云何。按之硬而痛。較輕於大陷胸湯證。而較重於小結胸與寒實結胸是也。項强如柔痙狀者。乃兼證耳。兩氏深爲注目。皆非也。

結胸證悉具。煩躁者。亦死。云云。按卽胸管內漏出之一切有害物質。忽被吸收環流於心藏及腦。故見煩躁之中毒證狀。若是者。殆無救也。

沉緊浮滑爲大小結胸之脈象。此仲景歷驗得來。諸家對此。不外置之高閣。但從結胸之證。而預下判斷而已。然證諸臨床實驗時。沉緊浮滑脈。似不限於結胸證也。故暫闕之。以待高明。

論中大柴胡湯。大陷胸湯并舉者。乃鑒別法也。并無多大深義。暫可弗論。頭部汗出者。病毒在上也。例如陽明病之外見自汗證狀。可以意會矣。

# 內經半解

張汝偉

孟子曰。知之爲知之。不知爲不知。是知也。偉讀內經。二十年來。略有一知。强作半解。錄而出之。藉作拋磚引玉之舉。用以解吾惑。非敢云得也。

靈樞本神篇曰。天之在我者德也。地之在我者氣也。德流氣薄而生者也。

韓子曰足乎己。無待於外之謂德。德者。得其原有之本性。不爲物欲所蔽。卽王陽明所謂良知良能之學是也。人之初。性本善。天之付我者德也。孟子曰。吾養我浩然之氣。氣者。稟有形中之無形以養成。卽胸廣體自胖之義也。韓子所謂寓于尋常之中。而塞乎天地之間者。卽稟地之在我者氣也。至於德。有凶有吉。卽性有善有惡。老子之小仁義。坐井以觀天。卽德氣之迫狹者。天地相交而人生也。此人所以居天地之中。而位三才之極。古聖人所以重胎敎。卽欲德流氣薄而生者也。

故生之來謂之精。兩精相搏謂之神。隨神往來者謂之魂。並精而出入者謂之魄。所以任物者謂之心。

精是有形之氣。故與生也俱來。神爲抽象之德。故並生而不替。一陰一陽。一虛一實。此兩字博字之妙用也。所以精神往來之隧道。謂之曰魂。精神出入之樞紐。謂之曰魄。肝主木主筋。而藏血。血脉爲周身之大道。故循血脉而行之精神。爲之魂。魂有所不淸。多噩夢是也。肺主金主氣。氣爲全身之綱領。肺主咽喉。居上。爲出入口要道。故循氣而行之精神。爲之魄。魄有所不安。白晝見鬼是也。至于心定則作事有恆。故曰任。若憶之與意。存之與志。變之與思。皆心之變象。任之作用也。

心怵惕思慮則傷神。神傷。則恐懼自失。破䐃脫肉。毛悴色夭。死于冬。

見事太明。洞若觀火。偶爲環境所迫。知可爲而力不能及。知不可爲而又不能不爲。雖未至於失敗。常懍冽乎履冰。此怵惕思慮之所由來也。但是神因君火以明。若因思慮而傷神。則心失主宰。恍恍惚惚。如行霧裏而防墮。如坐舟中而虞覆。此季文子之三思。孔子所以曰再思可矣心虛則脾失營養。脾主肌肉。所以破䐃而脫肉。總之七情之病。由內而傷。有諸乎中。必形諸外。此毛悴色夭之所以必見也

脾愁憂而不解。則傷意。意傷則悗亂。四肢不舉。毛悴色夭。死於春。

未事而先意將迎。既去而尚多流戀。躊躇不解。毫無決心。此由於憂先傷肺。土乃不固。肝有橫逆之行爲。胆無中正之表示。所以一事在前。思前想後。有意而不決。有意而不能達。則一種悶亂之戾氣。迴環蕩漾于其間。致懵懵然氣鬱而亂矣。四肢屬脾。所以不得舉也。

肝悲哀動中則傷魂。魂傷則狂妄不精。不精則不正。當人陰縮而攣筋。兩脅骨不舉。毛悴色夭。死於秋。

奪吾之所愛。强吾之所不悅。拂其情志。涕淚交流。所以大哭之後。神思恍惚。哭爲陰象。爲厲氣。最足以阻魂道之流行。故凡哭者。必周身乏力。卽陽亦不能舉也。因精氣神。原是一貫。眞眞悲哀之人。必不壽也。若妓女之假仁假義。枕底纏綿。則又是做作。不可不知。

肺喜樂無極。則傷魄。魄傷則狂。狂者意不存人。皮革焦。毛悴色夭。死于夏。

得意之極。每忘形骸。笑本屬心。一笑卽逝者。心氣開而不合也。心爲太君。既然不動。心之喜樂。大都肺以代之。因肺本多憂。一旦解憂無事。肺葉舒張。而樂乃無極。但肺葉亦宜斂肅。而不宜過張。多笑則肺葉不垂。而神有出無入。魄乃傷矣。不存人。卽忘形骸乎。

腎盛怒而不止。則傷志。志傷則喜。忘其前言。腰脊不可以俛仰屈伸。毛悴色夭。死於季夏。

受辱胯下。進履圯橋。何等羞惡。勃然大怒。人之常情。怒髮冲冠。面紅耳赤。青筋漲起。聲高氣急者。怒之形狀也。怒雖屬肝胆。而一怒之後。心不由主。每易僨事。致所志遂傷。食其前言。古之賢者。淮陰子房。忍辱含垢。不輕一怒。大功告成。人亦何苦而必怒哉。

恐懼而不解則傷精。精傷則骨痠痿厥。精時自下。大河在前。猛虎在後。進退俯仰。均是絕地。際此時也。恐懼尤甚。此時精液。必然暗傷。若霎時之間。虎去而舟來。卽可囘復原狀。因此懼也。非恐也。若暗室虧心。惟恐人知。佛家所謂低頭三尺有神明。曾子曰。十目所視。十手所指。孔子曰。如在其上。如在其左右。使非懺悔。不足以正其心。精液之傷。斷難驟復。因此恐也。非懼也。若結怨于人。恐爲所見而復仇。時時戰競。咄咄書空。甚至成爲顚癇。此恐與懼相併者也。又有遺精病者。今日偶一勞動。疑今夜必遺。及夜果然。此恐爲本臟之病。非思想透澈。不足以勝之。內經所貴者。哲學治病。卽在此等處。後世之立方治病。已落下乘矣。

# 外感成溫與伏氣成溫的研究

王輝中

每見近世醫家所著之書。其中立理。皆紛紛不同。各有所長。以致後輩學者。往往無從着手。卽以現代溫病而言。其致病之由。有伏氣外感二種。所說伏氣。究伏於何處。尙無較精切之結果可得。觀王孟英喩嘉言等。專指男女冬日房事之時。傷於寒邪。邪中則腠理開。開則入於經絡。經絡滿則注於經脈。經脈滿則注舍於臟腑。其果伏於皮毛。伏於腠理。經脈。經絡。抑伏於臟腑。亦未見詳說。且人體經脈。以及五臟六腑。各有所司。豈能容邪存匿。伏至數月始發。雖或因體質關係。卽偶感外邪。亦足能抵禦。然則何以能無礙乎氣血之流行。尙屬模糊敷衍。總令百思而不得其解。按內經云。凡冬令感冒六淫之邪。有感而卽病。有感而不卽病。感而卽病者。名曰傷寒。不卽病者。名曰溫病。經謂冬傷於寒。春必病溫。卽此義也。然邪究伏於何處。何以感而不卽病。蓋膜原者。是皮膚臟腑之文理。三焦者。通會元神之處。原屬空隙之地。邪與氣血。併客於其間。遂爾流行無阻。是故邪之伏於膜原。不疑而自解矣。待至春令陽和彭盪。不容其潛藏。遂乘時外發。病則自然起矣。若夫外感而致溫病。當然與伏氣不同。然其成斯病之因。亦未嘗不爲吾人所造就。蓋人偶感風寒。首入皮毛。而肺則與皮毛所合。庸醫一見頭疼。咳嗽。鼻塞之症。妄用麻杏石桂重量辛溫大熱。開豁之劑。而致誤傷津液。邪從燥化。發熱。口渴。不惡寒之症。亦自然成矣。雖亦有不被誤用之後。而亦能成者。然其病因。總不離乎因時令而變化也。如暑溫溼溫等。莫不然乎。其之治法。均宜臨證時。審其表裏虛實。隨機應變也。

# 秋燥論

林德星

▲秋燥原因

本年虎疫盛行於夏季。倏忽秋令又屆。自仲景傷寒雜病論不著燥氣之文。後世無從窺測。宋元以後設有論燥不無混淆。獨清季喻嘉言唱秋傷於燥。出自心裁。喻氏曰。燥金雖秋令屬陰經。然異於寒溼。同於火熱。火熱勝則金衰。風熱勝則風熾。風能勝溼。熱能耗液。轉令陽實陰虛。故風熱之氣勝於水土而爲燥。又立清燥救肺湯以示法程。而湫憀子引內經大論非之。不但喻氏顯背經旨。雖百方牽合究失燥氣爲病之精義夫燥氣者秋金之氣也。其氣淒清而勁切。似火而非火。似溼而非溼。似寒而非寒。而其勝復傳變。又能爲風爲火爲溼爲寒。試條言之。

（一）然清商徐行。炎暑頓消。景物淒清。天地氣肅。則似火又非火矣（二）然肅殺令至。天容高潔。涼飇候發。地氣清明。則溼又非溼矣（三）然秋陽熇熇。天潔地明。白露萋清草木萎落。則似寒又非寒矣。燥氣者秋氣也。兼火溼寒三氣而有之也。大概初秋多火。中秋多溼。三秋多寒。雖兼有火溼寒三義。而實非正火正溼正寒可比。故燥氣治法其未化爲火爲溼爲寒者。當兼三者之義而治之。其已化爲火爲溼爲寒者。亦於三者專氣之義大有逕庭。不可以治溼治火治寒之正法。而不知其爲燥也。此卽燥氣之眞義也。其議雖若創造。而實靈樞素問言之已詳。

▲秋燥病候

燥義既明。再言其發病之理。夫燥者。六淫之一也。六淫之傷人。有感卽發。有伏而後發。燥氣亦然。其爲病也。外感有傷氣傷血之分。伏氣有專氣兼氣之別。燥之初入必先於肺胃。蓋太陰陽明同爲燥金。治氣以類從也。其伏者當分其專氣兼氣之別。專氣者燥之本氣也。兼氣者燥氣之外兼有別氣。或兼溼或兼寒或兼火之類。此言燥病之由於外感也。其病候凡燥之傷人。首先入肺。次傳於胃。或傷氣分。或傷絡脈。初起惡風寒。日晡發熱。痰嗽胸痞。口渴不引飲。脣燥舌或無苔而燥。或苔白如循沙板。此氣分受邪也。或舌絳無苔而乾。或苔白舌心乾絳。外則發熱惡寒。內則脚脅痛。或不痛而痺。喘促咳逆。甚則唾血。此氣分連及血分也或有脅肋膺乳掣引而疼。不得轉側。欬逆甚而血溢。此氣血兩傷連及絡脈也。故燥病之始當以傷氣傷血爲大綱。或有氣血絡俱受者。要之燥主秋收之令。近以寒溼異於火熱。間有候與火熱相同。亦燥邪久著。血液內燔。形同於火熱。實亦燥中之兼氣化氣者耳。

### ▲秋燥論治

燥氣爲病。多起秋令。肺之傷人。首先入肺。肺主皮毛。外邪內束。惡寒無汗而煩燥。病在氣分者。其脈類多輕濇。蓋手太陰經氣被阻。氣化不宣。宜通燥達表法。輕則麻杏甘石湯。重則大青龍湯。此二方爲治燥之祖方也。內經治燥不外二義。一曰燥化於天。熱反勝之。治以辛寒。佐以甘苦。卽麻杏甘石湯之義。一曰燥淫所勝。治以苦溫。佐以酸辛。卽大青龍湯之義。次傳於胃。陽明爲燥金之氣。受邪最易。胃主肌肉脈呈洪數。間有弦浮。亦宜解表。或挾有燥熱者。輕則梔豉蔞薤。重則柴葛膏黃。若燥氣久羈。三焦瀰漫外證未解。裏熱又熾。或痛或痺。或結或利。外邪收束太過。營衛兩鬱。津液不布。宜桂苓甘露飲加麻杏葦。內清外疎。燥邪始終在上焦氣分者。必痰喘嗽逆。胸結氣壅。舌有薄白之苔。或水潴不行。小青龍出入加石膏湯括蔞薤白半夏湯。射干湯酌譯採擇用之。或氣血絡俱受者。行氣解結用旋覆香附木香葱白通絡祛邪。桑楡二枝苡米根活血通痺用蘇木桃仁丹皮牛膝。可互參用之。喻氏清燥救肺湯用於氣勝邪既入血傷陰。燥火交熾表裏乾枯。亦無不可。讀此已知秋燥一證。從前異說紛紜。皆無正確標準。遂使學者如盲執炬。夜行窮谷。芒乎無所悉從。至陳氏秋燥總論。披沙鍊金。超軼凡輩。不厭求詳。重叙治法。秋燥之治。在表在氣。不易之法疏散之也「初輕偏熱桑杏湯。桑菊飲。偏寒溼杏蘇葱白豉」「日久重者偏熱麻杏甘石。寒溼大小青龍」「其內連血達之潤之偏熱麻杏甘石加桑榆梔豉偏寒溼大小青龍加歸芎丹皮」「或併及血絡通導之。熱加羚羊地龍瓜絡。寒溼加香附葱白木香」表裏俱熱者。則清之滋之。清燥救肺湯加冬地三石

# 脘病論治

周桂庭

胃爲水穀之海。主生化之源。其爲脘病也。多因飲食失愼。或不清潔。以及飯後作激烈之運動。障礙消化機能。或因體內蛋白脂肪葡萄糖生化銳減。不能供給消磨。而起營養缺乏。或灰鹽類減少。不能起消化作用。或胃酸過多。使醱酵過甚。瀕於中毒。凡此種種。莫不爲脘病之源。約言之。隨地有障害血液流行於胃粘膜之可能。於此不欲其爲脘病。夫何能免。其爲病時。有慢性急性之分。遂有乍痛乍止。或持續疼痛之別。惟輕者得甘食或能稍安。以其獲得外界之營救。徐可恢復。故也。換言之。則因吸收外界之營養料。刺戟胃粘膜之分泌。影響胃神經中樞。使之興奮。則痛感自止。爲醫者於此時。急宜乘機與以中和胃液之品。則已止者斷無復起波浪之虞。不然。則興奮者勢必陷於痲痺。難免捲土重來之慨。所謂物極則反是也。若再外受飲食勞役之殘傷。內因七情六慾之刺戟。則爲病尤劇。與以甘食則無異於以水投石。進而與以疎肝調氣之藥品。亦幾如杯水車薪。所濟有限。甚至不效亦多矣。食醫對此。果然無策。卽疾醫望之。亦必棘手而疑慮百出。或疑以蟲積。投以烏梅丸甘草粉蜜湯之類有之。或疑爲胃脘癰。而與以破瘀消積之類亦有之。凡此皆足以自誤誤人。要之。前已得食則已。虛證昭然若揭。不妨以大小建中湯四逆湯與之。其效不奏。吾不信矣。

# 今夏時行霍亂病原治驗之經過

吳小香

今夏民間發生一種最劇烈之時疫霍亂。其證於未發時。卽覺胸滿痞鞕。有若苦不堪名狀者。暨則上吐下瀉。四肢厥吊。脉伏聲嘶。胸痞煩躁。大渴癟螺。目赤且嵌。氣促揭衣。其吐下之粘膩或濁垢。奇臭異常。令人難聞。本鄉(高橋鄉)國醫。輕則投以平胃散、藿香正氣散、及二陳湯等。重則投以附子理中湯。經服此等藥後。病者無不煩躁異常。面赤不安。痞硬益甚。溺秘難通。危證畢見。因而不救者比比。疫勢瀰漫。傳染甚廣。死亡相繼。靈藥難求。及至立秋時而衰。高橋諸醫。皆謂此時疫霍亂爲冷痲痧。因患者無不肢厥轉筋。脉伏螺癟。因此而謂爲陰寒直中。眞陽立脫。而投以大熱之劑。以冀其陽回厥止。則吐瀉亦可霍然。不意病與相反。輕者漸殆。重者立斃。卽病家亦因如此重病。請醫求神。毫無靈果。聽其自然而已。要用此種時疫霍亂。與遜清光緒二十八年之夏秋霍亂相似。但彼時疫氣盛。今庚疫氣衰(依江浙兩省而言)耳。愚於光緒二十八年。遇有等疾病。(卽今夏亦用下法而多效)輕者用玉樞丹辟瘟丹等。兼投溫膽湯、六一散、黃連、厚朴、枳實之類。以清暑導滯。袪溼利尿以止嘔。重則大渴揭衣臥地。煩躁痞硬。氣鞕咽乾。脉伏肢厥。腹痛苔黃。或紅或絳等證。卽投以紫雪丹(須重用)芳香逐穢。兼用梔子豉湯之類。以解其陳腐鬱熱。再以辛甘大寒之劑。如鮮石斛。生石膏之類以瀉其火。用甘遂、芫花、牛黃、(三味宜少用)利其痰水宿毒。使其下行以寬痞硬。痞硬去則病自然退。而嘔吐止矣。再謀所以善其後。俟其渴解尿利。方可進以陳米稀粥。切勿飽食、早食、以免功虧一簣。其餘尋常吐瀉。當以常法治之。茲不多贅。愚用此等法治此等重恙。若病家能信任不移。不用仙方單方雜藥。及病中強進粥飯等類。則鮮有不效者。蓋夏秋時之時行霍亂。傳染甚速。皆因飢飽勞役不勻。吸受疫穢不正之氣。相交并發。與中寒之霍亂不同。中寒之霍亂。因多於虛人不講衞生。是屬內因之病爲多。其來勢也。必較疫病移緩。且口不渴。少煩躁。吐下之物。少穢惡奇臭。至於時疫霍亂。

患者以體實勞動之輩居多。或因恐懼雨露酷暑不節。飢飽勞役所傷。一朝病發。其來也驟。乃內外因之病。且有煩躁大渴痞硬、腹脹、迫急不寧。其苦實難名狀。且暑者大熱之謂。實因患者穢惡蘊積。消化不良。加以疫氣吸入。一併發作。豈可與中寒霍亂等交相並論。故愚將近三十年來之考核時疫霍亂病原及經驗之經過。敢告於諸同志。是否有當。切盼諸同志有以告我。

# 白喉喉痧痲疹之鑑別及治療概要

黎年祉

白喉喉痧痲疹三者。均為細菌性之傳染病。白喉與喉痧。證狀相類。喉痧與痲疹。證狀又相類。偶一不愼。辨症不明。每致施治失當。而貽誤病家。故此三病之鑑別。實吾人當前之急務。茲請將余參考所得。與同學諸君一商榷之。並希大雅有以指政焉。

白喉之症狀。顧名思義。卽可略得其概況。然仔細分析。實有下述三種。（尙有發於肛門。女子陰部者。以其與本題之鑑別無補其故不列入。）1. 咽頭生白膜 2. 喉頭生白膜 3. 鼻腔生白膜

因白膜附生部之不同。故有咽膜毒證。喉膜毒證。鼻腔膜毒證之名稱。此三種證候。因生理之關係。檢視上恆有難易。咽處於喉元後部。檢視最難。往往有咽到已生白膜。亦易因檢視失周而疏漏。此不可不注意也。喉膜毒症。檢視較易。鼻腔膜毒。則更一望可知。然倘僅知注意咽喉有無白膜。而遺漏鼻腔之檢查。則又大證矣。病灶既各不同。故所呈症狀亦異。咽膜毒證。通常概咽部腫脹。致咽下困難。或且白膜過厚。閉塞咽孔。成為咽孔封鎖症。卽滴水亦不復能入。喉膜毒膜。則易發生呼吸困難。聲音變調。起劇烈之咳嗽聲如犬吠。甚且因呼吸困難。循環不利。血液養化不足。口唇乃變紫色。若更進而喉到閉塞。呼吸斷絕。則危在頃刻矣。鼻膜毒證僅流膿汁樣或混和血液之濁涕。孔口腐爛。與感冒相類。——此白喉本身之分析也。三證中以此為最輕。大概無生命危險。我白膜一經蔓延咽喉。則與原發症無異。故此證雖似較輕。亦不可不注意制止其蔓延也。

喉痧與白喉相類者。爲咽喉紅腫式腐爛。吾人對于咽喉毒證。若檢視不愼。往往僅見其咽喉一帶紅腫。而誤斷爲喉痧或他種咽喉炎病。此宜注意者一。咽喉腐爛。重險之白喉與喉痧均有。惟一則未成腐爛前有白膜佈于咽喉。一則否。當問診之。此當注意者二。

又按白喉初起。常渾身發熱。頭部及遍體骨節疼痛。與喉痧初起之惡寒戰慄發熱。五內煩躁。手掌心熱惡心嘔吐。及痲疹初起之面躁顋赤。目胞亦赤。呵見頭悶。乍涼乍熱。咳嗽噓噴。手足稍冷。夜臥驚悸。多睡(據錢氏說)均異。然此等證候。爲一切傳染病。外感病通有之證狀。未足據爲診斷三標準。僅可爲診斷之一旁證而已。

痲疹往往上述情形後。繼亦咽痛紅腫。發咳嗽。呼吸不舒。此等證候與白喉及喉痧均有疑似之點。吾人須知此等症候。爲三病所同俱。但取其爲診斷之助可耳。繼此則熱度更高。口內生米粒大之白點。此白點易與白喉相混。惟須注意。白喉之膜爲成片的式線條狀的。痲疹則爲米粒大之散點。更參之其他之見證。自不致爲其所惑。徒視白膜形狀之如何。有時亦不足恃也。(按喉到厚皮症及僞膜性炎症。均有成片的白膜。與白喉絕似。惟白喉之膜。爲下屬愈差頗牢。强剝離之。必致出血而損壞組織。僞膜性炎症。則易於剝離。恰與白喉相反。厚皮膚雖亦不易剝離。第其病爲慢性炎證之後期症狀。無其他一切危險證象。可以爲別。)

痲疹與喉痧之類似點。則在皮膚之疹點。大抵痲疹之色淡紅而粒大。疹子間之皮膚如常。喉痧之色深紅而粒小。周身幾無完膚。痲疹之前兆期長(卽發熱期。約四五日)喉痧之前兆期短。(數小時)其發生之次序。在痲疹先到面。次到次胸。後及全身。喉痧則先發于頭及肩胛。次顏面。末及全身。痲疹類部爲多。而呈紅色。喉痧則恰相反。疹少而呈蒼白色。且喉痧除顏面外。全身猩紅。可爲特徵。及病之末期。疹子漸乾而落屑。在痲疹爲糠屑狀。在喉痧則成大薄片。且痲疹落屑以後尚留有紫斑。故雖至病之末期。尚可別其爲喉痧抑痲疹也。

白喉喉痧痲疹之鑑別。其看重點大抵在喉部之白膜與皮膚之疹子。能撮其要。卽爲易易。今爲明瞭起見。更列表于次。

| 證狀或其他 | 白喉 | 喉痧 | 痲疹 |
|---|---|---|---|
| 發熱 | 有 | 有 | 有 |
| 前兆期（卽未見主證前之病期） | 短六有二三日始見白腫者 | 僅數小時 | 四五日 |
| 前兆期之證狀 | 發熱到身皆疼脉浮緊 | 惡寒發熱、煩躁口渴 | 寒熱咳嗽、淚多呵欠、類似感冒 |
| 咽喉腫痛 | 有、或無（指鼻膜毒證） | 有 | 有 |
| 白膜 | 有成片成條 | 或有白腐 | 有成米點狀 |
| 咽喉腐爛 | 重證有 | 重證有 | 大概無 |
| 咽下困難 | 有 | 有 | 有 |
| 呼吸不舒 | 或有或無 | 有 | 有 |
| 特徵 | 白膜愈着 | 發痧時全身通紅 | |
| 免疫性 | 無 | 無 | 有 |
| 全愈期 | 無定 | 無定 | 三星期 |
| 紅痧 | 無 | 有、深紅而小 | 有、淡紅而大 |
| 痧子先發之部位 | 無 | 頸及肩胛 | 頰頸及胸 |
| 痧褪後 | 無 | 無斑 | 有紫色斑 |
| 脫別 | 無 | 成片的 | 糠屑狀 |

鑑別之法既明。請更進一探治療之法。查喉科專書。不下十餘種。治療喉法。雖如有主張。上皆大同小異。惟白喉忌表一書。竭力主張白喉應當清涼滋陰。嚴禁辛散解表。（說宗重樓玉鑰）恐世人不信。託於神仙之說。以堅世人之信仰心。作者之所以如此曲盡苦心。必當時目擊心傷。深惡痛絕于時醫用表散而誤盡病家。故不覺有此諄諄告誡。不厭重述之作。絕非今之沽名釣譽者可比

也。

自此以後。白喉忌表與否。遂成爲中醫界聚訟紛紜之一問題。四明曹氏。悉宗白喉忌表之說。無庸言矣。惲鐵樵氏。折其傷寒論研究中。主張麻杏甘石湯治療白喉之初起。一闢白喉忌表之說。此說雖不無立異矜奇。然爲後人開一活路。爲功實非淺細。否則。死煞句下。硬理白喉絕對名表。卽有可表之證。亦不敢表。則表固殺人。不表亦何嘗不殺人。故余裏耐修之說。足以矯正過表妄表之弊。而惲氏之說。不足以矯正耐修身之偏激也。章次公師于藥物講義中。認定應表則有應表之見證。應請則有應請之病狀。不必膠定忌表應表之成見。用此以調和耐修子與惲氏之說。誠爲適合。然一細考惲氏。用麻杏甘石湯之證。却大類喉痧。喉痧固應表。俠疹子外達。故惲氏力闢白喉忌表之說。立足點卽已動搖。無成立之可能。又考白喉病表中。其敍述其妾之喉狀。有「並發斑疹。遍體皆是」二語。則是彼人之病。白喉歟。喉痧歟。殊爲費解。就斑疹而論。明明非是白喉。非有斑疹之證。固當用表。耐修子又力主清滋。是又何故耶。

意者。當時服表藥而死者。必本無表證或有表證而妄表過表殺之也。服請滋藥而愈者。必無表證之喉證也。其有辛散與請涼褋施。致令病者不起者。在耐修子視爲發表傷津之過。究其實何嘗不可裏爲寒涼抑遏之罪邪。統之。當時辨證未明。故所見亦不一也。第其所引白喉用表而幸愈者。原無一人。此其一部分或因誤用幸溫之故。(觀其所列禁藥卽知)其尤因則爲欲鞏固其學說之安全。勢不得不拼去不利于已之反證。凡雄辨家類多如此。無可疑也。

然則白喉忌表之當否。可得而定矣。解表滋陰。全視其病狀變化。進而探其正爭之喜惡。始能決定。萬不能以泛之之病名。定其治病之法也。身熱惡寒。脉浮體痛。正氣有外趨之勢。而不能自達。則當用表。斑疹隱隱。欲出不出。亦當用表。一汗而熱退身涼。疹透鬱解。表證固吾。卽喉到之充血。亦可因汗時熱血之集表。而漸次鬆減矣。此所以喉痧多用表散。而白喉初起有表證之時。亦未始不用表散之品也。若舌紅脉數。心煩口渴而無表證者。裏熱爲急。則滋陰淸熱。適爲對證。此所以白喉中期後期必用清滋。而喉痧熱熾時亦可參用清滋也。然人之體質各殊。病之狀況多樸。表證裏證。恆交相滔來。我人當權表裏之輕重。爲施治之標準可也。

至痳疹之療法。向來主張清涼解散。大忌妄下。孟用散則疹子易出。毒有去所。用下則外毒易爲內陷。往往疹子忽沒瀉泄致死。古人有鑑于此。故垂妄下之誡、以嘉後人。然此僅可以語平常。而不足以禦其變。若欲急挽危止。自非峻劑不爲功。有大熱之證。不得不清（仲陽爲祥因。卽其一例）有大實之證。不得不下。若因寒瀉而疹子寒陷者。卽附子理中亦非過劑。惟在臨機活法耳。

概括言之。上述白喉。喉痧。痳疹之病狀。因側重于普通證狀之鑑別方面。故所述實多缺略。至治療則白喉多宜滋陰之法。喉痧與痳疹多宜涼散之法。然白喉亦有可表者。喉痧。痳疹亦有可滋陰者。未可膠柱鼓瑟也。惟大法如此耳。至論其詳細療法。則原書俱在。余又何用其越俎代庖爲。

附註一。本文所謂喉痧。係指西醫之猩紅熱。

附註二。舊說病名紛紜不合科學。茲將喉科傳染病統歸爲白喉。喉痧二種。不論舊說稱爲何名。但以證辨之可耳。

# 瘧疾問答

清江何右之

問　瘧有幾種。

答　考于內經金匱之書。合諸後世名賢之說。名目繁多。難以枚舉。約而分之。共得有八。

問　八種之瘧。其名稱若何。

答　癉瘧。溫瘧。濕瘧。牝瘧。虛瘧。鬼瘧。瘧母。三陰瘧是也。

問　癉瘧之原因安在。

答　陰氣孤絕。陽氣獨發。但有其陽。而無其陰。

問　其症狀若何。

答　熱則短氣。煩躁不安。難以名狀。手足熱而欲嘔。

問　當以何種治法。

答　宜養陰制陽。如六味丸。左歸飲之類。

問　溫瘧之原因安在。

答　先傷于風。後傷于寒。舍于分肉。

問　其症狀若何。

答　先熱後寒。或無寒但熱。骨節煩疼時嘔。

問　當以何種治法

答　宜清伏熱。解新寒。用白虎加桂枝湯。

問　濕瘧之原因安在。

答　久受陰濕。濕伏太陰。橫連於膜原。

問　其症狀若何。

答　寒熱身重。頭疼自汗。肢節煩疼。胸悶腹滿。喜嘔。

問　當以何種治法。

答　宜溫脾燥濕。宣透膜原。輕則除濕湯。重則達原飲。

問　牝瘧之原因安在。

答　牝瘧卽寒瘧。由先傷于寒。後傷于風。痰水內遏。陽氣不得外達。

問　其症狀若何。

答　但寒不熱。或寒多熱少。口不渴而汗不出。

問　當以何種治法。

答　宜分二種。但寒無熱者。用蜀漆散。或牡蠣湯。多寒微熱者。用柴桂各半湯。或柴胡桂姜湯。

問　虛瘧之原因安在。

答　原因有二。一則由本虛而感邪成瘧。一則由瘧久而致體虛。

問　其症狀若何。

答　寒熱先後不一。神疲倦怠。飲食不思

問　當以何種治法

答　宜扶正達邪。補中益氣湯爲主。

問　鬼瘧之原因安在。

答　體虛感邪。直入血分。

問　其症狀若何。

答　入晚則發寒熱。惡夢恐怖。言動異常。

問　當以何種治法。

答　宜升散營中之邪。用千金內補建中湯。加升柴生首烏。

問　瘧母之原因安在。

答　瘧母亦名老瘧。久而不解。則與痰瘀互結。伏于大氣難到之處。

問　其症狀若何。

答　脅下腹傍。痞塊硬痛。寒熱發作。從結處而起。

問　當以何種治法。

答　宜扶正氣而和榮衞。通經絡以化痰瘀。用鱉甲煎丸。

問　三陰瘧之原因安在。

答　邪客三陰經。道遠氣深。與衞氣會稀。

問　其症狀若何。

答　間兩日而一發。寒熱依時。

問　當以何種治法。

答　宜引陰出陽。用雷氏雙甲搜邪法。

問　諸瘧之原因症狀治法均悉。其有日常而作。日早而作。日晏而作。三者之理若何。

答　入身之衞氣。大會於風府。邪氣客于斯。相遇則發。故日常而作也。若循膂而日下一節。則相會亦遲。故日作而晏也。下至骶骨入脊。注于伏膂之脈。其氣上行。故日作而早也。日早者。邪由陰出陽也。爲病退而易愈。日晏者。邪由陽入陰也。爲病進而難痊。

# 談談困人的天氣

魏平孫

困人天氣的一句話。就是說的一年之中有一種狠教人容易困倦的天氣。人們逢着這種天氣。常常在午前午後。就東倒西歪。好似服了什麼麻醉劑的一般。我呢。也是這樣。在學校內午前上課。精神還充足。一到了飯喫過的晨光。就覺到精神上支持不住了。假使上課逢着講得有興趣的教員。猶可以提起精神來聽講。如再遇到一個沒精沒神的教員來講書。那直接的比用催眠術催我還要來得快些。我以爲這種天氣。如此的教人發困。從來沒有人研究過。大概是沒有什麼值得研究。我覺到如此的天氣困我。我不如把我所胡想的道理。宣佈出來談一談。有何不可呢。

天氣每逢春夏的時候。日天漸漸的長起。夜天漸漸的短促。人由清早起來工作到晚。及到困覺的時候。時間已經不早。困不到幾個鐘頭。東方又微微的發白。又要起來工作。比較冬天要少……好幾個鐘點。在上午精神好的原因。是因爲早上的清陽之氣還存在。到了陽光充足的時候。就神不敵而不能自主了。況乎心藏神。心臟中有一種酸素。逢到夏令空氣稀薄的時候。空氣不能保養心臟。酸素就日見其少。心臟就慢慢的弱下去。心臟一弱。神目不足。人就覺到困倦起來。這也是一種困人的原因。而且心主汗。在夏天的炎熱中。則人身上的血脉行得狠慢。再汗出陽虛。心臟更沒有鼓舞的能力。血脉隨心臟的儢懈。人的週身也就覺到發困要睡了。我常看到馬路上一般拖人力車的。或一般做苦工的。在下午的晨光。多數困在避陰的地方。或困在地的車板上。他要困的原因。就是汗出得過多。精神瘦極的道理。如在冬天一定不容易看到的。還有一種顛倒陰陽的人。夜內不困日內困。多數是自已造成的。我也不要談他。不過人們是覺到精神疲倦的時候。不妨略睡一刻。保養精神。如勉强支持。那是很有碍於身體健康。我想再談幾句。不知怎樣的談不出。下次再談吧。

# 守素齋藥學筆記

東台王錫光

## 秋葵花治燙傷之神驗

秋葵春種。夏苗。秋花。花後結實。葉形如雞脚而大。高三四尺。故又名雞脚葵。花色純黃單瓣。中心紫絳。有心滿佈黃紛。挺出花外。頗類木槿花。而色不同。秋季開花。一日卽收。候次日摘花置陰處。晷吹乾。浸麻油或菜油中。越多越好。愈陳愈佳。用搽一切燙傷。雖至重者用油搽之。立能止痛皰消。破皮者。立能長肉。極危者。內服小磨麻油兩杯。以免毒攻內臓。予家傳代施送此藥。救人無算。

## 烏魚頭治孕癇之特效

烏魚爲魚類之一。巨口細鱗。黑質微斑。因以得名。烹之可佐饌品。用大蒜瓣去皮。塡入魚腹。燉熟食之。可消水臌。鮮烏魚皮剝下貼之。可消濫毒外發。然此知者猶多。至用烏魚頭治孕癇。則知者甚少。記予幼時有吾鄉孕婦某氏患是症。好時若無病。發時則頭眩暈倒。寒熱。口吐涎沫手足抽搐。求治於先父。先父曰。此孕癇也。俗名胎兒瘋。即書所稱子癇是也。病原得之於孕時不能節慾。戰風襲入下部所致。敎取冬月九九日陰乾之烏魚頭一枚。煎湯飲之。蓋覆得微汗。當卽痊可。且指其至何處素備此藥。病家如法試之。果卽霍然。有心濟世者，盡預於冬至前。向飯菜館內匄取鮮烏魚頭。懸之簷下無貓透風處。過九九日。以備急需。化腐朽爲神奇。愈其母並保全其子。惠而不費。一救二命。功德不小也。

## 乳丁草爲瘰癧串痰之救星

瘰癧一症。盡人皆知爲難治之病。治不得法。每多夭扎。吾鄉有驗方者。卽乳丁膏塗之是也。查乳丁草又名奶奶草。本草名曰澤漆。春日發苗生葉。梗上有細毛。夏秋開花藍瓣黃心。全部頗類長春花。摘其梗。有漿溢出。其白如婦人之乳汁。故名乳丁……奶奶……等草。夏至取其草。連根洗去泥土。入砂鍋內。清水熬濃去渣。兌豆腐漿。入鍋再熬稠黑成膏。去火氣。卽可取用專治瘰癧惡核。塗之卽消。如已成者。亦可束小。內再服夏枯草布包。石決明生杵。茵陳蒿。生麥芽。空沙參。絲瓜絡。生白芍。玫瑰花等。開鬱平肝。年久者加生耆更好。惟此草汁有毒。不可沾染眼目口唇腎囊。犯之卽腫。若用此草晒乾。用一兩莖搗碎。再取雞蛋頂上開一孔。將乳丁納入。封口。放飯鍋上蒸熟。連乳丁及蛋共食之。十痰九消。未全愈者。再服一枚必愈。內服亦治瘰癧。

## 地竹外治濕氣爲無上之妙品

地竹草多生於朝陰古墻脚。本草未收。春日出芽生葉。高三四寸。或五六寸不等。葉形尖細。夏開細黃花。至秋結角成實。長約七八分。夏秋濕熱或脚氣外發。紅腫焮痛。用此連根葉杵爛敷之。或以水煎洗。不數次自愈。予家用此合鮮車前。白菊葉。白芷。羌活等。浸香油中熬枯去渣。黃丹收膏。名曰濕氣膏。貼濕熱瘡癬疙瘩等。屢著奇效。

# 醫案

## 顧氏醫案卷上（上續）

張玉田錄

二十七診　諸恙漸平。惟穀味寡納。寤而不寐。脉左寸關不靖。今當靜心安神。和胃養陰。務斯怡神靜養。不致再生張乃吉。

洋參　麥冬　宋半夏　炙草　阿膠　棗仁　石决明　穀芽　茯神

二十八診　怠倦不嗜食。寤寐紛紜。脉細輭數。皆屬邪去正虛。心陰內虧之故。擬安神補心。和胃養陰。然後再商峻補。

黨參　麥冬　半夏　木瓜　生地　阿膠　伏神　牡礪　秫米

二十九診　形神色脉。悉屬轉虛。必須扶正養陰。

參鬚　生地　半夏　麥冬　木瓜　阿膠　牡蠣　茯神　秫米

三十診　邪去正虛。當以滋補。愼寒暖。節飲食。勿使工虧一簣。

人參　蓯蓉　麥冬　懷山藥　熟地　萸肉　茯神　新會皮

三十一診　夜來小便。寤寐不安。口乾舌燥。背脊烘熱。脉數右大。皆係心腎內虧。陽亢陰虛。權宜攝陰潛陽。

人參　天冬　牡蠣　白芍　熟地　龜版　山藥　茯神　海參　陳皮

一診　深秋涼風觸動暑溫伏邪。初起間日癉瘧。已屬陽明見症。邇來熱無定時。脉空數兩關獨大尺短。舌絳邊碎。口糜氣穢。咽嗌哽塞。胃中邪熱內蒸。陰液日漸告涸。不但慮其病久正脫。抑恐毒氣內陷。則胃敗不食。姑擬徹熱救陰解毒之法。以消息病機。

黃連　川石斛　生地　銀花　人中黃　黃芩　川貝　阿膠

二診　平旦潮熱又發。燥而渴飲。胸痞氣痛。口糜氣穢。鼻癢舌乾。脉數。悉屬肺胃蘊熱。陰液內涸之象。喻西昌爲的對之方。但其熱勢猖獗。……恐硬長莫及。

清燥救肺湯用參鬚　人中黃　瓜蔞仁

三診　連進苦泄救陰甘寒化熱。津液不回。神識模糊。脉數無力。邪熱匿於痰中蒙閉。以營正氣不得振托。明日三候。陡然昏厥。將何料理。不忍束手。竭蹶擬方。以冀弋獲。

犀角　人參　石膏　石決明　生地　麥冬　知母　川貝　鮮竹瀝

四診　夜來得微汗。神醒而倦怠懶言。脉右弦數。唇仍乾。身熱漸解。目前之急。痰邪終未能出。慮其明日復熱。治法不外清熱化痰。從昨方損益。

犀角　人參　石膏　石決明　霍斛　生地　麥冬　知母　川貝　瀝竹　蘆根

五診　更衣不暢。渴顧脉數。邪火之勢未衰也。胃中津液大虧。若明晨忽然風動。將何以禦之。此時滋清息風之外。無他道也。

羚羊角　生地　霍斛　南沙參　石決明　麥冬　川貝母　蘆根　竹葉　燈芯

六診　病情如昨。脉象稍遜。寤言不寐。邪熱逗留不去。正氣日漸消磨。假使今晚復熱。豈不大費躊躇也乎。再議清陰中之熱。和胆胃之陰。

生地　花粉　石決明　川貝　鱉甲　麥冬　川石斛　橘白　竹茹　丹皮

七診　熱不復發。固屬轉機。然脉輭少神。更衣怯力。口乾舌蹇。陰液頗虧。伏熱不淸。怕其驟虛。口疳糜爛。責在轉司。滋陰和胃。以熄餘焰。

生地　川斛　丹皮　橘白　麥冬　川貝　茯神　稻鬚

八診　脉形雖軟。病情未減。卽古云難盛而易虧者陰氣也。口糜不除。胃中自覺熱氣上升。乃餘焰未熄。宗前法滋陰清化。和胃生津。

生地　川斛　石决明　甘蔗汁　丹皮　麥冬　茯神　稻鬚

九診　諸症仍若。毋庸多贅。惟似寐非寐。醒則喉間咳嗆。足見肺胃陰液不能上供。本擬早用滋劑。因未及一晝夜。藥已兩進。恐藥力過病。宜用色白味寸性潤者扶胃氣助。清泄肺胃而已。

沙參　麥冬　冬瓜子　通草　川斛　川貝　茯苓　蘆根

十診　診得右關獨大。喉間作痛。嗌乾。二便時難。知飢少納。此皆陰液少於涵養。木火有亢炎之勢。急請專司調治。以免蔓延。宗前法入鹹降之意。

生地　麥冬　料衣　桔梗　天冬　川斛　菉皮　秋石　甘草

十一診　交今日來大便三次。便後氣粗神倦。寐則眼睛露白。漸次有轉倦虛象。擬之三才加味。一以攝納正氣。一以靜攝肝陽。頻頻灌溉。庶幾免太過不及之象。

人參　天冬。川斛　淮麥　生地　石决明　茯神　南棗

十二診　夜來又作漸熱之時神蒙。幸喜爲刻無多。脉形仍數。反復不已。究屬餘邪留戀。擬清骨散以搜剔之。佐以清胃。

生地　骨皮　知母　川斛　鱉甲　丹皮　麥冬　甘草

十三診　間日瘧停止。倏又往來潮熱。病情變幻多端。究是此熱不洩。津液不復。口出熱氣穢濁。前擬胃中有熱。洵可畏也。仍與滋陰潤燥。宣上徹下。使從小便而出。

沙參　天冬　丹皮　桔梗　生地　茯苓　澤瀉　甘草

十四診　脉數左關弦右關大。蒸蒸潮熱。莫往莫來。邪誠在陽明。若云全不涉少陽者。恐未必然也。然病久陰液已涸。豈僅和解可溉。自應清滋化熱。少佐宣達。亦迎其機而導之法也。

生地　丹皮　青蒿子　澤瀉　鱉甲　骨皮　川斛　茯苓

十五診　熱潮兩度。退而不淨。渴飲舌乾。脉弦數。暫停滋膩。獨助陽明。

花粉　骨皮　蘆根　川貝　青蒿子　粳米

十六診　漐漐汗出。且發白疹。莫非伏邪外達。然神倦脉輭。口穢舌乾。邪熱未去。正氣已虛。最恐陡然轉虛。成敗未卜也。用和胃養陰。扶正化邪法。

沙參　生地　麥冬　玉竹　伏神　石決明　穀芽

十七診　白疹未暢。旋卽退收。邪終未洩。旣而復熱。氣轉鼻掀。肺虛火盛。不克宣降。恐其熱勢復烈。擬用錢仲陽法。

補肺阿膠湯加蘆根　佛手

十八診　熱退脉小緩。熱來則數大。此邪之聚散也。舌胎雖潤。渴飲溺赤。瘖發未艾。清滋解洩。一定成則。昨宵法合當繼之。

卽前方

十九診。陸續得汗。可知邪未復聚。所以潮熱不來。舌雖潤江而有裂紋。肺胃之陰。殊難恢復。專以清滋化之。

沙參　麥冬　川斛　茯苓　生地　玉竹　橘白　穀芽

二十診　身涼脉靖。不比昨日。其邪若有未淨者然。養陰和胃爲主。清洩少陽爲佐。

生地　玉竹　茯苓　桑葉　麥冬　川斛　橘白　丹皮

二十一診　舌江裂紋渴飲。上猶燥也。而腹鳴溺赤口疳腹生。濕熱蓄中下。今當滋上分下。

川斛　阿膠　丹皮　淡竹葉　麥冬　沙參　茯苓　澤瀉

二十二診　舌不乾而口乾。胃中津液虧也。仍舊滋陰和胃以化之。

沙參　阿膠　麥冬　中白　生地　石斛　丹皮　穀芽

二十三診　病已逾月。舌紅苔黃。脉數關大。渴飲溲赤痰濁口膩。不更衣者六日，雖未可云腑實。而陽明之熱究屬未清。須得便通之後。舌淡脉靖。方可塡納。然乎否乎。

方未見

一診　濕溫病後。顧食不節。復熱十餘日。轉汗不解。遍體紅紫藍密佈。齒衂成流。脉芤濇。濕溫熱毒。深傷陽明營分。血得熱而沸騰也。勢極危篤。

犀角　羚羊角(二味石膏湯磨冲)　鮮地汁　方渚汁　茆根汁　板藍汁　藕汁　金汁　銀花露

二診　照前方去羚羊。加生軍汁。

三診　大便連行。熱仍不解。若不進穀。胃氣衰憊。終難成功也。

犀角　生地　丹皮　洋參　石膏　中黃　明玳瑁　板藍根　茆根

四診　照前方去玳瑁石膏。加藿香　鮮蓮子。

五診　穀食漸進。身熱漸緩。皆是邪毒化解之機。然其癍如玳瑁者。未易轉色。尚在險途。擬清潔解毒。

犀角地黃湯加洋參　中黃　板藍根。

茆根三豆湯代茶。

暑風濕熱。夾痰食交蒸十六日不得汗解。神識昏蒙。唇腫舌强。脉沉滑數。邪結膜鬲。漸入心營。大勢棘手。勉擬清營洩熱。開竅豁痰。以冀萬一。

犀角　竹葉　連喬　豆豉　竹瀝　山梔　薄荷　淡芩　鮮地　紫雪丹(五分竹葉湯送下先服)

咳嗆不爽。至圊不便。邪食阻踞膜鬲。有昏膜閉危厥之勢。勉擬背城借一。

竹葉　薄荷　黃芩　生錦紋　桑皮　連喬　甘草　黑梔　元明粉　枇杷葉

濕溫疫邪九日。神呆脉伏。斑點模糊。內陷之象。其勢棘手。

犀角　連喬　草果　檳榔　製半夏　牛蒡　赤芍　知母　欝金　葛蒲汁

必得斑隨汗化。方有希冀。

犀角　連喬　欝金　川貝　豆卷　赤芍　竹葉　杏仁　桔梗

暑濕疫邪互蒸。病初起有汗。表氣外洩。則穢走營分。發見斑疹。氣弱不克振托。所以穩約不出。內清營熱。開手經一定之理。否則內陷昏閉。

犀角　豆卷　欝金　竹心　牛蒡　連喬　川貝　桔梗　蘆根　枇杷葉

病情如昨。而斑疹仍不焮發而致風動。大便溏洩。又不可滋膩。頗難着手。

犀角　赤芍　欝金　豆卷　牛蒡　連喬　桔梗　橘紅　稻葉　荷葉

退而復熱。脉芤舌絳。陰傷邪伏。若至兩候不解。勢必內陷風動。

青蒿　豆卷　連喬　杏仁　黃芩　犀角　佛手　荷葉　西瓜翠衣

外用七葉湯揩洗。易去衣單。

壯熱氣喘。頭汗汗如蒸籠水。脉數不暢。暑濕熱三氣蒸蘊陽明太陽。恐其昏厥。

小陷胸合蒼朮白虎湯

身熱十九日。午重午輕。既汗既下。熱仍不退。神志恍惚。手肢搐搦。脉數模糊。此屬暑濕熱三氣交蒸。產後營虛。不克振托。以致熱甚生風。液虧成痙。頗難立法。勉擬一方。

犀角　石决明　桑葉　花粉　生地　丹皮　茯神　鈎勾　蓮子

身熱不揚。忽輕忽重。濈然汗出。舌紅苔黃。目赤面垢。脉右軟左弦。渴不多飲。嘔噁吞酸。初起胸滿引背。繼發疹點。少陽而兼陽明。神倦聲少。兩候之內。不致虛波陡起乃幸。

黃連溫胆湯加杷葉　茯苓　青蒿　稻根

胸痞呃忒。面赤戴陽。肢冷自汗。脉軟尺空。暑濕內閉。陰濁上干。陽氣外脫。生脉八味極當。僭擬自通繼進。

人參　附子　乾姜　葱白　猪胆汁　童便

暑濕內燔。陽氣外脫。其勢危急。甘露深合病機。以此背城借一。

桂枝 人參 麥門冬 寒水石 石膏 於朮 澤瀉 茯苓

脾虛肝鬱。腹脹膨滿。非指日可愈者。而又寒熱如瘧。乃感近日之風溫邪與濕交蒸也。恰在陰陽交替之時。深恐見張或多。勉與內經木鬱達之法。

逍遙散加黃芩 山梔 丹皮

濕溫交蒸。身熱有汗不解。膨膨滿脹。便溏。全不思穀。脉細而數。肝腎內傷。大勢棘手。若曰番道。則我不敢。勉擬培中泄熱。

於朮 川連 白芍 炙草 神粬 澤瀉

陽微之體。陰暑內侵。不可清涼。不可發表。

消暑丸(每日四錢鮮蓮子湯送下)

暑濕熱食混阻膜原。形浮黃。腹脹起塊。其勢極重。恐變遷。

茅朮 檳榔 淡芩 神粬 川朴 草果 茯苓 陳皮 茵陳

陰分本虧。暑濕伏邪。深秋涼風觸動而發寒熱。不能准瘧。舌紅苔黃。脉濡。煩渴咳嗆。噁心鼻衄。邪火甚熾。恐其內陷風動。不可泛視。擬喻西昌法。

清燥救肺湯去阿膠

陽微濕勝之體。夏病纏綿未復。將交寒露。寒熱復作。二便失司。脘悶呃忒自汗鼻冷。神憊脉微。中下無陽。陰霾痰濁溷阻上干。形神色脉。無一不脫。兼不進穀食。將何恃而不恐。擬扶正通陽滌痰洩濁。以冀弋獲。

人參(一錢五分) 丁香(三只) 乾薑(七分) 橘紅(七分) 附子(一錢五分) 柿蒂(三個)
肉桂(五分) 半夏(一錢五分)

失血損體。伏邪晚發。熱解肢冷。汗出呃忒。脉微細。虛波不測。最防其脫。

救逆湯加黨參 熟地

伏邪晚發。似瘧似痢。舌絳苔乾。脉細數。日中少安。夜多煩躁。陰傷已極。正氣不支。最恐虛脫。扶正救陰洩熱。一定成則。舍此之外。無他道也。

人參　阿膠　黃連　白芍　生地　麥冬　生草　鷄子黃

小產之後。下血過多。暑濕伏邪內蘊。遍體浮腫。微熱。咳嗽頭脹。脉數口乾。舌苔白膩。虛中有熱。恐成蓐勞。

桑葉　紫菀　苡仁　生地　丹皮　杏仁　桔梗　歸身　橘紅　甘草

伏邪初秋卽發。類乎瘴瘧。序將入冬。熱不了了。口淡食少。乾咳氣短。脉空數。舌絳苔白。正氣受戕而虛熱仍伏肺胃。祇宜輕劑化解。若恣意散藥過病所矣。仿孫眞人法。

葦莖湯加桑葉　麥冬　川斛　杷葉　梨肉

伏邪發在秋初。身熱屢汗不解。煩悶自汗。脉象濡數。舌絳苔白。其邪蘊結於少陽陽明也。正氣欲虛。恐其變痢。

葛根　淡芩　二陳湯　神麯　連喬

積勞陽傷之體。痢後元未恢復。邪藏隱僻之所。寒熱去來靡定。深非所宜也，

三甲飲

表熱不壯。痞脹不食。少腹隱隱攻痛。舌胎黃濁。脉不流暢。此必陽邪陷入陰經。腑氣不通所致。頗難着手。仿仲景法。兼佐以濁洩。

四逆散加薤白頭

伏邪發於秋抄。淹纏半月。形凛身熱。日晡則甚。平旦則減。脉弦細數。舌黃無苔。煩勞素虛之體。不但陽傷。陰氣亦傷。自難伏邪外達。復脉法如何。

復診去參　麻仁加丹皮

伏邪至兩月。胸滿灼熱。始終未退。而復發寒熱。熱後大便溏洩。痰嗽氣逆。寤言不寐。艚雜如

飢。舌絳乾黃膩。脉空數。酒客平素濕熱蘊蓄中焦。挾外邪必逆滿。病久正虛。邪痺最恐陰傷風動。議用瀉心法。

川連　淡芩　乾姜　半夏　黨參　炙草　茯苓

邪匿痰中。風陽漸動。正氣欲撤。若不滌痰。邪無出路。

性天方中加竹瀝　薑汁

伏邪二十四日。膚黃不解。邪蒙語雜。脉空大滑數。咳嗽痰血。舌苔濁乾。大便仍洩。病久五藏之陰皆傷。痰熱蒙閉心營肺胃。勢必內閉外脫。危如朝露。不得已勉擬清營滋洩。合喻西昌法。以冀弋獲。

杷葉　石膏　淸阿膠　犀角　竹瀝　川貝　麥冬　生地　人參汁　鬱金汁　藕汁

熱短氣亦短。正又虛也。恐其昏陷。急急補之淸之。

竹葉石膏湯

熱勢猛烈。陰虧風動。尙未坦途。玉女白虎合劑。

生地　麥冬　知母　石膏　洋參　甘草　粳米

伏邪晚發。濕熱內蒸。腹痛脅脹。膚黃舌黑。右脉如絲。恐其邪結正脫。至險至險。

茵陳五苓用白朮　川朴　黃連　神麯　陳皮　去猪苓

伏邪發在秋杪。是以辛溫傷陰。以致形削色瘁。今雖漸囘。尙未恢復。診得脉左弦數。右軟細。是左升太過。肺虛降令不及。使之然耳。

沙參　麥冬　蛤殼　川貝　杏仁　米仁　冬瓜子　梨肉

酒客病不可與桂枝湯。得湯則嘔。以酒客不喜甘故也。喻云則用涼以撤熱。辛苦以瀉甘滿。

葛根　黃芩　黃連　茯苓　薑　半夏　橘紅　連喬

溫邪入營。發斑不出。脉數舌絳。煩躁無寐。喘息不休。邪熱劫陰。大勢危急矣。奈之何。

犀角　丹皮　大竹葉　麥冬　細地　生石膏　赤芍　生草

病發初冬。平日熱緩。下午熱熾。咳喘嘔噦。痰中映血。瘕泄不爽。舌紅苔黃濁。面垢唇焦。煩渴引飲。脉右數大不出。左脉細軟。此暑濕伏邪晚發。又被非時之寒壅遏。無如正氣先虛。不克振托。今已旬餘。雖屢汗而不解。內陷變端。深爲可慮者。勉擬喻西昌法。

桑葉　生石膏　川貝　生草　麥冬　白杏仁　阿膠　枇杷葉　桔梗

（顧氏醫案卷上終）

# 朱鶴皋先生醫案

朱殿錄

## 漓經

Lee右　菲律濱人　住虹口

前曾小產兩次氣血雙虧刻下經漓八日腰痠心蕩是關藏統失司脉細治宜益氣養血

歸身炭（錢半）　炒於朮（錢半）　製香附（錢半）　白芍炭（三錢）　川杜仲（三錢）

炒黃耆（八分）　生甘草（一錢）　炒棗仁（三錢）　白茯苓（三錢）　煨木香（八分）

二診

藥後經漓漸止腰痠心蕩已瘥脉細尚和再宗前法進行

陳棕炭（四錢）　炒黃耆（錢半）　白芍炭（三錢）　炒歸身（一錢）　炒棗仁（三錢）

生甘草（八分）　炒於朮（錢半）　蓮房炭（三錢）　炒茯苓（三錢）　炒黨潞（一錢）

殿註。此病者係一菲律濱之女子。有一粵婦同來。任翻譯。服二劑後。病全愈。伊强作半規式之滬語笑謂朱先生曰。「吃之兩帖。毛病都好了。中國的藥品眞靈。就是藥味苦得狠」一相與一笑。

## 喉痧

鄔右　膠州路

脈形虛數舌膩邊絳身熱紅痧咽喉赤腫是關時邪夾濕治宜清散解化

淨蟬衣（一錢） 板藍根（四錢） 茯苓皮（三錢） 大連喬（三錢） 製殭蠶（三錢）

大豆卷（三錢） 焦山梔（三錢） 金鎖匙（錢半） 焦枳殼（錢半） 荷葉（一角） 桑葉（三錢）

二診

咽痛漸減風痧已佈略有潮熱便閉恐關餘爐未盡脈數再擬清散

炙殭蠶（三錢） 淨蟬衣（一錢） 熟軍炭（三錢） 天花粉（三錢） 板藍根（四錢）

冬桑葉（三錢） 肥知母（二錢） 茯苓皮（三錢） 焦枳殼（錢半） 鮮生地（五錢） 大豆卷（三錢）

自汗

陸女　住卡德路

陰虛氣弱肺腎兩虧自汗帶下夜咳音沙年已二七尚未通經日久防成童癆脈虛弦苔白膩治宜斂氣潤肺

左牡蠣（六錢） 淮小麥（四錢） 象貝母（三錢） 白龍骨（三錢） 糯稻根（四錢） 苦杏仁（二錢） 生白芍（三錢） 炒棗仁（三錢） 冬瓜仁（三錢） 甘草（八分） 芡實（四錢）

二診

藥後自汗已少黃帶連續不清脉弦治宜固濇斂氣

炒黃芪（錢半） 芡實子（四錢） 淮小麥（三錢） 左牡蠣（六錢） 山萸肉（一錢）

佩蘭葉（一錢） 花龍骨（三錢） 樗白皮（四錢） 鷄冠花（三錢） 焦苡仁（四錢） 甘草（八分）

腦膜炎

夏弟　住五福弄

肝經熱亢角弓反張頭痛發熱目呆症防痙厥勢甚危險脉形數亂擬治清肝解散

生石決（一兩） 池菊花（一錢） 鮮菖蒲（錢半） 雙鈎鈎（八錢） 冬桑葉（三錢） 廣藿梗（一錢）

粉葛根(四錢) 川黃柏(三錢) 赤芍藥(二錢) 羌活(二錢) 蘆根(一尺)

二診

頭痛項强已舒寒熱未清脉滑數仍屬濕邪未清再宗前法加減

生石决(一兩) 大連翹(二錢) 池菊花(二錢) 雙鈎鈎(六錢) 焦山梔(三錢) 赤芍藥(二錢) 粉葛根(四錢) 冬桑葉(三錢) 製熟軍(三錢) 大麻仁(六錢) 蘆根(一尺)

濕熱流筋

陸左 住愛文義路

熱濕流筋四肢疫痛不能坐立脉形弦數舌黃治宜清骨散加減

銀柴胡(錢半) 大秦艽(三錢) 青蒿梗(三錢) 地骨皮(二錢) 桑寄生(四錢) 肥知母(二錢) 胡黃連(八分) 懷牛膝(三錢) 絲瓜絡(二錢) 忍冬藤(三錢) 蘆根(一尺)

二診

藥後濕熱已行小便經絡蒸痛吊强已鬆大便不解脈弦再擬清骨疏散

地骨皮(七錢) 牛膝(三錢) 胡黃連(八分) 銀柴胡(錢半) 知母(二錢) 當歸尾(三錢) 大秦艽(三錢) 青蒿(三錢) 桑寄生(四錢) 麻仁丸(一兩) 蘆根(一尺)

便血

汪左 住東新橋

脉象弦數舌絳大便下血頭昏食少神疲是關熱濕不清治宜清化

熟軍炭(錢半) 黑荆芥(二錢) 歸尾炭(三錢) 黃柏炭(三錢) 白芍炭(四錢) 煨木香(錢半) 地榆炭(二錢) 茯苓炭(三錢) 粉甘草(六分) 進建曲 鹽水陳皮(二錢)

二診

藥後便血已止食少肢軟此係腸胃濕困脉弦治宜清脾潤腸

熟軍炭（錢半） 焦查炭（三錢） 茯苓皮（三錢） 大麻仁（五錢） 地榆炭（四錢） 炒澤瀉（二錢） 黑荆芥（二錢） 歸尾炭（二錢） 黃柏炭（錢半） 穀麥芽（各三錢） 絲瓜絡（三錢）

### 肝風

吳左 住，華龍路

思慮過度腦腎兩傷以致血虛肝風內動右手足振動頭昏語言不清夜寐不安脉寸虛苔膩治宜鎮靜養和

生龍齒（四錢） 粉歸身（二錢） 廣藿梗（錢半） 生石決（八錢） 池菊花（二錢） 鮮菖蒲（錢半） 雙鈎鈎（四錢） 炒棗仁（三錢） 橘絡紅（各錢半） 硃燈芯（三札）

二診

夜寐已安右邊手足掣動頭昏不清仍屬胸弱引動肝風脉細軟舌白膩治宜前法進行

粉歸身（三錢） 雙鈎鈎（六錢） 廣藿梗（二錢） 生龍齒（四錢） 明天麻（八分） 蔓荆子（二錢） 石決明（六錢） 鮮菖蒲（錢半） 橘絡紅（各錢半） 炒棗仁（三錢） 竹捲心（二錢）

三診

夜寐驚惕已除頭腦漸清神經尚未完全復元脉細舌潤再宜益腦清心

甘拘杞（二錢） 雙鈎鈎（六錢） 池菊花（二錢） 生石決（一兩） 炒棗仁（四錢） 遠志肉（二錢） 生白芍（二錢） 蔓荆子（三錢） 明天麻（八分） 橘白（二錢） 甜石蓮（三錢）

# 會議記錄

## 七月十日舉行第六次執監會紀

出席委員　蔣文芳　賀芸生　包識生　丁仲英　薛文元　朱南山　朱鶴皋　朱小南　楊彥和
謝利恆　嚴蒼山　包天白　張贊臣　夏重光　沈心九　唐亮臣　任農軒　盛心如
陳漱庵

主　席　謝利恆　賀芸生　紀　錄　繆曙如

行禮如儀

（甲）報告

（一）社會局批一件

（二）北平市國醫公會公函　一件

（三）本屆中醫登記業經停止報名本會共送預備會員壹百陸拾人

（乙）討論

（一）中國醫學院欠款急於應付如何辦理案

議決　交財政科從速向認捐人催收

（二）蔣文芳提議前本會裝修天津路會所壹百元後以事未克進行應如何辦理案

議決　津貼認包人三十元收還七十元轉賬交中國醫學院房租內扣除

（三）楊彥如先生提議組織圖書館案

交原有圖書館設計委員設計組織

# 八月十日下午八時舉行第一次執行委員會紀

出席委員　吳克潛　黃寶忠　沈心九　夏重光　賀芸生　蔣文芳　朱南山　朱鶴皋　薛文元
楊彥和　唐亮臣　盛心如
列席監委　嚴蒼山　任農軒　沈建俟
主　席　賀芸生　紀　錄　繆曙初
行禮如儀

（甲）報告

一、國醫學會爲補領會員執照函　一件
一、姚筱香爲鑑定藥方函　一件
一、全興康爲收容所損失木器函　一件
一、胡天民爲國藥中霍香等浸水過久有碍藥性請提出討論函　一件
一、中央國醫館快郵代電　二件

（乙）討論

一、嚴蒼山先生爲法工部局收取醫生營業捐應如何辦理案
議決　查卷交嚴蒼山先生全權辦理
一、國醫學會請一併補領會員執照案
議決　通過並函復國醫學會照轉市府一併辦理
一、姚筱香函請鑑定藥方案
議決　暫緩答復並移交監察委員會核辦

一、本會前呈請市府要求豁免被災醫士補領執照費用迄今二月未見批復而各醫士屢來催詢應如何辦理案

議決　備呈催詢另推楊彥和先生前往請願

一、收容所損失木器案

議決　由本會津貼柒拾元

一、中央國醫館創辦國醫公報徵求改善國醫稿件案

議決　保留

一、中央國醫館創設圖書館案

議決　保留

一、霍香佩蘭等藥物浸水過久有碍藥性請予討論案

議決　霍香佩蘭未寫鮮者用乾茅根雖須浸水而不可過度藥肆配藥應以醫生處方爲主

一、收捐員應予津貼車資案

議決　通過按月計算

## 八月廿二日下午八時臨時常務會紀

出席委員　黃寶忠　蔣文芳　薛文元　朱南山　郭柏良

主　席　薛文元　紀　錄　蔣文芳

行禮如儀

討論

一件　元大藥號來函催索欠款案

議決　依據原接洽辦法歸還洋二百五十元至二百八十元請朱鶴皋先生接洽卽席由薛文元先生

郭伯良先生各認捐洋五十元丁仲英先生認捐洋二百元惟丁先生對于施診所戲劵不再認銷

一件　中國醫院捐簿應卽收囘結帳案

議決　在本月底前由蔣有成君負責一律收囘

## 八月廿五日下午八時第二次執行委員會紀

出席委員　蔣文芳　朱南山　朱鶴皋　夏重光　唐亮臣　薛文元　吳克潛　沈心九　郭柏良　楊彥和　黃寶忠

主　席　薛文元　紀　錄　繆曙初

行禮如儀

（甲）報告

一、中央國醫館派胡遽然爲本市國醫分館籌備視察員

一、市政府爲被災醫士免費補照未便照准批　一件

（乙）討論

一、嚴委員蒼山函稱法租界徵收醫生營業捐究竟如何辦理案

議決　查卷交涉

一、前學院欠薪案

議決　與元大藥行一併辦理

一、援助愛國志士案

議決　撥捐五元

# 九月十日下午八時第三次執行委員會紀

出席委員　楊彥和　唐亮臣　沈心九　吳克潛　黃寶忠　蔣文芳　朱鶴皋　夏重光　嚴蒼山
　　　　　秦伯未　張贊臣
列席委員　任農軒　沈建候　陳潄庵
主　　席　蔣文芳　紀　　錄　繆曙初

討論

一、秦伯未先生函請審定國醫講義案
　議决　除函復外並在本會月刊儘量介紹
一、會員徐耀會提議凡衞生局登記醫士應由本會呈請衞生局發給本章以資區別案
　議决　與國藥公會會商後再定辦法
一、法工部局徵政醫生營業稅究應如何辦理案
　議决　函詢會員納捐狀況並詢西醫有無此項捐款同時呈請衞生局主持辦法
一、前學院欠薪案
　議决　交財政科從速辦理
一、前水災收容所損失木器應酌量賠償案
　議决　通過

# 九月十八日下午八時舉行第四次執委會

出席委員　夏重光　唐亮臣　薛文元　郭柏良　楊彥和　沈心九　黃心如　蔣文芳　丁仲英
　　　　　張贊臣

主席 郭柏良 紀錄 繆曙初

行禮如儀

（甲）報告

一、長沙市國醫公會爲派劉錡澤來滬考察公函 一件

一、長沙國醫公會劉代表來會由本會職員繆曙初君招待導往學院參觀並致送現代國醫及章程等印刷物

一、上寶印花稅局函請通知各醫士將掛號單診依照銀錢收據遵貼印花公函 乙件

一、社會局爲度量衡檢定所遵令實施檢查銀樓國藥等業令飭轉知所屬會員一體遵辦訓令 乙件

一、周靜學先生函請通融加入本會函 乙件

一、程明初先生函請解釋國醫與西醫衝突之三點函 乙件

（乙）討論

一、上寶印花稅局函請轉知各醫士將掛號診單加貼印花案

議決 掛號診單與銀錢收據性質不同據理駁復

一、社會局訓令轉知所屬會員實施度量衡案

議決 呈復社會局俟藥業更改後再行遵辦

一、平湖程明初先生函詢國醫與西醫之衝突三點案

議決 按點答復

一、江西周靜學先生函請通融加入本會案

議決 本會以區域限制未便通融

一、張子英先生提議請求本會全體執委加入衞生雜誌社爲理事案

議決 由該社直接聘任本會儘量介紹定戶

## 九月廿五日第五次執委會

出席委員　陳漱庵　丁仲英　沈心九　盛心如　張贊臣　黃寶忠　楊彥和　任農軒　夏重光　嚴蒼山　沈建侯　秦伯未　蔣文芳　謝利恆（僮代）　薛文元　朱少武

主　席　薛文元　紀　錄　繆曙初

行禮如儀

（甲）報告

一、上海地方法院函請鑑定藥方函　乙件

一、武進中醫公會爲國醫更用度量應衡否遵辦函　乙件

一、嘉興縣中醫公會馬代表面陳法院藥方經過案

（乙）討論

一、鑑定藥方案

議決　公推蔣文芳楊彥和張贊臣嚴蒼山盛心如爲鑑定委員依照所議各點交常會核復

一、武進中醫公會爲度量衡應否遵辦案

議決　根據復社會局原呈函復武進中醫公會如該會發起抗議本會亦當加入

一、抵制日本冒充國藥案

議決　依照前藥業職工會來函通告會員

## 十月二日下午八時臨時常務會紀

出席委員　薛文元　郭柏良　朱南山　丁仲英　張贊臣

主　席　薛文元　紀　錄　繆曙初

（甲）報告

一、社會局批　一件

一、執委蔣文芳函　一件

（乙）討論

一、本會兼會計繆曙初以辦事棘手環境惡劣函請辭職案

議決、會計一職辭職照准原有書記職務仍請繼續担任恢復固有薪俸另雇會計一員按月致送津貼八元賬冊收據等當即移交財政科郭主任接收完竣

# 案牘

## 楊某某醫士被控案

江蘇上海地方法院函請本會鑑定藥方函云

逕啓者案准

浙江杭縣地方法院嘉興分院函以案中有藥方三紙所開藥味是否涼藥是否疏通經血之藥是否與胎兒有妨亟須鑑定相應檢同抄方送請貴院轉送上海國公會或與此種公會同性質之團體而能鑑定藥方者妥爲鑑定出具鑑定書並鑑定切結一併於本月二十日審期函復過院以資參證等由准此相應檢同抄方函請貴會查照希卽妥爲鑑定出具鑑定書並鑑定切結連同抄方三紙一併於本月十五日前函復過院以憑核轉至紉公誼此致

上海國醫公會

計函送　抄方三紙　　院長沈錫慶

六月初五日

某少奶奶右肺絡破欬血盈盞右肋痛心悸帶下血虛則經來少脉紉弦數苔黃膩防或癆眩暈泛嘔肝陽上升也

旋覆花(錢半)　甜苟蔗(錢半)　西歸鬚(一錢酒炒)　川杏仁(三錢)　蘇子(二錢半)

參三七(八分)　川貝廣金(各錢半)　橘紅絡(炙各一錢)　單桃仁(一錢)　鮮生地(四錢)

川楝子(二錢)　製香附(二錢)　丹皮(錢半)　鈎鈎婆(三錢)　絲瓜絡(錢半)　戊菊(二錢)

竹藍(一錢)　明天麻(八分拌)

經來停服

五月十五日

某少奶奶右肺絡破欬血盈盞肝陽上升爲眩暈帶下心悸脉細軟數苔黃膩防血冒或痨服藥難期速效

杏仁（三錢） 元參（錢半） 鮮生地（六錢） 川貝廣鬱金（各三錢） 知母（一錢）

丹皮（錢半） 甜荀事蔗（一錢） 淡秋石（四錢） 參三七（八分） 蛤粉炒阿膠（三錢）

橘紅絡（各一錢） 單桃仁（一錢） 蘇子（三錢拌） 絲瓜絡（錢半） 鮮蘆根（尺許）

經來停服

五月二十五日

某少奶奶右肺絡破欬血盈盞右肋痛心悸帶下脈細弦滑數苔黃膩預防血冒或痨尤宜節痨靜養爲要否則服藥無效也

旋覆花（錢半包） 甜尊事蔗（錢半） （二味同包） 蘇子（一錢） 鮮生地（六錢）

杏仁（三錢） 西歸鬚（錢半） 丹皮（錢半） 川貝廣鬱（各錢半） 橘紅絡（各一錢）

鮮荷梗（錢半炒） 參三七（八分切片） 川楝子（一錢） 單桃仁（錢半） 絲瓜絡（錢半）

延胡索（一錢拌） 香附（封衣）

經來停服

江蘇上海地方法院送來藥方三帋經本會第五次執行委員會推出蔣文芳等三人鑑定復該院函如下

謹覆者接奉

台函內開（函略）等因奉此當卽提交第五次執委會討論僉以此項方藥三帋係滋陰和血之劑爲失血症所常用論其力量不足傷胎卽席推定執委蔣文芳楊彦和盛心如三人根據衆意起草鑑定書送請常委會核發前據起草委員交送鑑定書前來理合備函負責奉達卽希核轉爲荷此致

上海地方法院

上海市國醫會常務委員　朱南山　薛文元　丁仲英

計附鑑定書一份

上海地方法院送請鑑定藥方鑑定書

(甲)關於所開藥味是否諒藥部分

查閱三方均有鮮生地丹皮等涼藥在內而第一方所開涼藥尤多如知母淡秋石元參等類是此項藥方雖係複劑在大體上觀察可稱滋陰降火之涼藥

(乙)關於是否疏通徑血之藥部分

查閱三方所列藥味大都理氣止痛滋陰和血之品爲療治失血後　絡疼痛症之常法失血者服之有和血生新血活經行之效

(丙)關於是否與胎兒有妨部分

查閱三方內有桃仁一味病歸如果有孕理應愼用但檢閱所開重量僅爲一錢尚無妨胎之力量以供指摘良以功效入血之藥少量可以活血多量並以破血也

出鑑定書者上海市國醫公會常務會員　朱南山　薛文元　丁仲英

## 牛產人胎之奇聞

朱殿

安徽盱眙縣東港王家村，有鄉人名王志善者，年近五旬，精神矍鑠，平時對於飢苦之農戶，解衣推食，慈善爲懷，素爲鄉里所稱許，種有良田數十畝，春耕秋穫，自食其力，融融如也，顧膝下猶虛，老夫老婦，常與伯道憂，家有牝牛一頭，色灰黃，己就衰老，忽腹部便便，家人咸以牛孕，不之怪，牛分娩，家人趨柵往觀，詎知呱呱墮地者，乃赫然一小孩，軀體視常兒較大，五官整齊，惟渾身生有黃毛，髮己有，略較人粗，其他亦無差異，一時牛產人胎之怪聞，遐邇蜚傳，參觀者，門庭如市，該小孩現已僱用一媬母撫養，每日哺以牛乳，頗形肥碩，鄉里之人，咸謂王翁仗義疏財，得子於牛，殆由天賜，以法醫學言，則事屬獸姦，此事係同學胡君維模，新自安徽來告我者，彼係親目所睹，並言要屬人爲，第不知孰個男兒能御此大物耳，姑誌之，以供世之胎生學者研究焉。

## 醫林消息

# 武進縣中醫公會會史

人非羣不立醫界之有會蓋亦寓羣之意也查本會自上年六月中旬改組成立後瞬已一載茲者第二屆大會開幕除關於會務業由本會各處科分別報告外本會之創始及過去沿革與事實有足述者爰綴小史庶幾吾人觀感有自並資惕勵焉　二十。六。武進縣中醫公會組織科張揆松編

武進醫界之有組織。始自民國十一年。前北京政府內務部。有頒布管理醫士規則。條例繁苛。醫林共憤。各地集會結社。羣起反對。邑中醫界同人。亦於斯時發起組織醫界團體。定名爲醫藥研究會。選舉馮曉靑爲理事長。錢祝唐屠士初爲副理事長。會員五十餘人。加入江蘇全省中醫聯合會。以取對外步驟一致。並設置評議會。研究學理。十二年十一月。經呈縣公署備案。此我邑設立醫會之嚆矢。亦卽本會今日之基礎。十六年夏。改組。改稱爲武進中醫學會。尋因全省中醫聯合會。以淞滬區醫士登記事。處理失宜。團體瓦解。更兼時局多故。我學會事務。亦形停頓。十八年二月間。西醫主持之衞生部。在首都召集中央衞生會議。余岩汪企張等。提出廢止中醫藥案三項。(一)限止中醫登記。(二)不許設立中醫學校。(三)不得印刷中醫藥刊物等案後。一時輿論騷然。全國震動。我學會及藥業。均推代表出席上海全國醫藥團體代表大會。討論抵制辦法。決議設立全國醫藥團體總聯合會於上海。應付一切。同時我學會自身亦卽整理改組。重訂章程。採用委員制。此時會員已增至百許人。呈請縣黨部縣政府備案。於是年六月成立。選出執行委員七人。監察委員三人。主持會務。十九年二月。二屆大會改選。會員更逐漸增多。執委額數增爲九人。監委增爲五人。並分設西區分會。南區分會。以便鄉鎮會員之聯絡。而是時中醫界。正值多

事之秋。蓋西醫汪余輩。鑒於廢止中醫藥案之難成事實。乃變更其陰謀消滅中醫藥之毒計。而爲桎梏中醫藥之方法。藉敎衛兩部。發號施令。如中醫學校須改稱傳習所。中醫院須改稱醫室。管理藥商規則之不適商情。中醫不能應用西醫藥械。中醫不能治傳染病等。阻礙中國醫藥之發展。復經全國醫藥界之請願反對。得未一一實現。全國醫藥總會。鑒於我國醫藥界地位之阽危。爲集合鞏固全國醫藥團結力量之計。通令各省縣醫藥團體聯合組織全國醫藥分會支會。以資呼應聯絡。並向政府請願。明令提倡中醫中藥。藉堵西醫之政治侵略。蒙蔣前主席明諭保障提倡。十九年六月。我邑醫藥兩會。經兩方代表商洽。根據全國醫藥總會計劃。連合醫藥工三團體。組織全國醫藥總會武進縣支會。是歲杪。國府行政院通過設立中央國醫館之建議。誠爲醫藥界千載一時之機。値得紀念者也。惟二十年二月。全國醫藥總會。因組織關係。奉行政院令撤消。本邑縣支會因根本動搖。亦於是結束。三月十七日。中央國醫館成立。我學會亦派代表晉京出席。此兩事。可謂喜憂參半者。是月我學會第三屆大會之期。爲遵照國府訓政開始。頒布人民團體組織方案。並仿各地醫團情形。標明自由職業組織起見。經全體會員之決議。改組爲武進縣中醫公會。又以公會章程。政府所定標準。不能設立分會。於是學會事務。及西南兩分會。併於是時辦理結束。併由公會重行登記組織。籌備三月。並經縣黨部頒給團體組織許可證第七十六號。及縣政府備案。於六月十四日正式成立。此本會成立前後之經過也。

本會自成立後。適當天災迭興。兩湖蘇皖。並鬧洪水。又値暴日侵凌。東北事變以後。繼之以上海戰事。百業停頓。本會除根據前學會所籌辦之圖書館。使之實現。於雙十節開幕外。並接辦審查丸散方案之進行。而對外服務社會。如募集水災振款。抵制日貨藥物。皆賴全體會員之熱心毅力。不致後人。方今政局初定。秩序未復。東北風雲。仍屬亟亟。在醫言醫。上焉者。爲我國醫藥保障之中央國醫館 雖經成立一載。玆以經費無着。徒具空名。未彰實效。醫藥地位。不能安定。次之。本會基礎初立。百端待舉。猶均待我中醫界之如何團結一致。努力奮鬥。始有光明之一日。爰述經過。深願同人紀念已往。惕勵將來。羣起爲實際上之合作。醫藥前途。庶有豸乎。

## 會務報告

### 祕書處報告

成立大會之後開過秋季大會一次　補行執監委員宣誓典禮一次　執監聯席會議五次　執行委員會四次　常務委員會九次　出席縣黨部三次　縣政府一次　反日援僑會一次　民衆反日大會一次

收到縣黨部訓令公函共十二件
縣政府訓令公函共九件
外埠來信十一件　本埠來信十九件

發出縣政府呈文六件
縣黨部呈文六件
外埠信九件　本埠信十二件

會員通信共四百廿二件

## 組織科報告

(說明)本會自去春由前學會改組重辦登記計在成立前收到會員登記表經本會籍備會議分別審查手續完備者一百五十四人迨本會成立本科接收後前學會會員續來補具手續者二人又本屆加入新會員九人綜計會員一百六十五人根據經濟科繳費情形填給會證在上年秋會散發惟其間尚有少數會員未將證書領去又有少數會員尚未經填寫證書茲並分別列表報告如左

(1)新會員名錄

奚尚志　劉策先　沈小芳　路履忠　陸春濤　沈鵬翔　莊育民　沈東華　戴元俊

(尚有符庚祥路正美薛心濟周惠良四人未經填到志願書及會費又陳道明尚未繳到會費不列入)

(2)會員未曾領取證書名單

金慶熊 謝明夫 陳觀生 張鳴九 王竹安 劉季平 徐志寬 奚禹聲 宗鼎詒 常春林
鄒馥山 張鳴歧 沈秉蘇 莊育民 沈東華 戴元俊

(左列會員證書存經濟科)

(3)會員未經塡寫證書名單

王潤之 王惟吉 史慶生 朱孔陽 余秉成 何澤民 姚潤身 張春舫 巢長生 巢少芳
唐志和 湯潤之 葛丙春 劉毓康 蔣玉亭 蔣鑑春 薛振聲 戴學禮 陳濟堃 顧振聲

(左列會員二十人雖經塡到登記表或於去年大會及秋會時均未出席並有欠費關係經本會常務會議決暫緩塡寫會證在案苟經各該會員到會通知或補繳會費本科當即隨時塡給證書合併申明)

## 會員狀況一覽

(一)會員籍貫調查表

本縣籍 一五六人

外縣籍 九人(計江陰三無錫二鎮江二南京一東臺一)

(二)會員出身比較表

| | | |
|---|---|---|
| 世傳 | 百分率 | 12% |
| 師傳 | 百分率 | 80% |
| 自修 | 百分率 | 06% |
| 醫校或講習所畢業 | 百分率 | 02% |

(三)會員年齡比較表

| | | | |
|---|---|---|---|
| 二十歲上下 | 25 | 百分率 | 14% |

| | | | |
|---|---|---|---|
| 三十歲以上 | 51 | 百分率 | 32% |
| 四十歲以上 | 41 | 百分率 | 26% |
| 五十歲以上 | 25 | 百分率 | 14% |
| 六十歲以上 | 20 | 百分率 | 12% |
| 七十歲以上 | 3 | 百分率 | 02% |

（四）會員科別比較表

| | |
|---|---|
| 內科 | 五四人 |
| 內外科 | 三七人 |
| 外科 | 一七人 |
| 喉外科 | 一三人 |
| 喉科 | 四人 |
| 婦科 | 一〇人 |
| 幼科 | 二〇人 |
| 鍼科 | 八人 |
| 傷科 | 二人 |
| 眼科 | 一人 |

（五）會員分布縣區表

| | |
|---|---|
| 第一區 | 89人 |
| 第二區 | 3人 |
| 第三區 | 7人 |
| 第四區 | 6人 |

第五區　3人
第六區　6人
第七區　42人
第八區　1人
第九區　1月
外埠　4人（計徐州一宜興二鎭江一）

中秋月圓，愴懷有感，寄　秦師伯未三絕，　朱殿

東省淪亡已一年，今逢佳節倍悽然；流民失國三千萬，不忍抬頭看月圓！

養兵百萬究何爲？國破人亡徒自悲，今夜嫦娥應竊笑，中原無一是男兒！

國仇未雪奈如何，痛飲千杯憤慨多，醉夢好隨明月去，白山應壯義軍歌。

中國醫學院前任院長
包識生先生著

# 包氏醫宗

第一集 傷寒
第二集 雜病
第三集 診斷學
第四集 國醫學粹

本書理解獨新。註講詳晰。有系統。有條例。綱目分明。能融能化。欲研究仲景傷寒雜病者。讀之可以無師自通。（原價兩集共售十一元）共十二巨册優待七折郵票代銀九五折算（寄費外加一成）

兩書爲先生最近得意之作。數十年心得。盡匯萃於此中。內容分辨症。辨脈，治法。處方等。以及國醫理論之精華。無不備列。（每集定價三元）預約二集合收兩元寄費加一預約本月底截止

上海北泥城橋新閘路五十七弄三號
包氏醫宗出版部總發行

十年研究之結晶
國醫界空前創作

超出古今一切銅人圖經絡圖之標準新製

中國醫學院生理解剖學教授包天白先生創製

# 最新考正經脈經穴掛圖

發行預約

全套四大幅 五色套版精印

研究醫學之經絡辭源 針灸醫生之實用地圖

〈經脈道路非常顯明 經穴部位非常準確〉並用最新解剖名詞說明

◘可作個人研究之南針◘可作醫生診室之掛圖◘可供醫校教授之實用◘可供醫學團體之參考

附說明書一册內容有
經脈通行之道路說明
考正經穴之部位說明
度量尺寸之標準說明
奇經八脈之經穴說明
十四經徑穴名歌
經穴部位分寸歌
經穴別名詳錄
例言及辨正說明

每套售洋三圓 預約實洋壹圓八角寄費外加一成
預約處上海靶子路中國醫學院章鶴年君 七海梅白格路新閘捕房前松柏里五號中國醫藥社

預約十一月底截止

# 本草述——發售預約

## 印有特刊函索即寄

本書刻印者。爲二次。一在康熙間。一在嘉慶間。先後百年。祇印二百部。印後版燬無存。此二百部書。即分布于全國。至今三百載。其間有傷于火。或失于水。或散于匪。在者恐未及十分之一。以致學者失望。良深浩嘆。本主人。有鑒于斯。留心二十載。始得此書。以二百元之欵。易此一書。印行普及。亦成美哉。

▲全三十二卷　▲選藥品四百九十種

▲八十萬言　▲八百餘頁

▲分釘十厚冊　▲布套上下二函

■在未印之前。售價二百元。尚難購得■

### 現定價格

中國紙——原價七元——現在預約半價。祇收三元五角

有光紙——原價五元——現在預約半價。祇收二元五角

▲外埠函購。加郵費二角三分。國外另加三成。郵票代洋。九五扣算

（附註）本書印行。祇有千部。分售于全國數十萬同道。額滿即止。暫不再版

預約日期：自民國二十一年十月十五日起至本年十一月卅日止國外展期十五天

出版日期：準于二十一年十二月十六日出版同日發售餘書特價（八折）

預約紀念：凡預約諸君均將姓名刊于本書之內以留永久紀念而倡讀者之壯志

預約處上海山東路中醫書局

# 上海中醫書局經售醫書

■本草述在—中國醫學大辭典中之紀載　謝觀利恆

【本草述】三十二卷。明清間劉若金撰。凡載藥四百八十餘種。其分部及先後次序多與綱目不同。此書有清楊時泰節本名本草述鉤玄。卷數同。

▲按本草述鉤玄祇摘錄不及原書之半。其書既未完全。而錯誤且多。將廬山之眞面目均歸失去。備此書者。更覺浩嘆。未得本草述原書之憾焉。

| | | |
|---|---|---|
| 重訂傷寒六經分證表 | 周岐隱製 | 一元實洋 |
| 萬有丹方治病指南 | 黃庭蓀輯 | 八角七折 |
| 太乙神針 | 異人祕傳 | 一角七折 |
| 全圖簡明針灸治療學 | 溫主卿著 | 八角七折 |
| 外科眞方傳 | 邵漢朝著 | 三角七折 |
| 少林寺傷科秘方 | 少林僧傳 | 三角七折 |
| 家庭治病新書 | 張若霞著 | 四角七折 |
| 食物治病新書 | 張若霞著 | 四角七折 |
| 國醫製藥學 | 張仲岩著 | 三角七折 |
| 眞本竹林寺祕授女科一百廿症 | 竹林僧傳 | 四角七折 |
| 四明宋氏女科秘書 | 宋林皋著 | 六角七折 |
| 潘雲師血證經驗良方 | 潘雲師著 | 四角七折 |
| 眼科應驗良方 | 程松崖著 | 一角七折 |
| 種子第一金丹 | 萬波居士述 | 三角七折 |
| 婦女攝養新書 | 萬波居士述 | 四角七折 |
| 十女培植秘訣 | 萬波居士述 | 三角七折 |
| 養生秘訣 | 九一老人述 | 六角七折 |
| 溫病三字經 | 周松仙著 | 一角七折 |
| 外科三字經 | 周松仙著 | 一角七折 |
| 兒科三字經 | 周松仙著 | 一角七折 |

——上列各書外埠函購郵費加一——

——地址上海南山東路帶鉤橋北十三號——

評論銳利　醫說新穎　消息敏捷

# 中國醫學院月刊

## 第一期　目錄

發刊詞……糜雪亭
本學院沿革概況……朱鶴皋
進而教之……蔣文芳
遠東危機國醫藥界急需之準備……朱殿
湘主席何鍵之國醫著作……朱殿
北平國醫與伶界交涉之結果……謝瑜
湖南省政府派員來滬考察……吳漢雲
廣東國醫駁斥衛生局……艾理新
胎毒之原因及預防……陳份平
痰疾症治淺說……楊懷珍
杭州中醫專校之今昔觀……金樹樂
籌備中之蘇省國醫分館……孫鳳皋
番禺舉行國醫藥登記珍聞……竺獨還
上海地方法院請鑑定杭州某醫醫方……胡維模
女子不姙的原因……姜希琛
六氣之研究……袁秀生
半身不遂論……糜雪亭
西人謂瘧疾由民虫傳染之商榷……盧鴻志
治癬愈後能釀大毒解……楊則徐
四逆承氣五苓梔子之異同論……魏平孫
桑菊飲銀翹散合論……吳家珍
食物消化之程序……王輝中
病因論……沈俊
女學生之切身問題……錢椿壽
黃君項後生核醫案……劉民鑄
躍龍山人華記……徐亦仁
記飛來牡丹……金樹樂
麻黃治喘之定律……楊則徐
桄榔故事……魏平孫
血箭急救治驗……楊則徐
醫案……糜雪亭
醫話……魏平孫
焦易堂演講拾零……任啓生
澄武學同會成立
本學院教職員一覽
院務會議

函索本期附郵三分　歡迎各地醫報雜誌交換

院址　上海靶子路

# HEALTH MAGAZINE

# 衛生雜誌

張子英醫士主編

## 第三期滋補專號目錄


編輯者言……編者
題詞……秦伯未
國醫之維他命學說……張子英
冬令之滋補品……秦伯未
調味粉對於人體之效用……胡佛
銀耳之功能……陳伯民
牛肉汁之研究……張子英
蓮子和芡實……胡佛
我的精力怎樣增加起來的……王昌言
牛乳之效用……藹白
人造自來血之功效……自新
生殖器衛生法（續）……海角
衛生小問答……張子英
鴉片之流毒（續）……自新
醫藥雜訊……編者
醫藥介紹……編者
衛生顧問……編者
插畫……編者
插畫……編者
張子英醫案……編者
社會小說 我底抬客……天涯



社址　上海南成都路輔德里二十四號
價目　每月一期每期一角　全年一元　郵費在內
代接洽處　上海國醫公會繆曙初君

# 國醫出版界最近之偉大貢獻——編輯國醫課本之先聲

全國醫學校教材編輯委員會理事 秦伯未氏主編 國醫講義六種——出版

第一種 藥物學講義 上編概論……指示藥物運用之方法 下編分論……指示各藥功能之鑑別

第二種 生理學講義 上編概論……指示生理之研究方法 下編分論……指示形臟之生活現象

第三種 診斷學講義 上編概論……指示診斷之要旨 下編分論……指示診法之施用

第四種 內科學講義 上編概論……指示學習內科之關鍵 下編分論……指示各種疾病之證治

第五種 婦科學講義 上編概論……指示學習婦科之關鍵 下編分論……指示各種疾病之證治

第六種 幼科學講義 上編概論……指示學習幼科之關鍵 下編分論……指示各種疾病之證治

編制力求新穎明晰。運明科學方法以整理一切舊籍。取材根據教材編委會所定原則。務使確實效驗人人可學可施。以期適應於一般醫校及私人教授生徒之用。秦氏本當代名醫。亦爲醫校名教授。更爲著作界名宿。此書之出。貢獻於國醫界者非尠。允宜人手一編。先覩爲快也。

全書凡三十餘萬言。連史紙精印。磁青封面。仿古裝訂。凡八厚冊。布函一套。實售洋五元。外埠加郵費五角。零售亦可。計藥物一元。生理五角。診斷八角。內科一元四角。好婦科八角。幼科八角。（凡醫校團體購滿二十部者九折。五十部以上八折。惟以總發行處爲限。）

經售處：上海四馬路中大東書局 三馬路中千頃堂書局 山東路十三號中醫書局

總發行所處：上海小西門內尚文路第一九四號秦氏醫室

# 編輯委員會題名



中華民國二十一年九月十五日

現代國醫

第二卷　第五期　實洋二角

編輯者　編輯委員會

出版者　上海市國醫公會　上海靶子路

發行者　上海市國醫公會　二四二號

寄售處　上海中醫書局　上海山東路南帶鈎橋十三號
中國醫藥書局　上海西藏路西羊關弄五〇三號

印刷者　華豐印刷鑄字所

# 傳氏三書

題序者

譚組庵氏　唐蔚芝氏　蔡孑民氏　胡展堂氏　于右任氏　戴季陶氏　陳陶遺氏　陳旡咎氏　楊杏佛氏　黃炎培氏　李夢覺氏　錢龍章氏　沈湘之氏

沈維賢氏　施今墨氏　楊富臣氏　薛逸山氏　謝利恆氏　薛文元氏　汪紹周氏　張杏蓀氏　蔡濟平氏　王一仁氏　秦伯未氏　郁佩瑛氏　葉惠鈞氏

## 全書內容提要

本書為劉河名醫傳雍言氏之尊人耐寒先生所著凡四冊

一　醫經玉屑……一冊

就內經中摘補三十七條發揮其奧旨註解五十一條以完各家未暢之旨令人能研古學者絕鮮得此可知內經中自有精粹之處特患不能悟會耳

二　醫案摘奇……二冊

此為先生心得獨到之作險症百出獨能處置裕如從容投藥其三折肱案尤非學識並長者不能道隻字實可媲美葉氏醫案潛齋筆記不可多得之作也

三　舌胎統志……一冊

歷來辨舌之書都以胎色分部此書能獨出手眼不循尋常谿徑以舌色為主分為八門綱舉目張法賅用宏蓋能悟徹標本奧旨者也

全書四冊布套一函　定價二元七折

外埠加郵費一角四分

**中醫書局發行**

寄售處　上海市國醫公會

每月刊

# 現代國醫

第二卷第六期

坿本會三週紀念特刊

中華民國二十一年十月

上海市國醫公會編輯印行

發行 上海北河南路老靶子路二四二號

# 編者小言

（伯未）

伯未深信「事實最雄辯。」本刊維持迄今。恰值一載。不爲個人作宣傳。不爲私見作攻擊。會員之稿件。儘量發表。會中之消息。率直披露。本「爲中醫而學中醫」之初衷。抱定「爲中醫而做中醫事業」之主張。其有毀我者。笑而頷之。譽我者亦笑而頷之。所謂「事實最雄辯。」一毋庸自護。更毋庸自豪也。今者伯未以腦病辭去本刊職務。雖一年來備受讀者之推愛。而自知謬誤之處。定不能免。爰述微旨。以謝同仁。

夫中醫處於今日。內憂外患。相逼而來。正如現在祖國之地位。內亂不興。一致對外。方爲自強之道。乃內亂則川粵方亟。外患則坐不抵抗。長此因循。不亡何待。不謂我中醫界中。相憐同病。對外界之陰謀。則漠不關心。於同道之攻擊。則不遺餘力。甚有甘心媚外。揚西抑中。願爲中醫界之漢奸。實行其自殺之政策。如是而欲求振作。烏乎可能。今乘臨別之時。敢贈言於諸同仁曰。「自今以始。一心一德。捐除宿見。同研學術。內顧無憂。外患自息。」一勉之哉。其共勉之。

或曰。辦理公共事業最難。往往吃力不討好。信然。但辦理公共事業。本不須討好他人。祇問自身肯吃力與否。能吃力卽不尸居其位。捫心無愧。簡言之。卽不負我之職責。本刊雖一小册。然辦理亦極吃力。願繼我者。勉爲其難。勿爲「吃力不討好」而消極也可。

# 現代國醫第二卷第六期目次


## 醫事雜評

本會三週紀念……秦伯未
國難中之國醫公會……嚴蒼山
國醫之處境……朱爲剛
十三科……傅雍言

## 言論

現代國醫之關鍵……章啓民
教衞部焚坑國醫藥之痛史錄……湖南醫藥建委會
怎樣替國醫界人才找出路……朱殿

## 專著

新漢藥覺……郭若定
五法總論……丁仲英

## 學說

評註癆病指南……林德翔

白痦之我見……胡靜庵
傷寒辨……楊則徐錄
熱傷氣寒傷形淺解……張汝偉
會議紀錄
執行委員會……
監察委員會……
籌備委員會……
醫林消息
改進國藥通訊社……
會務報告……

卅本會第三週紀念特刊

# 醫事雜評

## 本會三週紀念

秦伯未

本會成立。三周年矣。三年中有無貢獻於會員。或有無貢獻於中醫界。敬聽諸同道之裁判。同人等不敢自褒。亦不願自貶。

夫本會爲上海市惟一之國醫職業團體。故本會之榮枯。實與國醫界有極大之影響。同人等既肩此鉅任。自然竭力謀鞏固發展。同時會員方面。深蒙協力匡助。人人視本會如私人之事業。辦理而善。固我之榮。辦理而不善。惟我是羞。不以本會之良不良。屬諸少數辦事者之手。卽不以本會之事業付諸少數辦事者而漠不關心。此三年來本會特殊之現象。深堪紀念者也。

其次。會員之中。有經濟能力者。肯慷慨負責。有辦事能力者。肯熱心助理。故雖成立未久。根基未固。而精神煥發。不落人後。羞以空名相號召。惟於本身謀利益。上下一心。實事求是。此亦可以紀念而爲同人等所感謝者也。

猶有言者。本會三周之期。適值本刊一年終了。自慚不才。承乏重任。下期起當堅決辭謝。以讓賢能。敬祝本會與本刊。日新月異。兩相輝映於浦江之濱。

## 國難中之國醫公會

嚴蒼山

光陰荏苒。本公會又屆第三次會員大會矣。惟此一年中適逢國難。而本會亦受莫大影響。幸同人合力奮鬥。始克撐持。然亦不幸中之大幸歟。不可無記。

一本會會址　本會會址。向係租借。連年已易數處。究非長策。去歲議決在新新公司後面慈安里店面房子。與藥業公會合租。組織俱樂部。一切計劃。均已擬定。將來富麗堂皇。可以久住。甫在裝置。而滬變適起。以上設計。皆成泡影。今之會址。

乃附設在本會設立之中國醫學院院址。地點太遠。開會不便。吾願其再遷也。

二中國醫學院　本會所辦之中國醫學院。去歲蒼山謬長教務。冬間由本學院董事會議決。擴充辦法。且由副院長郭伯良先生慨捐共和新路基地三畝。擬今歲籌造學院醫院。凡與本學院有關者。無不聞而色喜。詎因日寇犯境。亦成畫餅。滬戰平後。差幸朱鶴皋蔣文芳諸先生出而主持。將學院由滬南遷至滬北。玆歌重續。生徒轉多。亦幸事也。

三現代國醫　本會所出版之現代國醫。由秦伯未先生主編。內容豐富。訂閱者衆。滬戰影響。停頓已久。秋間由執委會議決續行出版。仍請秦先生主編。故現代國醫得復現于吾人眼簾矣。但秦君自表示自本期出版以後。告一段落。本人無暇兼顧。讓讓賢者。秦君文壇宿將。醫林推重。吾甚願其不致實現也。

本會國難中。元氣未復。而改進之事業甚多。凡一集團。全賴羣策羣力。初非私人之事業可比也。願本會同仁共努力焉。

# 國醫之處境

朱爲剛

國醫之處境。上不能提挈。下不能扶助。蓋已陷於絕亡之日矣。日昨讀湖南長沙國醫公會快郵代電。不禁放聲痛哭。玆特綠寄本刊。同人見之。其將何以爲情。(上略)敝會前奉　省主席何諭。遵照　中央國醫館章程。創辦本省國醫院國醫學校及一切醫藥建設事宜。現正籌備積極進行。突於十月六日由　中央國醫館遞下行政院訓令。仰飭浙江中醫專門學校及蘭谿中醫專門學校須照十九年　國府核准原案。將中醫學校改爲學社。奉令之下。不勝痛駭。查中央國醫館成立於民國二十年。組織章程第八條及各省分館組織大綱第六條均有設立醫藥學校之規定。經　行政院核准。轉呈　國府備案。頒布全國。何以復用十九年未經頒布之舊案推翻　國府備案。已經頒布之新案。取銷學校名義乎。夫以學校命名是欲尊重名義。提高資格。鼓舞學者求學之興趣也。乃竟取銷學校而降稱學社。是阻止海內嚮學之熱心。且大失國人建設之期望。而國醫之根本。亦從此掃滅無餘矣。敝會復查前教衛兩部會同核議原呈第二項中醫不准加入學系。中醫傳習所不准官廳備案。傳習所畢業不予投考資格。而中醫考試登記及辦法另由衛生部辦理。據此情形。是判中醫以死刑。而實行斬决矣。兇惡之舉。孰甚於斯。夫我國醫學。果不合於國人及世界心理。何以海内之信仰。歷數千餘年如此其久也。歐美各國之推崇。歷數萬餘里如此其遠也。邇者英之巴姆醫士著中醫進步矣。法之巴黎大學編中醫講義矣。俄之莫斯科創漢醫學校矣。美之舊金山創中醫院矣。日本明治大學竟增漢醫學科帝國大學且設皇漢醫學講座矣。是我國醫學。行將發展於五洲萬國。而獨不容於教衛兩部。必欲置之死地而後已。此等行爲。不特爲全國人民所痛心。且更爲五洲萬國所竊笑也。敝會又閱衛生部頒行全國之中華藥典一書。内皆博採西藥。卽間有少數中藥。亦均以西法化驗者。絕無一中國原質藥品。是中藥雖無明令廢止。而已屏棄於無形矣。今之歐美各國。方盛稱我國本草綱目爲美備。而積極研究。而我國衛生部乃僅收羅西藥。又不用新藥名義標題。反冠以中華二字。是直認西藥爲中藥矣。喧賓奪主。自滅國學。自絕國產。使國人都如此心理。提倡外貨。取銷國貨。則我國藥物。將視如糞土。而數千萬藥農藥工藥商營業上之生命。數萬萬藥物經濟上之財源。均於此斷絕。亡國之機。已决於此矣。綜上二端。一主銷滅國醫。一主銷滅國藥。與十八年中衛余巖廢止中醫之議案。其爲禍同一酷烈。似此兒戲。國何以堪。（下略）

# 十三科

傅雍言

歷來醫學。凡分十三科。用以包括一切治理。而竊謂時代變易。人事遷移。疾病之增加既已。科目之制定。亦應重訂。如傷科金瘡科。現非肉搏與刀鎗箭射之時。實不適用。况近來本國用鎗彈之機會日多。其治鎗彈一科。却不接踵而起。是國家但有鑄造殺人利器之局。而無成就可救未死之術。甯不可傷故拙見應增十三科爲十四。加入鎗彈科。以應現代之需要。微聞廣西有治鎗彈靈藥。不用手術。不覺痛苦。但聞而未見。信不敢深。特事非無因。正堪研究。願負醫界之責者。從而提倡之。醫學校中先設解剖專科。培植人材。吾知數年之後。當奪西醫一席地也。噫嘻。昔稱醫士曰郎中者。以其隨營而名也。今隨營之醫。皆取西法。是中醫一部份之地位。已經喪失。尚不急謀。更待可時耶。

## 秦伯未談今冬時症

中央國醫館上海分館。董事秦伯未談今冬時症云。入冬以來。天氣奇暖。極少雨水。以運氣推之。又値相火在泉。故感受風寒。極易化熱成温。而喉症之發生。爲勢所必然之事。欲求預防。宜多啖白蘿蔔及青果。蘿蔔辛甘之品。清熱化痰。且解煤毒。青果甘寒之品。清肺解毒。更能醒酒。實妙品也。願市人注意及之。(十二月十六日新聞報)

# 言論

## 現代國醫之關鍵

章啓民

一般人心理。以為國醫決不能留存於科學維新的國家。亦決不能適存於文明人類之社會。故前五十年日本明治維新時代。一聞漢法醫學。(國醫)即抱嫌厭觀念。由嫌厭而加以排斥之傾向。多方取締。甚至有延請漢法醫學者。予以法律上罰金看守等之懲戒。對於其理論的根據及其價值。尤不欲一顧也。

惟此被憎棄之漢法醫學。反潛生滋長其間。所博得社會人士之信仰的地位。仍不亞於自命科學醫學之德醫。且現在其一舉手一投足。皆刺激本國醫者和他國醫者之神經。向之對於漢法醫學嫌厭之人。已不復如前之甚矣。

反觀吾國過去及現在的事實。亦可推想於將來。概自民國十八春。中央衞生會議。竟有憂時心切腦筋過敏之人。請求廢止國醫之提案。迨後卽有衞生部取締國醫之明文。於是激起社會一般人士之注意。同人等愛國愛醫。根諸天性。能弗動懷。遂於是年三月十七日開全國醫藥代表大會於上海。奔走呼號。函電交馳。輾轉經年。幸蒙前國民政府主席蔣手輸。取消衞生部取締國醫之命令。而中央國醫館。乃得以應時而生。此民國二十年三月十七日事也。今年七月竟有南京市政府審查國醫准於發給開業執照之事實。曾幾何時。由廢止而一變為保護。吾國上下皆漸感覺現代國醫甚為需要。將來必有大放光明之日也。吾人再於下列數端。詳述其關鍵之所在。

國醫之宗旨

## 治國救民的社會政策

國醫者。世人稱之爲哲學醫學也。其源肇自太古。創斯術者。卽以治國救民之社會政策爲本旨。如神農氏嘗百草以爲藥。黃帝咨於岐伯而作內經之類。嗣後如唐之巫咸。周之長桑。秦之和緩。宋之文摯。鄭之扁鵲。漢之陽慶。倉公。俱本斯旨。惟仲景傷寒論自序有云。感往昔之淪亡。傷橫夭之莫救。乃勤求古訓。博採衆方。其救民之心。更爲明切。漢賈生有言曰。至人不居朝廷。必隱於醫。漢書藝文志曰。論病及國原珍知政。墨子曰。知病之所起。烈子曰。化心變慮。此皆國醫之精義。韓子曰。善醫者察其脈之病否。物理論云。醫非者仁愛不可托。非聰明理智不可任。非廉潔淳良不可信也。所以醫家之器量。必富具哲學根源。固有忠孝仁愛信義和平之美德。其智能必了解自然科學。上窮天紀。下極地理。遠取諸物。近取諸身。處虛實之分。宣順逆之節。換言之。國醫的定義。是由醫家在宇宙間以客觀的動作。以情感而秉理智的力量。當着病家與大自然界發生衝突時。(如風寒暑濕燥火六氣所傷)表現一段他的愛護和平。扶抑强弱的偉大精神。自神農以迄於今。亦皆以審藥石之寒溫。量疾病之深淺。各就其宜而施治之。其所謂醫經者。探病人血脈經絡骨體陰陽表裏之不同 以定百病之本末。及生死之分。而爲鍼石湯火及調和百藥之標的。(見漢書藝文志)醫之道。如是而已。

再觀周禮醫師。漢有太醫。宋設七局。此乃公共衛生之起源。漢馬援征溪蠻。軍士染瘟。流行中夏。宋王旦求神得鼻苗法。此乃防疫之嚆矢。元代元眞中諸路設惠民藥局。清代宗之時。及其末葉。各省府州縣立官醫局。亦莫不以治國救民社會政策爲本旨。

他如周有疾瘍食獸四科。唐有體療少小耳目口齒角法按摩咒噤七科。宋設三科。曰方脈科。曰針科。瘍科。而金十科無考。元十三科。曰大方脈科。雜醫科。小方脈科。風科。產科。兼婦人雜病科。眼科。口齒兼咽喉。正骨兼金鏃科。瘡腫科。針灸科。祝由科。明十三科。曰大方脈科。傷寒科。婦人科。口齒科。咽喉科。外科。正骨科。痘疹瘡眼科。針灸科。清分十一科。曰大方脈。小方脈。傷寒科。婦人科。瘡瘍科。針灸科。眼科。口齒科。咽喉科。正骨科。痘疹科。今以大方脈傷寒改爲內科。痘疹屬於兒科。瘡瘍名爲外科別有按摩一科。卽俗名推拿。此國醫分科之大略。猶其餘事焉。

## 二　研究國醫之原因

### 發揚國粹根本救國

國醫之興衰。卽國藥之興衰。國藥之興衰。則影響全國經濟之餘裕與不足。不足。則險象環生。國本危矣。科學的社會主義訴告我們人類歷史的結果。認定人類政治社會種種制度以及一切文化等等。都受經濟的支配。可見自十八世紀之末。迄十九世紀之初。世界工業生產的過剩。國外市場的掠取。列國間的仇視。卒至演成了歷史上空前的慘劇。給人類文化一種很大的打擊。追根溯源。誰也不能否認。這是經濟傾軋到相當程度時的必然的趨勢。

一國經濟之狀態。影響於文化之重大。固無庸贅述。然欲知其所以爲經濟要素文化根源。則當更爲周到之研究。惟作者就本篇範圍起見。從各方面觀察所得歸納於左。

經濟之要素。卽物質或機能。

文化之根源。乃寄意於醫藥。

按拉丁文。文化二字本旨「土地耕作」及「有益之勞動」

吾國幅員之大。甲於全球。而產藥之區。亦隨地皆有。故生產之富。莫可倫比。茲姑就川南一省而言。其最著爲蟲子。其次蟲草。貝母。爲該地珍品。價値甚昂。他如厚朴茯苓防風黃芪柴胡五倍子泡參麝香鹿茸等類。均有大量出產。每年獲利達千百萬元。誠爲川南之富源。其產地於山嶺地帶。或平原曠地。幾無處無之。此外尙有芸香草產於峻嶺之間。蟲子爲蜡樹及蟲樹的寄生動物。其總額每年達數萬挑。據西昌樟木菁鄉民所言。蟲業最盛之時。該處僅此項收入。約銀二三十萬兩。而其他產品。如冕寧縣會理縣及西昌縣屬之茨達阿巴垢寬頂大陸所土門子北山大興場等處。皆有大量出產。總計値銀數百萬兩。尙有花椒一種利源。每年各縣出口。亦在百萬斤以上。

大黃川產錦紋者良。亦以該地出產爲最富。本我國最需要之品。在上古時卽輸入歐洲。初未嘗見重彼邦。迨西歷一千六百五十二年。吾國與俄國通商於西鄙。而大黃乃歸俄人專賣。於是我國所產者始推爲世界第一。(出口數量待查)此我國出口藥品損失原料之一端也。

燕窩係我國有名補品。其產額以婆邏洲爲最多。從來由此地輸入我國。據十數年前之統計。每年運入値銀有三百五十萬之多。此我國入口藥品損失金錢之又一端也。

在最近調查普通藥材出口。已有五千萬元之鉅。至貴重藥品。因輕便而私行攜帶者。尙不在內。至輸入之藥材年在一萬萬金以上。

總之每年九千二百萬萬元之國藥貿易。與五百餘萬人之服務。端賴此種國醫之維持。萬一不自整理。加以研究。是必被環境摧殘。由衰落漸至於淪亡。則前者之貿易金。將化爲烏有。後者之服務人。終歸失業。試問金融之損失既如彼。人民流離又如此。每年受此重大犧牲。則國家之命脈何存。矧茲國難方殷。欲救淪亡於萬一。惟日祝醫界同胞注意此點。尤望急起直追。共同研究。不爲潮流所淘汰。以謀醫業之維新。化國醫爲世界醫。化國藥爲世界藥。卽所謂發揚國粹。根本救國也。

## 三　研究國醫之方法

主張以闡揚歷代哲學醫學之症候學。與治療學爲基礎。貫通現代科學醫學之理論。及其方式爲之證明。總以兼治中外學問爲歸宿。

研究國醫根底之學。首先在明陰陽五行性理。脈候臟腑經絡。以及人身之全體。內而隱微分泌的無管腺。外而皮膚毛髮位置名稱。以及生活情況。夫人屬有幾體動物中之一。晏眠早起。飲食便溺。按時就刻。不爽絲毫。譬如一部有靈性自動的機器。人之有病。卽機器之損壞。苟不先知此。則從何處修理。黃帝內經闡發無遺。惟卷帙浩繁。不便初學誦讀。唐容川醫經精義一書。採內經要旨。節次簡明。實全經之提要。再補讀汪訒菴素靈類纂。詳其節略。此讀經之次第。即國醫之解剖生理學也。然對於現代最新出版之生理解剖等書。尤須於隨時參考。作內經之新註解。亦不必徒記憶其歐氏管。海氏神經。諸如此類的新名詞。而忘却了固有的名稱。

其次當明藥性。故首推於神農本草經。其所列爲上中下三品。平叙功用。堪稱善本。祗以人類演進。由單簡而復雜。應時需要。每感闕漏。李時珍之本草綱目。集藥學之大成。又嫌其太繁。吾人之光陰有限。最好熟讀汪訒菴之本草備要。旁採衛生部主編之世界新藥集。留神其性味。主治注意其成分效能。如病因缺乏某種成分所致。則用富於某種成分之藥以治之。如病在某經。當用某經之藥。或因此經而旁達他經。或他經干犯本經。（十二經病證見醫學指歸）當詳加審慎。此研究國藥之途徑也。

注十二經。猶西醫之器管系統。如手少陰心經血行器是也。手太陰肺呼吸器是也。餘仿此。不贅。

凡病之來。不過外感內傷兩大關鍵。千古心傳。不能越此範圍。天之六氣。風寒暑濕燥火。失其和而病。即爲外因。人之七情。飲食喜怒失其節而病。即爲內因。房室金刃蟲所獸傷。不內外因也。由此三因。病情都盡。此受病之源。亦爲研究國醫者。所當注意也。

雖然醫學之難。莫難于審證。證辨不確。夭枉隨之。證者證也。即表裏虛實寒熱陰陽疑似也。經云治病必求其本。即於前三因。求之得一字。即治一字。如二三字兼見。即兼治之。尤以虛實寒熱四字爲大綱領。人之氣稟厚溥。亦此四字。欲識此中玄妙。貴先得要領。宜從程鐘齡之醫門八法入手。（見醫學心悟）要領先入我心。猶五味之入我口。可咀嚼之。再參看醫方集解。逐條解釋。此審證入門之途徑。爲研究國醫之證候學也。治療學書。厥惟仲景之傷寒論與金匱要略。宜熟讀原文。此中奧義。全是比較。寒熱異同。曲盡虛實表裏之變化。爲醫家之法律。後世制方之始祖。但醫學心悟之論傷寒。雖非仲景原文。然辨證異同。縷晰詳明。研究國醫者。可由此入門。漸進仲景之堂室。醫宗必讀之論雜病。上通靈素。旁採諸家。立言精當。俱爲初學之津樑。蓋欲博大精深。以內經爲體。仲景爲用。醫學之能事畢矣。

惟學問隨時代底經驗而進化。故爲國醫者。仍須研究現代純粹的種種試驗法。如化學微生物學。藥物生理病理衞生細菌醫淸注射解剖等學。臨床醫術。得酌參歐西新手術。以及病人看護法。所謂科學醫學者。皆須有相當的學識而後可。爲國醫者果能依照以上諸法研究之。而欲增進一般病者之幸福。斯不難矣。

## 結論

現以富於民族觀念的我國醫界。五百餘萬同胞的努力。縱未能於此次中央國醫館收獲所期望之成效。然果能以二三年間之成績。繼續不輟的進行。設無特種障礙以阻其計劃之實施。則不久的將來。或可完成國醫至某種程度也。

顧國醫之本旨。爲治國救民社會的政策。在實現。則爲根本救國有效的運動。此項國醫。今後縱遇障礙。我政府我人民。必能持相當政策。而打開難局。國民生計。亦依此國醫而安適。則炎黃子孫。必不受帝國主義之壓迫與侵略矣。

今日我國民已非昔時醉生夢死之狀態。凡恢復固有技能。提倡國產之運動。正如雨後春筍一般的發育。况吾儕身爲國醫。已彰明較著負此種重大使命。丁玆國難方殷。究應如何努力。以達成功之目的。唯有識者圖之。

綜上觀之。國醫復興有成功之希望。思及將來其改進步驟的方法。則已不復受人蔑視或非難矣。吾人觀察此種情形。咸感覺現代國醫之關鍵所得之結果。以其正大言。如黃鐘大呂之音。清廟明堂之器。以其需要言。如車之有輪。舟之有柁也。

# 教衞部焚坑國醫國藥之痛史錄

湖南醫藥建委會

民國十四年乙丑冬月。北平教育部總長汪伯唐。惑於東洋醫校畢業生之說。對衆宣言。決意廢止中醫中藥。不准中醫加入教育統系。時山西醫會徐相宸等。及江蘇全省中醫聯合會。紛紛建議。力請教育部將中醫加入學系。已經中華教育改進社通過在案。卒爲浙江鎮海余巖駁議所惑。而不准中醫加入教育統系。遂成鉄案。

民國十七年戊辰。各地中醫試驗登記。漸次實行。而登記章程。均以中醫學校畢業爲應備之資格。時南京大學院院長蔡元培。開全國教育會議。神州醫藥總會。呈請院長將中醫加入學系。並通電全國。卒以響應無人。事終未果。

民國十八年。南京衞生部委員余巖。首倡廢止中醫議案。一則停止登記。一則禁止學校。一則禁止宣傳。並通令全國中醫院改稱醫室。復會通教育部。飭令全國中醫學校改稱傳習所。並令無容呈報教育行政機關立案。復禁止全國學校不准招生。而世傳師傳登記醫士。亦將限以資格。停止執照。（民國癸亥。廣東政府取締中醫施行細則第八條。中醫資格。是世傳師傳二種。儒醫但有醫術智識經驗一種。若僅有此項資格者，得於本規則內一定期間。以部令停止之。卽不給照也。本年亦擬倣照此法）於是上海中醫協會發起否認之通電。召集全國代表大會。到會者十七行省。一百三十二團體。二百七十二代表。於三月十七日成立上海全國醫藥團體總聯合會。以與西醫對抗。而醫藥界外之反對者。有上海八區黨部之電。有全國總商會之電。有中華國貨維持會之電。有幸福報館之電。有南洋羣島八百萬代表之電。一時全國震動。輿論騷然。南京政府亦俯順輿情。衞生部議案。雖無明令取銷。而亦停止進行矣。

附衞生部劉瑞恒與教育部蔣夢麟會同核議呈行政院核准案左列二項

（一）中醫不能列入學校系統。業經教育部詳叙理由。明令布告在案。經教衞兩部會議後。仍以爲中醫學校之講授與實驗。既不以科學爲基礎。學習者之資格與程度。亦未經定有標準。自未便加入學制系統。所請加入學制系統。所請收囘成命一節。碍難照准。

（二）查中醫請列入學校系統。及中醫傳習所請求立案之主要原因。爲未來之中醫登記問題。衛生部對於中醫之登記。擬實行考試制度。其投考資格。並不以中醫傳習所畢業者爲限。故教衛兩部。均認爲中醫是否加入學制系統。中醫傳習所是否歸某官廳備案。均與登記問題無關。至於中醫考試辦法及時期。另由衛生部辦理。（此呈由衛生部主稿）

是年十二月十三日。奉蔣主席輸。將教育部議令中醫學校改稱傳習所。衛生部議令中醫院改稱醫室之佈告與命令。一律取銷。以資維護。

民國十九年二月。教育部與衛生部會議。將中醫學校改稱學社。使有自由發展之機會。不受教育規程之限制。經呈奉國民政府核准在案。

民國二十年三月。中央國醫館成立。組織章程第八條、及各省國醫分館組織大綱第六條。均規定得附設醫藥專科學校。經呈奉行政院核准。轉呈國民政府備案在卷。頒佈全國。

本年十月六日。南京行政院訓令。仰飭浙江教育廳。將浙江及蘭谿中醫專門學校。仍照十九年原案。改爲學社。至中央國醫館組織章程第八條。及各省國醫分館組織大綱第六條。規定之醫藥學校字樣。一律改爲學社。以符原案。候飭中央國醫館遵照修正可也。

又據中央衛生部通令頒佈全國之中華藥典一書。內皆博采西藥。卽間有少數中藥。亦均以西法化驗者。絕無一中國原質藥品。乃不用新藥名義標題。反冠以中華二字。喧賓奪主。自滅國學。自絕國產。是中藥雖無明令廢止。而已消滅于無形矣。亡國之幾。已決於此。

大抵西醫尙形質之學。故治形質之病。亦有成效。中醫尙氣化之學。故治氣化之病。獨具特長。此中高下得失。久爲全國人民所共信。故論科學醫。則首推德國。論哲學醫。自當以中國爲冠。今日之重要偉人。多不識中醫原理。而炫于物質文明。一旦疾病臨身。往往斷送其生命於專事形質醫學者之手。如孫總理。梁任公。林修梅。胡景翼諸公之病。均以不明氣化。專重形質而失敗。報紙紛披。事實具在。稍有中醫知識者。猶能知之。近日歐美各國之留學生返國後。大都採取他國精華。而以强國爲職責。而我國留學生返國後。但知襲取他國皮毛。而專以亡國爲職責。廢止中醫之創議。始于民國十四年。北平教育部長汪伯唐。惑於東洋醫校畢業生之邪說。其繼起者。則惟留學東洋返國之余巖。倡廢中醫。爲禍最烈。廢止中醫之議案。果有合於全國及世界公理。何以吾國社會之信仰。歷數千餘年。如此其久也。又何以歐美各國之推崇。歷數萬餘里。如此其遠也。近者英之巴姆醫士。著中醫進步矣。法之巴黎大學。編中醫講義矣。俄之莫斯科。創中醫校矣。美之舊金山。創中醫院矣。近鄰日本。以漢醫爲宗。於國醫尤有深刻之研究。明治大學。已增漢醫學科。帝國大學。復設皇漢醫學講座。近更以二萬金運華。專購中醫書籍。羣起研究矣。苟非眞理與實驗。確有可憑之價値。而能如是之久且遠乎。

我國醫學。既爲中外人民所信奉。何以獨不容於敎衞兩部諸人。綜觀歷年廢止中醫之條例。及頒布全國之中華藥典。其制中醫中藥之死命。實無異於燒殺與焚坑。往者無論矣。卽以本年十月六日之訓令觀之。明係敎衞兩部畸形勢之議案所蘊釀而成。而行政院實受其朦耳。何也。十九年敎衞會議。中醫學校改爲學社之原案。既經國府核准。則二十年中央國醫館第八條第六條規定各省設立醫藥學校之議案。行政院自不能再爲核准轉呈國府備案。既經核准備案頒佈全國。則十九年未經頒佈之舊案。當然無效。今以十九年之舊案爲有效。反欲推翻國醫館二十年已經頒佈之新案。廢除全國學校名義。阻止海內嚮學之心。藉以斬除國醫之根本。中央國醫館雖爲避免一時衝突計。不得不從事調停。而有徵求國人意見之表示。而謂全國人民。能認此反覆無常之命令。而一致服從者乎。

# 怎樣替國醫界人才找出路

朱殿

自從帝國主義經濟侵略刼奪了中國農村以來。農業出品。受阻滯而致停頓。再加以連年的內戰。

意外的天災。以及種種足以破壞農村經濟生命的打擊。遂造成這嚴重的不景氣。在城市方面吧。充滿西洋化的消耗。生活程度。日漸高漲。在這必然的情形之下。已傾出一大批的失業者生產與消費。成畸形的發展。於是各業都起極大的動蕩。一般關心社會問題的職業家。都高聲疾呼。竭力提倡「生產教育。」和「技能職業。」想在這嚴重的局面之下。打出一條生路來。這是現代社會的恐慌。與目前的救濟。

國醫界。也算是技能職業之一。吃飯問題。不能不算是穩健。有一技之長。到處可以行業。掙飯吃。老是沒有失業的恐怖。但把現在的情形。檢討下來。則不然。全國中醫有一大半是不能維持他的生活。國醫界中。充滿着生活艱難的呼聲。尤其是許多初出茅蘆。剛才踏進社會的同志。在較小的市鄉裏開業。因缺少民衆的信仰。驟然露出來的新招牌。很不容易使病人相信走進來。舊勢力範圍裏。不是給新來的人容易踏進。假使把牌掛到繁盛的商埠。民衆信仰力的有無。還在其次。你看看那一個大商埠。醫生不有人滿之患。醫生與疾病的支配。總是過剩。於是門庭冷落車馬稀。整天無事的很多。唉。在這生活的高潮中。被淘汰下來的。眞不知有多少哩。最可注意而令人悲觀的。要算是各中醫學校畢業生的出路。別地漫講。就以上海幾個醫校而言。他們歷屆畢業生的概況。倘使有人詳細地調查起來。簡直要使人扼腕浩歎。營業發達生活寬裕的。當然也有。但究竟是很少。大多數是在這破落的社會中圖掙扎。到處總覺有「此路不通」的感慨。葉勁秋先生曾經告訴我說。「上海各醫校歷來畢業生中間。有不少不能發展而改營他業的。至於一般私人學徒的出路。更其不必說了。」他惋嘆地和我這樣講。其實。這種情形。那裏單獨是上海。他處各地。又何嘗不是如此呢。此雖說國醫教育還在萌芽時期。絕少培養出健全的學生。然而最大原因。是受着社會畸形發展的影響。連帶造成我國醫界畸形的現象。我這句話。不是講得很奇怪嗎。怎麼看出國醫界有畸形的現象呢。誰都知道。現在中國農村經濟由崩潰而蘋於破產。三萬萬四千萬的農村同胞。已在水深火熱中過日子。十之八九。不能維持他日常生活。一有了病。那裏有錢延醫買藥。挨着痛苦。臥在床上。聽疾病的自然變化。每至於不幸有的。病到極重的時候。無可奈何的貸錢買藥吃。吃了一二帖藥病未愈而力已不逮。於是不得不走進迷信的圈套。什麼求神。拜佛。吃仙方。奔走呼號於泥塑木雕之前。這樣。每年農村病夫死於「無力求醫」情形之下的。占着農民死亡率統計的重大地位。這是影響於民族前途很大。且因此農村一般醫生比較優良的要想發展求謀生活上的舒適。都紛紛向城市跑。於是城市醫生遂激增。大有粥少僧多之患。留在鄉間的。多是不能插足城市的庸碌醫生。(鄉村較好的醫生固有。不過是極少數。)有些小康之戶。患了病。常要跑到幾十里或幾百里去請好的醫生。——或竟至城市。他們常感覺有鄉間醫生缺少的痛苦。照這情形。分晰開來可以說。一、農村大多數貧民有病是無力延醫。二、小康之戶。有錢請不到醫生。三、城市的醫生過多。四、鄉間有不少的庸醫。(城市也有庸醫。但總沒有鄉間多。)這不是已經明白地告訴我們現代國醫的畸形現象嗎。一般找出路的同志。到人滿的城市去。很站不住。到貧苦的鄉間去。又站不住。這確是眼前人人最難解決的一個問題。

要改進國醫。必先把整個國的醫生活求安全。要增進生活安全。必先消滅這畸形的現象。阻止畸形的發展。改進國醫的方策。整理學說。還是第二步的工作。先決條件。要使人人有飯吃。吳稚暉先生說得好。「要想出法子來打出生路來。使人人有掙飯吃的機會」這句話確是不錯。人人能安心其營務。生活無缺憾。誰也不有研究。改進的勇氣。也一定有精神團結的可能。也決不爲有妬忌。攻訐。鑽營。以及敲竹槓拍馬屁的醜惡行爲發現。——至少也可以減少些。——試看。許多剛才走進社會的同志。那一個不是儲滿着攻進國醫的熱望與責職豈知一踏上生活的大船。在狂風急浪中。挽舵撐艤。生怕船兒傾沒。生命不保。這時自顧尚不暇。那能再有揚帆直進。引吭高歌的胆氣呢。根據以上的理由。可以找出一個改進方案。只要把城市過剩的醫生設法下鄉。鄉間庸醫竭力淘汰。非惟可以替國醫人才開闢一條出路。且因此可以救濟那般在不生不死中的。醫村病夫。唯一的辦法。只有建設全國普及的農村醫院。(創辦費和經常費的詳細計劃。容後另題再敘。）

農村是我們國醫界的生命綫。離開農村。我們的基礎。就要動搖。應在農村建築堅固的陣地。防止西醫們侵入。然後才有向城市推進的可能。不佞改進國醫的方策。第一步是在農村安根。第二步在教育上出頭。種樹不先安根。則不得出頭。希望有茂盛的枝兒結碩大的果子。必須先有一番安根的工作。我竭誠盼望全國的國醫界人才。大家來共同扶植。這一枝飄搖將倒的弱小樹苗。

# 癲犬咬傷驗方

（林德翔）

癲狗咬傷。世少良方。卽有。亦皆秘不示人。意恐傳抄而礙其利路。噫。居心若是。莫怪今日吾中醫之衰落至此。德翔對於是症。居常極其留心。每閱方書。遇有是症之特別議論及療法。必悉心摘錄。彙爲一門。以與生徒講解。俾可臨時應用。然諸事所載。議論旁雜。莫衷一是。卽防風通聖散加生地榆紫竹根等。用之亦有驗有不驗所可從者。惟金匱下瘀血湯一方。其方雖寥寥數味。用之得當。效驗至著。顧亦須用於初咬之後。及未發狗聲之前。日日服之。不稍間斷。方爲有效。若延至日久。毒氣流入神經。患者煩躁。口發狗聲。則亦束手無策。於此一層。不無遺憾。吾邑有黃某者。對於是病。人皆稱其神手。所用之藥。不出十品。一發卽中。雖至病者身發狗毛。口發狗聲。湯藥入口。卽可轉危爲安。以是聲譽大振。幾於無人不識其名。但所用藥。秘不告人。家無子嗣。死後法竟隨之埋沒。惜哉惜哉。其未死之前二年。有一富翁。袖以白金八十。求其傳授。彼竟不顧而唾。死後無人不罵。謂渠甘心斷喪天良。彼蒼之誅其無後。正是現報。余聞其事。爲之嗟歎惋惜者彌日。近與友人陳君潔如談及。潔如曰。我居廈門三載。眼見爲癲犬咬傷。服藥不效。延至月餘。身發狗毛。口發狗聲。醫生辭手。斷爲死症。而爲吾友趙淸賢治癒者。總共七人。法至簡而藥至常。乃舉世昧昧。無一人知。吾既受之吾友。豈可不授與汝。今不自秘。願爲足下告之。其方卽『蚱蜢十二隻連頭足。同冷飯三兩。共搗爛。敷患處。(卽咬傷的瘡口）約三小時換一次。另用黃連解毒湯加紅花錢半。桃仁連皮十二粒。粉甘草一錢。生地黃三錢。金銀花二錢半。赤芍藥二錢。水二十兩。煎存八兩。溫飲下。』日夜各進一劑。百發百中。眞良方也。余聞之曰。公開良方。蒼生獲益。殊非淺鮮。子居心如此。上天當然默佑汝。潔如聞之。莞爾而笑。

## 專著

# 新漢藥覽（續上期）

郭若定著

### 第二類　發汗藥

凡藥物能刺激汗腺之神經。或催促血液之循環。以增加皮膚水分之排泄者。統謂之發汗藥。又肺胃粘膜受刺激。或心悸亢進。以致喚起噁嘔者。亦有發汗之效。

▲生理作用

一、服後半時至一時。顏面潮紅。唾液增加。卽見發汗。同時淚腺乳腺鼻粘膜腺。氣管支腺。均增加分泌。尿雖一時增多。後反減少。此因組織中之水分。由牠腺放散故也。

二、體溫初畧上昇。後則下降。脈數初則稍增。後則漸減。

三、粘膜及皮下組織。均吸收之。而由汗尿唾液等排出。

四、服大量。起急性中毒症狀。呈胸中苦悶。大汗不止。顏面由潮紅而轉青白。呼吸迫促。脈搏應數。繼則細弱減少。循至虛脫。

▲醫治作用

一、用於冒寒性諸疾病。發汗、解熱。

二、因冒寒而引起之諸症狀。亦得而緩和。

三、原因於斑疹者。可使早透。

四、於呼吸系、泌尿系諸疾病。及肋膜炎、網膜炎。用以促進滲出物之吸收而排出之。

性狀 (一)麻黃 Ephydrin 愛夫特靈(附)

本品爲細小之莖。形如蔫草。色青黃。味麻澀而香竄。現今西醫界視爲有鎭咳祛痰作用之喘息新製劑。特効藥名 Ephydrin エフイデリン愛夫特靈者。卽吾國數千年前已知其功効之麻黃也。玆摘錄新說於後。以爲識者之參考云。

主治

一、爲發汗藥。用於冒寒性諸疾病之發熱無汗者。

二、用於格魯布、百日咳、白喉氣管支炎、及喘息。爲祛痰藥。用其小量。

三、有利尿作用。用於水腫、及冒寒性關節炎。惟心臟病所發之水腫。忌之。

四、以水濃煎點眼。有散瞳作用。其量爲百分之十乃至二十倍者。

用量 用本品發汗以一回汗出爲度。麻黃原料每回〇・六至一・〇。極量一・五。(卽厘戥六分至一錢極量一錢五分)水腫及祛痰。一日可服三回。每回〇・一至〇・二。(一分至二分)如用 Ephydrin 麻黃精、上量不適用。每回爲〇・〇二 gm。

禁忌 有汗症。又本品對於心臟衰弱及貧血諸不足者。宜特別注意。用量失當。每致大汗虛脫。不可不愼。

製劑 已經抽出之 Ephydrin 麻黃精

處方

一、 麻黃浸〇・六 (飲片分量六分下同) 桂枝酒〇・六 杏仁水三・〇 甘草糖漿一・〇

(麻黃湯)

右一回量之水劑。熱服。被覆。如汗出。一回爲度。治流行性感冒。氣管支炎。喘息。及一切冒寒性疾病之無汗者。(發汗。解熱。祛痰。并緩和因冒寒諸引起症。)

二、 麻黃浸一・〇 桂枝酒一・〇 姜半夏煎三・〇 白芍流膏一・〇 乾姜酒一・〇

五味子流膏○・三　細辛酒○・六　甘草糖漿一・○（小青龍湯）

右一日量之水劑。分三回熱服。治冒寒、氣管支喘息不寧。及咳嗆多痰等之無汗者。

三、麻黃浸○・六　生石膏煎六・○　杏仁水三・○　甘草糖漿一・○（麻杏石甘湯）

右水劑。分三回熱服。治呼吸器系諸炎症。并急性傳染病初期之壯熱無汗而煩躁者。

四、麻黃浸一・○　杏仁水三・○　薏苡仁煎六・○　甘草糖漿一・○（麻杏薏苡湯）

右水劑。分三回熱服。治僂麻質斯性肌肉重痛。及肺水腫。

五、麻黃浸一・二　烏頭酒一・五　白芍流膏一・○　黃芪煎三・○　甘草糖漿一・○（烏頭湯）

右水劑。分三回熱服。治僂麻質斯性多發關節炎。

附錄　麻黃精 Ephydrin エフィデリン卅餘年前。日本長井義博士等。自麻黃中分離一種植物鹽基鹽。名爲愛夫特靈 Ephydrin 此卽今日所謂有効成分麻黃精是也。麻黃中約含○・三—○・五%。愛夫特靈 Ephydrin 其製法。先將麻黃用鹽酸酸性水浸出之。後濃縮其液。再加以石灰。使之乾燥成粉末。再將其粉末用酒精浸出時。愛夫特靈卽移行於此浸出液中矣。再依普通之植物贋鹻質分離法處置之。其鹽基鹽現爲無水透映針狀之結晶形。

據久保田大津等之研究。謂注射 Ephydrin 於靜脈內時。因末梢血管之收縮。起血壓之上升。其作用雖不及 Adrenalin 阿特列那林之强。然富於持久性。又謂愛夫特靈 Ephydrin 使用於氣管支筋腸管等時。由交感神經末梢刺激。及肌肉之痲痺。起弛緩散大。又以此點眼時。刺激眼交感神經。使瞳孔散大。此外對於骨骼。筋、及心臟等。亦有相當之作用。而對於金線蛙及家兎之致死量。爲對體重一瓩○・四至—○・五瓦。

民國十二年。中國青浦陳克恢博士。Dr. Chen. 始確實發明 Ephydrin 之治療功能。及構造式。及爲各國醫界所重視。其構造式類似副腎精 Adrenalin 阿特列那林。比較如下。

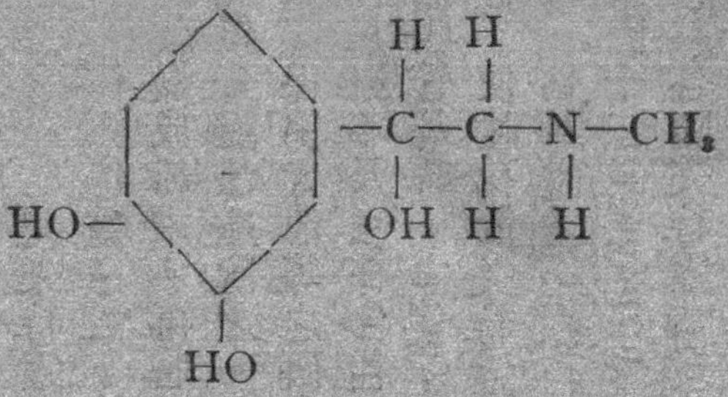

Adrenalin

阿特列那林

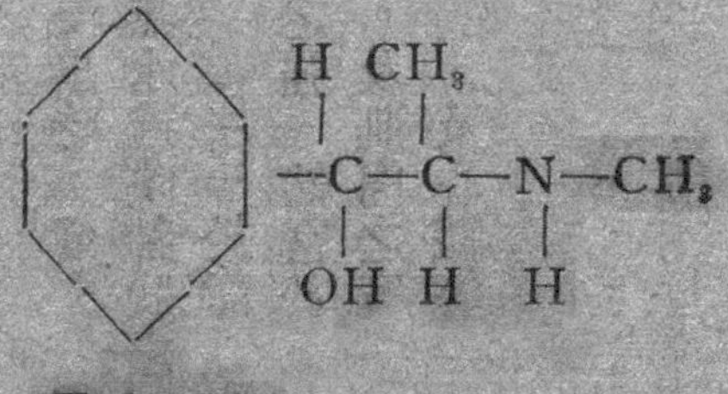

Ephydrin

愛夫特靈

觀上二式。可知愛夫特靈者。卽將阿特列那林奪去兩個水酸基。又於側連鎖上。去一氫原子。而易$CH_3$是也。兩藥之結構。相近如此。可知生理作用。亦大致相同矣。

陳克恢博士。發明愛夫特靈。能增高血壓。功力持久。勝於阿特列那林。德國藥理專家克氏 Kreitnair 及其他專家。皆證明無誤。對於血脈循環之功用。亦有充分之說明及實驗。其法以供試驗之狗。去其迷走神經。或麻痺之。於愛夫特靈變更之功能。幷不相涉。因愛夫特靈之功用。能使脾之脈管收縮。而腸及腿之脈管則擴張。腎脈管初收縮。而後則擴張。故其效驗於脈搏者。爲起初轉緩。若干時後反而轉速。因此可知愛夫特靈增進血壓之功。幷不在收縮周身血管。實因其能興奮血脈循環之中樞器官也。愛夫特靈內服。能使胃涎膜血管畧起收縮。減少胃液分泌。故內服能不受胃液之破壞。而得充分發展其功力。所以優於阿特列那林者。卽在此點也。

愛夫特靈用小劑。能興奮交感神經。用大劑則兼興奮副交感神經。其功力多施於平滑肌之神經末梢。以此。凡含有平滑肌之器官。如血脈循環。腸道。婦女子宮。瞳孔等。皆直接受本品之作用。此外如內分泌。血液成分。及血糖量等。亦能受其影響。凡患梅毒脊髓癆者。施以阿特列那林。則血壓下沉。施以愛夫特靈則血壓上升。此兩藥性質上顯然之區別。醫家乃利用之。以爲辨別診斷之資云。

痲黃與利尿作用　西尾氏言痲黃於尿之分泌。確能增加。而排泄有痲黃臭之尿。佐藤勤也博士報告。以痲黃之煎劑。（一·〇—二·〇）用於慢性腎臟炎時。有著明之利尿作用。痲黃有利尿作用否。若果有利尿作用。依何藥理而起。至今尚無實驗的研究報告。按痲黃有血壓上升作用。在一定之時間內。流通腎臟血管內之血液。其量亦當增加。故謂爲有利尿作用。非不可能也。然依大津及久保田氏之實驗。痲黃有効成分 Ephydrin 之血壓上升作用。由收縮末梢血管而起。然在犬之腎臟血管流通試驗時。Ephydrin 及收縮腎臟血管。則其有利尿作用。不得不旁求解說。或痲黃中含有之 Ephydrin 及其他之物質。有能刺激腎臟血管之作用歟。但以痲黃製成藥劑或其他之藥形服用時。多攝取液體。能增各腺之分泌及利尿。與其他一般藥劑相同。

痲黃之鎭咳祛痰作用　痲黃治痰咳喘息。雖有祛痰鎭咳作用。然屬對症的療法。而無根治之効。溯阿特列那林有治氣管支喘息之効。由於阿特列那林能使氣管支筋弛緩而腔徑開大。在氣管支筋痙攣時。微量之阿特列那林。亦可奏效。此顯然可知也。又阿特列那林能對抗肺循環之鬱血卽左心房內痙之增加及氣管支粘膜中血管收縮等。亦爲不可爭之事實。而痲黃中含有之愛夫特靈。其構造與阿特列那林相類似。故痲黃（愛夫特靈）應如阿特列那林對於氣管支喘息之有効力。極顯然也。喘息之原因。雖有種種。然主症候。總不外乎氣管支筋之痙攣。故有能作用於其末梢。使之弛緩之物質。卽使作用係屬一時的。亦有相當効果。喘息症如因肺循環鬱血。氣管支粘膜充血等。之血行障礙時。則愛夫特靈不但能使氣管支筋弛緩。卽因其血壓作用。而能除去其血行障礙也。

痲黃之與瞳孔放大作用　痲黃之有効成分愛夫特靈。有散瞳作用。夙爲三浦博士所報告。據博士之研究。謂愛夫特靈之散瞳作用。於短時間內消散。決不如阿力平 Atropin 劑點眼時。綿長數日。且在此時決無侵犯眼調節筋之害。故用於眼底檢查時。定優於 Homoatropin。而其散瞳作用。

又非動眼神經及瞳孔收縮筋之痲痺。而專基於眼交感神經末梢之刺激云。麻黃根功効之待考　中國本草言麻黃莖能發汗。根能止汗。物理之妙。不可測度如此。關於麻黃根。尙無詳細藥物學的研究報告。今試製麻黃根之浸液。注於動物血管內時。能使血壓下降。其作用正與麻黃相反。再依麻黃根浸。所行之試驗成績判斷時。麻黃根除對於血壓作用以外。大多數皆與麻黃無別。根中含有血壓下降物質。比較的依簡單之藥學的操作。卽可變爲血壓上升性物質。故其有効成分。亦屬與愛夫特靈相似之贋鹹質歟(德國弗朗克博士原著)

（二）薄荷冰

性狀　本品爲透明或半透明色之結晶性小片或粉末。係從一類芳草名薄荷內含一類香油者提煉而得。具揮發性。有清涼之味與香氣。略有刺激性。

主治

一、有發汗作用。用於流行性感冒、耳下腺炎、喉頭炎、扁桃腺炎、氣管支炎、及一切急性傳染病初起之無汗者。奏消炎發汗之功。

二、因其刺激性能促進唾腺。及肺胃咽喉粘膜之分泌。用於感冒咳嗽。咯痰不爽。喘息等。有祛痰作用。用於胃痛疝痛有鎭痛作用。

三、因芳香刺激。有興奮腦神經作用。用腦過度。疲倦。頭重時。爲丸劑。含於口中。

四、殺菌力頗强。外用能防腐鎭痛止癢。製爲錠劑。搽擦頭痛及局部作痛。有効。皮膚病癢疹蕁麻疹疥癬尤宜。

用量　內服每回〇·〇四(中國戥四厘)

禁忌　有汗症。肺癆熱。虛熱。咯血症。

製劑　薄荷油。薄荷冰

處方

一、薄荷油十二滴　桑葉露五〇・〇　象貝煎三・〇　杏仁水三・〇　桔梗素一・〇　前胡煎一・五　橘紅水一・〇　欝金煎一・五
右水劑。分三囘熱服。治感冒。咳嗽喘息。咯痰不爽。鎭咳袪痰。有特効。
二、薄荷油十五滴　桑葉露五〇・〇　銀花露五〇・〇　連翹煎三・〇
右水劑。分三囘熱服。治急性炎症。發汗解熱。
三、薄荷冰粉末一・〇　甘草粉末二〇・〇
右丸劑。含四五粒。醒腦。
四、薄荷末一・〇　豆蔻末五・〇　廣木香末五・〇　砂仁末五・〇
右丸劑。外蓋紅色。治腸胃疝痛。并爲夏月痧藥。服十粒至二十粒。
五、薄荷冰粉末〇・一　滑石粉末一〇・〇
右混和。爲搽擦劑。治皮膚癢疹疥癬。

(三)浮萍草

性狀　本品爲水苔類之草。鮮者色綠背紫。有奇特之味。

主治
一、爲發汗藥。用於急性傳染病。痘疹。發斑之初期。使早透之初期。有使早透之功。
二、爲利尿藥。用於肺臟腎臟病全身水腫。兼用於僂痲質斯性肌肉痲痺。

用量　發汗每囘乾者一・〇至二・〇利尿每囘〇・五至一、〇

禁忌　有汗症

製劑改良　用乾浮萍提質製爲粉末

處方
一、鮮浮萍煎三・〇　丹皮煎二・〇　白芍藥流膏二・〇　生薑精八・滴　(黃氏浮萍湯)

右水劑。分兩次。熱服。被覆取汗。治痘疹初起未透。

二、鮮浮萍煎三·〇　桂枝酒一·五　杏仁水三·〇　半夏煎二·〇　茯苓煎三·〇　澤瀉煎三·〇　（黃氏苓桂浮萍湯）

右水劑。分三回熱服。治水腫喘息。

（四）香薷

性狀　本品爲芳草類之一。味帶辣。有香氣。

主治

一、爲發汗藥。用於冒寒性諸疾病。

二、有鎮痛作用。用於冒寒性腹痛泄瀉及受穢作嘔等。

三、有利尿作用。用於水腫。及瀰漫性水氣。

用量　每回〇·二至一·〇

禁忌　有汗症

製劑改方　本品內含一種香質精。設法提出之。

處方

一、香薷煎一·五　藿香葉煎一·五　厚樸煎一·〇　茯苓煎三·〇　砂仁末〇·六　半夏末三·〇

右水劑分三回熱服治。冒寒性腹痛止瀉嘔吐。

（五）荆芥

性狀　本品爲芳草類之一。味微淡而香。

主治

一、用大量。有發汗作用。用於感冒及痘疹。

二、爲鎭痛鎭痙藥。用於冒寒性痙變。及僂痲質斯性疼痛。產後多用之。
三、用於產後血暈。及瘡瘍。有效。
用量　每回〇·五至三·〇
禁忌　有汗症虛熱
製劑改良　提精。
處方
一、　荆芥穗末二·〇　（華陀愈風散）
右散劑。黑豆淬酒（取其酸收）呑送。頓服。治產後冒寒。口噤手足痙攣。及產後血暈。四肢強直。經歷代名醫試驗。有奇効。
二、　荆芥穗炭二·〇　麝香〇·〇二　（沈氏的奇散）
右混和。爲散劑。分三回開水呑服。治產後惡露不行。餘血滲入大腸。泄瀉不止。或下青黑物。

（六）淡豆豉

性狀　本品用黑豆經製造而成。爲黑褐色之粒。味奇異。稍有竄激性。
主治
一、有發汗作用。用於冒寒。及急性傳染病。斑疹。與葱白用。其効更顯。
二、本品能刺激胃之知覺神經。間接反對於延髓之嘔吐中樞。而引起嘔吐。爲催吐藥。須用大量。凡胃不消化。異物積滯食道內。或病後胃之機能薄弱。以致積滯而引起苦悶欲吐者。均宜之。幷能吐去痰及粘液。故兼有袪痰作用。
用量　每回一至一·五　吐劑可用至五·〇
禁忌　腸積滯及有汗症

製劑改良　研末

處方

一、淡豆豉末三・〇　葱白頭煎十五頭（萬氏葱豉湯）

右散劑。用葱白煎汁。分三囘熱服。被覆取汗。治感冒發熱惡寒。

二、淡豆豉末一二・〇　生山梔煎四・五（梔豉湯）

右水劑。呑送散末。分三囘熱服。以吐爲度。治病後心窩苦悶。欲吐等症。不起嘔吐者亦有。以中病而止。

## 第三章　解熱藥

凡藥物能減退病人之身熱者。統謂之解熱藥

▲生理作用

一、規整體溫之神經中樞。

二、增加體溫之放散。

三、使由熱而起之牠種症狀。亦可緩解。

四、減退組織細胞之酸化機能。以減少體溫發生。

五、撲滅發熱所由之有機體內發酵素。

六、原因於斑疹者。可使早透。

七、內服大量。有發皮疹嘔吐眩暈血壓下降或虛脫致死者。

八、有發育之作用。

▲醫治作用

凡有發熱之症狀者。可以此類藥治之

（一）葛根

性狀　本品爲蔓藤類粗長之根。皮褐內白。含有一種粉質。其量極多。以普通分離澱粉法處置之即得黃白色之葛根粉。味微苦。

主治

一、爲解熱藥。用於熱病之初期。及斑疹之未透有效。

二、本品能增加消化器系粘膜與唾液腺之分泌。及促進吸收。用於因胃粘膜腺唾液腺分泌不良所致之口乾。胃液不足之消化不良。及腸粘膜吸收不良所起之泄瀉等。有大效。

三、古書記載用於因冒寒所致之項背强變。惟本品對於脊髓及交感神經中樞。有何作用。至今未詳。或係因解熱而得緩和。亦未可知。

用量　每回〇・五至一・〇(飲片分量)(五分至一錢下同)

禁忌　熱病末期。肺癆熱。骨蒸熱。貧血症。

製劑改良　葛根粉

處方

一、　葛根粉一・五　黃連粉〇・六　黃芩粉一・五　(葛根芩連湯)

右水劑。分三回熱服。治身熱。泄瀉、解熱、止利

(二)軟柴胡

性狀　本品爲細扁之草莖。四川產者爲佳。味微苦。

主治

一、爲解熱藥。用於日日瘧。間歇熱。寒熱往復。有特效。用於稽留熱朝熱則無效。

二、有透達作用。熱之內陷者宜之。

三、對於神經有緩和作用。用於神經性官能的疾病。如憂鬱所致之痛。月經不調氣等。而助間神經痛尤效。

四、對於血壓。有亢進作用。而神經則鼓舞之。於唾液腺胃腺腸腺之分泌及吸收。則促進之。用於消化不良泄瀉。胃中痞悶等。有效。

用量　每回〇・二至〇・五解熱每回〇・五至一・〇

禁忌　肺癆熱骨蒸熱虛熱血壓過高神經興奮及貧血所致之眩暈等。

製劑改用　提精

處方

一、軟柴胡煎二・〇　黃芩粉末一・五　半夏煎三・〇　陳皮煎二・〇　生薑精九滴　（小柴胡湯）

右水劑。分三回熱服。治寒熱往復日日瘧。及附帶症狀。解熱袪痰健胃。

二、軟柴胡煎一・五　當歸煎二・〇　白芍流膏二・〇　白朮流膏二・〇　茯苓煎三・〇　丹皮煎一・五　山梔煎二・〇　（加味逍遙散）

右水劑。分三回熱服。治神經性官能的疾病。寒熱脅痛。頭痛眩暈。目赤口苦。倦怠煩渴。抑欝不樂。消化不良。食慾不振。以及婦人經水不調小腹重墜作痛等症。

(三)銀柴胡

性狀　本品爲粗長白色之根。出銀州故名。味苦帶甜。

主治

一、爲解熱藥。有減退組織細胞之酸化機能。及制止有機體內發酵素之作用。用於骨蒸熱虛熱肺癆熱產褥熱。均有效。用於急性熱病之初期。稽留熱弛張熱則無效。

二、能沉靜血液之循環。及制止內臟之發炎。爲清涼消炎藥。

用量　每回一・〇至二・〇

禁忌　急性熱病初期。貧血萎黃病。

製劑改良　用規定之原料製爲流膏。提出有效成分。

處方

一、銀柴胡流膏三・〇　青蒿煎一・五　地骨皮煎三・〇　桔梗素一・五

右一日量之流膏劑。分三回服。治肺癆熱骨蒸熱。解熱制菌祛痰。較之西藥Elbon愛爾那。價廉效著。有心同仁。盍試驗而發揚之。

（四）青蒿子

性狀　本品爲隰草類。莖紫者爲眞。子極細小。味苦。

主治

一、爲解熱藥。用於升降熱。間歇熱再歸熱。有效。用於初期稽留熱。其効不顯。

二、本品有制止撲滅發熱所由之發酵素。及細菌之繁殖作用。用於肺癆熱産褥熱。窒扶斯含有病原療法的意義。此外用於骨蒸熱虛熱之原因不明者。亦均有效。無副作用。無刺激性。不起虛脫症狀。爲解熱藥之最佳者也。

（此藥將來必能引起醫藥界之注意及研究而前途之發明未可限量也）

用量　每回〇三・至一・〇

禁忌　消化不良。大便溏泄者。宜注意。

製劑改良　有効成分含於子中較富提精

處方

一、青蒿煎一・五　佩蘭煎一・五　藿香煎一・五　白薇煎一・五　陳皮煎二・〇

右水劑。分三回熱服。治腸窒扶斯及原因不明之升降熱。

二、青蒿子煎一・五　炙鱉甲煎二・〇　丹皮煎一・五　肥知母煎一・五　生地流膏四・〇

（青蒿鱉甲湯）

右水劑。分三回熱服。用於骨蒸熱夜熱之無汗者。

(五)霜桑葉

性狀　本品爲經霜後之桑葉。味淡。細嘗之。畧有清涼之味。

主治

一、爲解熱藥。用於流行性感冒肺粘膜炎喉頭炎白喉等。

二、能輕微刺激肺粘膜。使分泌增加。爲袪痰鎭咳藥。

用量　每回一·〇至一·五

製劑改良　弔露或提精

禁忌　骨蒸熱虛熱

處方

一、　霜桑葉煎三·〇　薄荷油十滴　象貝煎三·〇　桔梗素一·〇　前胡煎一·五　杏仁水三·〇　遠志煎一·五

右水劑。分三回熱服。治流行性感冒。有殊效。

(六)牛蒡子

性狀　本品爲隰草類之子。頭尖尾圓。外裹薄殼。仁色黃白。較芝蔴稍大。味苦含有一種油質。

主治

一、爲解熱藥。用於流行性感冒急性喉頭炎猩紅熱白喉痘疹等。兼有消炎鎭痛作用。

二、爲變質解毒藥。有變更血液。調和組織。溶解沉著用之功。用於炎腫瘡瘍。亦可外敷。

三、有潤腸作用。

用量　每回〇·五至一·五

禁忌　消化不良。便滑。



中国近现代中医药期刊续编·第三辑

製劑改良　取油提精

處方

一、牛蒡子煎三・〇　荆芥穗煎一・五　甘草糖漿一・〇（消毒散）

右水劑。分三回熱服。治痘瘡不出。咽喉腫痛等。

（七）防風

性狀　本品爲粗長之草根。質鬆脆。切斷之。中心色黃白。外層色金黃。而被以薄皮。嘗之味苦而帶酸墻。

主治

一、爲解熱藥。用於冒寒性疾病。及熱病無汗之初期。

二、用於冒寒性僂痲質斯性關節拘攣。周身肌肉痺痛。眩暈等。有鎭痛祛風起痺之效。惟因牠種原因所致者。忌之。

三、對於神經有刺激舞鼓作用。服大量。有發口渴舌痲耳鳴頭眩等副作用。

禁忌　虛熱骨蒸熱神經衰弱腦貧血盜汗

用量　每回〇・五至一・五

製劑改良　提精煎質製粉末

處方

一、防風煎一・五　黃芪煎一・五

右水劑。分三回熱服。治冒寒性關節拘攣舌强不語。而心臟衰弱者。

（八）白薇

性狀　本品爲山草類細長之根。色黃白。味苦。

主治

一、爲解熱藥。用於稽留熱弛張熱熱病之中期。

二、爲清涼藥。有減退組織細胞之酸化機能之作用。能沉靜血液之循環。用於血熱骨蒸熱間歇熱潮熱等。有效。

用量　每回〇、五至一・五

禁忌　胃寒性發熱之初期惡寒者

製劑改良　提精〇煎質製粉末

處方

一、白薇煎三・〇　青蒿煎一、五

右水劑。分三回熱服。治潮熱朝輕暮甚。骨蒸熱。

（九）黃芩

性狀　本品爲粗長之根。色青黃。質輕脆。味苦。

主治

一、爲解熱藥。有減退組織細胞酸化機能之功。用於熱稽留弛張熱間歇熱等。有效。骨蒸熱虛熱無效。舌黃口苦者最宜。

二、爲消炎藥。有沉靜循環。乾燥粘膜分泌。制止發炎之功。用於腸胃粘膜炎赤白痢眼膜炎瘡膿等。有效。外敷製爲粉末。有收回防腐作用。

三、有健胃作用。用於胃氣痞悶。熱病食慾不振等。

四、因熱胎動不安。及經來過多。因爲制經安胎藥。

用量　每面〇・四至一・五

禁忌　貧血萎黃泄瀉濕痰

製劑改良　煎質製爲粉末

處方

一、黃芩煎一・五　白芍流膏二・〇

右水劑。分三回熱服。治腹痛痢疾初起。及胃腸粘膜炎。解熱眞痛消炎。

二、黃芩片一・五　黃連片〇・九

右分三回用開水冲飲。治胃氣痞悶。熱病食慾不振。健胃。

三、黃芩粉末〇・八　白朮粉末二・〇　白芍粉末一・五

右一日量之散劑。分三回呑服。治因熱胎動或痛。

（十）山梔子

性狀　本品爲長圓形六稜之果實。色正黃。味苦。

主治

一、爲解熱藥。用於因熱所致之胃中痞悶煩熱懊憹不眠種種官能的疾病。對於神經系或有鎮靜之効。兼生於胸中作痛。

二、爲催吐藥。與豆豉同用。惟其效不確。

三、有利尿作用。用於黃疸之屬熱者。

四、有滑腸作用。

用量　每回〇・五至一・〇吐劑每回三・〇至六・〇

禁忌　便溏泄瀉

製劑改良　煎質製粉末

處方

一、山梔子煎二・〇　黃柏煎二・〇

右水劑。分三回熱服。治身熱發黃。

（十一）知母

性狀　本品爲粗長輕鬆之草根。色淡黃。有粘液。味苦。

主治　一、爲解熱藥。用於稽留熱弛張熱之亢期。及骨蒸熱。

二、有鎮靜作用。用於性神經勃起過度。夢遺。

三、小便熱閉不通。用之有利尿之效。

用量　每回〇・五至一・五

禁忌　便溏胃弱熱病初期

製劑改用　流膏劑

處方　一、知母流膏一・〇　黃柏煎一・〇　熟地流膏三・〇　龜板流膏三・〇　食鹽〇・二（大補陰膏）

右一日量之流膏劑。分三回冲服。治貧血火旺。骨蒸、盜汗、肺痿、欬血、虛勞之症。

（十二）黃連

性狀　本品爲細長之草根。包金黃。味極苦而香。

主治　一、爲解熱藥。有清血解毒之功。用於急性傳染熱病、爲斑疹、猩紅熱、腦脊髓膜炎、腸窒核斯等之高熱。舌黃者最宜。

二、爲消炎藥。有乾燥粘膜。制止分泌之作用。用於腸胃粘膜炎赤白痢眼膜炎彩虹炎鼻粘膜炎及炎腫瘡瘍等。有大效。

三、能沉靜循環。鎮靜神經因熱之亢奮。用於熱病之不寐狂讝充血性頭痛等。

四、爲健胃藥。用於胃氣痞悶噯嘔泛酸等。甚效。用其小量。幷有鎭吐作用。

五、煎爲油膏。爲水火燙傷之鎭痛藥。有特效。

**用量** 每回〇・〇二至一・〇健胃每回〇・〇五至〇・一

**禁忌** 腦貧血虛熱骨蒸熱心臟神經衰弱泄瀉

**製劑改良** 煎質製粉

**處方**

一、黃連煎一・五 黃芩煎二・〇 黃柏煎二・〇 石膏煎五・〇 山梔煎三・〇 淡豆豉煎三・〇 麻黃煎〇・二 （三黃石膏湯）

右水劑。分三回熱服。治急性傳染病及斑疹未透之高熱。表裏大熱而赤鼻乾舌燥大渴煩躁不眠昏讝發狂等症狀解熱。

二、黃連粉末〇・六 黃芩粉末〇・六 大黃粉末〇・六 （三黃湯）

右一日量之散劑。分三回熱服。治充血頭痛失眠胃呆便秘等症。鎭靜健胃。

三、黃連煎一・〇 黃芩煎一・五 生甘草煎一・五 （黃連甘草湯）

右水劑。分三回熱服。治頭目耳鼻咽喉炎腫赤痛。及炎性瘡瘍。鎭痛消炎。

四、黃連粉末〇・六 吳萸末〇・一 （佐金丸）

右一日量之丸劑。分三回呑。治胃氣痞悶噯氣作酸幷左脅作痛。健胃鎭痛。

五、黃連末四〇煎〇 陳菜油一六〇・〇 煎膏去滓以凝爲度

右軟膏。脫脂紗布攤貼。或塗敷。治水火燙傷。有大效。鎭痛消炎。幷用於炎性瘡瘍。

（十三）黃柏

**性狀** 本品爲黃柏樹之。幹色黃。味苦

**主治**

一、爲解熱藥。用於急性熱。病稽留熱之中期。
二、爲消炎藥。用於腎盂炎膀胱炎。副睾丸。炎淋濁泌尿器系諸疾。患及痔疾關節炎炎腫性瘡瘍潰瘍等。能乾燥粘膜制止分泌。有變質防腐作用。
三、小便熱痛不通。及熱病發黃等用之。有利尿之效。
四、性神經勃起。過度淫慾。亢進夜夢。遺精用之。有鎭靜之效。

用量　每囘〇。三至一。五外敷研末

禁忌　貧血痿黃。神經衰弱。泄瀉滑精。

製劑改良　煎質製粉

處方

一、黃柏粉末一·〇　知母流膏一·〇　肉桂粉末〇·〇五　(滋腎通關丸)
右一日量之丸劑。分三囘呑服。治小便熱閉作痛利尿消炎。

(十四)生石膏

性狀　本品爲白色。半透明之塊。味淡。西醫言石膏之成分。爲鈣磺養。四不入藥品。此係指煆石膏而言。若謂生石膏。無解熱功效。是不知而武斷也。謂予不信。請來一試。

主治

一、爲解熱藥。用於稽留熱中期之高熱。熱病亢進期。大有解熱之效。胃熱肺熱發斑。尤爲必需。
二、爲清涼藥。能沉靜循環。鎭靜神經。因熱之亢奮。故心悸亢進狂讝。煩躁大渴。全身重痛。神經痙攣等之。因於高熱者用之有大效。
三、用於壞血病。紫斑病及齒痛頭痛等有效。

用量　每囘二·〇至一〇·〇

禁忌　骨蒸熱。肺癆腦貧血。心臟衰弱。

製劑改良　以研末包爲良

處方

一、　生石膏煎一〇・〇　知母煎四・〇　生甘草煎三・〇　鮮竹葉心煎〇・五　（白虎湯）

右水劑。分三回熱服。治高熱大汗。脈洪實大煩大渴鼻煽氣促狂讝神昏。肺熱胃熱。清涼解熱。

## （十五）西河柳葉

性狀　本品爲細長。有花紋如繩索之葉。與水楊垂楊有別。味苦。

主治

一、有發汗作用。爲解熱藥。用於痲疹。可使早透。

二、用乾葉。百分之二十之酒精浸劑。搽擦治蕁痲疹癢疹及皮膚病。止癢殺菌。煎汁水浴亦可幷治。剝牛馬其血入肉糞汁。浸之卽解。

用量　每回〇・五至一・〇

禁忌　有汗症。熱病中末期。心臟衰弱。

製劑改良　煎質製粉

處方

一、　西河柳葉煎三〇・　荆芥煎二・〇　櫻桃子煎三。〇

右水劑。分三回熱服。治痲疹未透。

## （十六）蘇葉

性狀　本品爲芳草類。紫色之葉。味苦而芳香。

主治

一、爲發汗解熱藥。用於流行性。感冒及痘疹之未透。與冒寒性泄瀉等。
二、有祛痰作用。爲鎮咳藥。

用量　每回〇・五至一・〇

禁忌　有汗症熱病亢進期

製劑改良　研末或提精

處方

一、　蘇葉煎一・五　荊芥煎一・〇　杏仁水三・〇　前胡煎一・五

右水劑。分三回熱服。治流行性。感冒發熱。惡寒咳嗽鼻塞。

（十七）水楊（水楊酸）

性狀　本品爲白色。針狀之結晶。或爲白色之粉。係從水楊提取而得。故名。味甘酸。略有清涼刺激之性。水及酒精。均可溶解。

主治

一、爲解熱藥。持續時間。甚短用於熱之亢進期。始克奏効。用於熱之初期。其効不顯。痲疹肺炎。肺癆熱窒。扶斯肋膜炎等。均可用之。
二、用於急性關節僂痲質有特效。
三、爲防腐藥。外用爲撒布。塗布。含漱料。

用量　內用解熱每回〇・五至一・gm 爲散劑。
外用（一）含漱料用五百倍之水溶液。
（二）爲繃帶料用五十至二十倍之酒精溶液

禁忌　心臟衰弱。宜忌之。因有虛脫之虞也。

製劑　本品有強大之防腐。制酵作用。而有刺激性。內用之則發腸胃炎。故內服宜用製劑。水楊

酸鈉。因本品與鈉化合。則失其刺激防腐二性也。水楊酸鈉其效用與水楊酸同。但無防腐刺激二性。內服用量每回爲一・〇至五・〇 gm 頓服或分服之。

處方

一、水楊酸鈉六・〇 gm

右散劑。分三回吞服。解熱。又右分六包一日三回。二日分服。治急慢性關節僂痲。質斯及尿酸性關節炎。

二、水楊酸一・〇 酒精一〇・〇

右混和外用。治一切癢疹

三、水楊酸一・〇 滑石粉三〇・〇

右爲撒布料。治一切濕疹。

四、水楊酸一・〇 黃柏粉一二・〇 滑石粉一二・〇 凡士林一〇〇・〇

右混和爲軟膏。用於潰瘍濕疹。

# 五法總論

丁仲英

## 五法問答

### 肌肉

問曰。尺寸俱長。何以知是邪在陽明肌肉。答曰。長者泛溢也。言脈過於本位也。陽明爲血氣俱多之經。邪一傳之。薰蒸肌肉。則血氣泛溢。今尺寸俱長。故一見脈長。知邪在陽明肌肉。當用辛涼解肌。不可用辛甘正表藥也。又問曰。脈長者。邪舍陽明肌肉。其有投承氣湯者。何以故。答曰。陽明用承氣湯者。陽明腑也。非陽明之經也。若陽明腑病當下者。其脈長洪有力內必有便閉讝語等證。方敢投承氣湯。若陽明經病。其脈長白浮。乃表病而裏和。又熟敢用承氣乎。蓋由

經腑不明。臨診時手足無措。攻裏不可。發表又不可。但依傷寒諸書曰。凡在陽經者不可下。又曰。陽明當急下之。醫家不知何者爲是。何者爲非。仲景立法原善。但文字深奧。非後學所能解。而王叔和以亦經各某成篇。致陽經不分經腑。陰經不分傳中。當知仲景用攻者。攻陽明之腑。不攻陽明之經。表者。表陽明之經。不表陽明之腑。又烏得以經爲腑。以腑爲經乎。

問曰。目痛鼻乾。何以是邪在肌肉。答曰。目鼻者。陽明胃腑所布之經絡也。蓋胃主肌肉。邪之侵人。必由皮毛而入肌肉。今目痛鼻乾。則知邪在陽明肌肉。至于他經則各行其道。何目痛鼻乾之有。

問曰。嗽水不欲嚥。何以是邪在肌肉。答曰。唇者。肌肉之本。今唇焦思嗽水以潤之。知邪在肌肉中。然不欲嚥者。知臟腑無熱故也。乃表痛裏和也。又問曰。表證既除。已屬裏證。或亦嗽水而不嚥者。治法從陽證乎。從裏證乎。答曰。既無表證。裏必有熱。熱則能消水。嗽當嚥下。若不嚥者。是內有瘀血也。何以別之。必外無表證。小腹硬滿小便自利大便枯黑色是也。當用桃仁承氣湯攻之。

## 和解

問脉不浮不沉。何以是半表半裏症。答曰。浮爲在表。沉爲在裏。今不浮不沉者。曰表則邪將入腑。曰裏則邪未深入於腑。然非表證。亦非裏證。知邪在中。故曰不浮不沉者。屬半表半裏證也。

問曰。寒熱往來。何以是半表半裏證。答曰。熱邪屬陽。寒邪屬陰。足少陽膽經。正陰陽交界之所。邪至此經爲半表半裏。致陰陽相爭。寒熱相半。故寒熱往來。即屬半表半裏。又問曰。陽明亦有寒熱往來何也。答曰。若陽明經病。邪在肌肉中。則身發熱。已傳陽明之腑。鬱熱薰蒸。結糞在內。故寒熱往來。當用大柴胡承氣湯攻之。故曰。陽明內熱。則爲寒熱往來。

問曰。嘔吐何以是半表半裏證。答曰。邪氣將入裏。裏氣上冲。邪氣分爭。故嘔吐。然嘔吐雖出於胃。原是少陽部位。故見嘔吐。即屬半表半裏也。又有胃熱。而嘔吐者。另是一證。必觀口之渴與不渴以別之。

問曰。脇病何以是半表半裏證。答曰。足少陽膽經。布之脅下。故一見脅痛。即是半表半裏。至於他經。或出於顛背。或佈於面目。又何得有脅痛。又問曰。水氣亦令脅痛何也。答曰。水氣脅痛。必見乾嘔心滿。咳引脇下病。頭汗出。此屬水氣脅痛。非少陽脅痛也。若半表半裏脅痛。外必兼見少陽證也。

問曰。胸前脹滿。何以是半表半裏證。答曰。胸前上半截。乃淸陽之分。正在半表裏。邪至此將入裏而未得深入裏也。今胸滿而腹未滿者。乃邪氣而非有物也。故胸滿在半表裏。若腹中脹滿。是有物而非邪氣。又問曰。痞氣亦胸前脹滿。何以別之。答曰。痞氣因邪在表。爲醫誤下。以致胸脹。必向其曾經下否。若下過者。即是痞氣。若未經下而胸前脹滿。即半表半裏證。

問曰。耳聾何以是半表半裏證。答曰。足少陽胆經。上絡於耳。故聾爲半表半裏證。

問曰。頭汗何以是半表半裏證。答曰。諸陽經脉絡。上至於頭。則有頭汗出。若諸陰經脉絡。皆至頸項而還。焉得有頭汗出。故一見頭汗。即半表半裏證。又問曰。旣諸陽脉上至於頭。今頭汗出。當是表證。何以爲半表半裏也。答曰。若是表證。尙有寒邪閉塞。焉得有汗。今旣有汗。是寒邪將化爲熱也。但名曰裏證。則頭自汗出。但名曰表證。則頭無汗。故曰半表半裏也。又問曰。瘀血。發黃。水氣三證。作有頭汗出何也。答曰。瘀血頭汗出。小便自利。發黃頭汗出。小便不利。水氣自汗出。胸滿咳嘔。若半表半裏頭汗。必往來寒熱也。然三證頭汗出者。亦皆未離乎陽經。可見頭汗屬半表半裏無疑。

問曰盜汗無以是半表半裏證。答曰。邪熱薰灼腠理。使人有汗。寒則腠理閉塞。而無汗矣。若曰是裏。當汗出而不止。今汗睡而出。覺而收。是邪將壯於陰分。亦未深入於陰。其邪尙淺。故曰屬半表半裏也。又問曰。雜症盜汗。亦作半表半裏乎。答曰。雜證盜汗乃陰虛之極。血分虧弱。

名曰勞怯之症一傷寒盜汗乃有餘之邪。名曰外感。非與雜證同。

問曰。舌滑何以是半表半裏證。答曰。舌既司腸胃。寒熱之變在表。則舌和如常。在裏則舌乾枯焦色。今舌滑尚有津潤。但不如常。邪將入腑。未深入腑也。邪必在表。亦非在裏。故知屬半表半裏也。

問曰。目眩口苦。何以是半表半裏證。答曰。目者肝之竅也。膽附於肝。今少陽胆病。其目自眩。口苦者。胆之汁也。熱泄胆汁。故口苦。凡目眩口苦者。即是少陽半表半裏症。當和解之。至於他經。則無此證。

## 攻裏

問曰。脉沉而有力。何以是傳經裏症。答曰。脉者血之府也。人身之元氣也。故脉存則生。脉絕則死。太過不及則病。內實則脉實。內虛則脉虛。然沉者脉病也。主病在裏。有力者實也。主病屬熱。今沉而有力者。是裏實且熱也。攻見脉沉而有力。屬傳經裏症無疑矣。

問曰。潮熱何以是裏症。答曰。潮熱如潮之信。不先其時。今未申時熱。明日亦未申時熱。蓋未申時屬陰。今見潮熱。是邪居陰分。熱結在裏。薰灼結糞。故見潮熱。屬裏症無疑。當下之。又問曰。潮熱屬裏症。固當下。倘猶有表證。何以治之。答曰。亦有潮熱尚兼表證未盡者。必先解表。後可攻裏。

問曰。惡熱何以是裏證。答曰。熱傳臟腑。薰蒸煩躁。即惡熱。致揭去衣被。揚手露脚。此熱傳腑也。故見惡熱。即屬裏證。若有寒在內。則惡寒。焉有惡熱之理。問曰。腹病何以是裏證。答曰。坤爲腹。乃純陰也。謂之曰陰。則腹病不得爲表證明矣。若胸前痛而腹中未痛。是邪未深入於裏。當作半表半裏。今見腹痛。知熱邪傳裏矣。故腹病當爲裏症。又問曰。既是裏症。當投大黃。今用桂枝者何也。答曰。或太陽症爲醫誤下。而致腹病者。尚有微表未解。或已成太陰裏症。而脉尚帶浮者。故用桂枝大黃。令表裏兩解。然腹病雖屬陰經。又有傳經直中之分。不可不深辨也。

問曰。下利何以是裏症。答曰。下利出於腸胃。邪在表則裏和。焉得下利。邪傳入臟。熱灼腸胃故有下利。問曰。表證亦有下利否。答曰。三陽合病。則有下利。或少陽與陽明合病。陽明者。內主胃腑。故有下利。三陽合病。若不入腑。必無下利。何以別之。但有發熱及諸表證耳。下利因爲裏症矣。又宜分傳經直中。傳經則下利腸垢。直中則下利清穀。

問曰。轉失氣何以是裏證。答曰。轉失氣者。氣下泄也。今人將欲大便。必先氣泄。况病者內有燥糞。結而不通。則氣常下失。故陽明篇云。若不轉失氣。不可與承氣湯。是知轉失氣屬裏症。

問曰。手足心腋下有汗。何以是裏症。答曰。人身諸背屬陽。諸腹屬陰。手足掌心腋下。皆屬陰。五臟經絡所係。邪熱入裏。薰蒸臟腑。致手心腋下汗出。故爲裏症。若掌心腋下未滋潤者。邪尚在表。而未入裏也。謂之表病裏和。今掌心腋下汗出者。知大便已硬。當急下之。故掌心腋下汗出爲裏熱症。

問曰。咽乾齒燥。何以是裏症。答曰。咽爲胃之路。齒乃骨之餘。今咽乾腑熱盛也。齒燥熱灼骨也。然骨與胃。俱爲裏證所主。故一見咽乾齒燥。卽爲裏證矣。又問曰。內熱甚當咽病。寒症亦咽病何也。答曰。直中之寒咽病者。必下利清穀。口肢厥逆。此乃寒極反致咽病。與之以水。則不能飲。若不傳經咽乾齒燥。思水特甚也。

問曰。目不明何以是裏症。答曰。目爲五臟精華之所係。然五臟屬陰。陰居於裏。故言在裏。况瞳人屬腎。內熱灼極。則腎水枯涸。致目不能視物。卽是裏症。當急下之。以救腎家將絕之水。若謂此證屬靈。誤投熱藥。必致不救。

（待續）

# 學說

## 癆病指南總論

上海秦伯未著　揭陽林德翔評註

癆病指南一書。爲上海秦伯未先生著。先生對於各科醫學。俱極精通。而尤以癆症一門。見稱於世。近鑒患是病者。每爲庸手所誤。於是慨然著出是書。用以挽回夭折。是其居心之仁。於此可見一斑。雖書中寥寥數千言。然義深而意透。醫家得之。正可力悔過於既往。益蒼生於未來。惟是其中理邃詞約。淺學者見之。不無興感。爰不揣譾陋。略爲評註。俾讀者一覽了然。免於東翻西閱。庶時間經濟。或不無少補歟。壬申立冬前二日。揭陽雲卿林德翔誌。

### 成因

虛勞一症。雖有因感受外邪。纏綿而來。及其既成。無不由於內傷臟腑。故虛勞病。當列於內傷調理門。凡嗜酒傷肺。濕熱薰蒸。則肺消陰爍。好色傷腎。精室空虛。則相火無制。思慮傷心。血液暗耗。則君火易炎。勞倦傷脾。最能生熱。則內伐眞陰。怒氣傷肝。鬱勃火熾。則灼血妄行。此五者皆能勞其精血。卽皆能成爲虛勞。蓋精血屬陰。陰虛則內熱生。道經所謂涕唾精津汗血液。七般靈物總屬陰者是也。然有童子亦患此者。則種於先天稟受之不足。而稟於母氣者尤多。其師尼寡婦室女思慾不遂。氣血鬱結。以致寒熱如瘧。朝涼暮熱。飲食不思。經期不准。或閉絕不行。俗稱爲乾血勞。則由鬱火所蒸而致。

(評)虛勞卽虛癆。蓋因陰虛而成癆也。陰虛則火動。故喻南昌云。勞字從火。二火在上。是以勞病初起。最忌服補。治當清火育陰爲主。俟其火退陰足。然後方可擬進清補。否則。愈補而火愈熾。病勢之重。無不由此。醫者知之。

（註）童子患此者。名曰童子癆。宜用屋上晒白之乾貓糞。用黃土包裹。火內煨焦。取出。去土存性。研末。黃糖和爲丸。每服三四錢。甚效。至於師尼寡婦之患是病。由於氣血鬱結。以致寒熱如瘧。朝涼暮熱者。宜用淸骨散及八味逍遙散服之。或於逍遙散中。再加香附。澤蘭。地黃。鬱金。黃芩之類亦可。若夫乾血勞。肌膚甲錯者。則非大黃䗪蟲丸不可。

淸骨散　卽銀柴胡。胡黃連。地骨皮。秦艽。鱉甲。靑蒿。知母。甘草也。

八味逍遙散　卽當歸。芍藥。白朮。炙草。柴胡。茯苓。丹皮。梔子也。

大黃䗪蟲丸　卽大黃。蟲䗪。黃芩。甘草。桃仁。杏仁。芍藥。乾漆。蝱蟲。水蛭。蠐螬。乾地黃等。共研末煉密爲丸。如小豆大。每服五丸。溫酒送下。日三次。

的症

欲治虛勞。須先明何者爲虛勞之的症。凡在腎則腰脊腿脛痠軟。且攸隱而痛。爲骨蒸內熱盜汗。或至夜發熱。爲遍身疼痛。或疼痛如折。爲夢遺滑泄。爲耳中鳴。足心熱。在心則爲驚悸怔忡。爲掌中乾熱。爲虛煩無寐。爲魘夢不甯。爲口苦舌乾。爲口舌糜爛。在肺則爲欬嗽多痰。或乾欬少痰。爲胸滿氣逆。或喘或促。爲兩顴紅若朱。爲鼻中氣如火。爲欬血衄血。甚則吐白沫。一邊不能睡。咽痛喉爛。聲嘶音啞。在肝則爲寒熱如瘧。爲頸項瘰癧。爲脇肋作痕作疼。爲兩目或澁或痛。爲頭暈眼花。爲多怒。爲吐血。在脾則爲飮食少思。惡心嘔吐。爲脹滿腹痛。食不消化。爲腸泄瀉。肌肉消瘦。皆五藏虛勞之本症也。

（評）據所述。皆係第二期第三期之候。二期猶可挽救。三期則不可治。所現證狀。皆無非眞陰虧損。腎水告竭。治者苟不滋其陰而益其液。調其脾而和其胃。解其毒而殺其蟲。猶徒事溫補辛燥。則無不速其斃者。

陽虛與陰虛

方書之於虛勞。皆言氣虛血虛。陽虛陰虛。混同立治。是以讀者漫無指歸。不知氣虛者。面目無神。語言輕微。四肢無力。脈來微弱。陽虛者。體冷畏寒。手足逆冷。溺清溏泄。脈沉以遲。可投溫補。故謂虛勞之可服參芪。受補者爲可治。氣虛陽虛之症也。虛勞之不能服參芪。不受補者爲不可治。血虛陰虛之症也。雖血脫有補氣之法。此指卒暴失血。素非血虛之人。如新產證之類。非所論於血因火燥致虛之症。蓋火之所以燥者。水虛無以制之也。故內經曰。一水不能勝五火。五火者。五志之火也。一水者腎中眞陰之水。卽精也。人生全盛之數。前後止二十餘年耳。故丹溪引日月之盈虧。以爲陽常有餘。陰常不足。王節齋亦以爲陰虛成病十之八九。陽虛成病十之一二。蓋以節慾者少。縱慾者多。人但知縱慾不過腎虧。焉知陰精日損。飲食無知。轉虛轉勞。脈從內變。色不外華。卽虛勞之根乎。

(評)俗醫對於此症。開手便投溫補。遇氣虛陽虛者。未嘗不宜。遇陰虛火動者。靡不速斃。然人身陽常有餘。陰常不足。陽虛者十無一二。陰虛者十常七八。俗醫於此。大多昧昧。良可浩歎。

脉法

虛症宜見虛脈。故虛病以脈見浮軟微弱虛數爲順。若兩手俱弦。或左手脈細。右手浮大勁急。俱屬肝旺脾敗。發熱而脈濇小者死。脈結或代亦死。失血症脈每見芤。芤者如按葱管。外實中虛之象。但以緩小者吉。數大者凶。此虛勞脈之大法也。

(評)癆病之脈。弦勁而數。名曰眞臟脈。主無胃氣。經曰。無胃氣者死。若眞臟脈未見。猶可延長時日。若眞臟脈已見。則不久於人世矣。

死候

虛勞不能服參芪。不受補者死。勞嗽音嗄者死。一邊不能睡者死。肺敗之徵也。久瀉及大肉去者死。脾敗之徵也。嗽不止而出白血者死。血竭而津液將盡也。又勞嗽久而咽痛無聲。此爲下傳上。不嗽不疼。久而溺濁遺精。此爲上傳下。皆死。吐血若欬逆上氣。脈數有熱不得臥者亦死。死候多端。皆屬因虛而損。因損而極所致也。

(評)病勢至此。已入三期之末。死狀畢露。雖遇神仙。亦不能救。

## 治法

### 宜補腎水

腎之水。受五藏六腑之精而藏之。故五液皆歸于精。而五精皆統于腎。虛勞病每由入房太甚。第一宜求補腎。保陰六味左歸之屬。皆甘寒滋水添精之品。補陰以配陽。正所謂壯水之主。以制陽光也。滋其陰則火自降。譬之殘燈火焰。添油則焰光自小也。然須製大劑。長久服之。蓋陰無速補之法。益陰之藥。必無旦夕之效也。若因於酒者。清金潤榮爲主。而保陰之屬。仍不可廢。何則。好飲之人。不患虛勞者。以腎水不虛。虛則心寡於畏。而復灼久傷之肺。焉得不病。補北方所以瀉南方也。因於思慮者。清心養血爲主。而保陰之屬。亦不可廢。所謂水壯而火熄。弗急急於瀉心是也。因於勞倦者。培補脾陰。佐以保陰。經云。有所遠行勞倦。逢大熱而渴。渴則陽氣內伐。內伐則熱舍於腎。故勞倦內熱者。必及於腎也。至忿怒傷肝動血。保陰六味爲正治之品。以水旺則龍火不炎。而雷火自潛。乃肝腎同治之法也。

(評)勞病陰虧液缺。命火熾盛。慾念易浮。色心每難自抑。治者於所用方中。不妨加入知柏二味。以直折其腎火。一二後。仍用大劑補陰以配陽。其功當更顯著。再按此症。如集靈膏。瓊玉膏。三才湯。大補陰丸。等之類。皆可相症選用。至於清金潤榮。取用百合固金湯可也。若欲培補脾陰。則不外乎張氏錫純所製之薯蕷雞子黃粥。

(註)保陰煎　即天冬。麥冬。生地熟地。玉竹。牛膝。山藥。茯苓。龜板。龍眼肉。用石斛煎湯代水。冲入人乳一杯。或熬作膏亦可。

六味地黃湯　即熟地黃。生山藥。山萸肉。牡丹皮。建澤瀉。白茯苓也。

左歸飲　即熟地黃。生山藥。山萸肉。甘枸杞。炙甘草。白茯苓也。

集靈膏　即人參。枸杞。生地黃。熟地黃。天門冬。麥門冬。懷牛膝。仙靈脾也。

瓊玉膏　即生地黃。白茯苓。人參。雪蜜。共熬膏。

三才湯　即人參。天冬。地黃。

大補陰丸　即龜板。地黃。知母。黃柏。猪脊髓。煉蜜爲丸。

百合固金湯　即生地黃。熟地黃。玄參。貝母。甘草。桔梗。當歸。麥冬。芍藥也。

薯蕷鷄子黃粥　即薯蕷一味搗碎。水煎。下白糖少許。調入生鷄子黃一枚。

## 宜培脾土

脾胃爲後天之本。飲食多自能化精生血。雖有邪熱。藥得治之。久則火自降而陰自復。否則。脾胃一損。血生而不陰何以配陽耶。故越人亦極歸重之。其言曰。一損肺。二損心。三損脾。四損肝。五損腎。從上而下者。過胃則不治。從下而上者。過脾則不治。又仲景治虛勞。惟用甘藥建立中氣。以生血化精爲復虛勞之良法。又內經曰。陰陽形氣俱不足者。調以甘藥。蓋脾胃之强弱。動關五臟。况土强則金旺。金旺則水充。故治虛勞者。無論何臟致損。皆當以調脾胃爲主。

(許)脾胃屬土。爲後天生化之源。土旺而金自生。且各部藏腑。靡不受其灌漑。故古人治病。每重土氣。蓋萬物無不賴土以生。土旺則萬物旺。土敗則萬物敗。苟土敗而萬物旺者。古今未之聞也。

(許)培脾土宜四君子湯異功散六神湯歸脾湯等之類。

四君子湯　即人參。茯苓。白朮。炙草也。

異功散　即四君子湯加陳皮

六神湯　即四君子湯加山藥。扁豆。

歸脾湯　即四君子湯加黃芪。遠志。木香。當歸。酸棗仁。龍眼肉也。

## 忌引火歸元

命門之龍火。謂之眞陽。如果衰弱。腎中陰盛。龍火不能安其位。浮越于上。而知上焦假熱。正宜八味之屬引之。若虛勞症。乃腎水眞陰虛極。水不攝火。火因上炎而致。面赤唇紅。口鼻出血。齒痛齒浮。種種上焦虛熱之症。雖亦龍火上炎。與浮陽上泛大異誤。用桂附引火歸元之法。是抱薪救火。上焦慾熱。而欬嗽燥渴。咽痛喉爛諸症至矣。

(評)桂附性味純陽。命火衰微者。漸用猶可。若虛勞之症。眞陰虧損。二藥大爲所忌。倘誤用之。其禍靡不旋踵。

(註)八味丸　卽六味地黃丸加肉桂附子。

## 忌理中溫補

今人不辨虛寒之眞實脈症。一見脹滿腹痛。食不消化。腸鳴泄瀉等。便認爲虛寒。而投以白朮之香燥。又濟以乾薑之辛熱。不知虛勞之症。患在傷陰。再補其陽。則陽益亢而陰益竭。是促之死也。更有見其脹滿泄瀉。遂引經文清氣在下。則生飧泄濁氣在上。則生䐜脹。而用補中益氣以升清降濁。誤施升柴。反促陰火上逆。以致欬嗽增。吐血至。而危亡見。

(評)理中湯辛熱。補中益氣湯辛溫。虛勞病之可服此者。百中無一。世人不察。每以溫補誤身而不悟者比比。余數載來。見勞病服斯二方而殆者。指不勝屈。上年方君加鵬患瘵。日夜欬嗽。其父自爲診治。謂虛寒已極。用理中香砂六君輩。輪流與服。遂致咽痛音嗄。飲食難下。不久而亡。聯記於此。以爲世之喜用溫補而治瘵者鑒。

(註)理中湯　卽人參。白朮。乾薑。炙草也。

補中益氣湯　卽人參。白朮。升麻。柴胡。黃芪。陳皮。當歸。炙草也。

香砂六君子湯　卽四君子湯加陳皮。半夏。木香。砂仁也。

## 忌參芪助火

肺脉按之虛而不數。肺中不熱。參芪可受。故有土旺生金。弗拘保肺之說。今火已爍金而咳嗽矣。火蒸津液而化爲濃痰矣。君相亢甚而血隨上逆矣。猶引無陽則陰無以生。虛火可補。參芪之屬。大劑投之。因之陽火愈亢而金水益傷。直醫殺之耳。

(評)癆病服參芪。須認其確已虛極。方可權用。否則。未便輕試。徐洄溪曰。人之有病。不外風寒暑濕燥火爲外因。喜怒憂思悲驚恐爲內因。此十三因。試問何因是當補者。大凡人非老死卽病死。其無病而虛死者。千不得一。王孟英曰。虛勞內傷。當就其所傷而治之。切不可開手便補。觀古人不曰內虛。而曰內傷。卽可知其義矣。二子所云。皆極明顯而先得吾心。賴俗醫昧良。每以虛字嚇人。雖遇外邪未盡之咳嗽。亦必以虛字嚇之。屬其服補。必使其邪補住。以至久嗽成癆而後快。嗟嗟。我無生花之筆。而欲以此誅諸庸手。其能濟乎。其能濟乎。

謹按此症火爍肺金而咳嗽。火蒸津液而化爲濃痰。君相亢甚而血隨上逆。所用湯藥。於張景岳之四陰煎。費必雄之淸金保肺湯。薛氏之久嗽方等。臨時斟酌去取可也。

(註)四陰煎　卽生地黃。北沙參。生杭芍。大麥冬。白茯苓。蘇百合。生甘草也。

淸金保肺湯　卽天門冬。麥門冬。南沙參。北沙參。石斛。玉竹。蔞皮。茜草。杏仁。貝母。茯苓。蛤粉。梨肉。鮮藕節一兩。煎湯代水煎。

薛氏久嗽方　卽玉竹。扁豆。茯神。沙參。甜杏仁。川石斛也。

## 忌苦寒瀉火

實火爲病。可以苦寒直折之。然須熱去卽止。不可過用。若虛火陰虧。豈知柏苦寒之劑所可淸。非惟不能淸火熱。抑且有損眞陰。徒敗胃氣食少泄多。將何療治。甚者其見大便燥結。用硝黃以通之。不知腎主二便。更主精液。腎之精液旣竭。自然不能濡潤。滋其陰。潤其燥。而便自通。故士材之論。人徒從其溫補。曷知其深戒苦寒不可妄用之意哉。

（評）苦寒之藥。瀉實火而傷胃氣。故於癆症不宜。蓋癆症大便秘。小便赤。兩顴紅。皆係陰虧陽動之候。治宜益陰以配陽。滋液以潤腸。方爲正的。豈可以苦寒之藥。損其陰而敗其胃哉。若大便秘者。可用炙甘草湯去桂枝生薑。以沙參易人參。再加環釵。枇杷葉。秋瓜絡等類治之。其便自暢。

（註）炙甘草湯　卽人參。生薑。桂枝。麥冬。地黃。大麻仁。大棗。阿膠也

忌二陳消痰

脾濕爲痰。痰滑而易出。或稀如水飮。濕者燥之。半夏爲正治之藥。若陰水不足。陰火上升。肺受火侮。不得清肅下行。由是津液凝濁。不生血而生痰。此當以潤劑滋其陰。使上逆之火。得反其宅。而痰自清矣。二陳豈可輕用。

（評）二陳性溫燥。宜於濕痰。不宜於燥痰。燥痰服之。其陰更傷。病至腎水不足。陰火上升。金受火刑。治節失職。津液受火煉而凝聚。不生血而生痰。潤清滋陰。猶且不暇。何可以二陳沽唇而傷其液哉。拯陰理勞一方。爲治此症之特效。旣能滋陰潛陽。又能清痰潤燥。服之自得其益。其他如喻氏之清燥救肺湯。亦可斟酌閒服。

（註）拯陰理勞湯　卽人參。麥冬。五味子。熟地黃。當歸。白芍。龜板。苡仁。橘絡。丹皮旱蓮草。百合。甘草。女貞子也。

清燥救肺湯　卽人參。甘草。胡麻仁。石膏。阿膠。杏仁。麥冬。枇杷葉。桑葉也。

忌辛劑發散

世之眞陰虛而發熱者。十之六七。火逆衝上而頭痕微痛。火升壅肺則鼻塞。陰虛陽陷入裏則洒淅惡寒。陰虛陽無所附則浮越發熱。但發時。必在午後。先洒淅惡寒。少頃發熱。熱至雞鳴寅卯時。盜汗出而身涼。或不微寒而但午後發熱。必現前述腎虛諸症。或兼唇紅顴赤。口渴煩燥。六脈弦數。或虛數無力。此宜大劑補陰。若認爲外感。而用風藥以表散之。則魄汗淋漓。諸虛蜂起。

或有失血之人。表之無汗。所謂奪血者無汗也。若強發之。血必從口鼻中出。爲下厥上竭之症。難治矣。

(評)虛勞忌汗。仲景早已明言。蓋汗則傷陰。陰愈傷而火愈動。火愈動而病未有不進者。洒淅惡寒。少頃發熱。午後兩顴紅赤。口渴煩燥、六脉弦數。症候至此。已不可爲。正所謂骨蒸病也。費氏必雄醫醇賸義中之虛勞門。對於是症。說理頗精。其言曰。病至骨蒸寒熱。全是有陽無陰。翔按此語。至確至當。俗醫每以小柴六君加柴胡青蒿等品。用治癆病之骨蒸寒熱。爍其液而刼其陰。是使其速離人世。良可鄙也。

(註)小柴胡湯　即柴胡。半夏。人參。黃芩。甘草。生薑。大棗也。

六君子湯　即四君子湯加陳皮。半夏。

## □服食

### 宜食之品

吾儕既能確認癆病之根原及治法。對於服食方面。已可得其端倪。凡白花百合湯麥冬湯取其清肺止嗽。眞玉露霜取其消痰解熱。人乳爲補陰神品。童便乃降火仙丹。甘梨生食能消火。蒸熟則滋陰。苡仁湯肺熱脾虛所當用。蓮心芡實遺精泄瀉最宜求。扁豆棗湯專補脾胃。龍眼肉湯兼養心脾。猪脊髓黃魚膠塡精益髓。白鴨烏骨雞補陰除蒸。猪肺煎白芨末保肺止血。丸如同生六味左歸乳金四聖固本之屬。膏如清甯白鳳坤髓集靈衞生瓊玉之屬。或間用湯液以治之。如內熱甚或發寒熱則用保陰六味。婦女或間用逍遙。欬甚用清金。或間用噙化。吐血用仲淳驗方。心跳善驚。心煩無寐。則用天王補心丹。或脾胃虛弱。兼用歸脾。食少便瀉。量用資生。果係乾血勞症。審之的確。則可用大黃䗪蟲之屬。

(評)右述服食諸品。俱極精妥。醫家病家。苟能循此而行。獲益非淺。

(註)六味丸　即六味地黃湯之藥品研末煉蜜爲丸

左歸丸　即左歸飲之藥品研末煉蜜爲丸　二方俱見前

固本丸　即天冬。麥冬。生地黃。熟地黃。人參。煉蜜爲丸

白鳳膏　即黑嘴白鴨一隻。平胃散四兩。人參茯苓各一兩。京棗四兩。(去核)將鴨晒乾去毛。脅邊開一孔。去腸及雜物。拭乾。每棗納參苓平胃散。填入鴨腹中。麻綫紮定。以大沙礶置鴨及陳酒。四圍用火慢煨。將酒作二次添入。煑乾爲度。用時人參湯下。或將棗研爛爲丸服。

集靈膏　方見前

瓊玉膏　方見前

保陰煎　方見前

逍遙散　方見前

清金湯　即百合。沙參。川貝、五味子。枇杷葉。麥冬。桑白。杏仁。苡仁也。

噙化丸　即香附。杏仁。梔子。青黛。海粉。瓜蔞仁。訶子肉。馬兜鈴。共研末。加硼砂少許。煉蜜少加薑汁爲丸。如芡實大。每噙化一丸。熱湯送下。

天王補心丹　即二冬。歸地。酸棗仁。柏子仁。遠志。元參。丹參。人參。茯苓。桔梗。五味子也。

歸脾湯　方見前

資生丸　即白朮。人參。苡仁。茯苓。山查。橘紅。神麯。白蔻仁。澤瀉。甘草。桔梗。藿香。扁豆。蓮肉。山藥。麥芽。芡實。共研末。煉蜜爲丸。每服二錢。米飲送下。

大黃䗪蟲丸　方見前

應忌之品

烟爲辛熱之魁。酒爲濕熱之最。凡薑椒葱蒜。及一切辛熱之品。熱能傷人。斷不可使。并生冷滑腸堅硬之物宜戒。恐傷脾胃也。又當戒色戒怒。戒憂戒勞爲第一。（德翔按陳無咎先生云。癆字從勞。凡癆瘵之病。統由過勞所得……）蓋腎主閉藏。肝主疏泄。二藏皆有相火。欲心一動。相火翕起。雖不交姤。精已暗耗。怒則氣逆。甚則嘔血。憂愁則氣閉不行。煩勞太過。則氣張于外。精絕於內。均能釀成虛癆之發生。及增加虛勞之程度也。

（評）應忌之品。切宜刻刻存之於心。否則。服藥雖中。亦不能愈病。古人謂善醫莫如善養。卽此義也。

（完）

## 白瘖之我見

胡靜盦

民廿一年春。倭寇突犯滬上。余全家避難于吳縣之角直鎭。時方春初。天氣猛寒。急不擇蔭。居處簡陋。余弟斯義。年方九齡。適臥破窗之旁感受寒邪。卽起頭痛發熱。延同邑王君診治。斷爲濕溫。進以疎清理之劑卽現白瘖數十點。胸脘稍舒。然頭痛增劇。繼進平肝息風。病勢轉烈。但惑於旁人之慫慂。震於腦膜炎之新名。改延該鎭西醫聖手殷君診視。打針服藥。病漸入陰。終日嗜眠。家人疑之。而西醫堅謂病已愈。體弱耳。何憂爲。詎知耽誤八日。所謂聖手之西醫。屆時亦束手無策矣。然猶靈移委蛇。不肯明言。余見病勢已危。黔驢之技已見。不得復延。中醫金君以桑菊飲進。瘖復現於頸項。惟細小無神。金君固謂無望。勉進青蒿鱉甲飲。希圖僥倖於萬一。卒病已內陷。不及挽救。夜間口噤不語。次日牙關緊閉。瞳神散大。半身不遂及遺尿等。次第發現至臨脫時。胸前當現水泡相似之顆粒。由是可知西醫之技倆。徒以新奇之名詞眩人。而無治症之實効。余經此感觸。乃決習國醫。以利世人。參閱羣書。每見白瘖一症。必詳加探討。茲將所得部見。筆錄於右。以資研究。

白痦一症。攷古方書。無專條論及。間有在瘢疹門中發明一二。究未能盡其底蘊。今見溫熱證中。每多發出如粞如粟色白形尖者。謂之白痦。有初病卽見者。有見而卽愈者。有見而危殆者。有病經日久。瘢疹已見。補瀉已施之後。仍然發此而愈者。泛稱時氣所致。殊不知致病之源旣異。治療之法不同。不可不與瘢疹詳辨而審處之也。蓋傷寒傳經。熱病汗出不撤。邪熱轉屬陽明多氣多血之經。或由經入府。熱邪蒸灼傷營。血熱不散。而裏實表虛。熱氣乘虛出於膚腠。故稀如蚊跡。稠如錦紋者爲瘢紫。黑者爲胃爛。不活也。時行風熱之氣。侵入肺虛血熱之體。失於清透。傷及手太陰血分。乘虛出於皮膚。如沙如粟而色紅瑣碎者痲。或歲當大運。復感時厲之毒。卽成咽痛爛喉痧沙之類。爲最劇者也。

至於白痦一症。則溫熱暑邪病中。必兼濕爲多。蓋伏邪氣之發。本從內出。然必因外感誘引。將人體所蘊之濕與外觸之邪。互相蒸發。鬱化爲毒所致。其治初設不用清透。滲解則肺爲熱傷。氣從中餒。不能托邪外解。熱漸陷於營分。轉投清化洩營。熱勢稍緩。而肺氣亦得藉以自復。所留之濕。仍從上焦氣分尋隙而出。於是發爲白痦。以肺主氣。故多發於頤項肩臆之間。白爲肺之色。光潤爲濕之餘氣。至此而邪始盡泄也。甚有幾經補瀉之後。病仍不解。忽然一發而愈者。以其人之氣液內復。邪自外透。故不治亦愈也。若其根本已虛。無氣蒸達。多有延爲衰脫者。故此症以元氣未漓。色潤晶瑩。有神者爲吉。枯白乏澤空殼稀散者爲氣竭而凶。總以形色之枯潤。卜其氣液之竭與否也。大抵此症發現在春末交初暑濕當令爲甚。秋冬則間或有之。要不出乎手經受病。仍從手經發洩。不比足經之可從下解也。夫肺爲主氣之藏。氣旺則邪從外解泄而病愈。氣衰則邪正並竭。雖發必朽白無神。而爲難治。觀內經暑與濕同推。仲聖痙濕暍合論。益知暑熱溫邪症中。多夾濕邪。可無疑議矣。一隙微明。尚俟高明正之。

# 傷寒辨

江陰蔣永錩述　受業楊則徐錄

事之最難爲者。莫如醫。而醫之最難辨者。莫如傷寒。經曰。冬傷於寒。春必病溫。又曰。今夫熱病者。皆傷寒之類也。又曰。人傷於寒而傳爲熱何也。岐伯曰。夫寒盛則生熱也。又曰。凡病傷寒成溫者。先夏至日爲病溫。後夏至日爲病者。觀此內經之旨。明矣詳矣。何以世人不分門類。而以溫熱等病。概謂之傷寒乎。故前賢吳鞠通分春溫、風溫、溼溫、冬溫、瘟疫、溫毒、溫熱、溫瘧、秋燥之九條。而名其書曰溫病條辨。雖然。夫傷寒諸病者。本由寒氣所傷。而風者卽寒之帥也。第以風寒分氣令。則風主春而東。寒主冬而北。以風寒分微甚。風屬陽而淺。寒屬陰而深。然風送寒來。寒隨風入。透骨侵肌。本爲同氣。故凡寒之淺者。卽爲傷風。風之深者。卽爲傷寒。而不淺不深。正半邪之間者。卽爲瘧疾。其有留於經絡。而肢體疼痛者。則爲風痺。然則傷風也。傷寒也。瘧疾也。風痺也。皆風寒之所爲也。觀夫靈樞九宮八風篇及歲露論所載。俱甚言虛邪賊風之爲害。口問篇言風成爲寒熱。此皆指風爲寒邪也。卽如冬傷於寒者。宜乎其爲傷寒也。若春夏秋三時之感冒。則孰非因寒。孰非因風而入之。故世人統謂之傷寒。其理尚可就也。近或以溫熱病。謂非眞傷寒者。在未達其義。不能名其病而强言之耳。由此觀之。傷寒之辨病誠難矣。而傷寒之診治。更尤甚焉。試以合而言之。則表裏虛實陰陽六者而已。人所共知者也。分而言之。則表中有裏。裏中有表。虛中有實。實中有虛。陰中有陽。陽中有陰。所以表熱者。陽邪也。表寒者。陰邪也。裏熱者。陽邪也。裏寒者。陰邪也。心腹不滿者。表邪也。心腹脹痛者。裡邪也。呻吟不安者。表邪也。躁煩悶亂者。裏邪也。能食者。表邪也。不能食者。裏邪也不煩不嘔者。表邪也。煩滿而嘔者。裏邪也。寒熱往來。不欲食者。邪在半表半裏之間也。夫邪在表發熱者。表熱而裏不熱也。宜溫散之。邪在裏發熱者。裏熱甚而達於外也。宜清解之。陽不足則陰氣上入陽中而爲惡寒。陰勝則熱也。宜溫之。陰不足則陽氣陷入陰中而爲發熱。陽勝則熱也。宜清之。其寒熱往來者。陰陽相爭。故曰陰勝則寒。陽勝則熱。蓋熱爲陽。寒爲陰。表爲陽。裏爲陰。邪之客於表者。爲寒。邪與寒相爭則爲寒。慄邪之傳於裏者爲熱。邪與陰相爭則爲熱躁。其邪半表半裏之間。外與陽爭則爲寒。內與陰爭則爲熱。或表或裏。或出或入。是以寒熱往來。此半表半裏症也。凡寒勝者。必多寒。熱勝者。必多熱。但審其寒熱之勢。則可知邪氣之淺深。經曰。陽微則惡寒。陰弱則發熱。仲聖曰。發熱惡寒者。發於陽也。無熱惡寒者。發於陰也。如若不察其源。不明其本。惟能以寒治熱。以熱治寒。見其發熱頭痛。散之可也。脘悶腹脹。攻之可也。不度表裏之虛實。陰陽之壯衰。則害人不淺矣。故凡初診傷寒者。以其外入之寒。傷於表也。先自皮毛。次入經絡。又次入筋骨。而後入於藏府。則病日盛矣。病作發熱憎寒而無汗。以邪閉皮毛。病在衞也。表症也。漸至筋脉拘急。骨節疼痛以邪入經絡。病在營也。裏症也。經曰。衞生氣。營主血。衞行脉外。營行脉中。今以寒邪居之。則血氣混淆。經絡壅滯。故見症若此。此卽所謂傷寒。由表傳裡也。自此而漸至嘔吐不食脹滿等症。則由外入內。由經傳府矣。皆可因症而察其表裡淺深。或不表熱。不憎寒。身無疼痛。脉無緊數者。此其邪不在表。盡屬於裏。內經曰。傷寒一日。太陽受之。故頭項痛。腰脊强。二日陽明受之。故身熱目痛而鼻乾。三日少陽受之。故胸脅痛而耳聾。三陽經絡。皆受其病。未入於府者。可汗而已。四日太陰受之。故胸滿而溢乾。五日少陰受之。故口燥舌乾而渴。六日厥陰受之。故煩滿而囊縮。三陰經絡。皆受其病。已入於府者。可下而已。然非謂患傷寒者，必皆如此也。然寒邪之中人。本無定體。故陶氏曰。風寒之中人也無常。或入於陰。或入於陽。入於陽則太陽氣分爲首。入於陰則少陰精分爲先。非但始太陽。終厥陰也。或自太陽始。日傳一經。六日至厥陰。邪氣衰。不傳而愈者。或有不罷再傳者。或有間經而傳者。或有傳至二三經止者。或有始終在一經者。或有越經而傳者。或有自少陽陽明而入者。或有初入太陽。不作於熱。便入少陰。而成陰分者。或而二三經齊病。不傳者。卽合病也。或有一經先病未盡。又傳一經者。卽併病也。所以有太陽陽明合病。有太陽少陽合病。有陽明少陽合病。有三陽合病。三陽若與三陰合病。卽是兩感。所以三陰所合併病例也。故先哲曰。尺寸俱浮者。太陽受病也。當一二日發。尺寸俱長者。陽明受病也。當二三日發。

尺寸俱弦者。少陽受病也。當三四日發。此三陽受病。未入於府者。可汗而已。尺寸俱沉細者。太陰受病也。當四五日發。尺寸俱沉者。少陰受病也。當五六日發。尺寸俱微緩者，厥陰受病也。當六七日發。此三陰受病。已入於府。可下而已。夫三陽受邪。爲病在表。法當汗解。然三陽亦有便入府者。入府則宜下。故云未入於府者。可汗而已。三陰受邪。爲病在裏。於法當下。然三陰亦有在經者。在經則宜汗。故云已入於府者。可下而已。如日數雖多。但見表症。而脉浮緊者。猶宜汗之。日數雖少。但見裏症。而脉沉實者。猶宜下之。不可執定日數。謂一二日宜發表。三四日宜和解。五六日宜攻下。若或不知通變。因致誤人多矣。必眞知是表邪未解。則當汗之。眞知是胃邪已實。則當下之。眞知其陰寒邪勝。自宜溫之。眞知其邪實正虛。客主不敵。必須補之。故仲景有發熱頭痛。脉沉身疼而不瘥者。當救其裏。宜四逆湯。少陰始得之。反發熱脉沉者。當發其表。宜麻黃附子細辛湯。觀此二症。謂病在太陽。脉當浮而反沉。因正氣衰弱。裏虛而然。故當用四逆湯。此裏虛之不得不救也。病在少陰。症當無熱。而反熱者。因寒邪在表。猶未傳裏。故當用麻黃附子細辛湯。此表邪之不得不散也。如此者。均屬脉症發熱。但其有頭痛。故爲太陽症。無頭痛。故爲少陰病。第在少陰而反發熱者。以表邪深淺。可以汗解。其反猶輕。在太陽而脉反沉者。以正氣衰微。難施汗下。其反爲重。由此觀之。可見陽經有當溫裏。故以生附配乾薑。補中自有散意。除經有當發表者。故以熟附配麻黃。發中亦有補也。此仲景精微之奥。難以筆述矣。故診治之法。必須問症以和其外。察脉以知其內。先病爲本。後病爲標。以脉浮緊之有力無力。可知表之虛實。浮緊之有力無力。可知裏之虛實。中而有力無力。可知陰陽之吉凶。診法曰。浮脉在表。沉脉在裏。故六經之症。脉浮醫而數。再加頭項腰緊强痛者。太陽症也。脉洪以長。再加目痛鼻乾。身熱不眠者。陽明症也。脉弦而數。再加耳聾脅痛等症者。少陽症也。脉沉而細。兼腹痛吐食。自利不渴等症者。太陰症也。脉沉舌乾。兼以心煩口喝。引衣倦臥等症者。少陰症也。脉沉而弦。兼以煩滿囊縮。食即吐蛔等症者。厥陰症也。故必切其脉。以合其病。觀其形。以合其情。分而辨之。安有誤人者哉。又曰。脈漸大者爲病進。大因邪氣勝。病日甚也。脈漸緩者。爲邪退。緩則胃氣至。病將愈也。余以大爲病進。固其然也。亦有宜大不宜大者。又當詳辨。如脈體本大。而再洪數。此則病進之脈。不可當也。如脈體本小。而服藥後。漸見滑大有力者。此自陰轉陽。必將汗解。乃爲吉兆。蓋脈至不鼓者。由氣虛而然。氣者陽也。無陽豈能作汗乎。自此之外。如浮、沉、遲、數等脈。亦必須辨其有力無力。以察陰陽。故脈經曰。浮、大、動、數、滑，皆陽也。沉、濇、弱、弦、微。皆陰也。雖然。亦不可以執而言之。若浮爲湯。浮亦有陰。沉爲陰。沉亦有陽。各脈皆然。惟在醫者之隨機應變可也。試以浮沉言之。可以知矣。夫浮爲表。沉爲程。浮爲陽。沉爲陰。此古今相傳之法也。然沉脈亦有表症。此陰勝陽虛。寒勝者然也。浮脈亦有裏症。此陽實陰虛。水虧者然也。故所以察表邪者。不宜單據浮沉。則當以緊數與否。方爲的確。蓋寒邪脈皆緊數。緊數甚者。邪亦甚。緊數微者。邪亦微。緊數浮洪有力者。邪在陽分。卽陽症也。緊數浮洪無力者。邪在陰分。卽陰症也。以緊數之脈。而兼表症者。其爲外感無疑。卽當從事解散。然內傷之脈。亦有緊數者。但內傷之緊數。其來漸。外感之緊數。發於疾。以此處之。最爲切當。其有似緊非緊。但較之平昔。稍見滑疾。而不甚者。亦有外感之症。此之邪輕者。或以初感而未盛者。亦多見此脈。是又不可不兼症而察之也。若其和緩。而全無緊疾之意。則脈雖浮大。自非外邪之症。故陶氏曰。夫脈浮當汗。脈沉當下。固其宜也。然其脈雖浮。亦有可下者。謂邪熱入府。大便難也大設使便不難。豈敢下乎。其脈雖沉。亦有可汗者。謂少陰病。身有熱也。設使身不發熱。豈敢汗乎。若此之說。可見沉有表而浮亦有裏也。治傷寒者。豈可拘泥耶。

## 熱傷氣寒傷形淺解

張汝偉

內經曰。熱傷氣。傷寒形。後之人以暑熱爲傷氣之症。傷寒爲傷形之症。爲治外感症之兩大法門。然熱何以傷氣。寒何以傷形。不能得深切之證明。是以衆訟紛紜。治每多誤。今試從淺者言之。中醫言外感曰六淫。然亦淫然亦歸之納寒。不外乎熱歸。言內傷曰七情。然七情之納溫。亦不外乎寒熱。猶之乎言五行生剋承制者。而必歸納于陰陽是也。惟熱化氣。貯水於鍋中下以火燃之。則熱氣蒸騰。此熱化之明驗也。火過烈而水竭。水竭而火尙不熄。則鍋裂而烟燄飛騰矣。此熱傷氣之情形也。猶之火車之必藉汽力而推動。汽鍋爆烈。則火車出軌。而傾覆焚如難免矣。是以熱傷氣之病。其來迅速。如因熱齒過甚而成之霍亂。必口張眼開。二突眶陷。一剎那間。可致於死。緣熱傷氣則形亦灼矣。即平人靜坐。偶感熱煩。氣即閼滯不舒。此熱能傷氣之極淺明證也。惟寒傷形。貯水於鍋中。外受冷氣之迫。則緊縮而成冰。此寒傷形之明驗也。寒過甚而不解。冰由薄而漸厚。再或加之以霜雪。則氷力澎漲。而鍋亦爲之裂。此寒傷形之情形也。猶之火車必藉汽力而推動。今水冰而氣不生。車即不能行動。然亦不至於傾覆也。是以傷寒形之病。每多伏邪。如因感寒而即病之傷寒。脉緊氣寒。發痎恶寒。表現抵抗有力之象。是以傷尤之病。非至傳經不已。甚或兩感極重者。必不即死。緣寒雖傷形。而氣猶能維持也。即平人靜坐。偶感寒邪。盡力呼吸。即足以抵抗而溫暖。然不免有局部之凍瘡。此亦寒能傷形之極淺明證也。由是言之。人之死于熱者多。而死于寒者少也。故以治法言。則無論爲傷寒。爲熱病。爲雜症。有宜存陰。有宜保陽。而保陽成要于存陰。蓋即爲熱傷氣也。氣本無形。耗之難復。陰有實。象缺者可補耳。

## 介紹顧子安君新著

本會會員顧子安君。精內科之學。近於診務之暇。撰就『癆疾一夕談』『遺精自療法』兩書。每書僅五千餘字。而提綱挈領。眉目朗然。理論方藥。兩者俱備。蓋爲一般人說法。而尤能以心得融會所學。內經所謂知其要者。一言而終。不知其要。流散無窮也。凡函索者。每種收郵費三分。函索以上午爲限。概不取費。

顧君醫寓　上海戈登路新閘路北首德慶坊一三五五號　電話三四八七七號

# 會議記錄

## 十月廿五日下午八時十三次執監會

出席委員　盛心如　張贊臣　黃寶忠　謝利恆　薛文元　賀芸生　沈心九　夏重光　楊彥和　朱鶴皋　丁仲英　朱少武　嚴蒼山

主　席　薛文元　朱少武　紀錄繆曙初

行禮如儀

（甲）報告

（一）社會局奉中央執行委員通令修正民衆團體組織方案訓令　乙件

（二）嚴蒼山先生報告法租界西醫兼售西藥有營業稅一種然我中醫不售藥物對于繳納營業稅一案希據理力駁

（三）根據第三次執委會决議通函法租界全體會員詢問納捐狀況茲接沈葆如施匡一沈葆元等復稱既經納付王良伯拒付李桂山則從未收過

（四）中央國醫館爲行政院通令所有國醫學校一律改稱學社並抄院令一件

（五）前兼會計繆曙初以環境惡劣辭職照准後經手收支賬册由財政科郭主任會同庶務蔣有成查核清楚完全無訛並由郭主任交由新雇會計員朱昂霄君接充

（乙）討論

（一）秘書處提議日藥厚樸黃連等冒充國藥而國藥中代替品極少應如何切實避用希予討論以便通告

會員案

議決　通函藥材及國藥兩公會切實抵制

（一）嚴委員蒼山所著腦膜炎家庭自療集函請在月刊內介紹案

議決　通過

（一）嚴委員蒼山函請撥付前學院欠薪案

議決　交財政科從速撥付

（一）龔小悟函詢前俱樂部每人十二元之經費應否發還案

議決　交財政科郭主任墊還

（一）嚴委員蒼山提議法工部局收取中醫營業稅應予交涉案

議決　保留

（一）中醫學校改稱學社案

議決　召集全市醫團醫校討論應付方案並推蔣文芳楊彥和嚴蒼山薛文元郭柏良五人爲出席代表

（一）組織全國國醫聯合會案

議決　交四醫團聯席會討論

（一）發行國醫刊物案

議決　交四醫團聯席會討論

（一）確定會計案

議決　交財政科郭主任酌量辦理

## 十一月十日下午八時十四次執監會因人數不足改開談話會

出席委員　沈心九　任農軒　夏重光　朱鶴皋　嚴蒼山　黃寶忠　沈建候　蔣文芳　繆曙初紀錄

討論

（一）上海市國醫學會舉行會員年會請派員出席案

議決　派蔣文芳朱鶴皋爲出席代表

（二）胡鴻基局長追悼會籌備會函請參加案

議決　胡故局長主持本市衞生行政積功至偉現在慘遭非命自宜參加追悼

## 十一月十五日下午八時舉行臨時執監會

出席委員　沈心九　黃寶忠　謝利恆　嚴蒼山　任農軒　蔣文芳　沈建候　包天白　陳漱庵　盛心如　郭柏良　唐亮臣　秦伯未　吳克潛　包識生　夏重光　薛文元

主　席　薛文元　謝利恆　紀錄繆曙初

行禮如儀

（甲）報告

（一）藥材業公會爲遵囑將日藥名目另單開陳函　一件

（二）中央國醫館學術整理委員會工作計劃書　一件

（三）中央國醫館整理國醫藥標準大綱　一件

（四）中國醫院醫學院清理舊欠報告書　伍件

（乙）討論

（一）平湖中醫公會函詢縣立醫院成立中醫應否參加案

議決　如縣立醫院請求參加或自願加入自可申敘理由要求加入

（二）平湖程明初先生爲縣府聽憑西醫誣告吊銷執照乞賜援助案

議決　函復如官廳妨礙業務可向法院依法進行行政訴願

（一）本市衛生局胡局長身故本會應否略送賻贈案

議決　參照各醫團再定辦法

（一）中央國醫館徵求學術標準本會應否起算計劃參加案

議決　由本會參加意見請包識生先生起草交由本會核復

（一）奉賢國醫公會快郵代電本會發起全國或全省國醫聯合會案

議決　大會在卽未便討論交下屆執委會辦理

（一）本會應否定期舉行會員大會改選委員案

議決　假座甯波同鄉會舉行日期由大會籌備會决定之

（一）大會籌備委員之組織案

議決　除各處科主任外本屆執監委員皆爲籌備委員

（一）各處科應卽籌備結束案

議決　通過並將工作報告在大會特刊公佈之

（一）决定下次籌會日期案

議決　本月二十一日召集第一次籌委會由卽席主席召集之

（一）丁常委仲英函請辭職案

議決　函復本會改選在卽不必再辭應予挽留

（一）前中國醫學院飯作欠款案

議決　推定黃寶忠蔣有成前往米行查核再辦

（一）前水災收容所江仲亮先生損失木器案

議決　由本會一次撥付壹百伍拾元作爲結束

(一)醫院前欠職工薪俸應如何辦理案

議決　醫院捐册一律由蔣有成君負責收還如有收入再行核付

(一)學院前欠醒社墊款應如何辦理案

議決　朱南山先生處請謝利恆先生丁仲英丁濟萬先生處請郭伯良先生前去疏通

## 十一月廿一日下午八時三屆大會第一次籌委會

出席委員　謝利恆　蔣文芳　沈心九　嚴蒼山　沈建候　陳漱庵　賀芸生　秦伯未　薛文元
夏重光　唐亮臣　黃寶忠　任農軒

主　席　薛文元　紀錄繆曙初

行禮如儀

討論

(一)大會日期及地點之決定案

議決　十二月廿四日假座甯波同鄉會舉行

(一)增加籌委案

議決　大會籌委無定額除執監委員及上屆大會職員外並得由會員中推舉之

(一)郭柏良先生函請病假案

議決　調養期內准給病假

(一)遵行度量衡新制案

議決　通告會員一律遵照辦理

(一)決定下次籌委日期案

議決　廿五日下午八時與執監會同時舉行

# 十一月廿五日下午八時十五次執監會第二次大會籌備會

## 聯席會議

出席委員　朱南山　薛文元　朱少武　劉春波　嚴蒼山　丁仲英　謝利恆　蔣文芳　丁濟萬
包識生　周惠仙　任農軒　朱小南　陳玉銘　張子英　賀芸生　景芸芳　朱鶴皋
黃寶忠　徐橘香　胡　佛　唐亮臣　沈心九　盛心如　夏重光　陳濈庵　王鳳樓
萬筱山　楊伯蕃　沈建候

主　席　賀芸生　蔣文芳　紀錄繆曙初

行禮如儀

（甲）報告

（一）大會已決定十二月廿四日假座寧波同鄉會舉行

（二）張汝偉先生函辭大會籌委函　一件

（三）胡局長鴻基追悼會函請派代表出席招待函　一件

（四）長沙市國醫公會快郵代電　一件

（乙）討論

（一）大會臨時職員之推定案

議決公推主席　薛文元　丁仲英　謝利恆　郭柏良　傅雍言

司儀　徐橘香

監筒　陸士諤　賀芸生

紀錄　楊彥和　張贊臣　陳存仁

庶務　黃寶忠　唐亮臣　蔣有成

糾察　嚴蒼山　秦伯未　盛心如　夏重光　倪衡甫　黃迪我　戴達夫　包識生　虞舜臣　陳玉銘
余鴻生　徐志千　江仲亮　許壽彭　楊伯芳　楊伯藩　劉春波　顧拜言

招待　沈建候　沈心九　吳克潛　張如偉　丁濟華　朱鶴皋　胡　佛　任農軒　江仲亮　朱少武
陳存仁　萬筱山　張鴻遠　王鳳樓　景芸芳　周惠仙　蔣文芳　朱昂霄

唱票　包天白　唐亮臣　張子英　蔣鴻賓

錄票　嚴蒼山　陳漱庵　盛心如　繆曙初　胡　佛　夏重光　周惠仙　鍾　靈

(一)邀請名人出席演講案
議決　通過交秘書處函聘

(一)呈請黨政機關派員指導案
議決　通過交秘書處辦理

(一)大會秩序之規定案
議決　照上屆秩序

(一)大會特刊之撰稿及編輯案
議決　公推蔣文芳盛心如二人任担

(一)會場標語案
議決　交蔣文芳擬辦

(一)函請捕房派員保護案
議決　通過交庶務科辦理

(一)選舉票格式之規定案
議決　照上屆格式印製

(一)胡鴻基局長追悼會派員招待案
議决 公推丁仲英先生代表本會往祭並令本會庶務蔣有成前往招待
(二)組織大會提案審查委員案
議决 大會主席五人爲當然委員並推 賀芸生 蔣文芳 包天白 張子英四人爲委員並指定薛文元爲召集人
(三)下屆籌委會日期之規定案
議决 必要時由秘書處召集之

團結精神 共同奮鬥

# 醫林消息

## 促進國藥通訊社緣起

沈仲圭

邇來國人研究國醫者衆矣。惟僅以科學糾正國醫之謬誤。不知以科學改良國藥之簡陋。良可慨也。蓋雖有良醫。若無良藥。亦不能拯病者之疾苦。而造福於社會。故醫與藥宜互相提攜。未可單獨進行也。試觀歐美醫學之發達。強半由於藥學之進步。歐美各國之藥學院與習藥者。往往千萬人。即區區三島之日本。其專習藥學之學校。亦有十餘處。返觀我邦。僅有醫校五六。藥學一科。目爲醫之附庸。無單獨研究之必要。遂委之毫無學識。如法泡製之夥友之手。斯誠國醫落伍之一大原因也。

仲圭側身醫界。十載於茲。見國醫癥結之所在。輒思有以改善之。前歲執教於上海中醫專校及上海國醫學院。常與諸敎授及學生。談論此事。今夏黃君勞逸。以擬辦國藥通訊社事見告。不禁雀躍三百。請與合作。蒙渠不棄。慨然首肯。現由黃君担任化驗部主任。彭君聲越。担任生藥部主任。仲圭則襄助製藥部事務。黃君初習工業化學。繼攻醫藥化學。近年復併志一心於國產藥物之研究。其論文多發表於國內著名醫誌。久爲讀者所欽佩。彭君卒業於永濟醫專。學問技術。幷擅勝場。同人不辭勞瘁。不畏艱鉅。欲將初生之蓓蕾。培養灌溉。使成燦爛之好花焉。

禮曰。「獨學而無友。則孤陋而寡聞。」世之關心國藥者。誠不乏人。惜無羣聚之研究。雖有優良之成績。然欲集海內有志之士於一堂。而共同探討。又爲事實所難能。國藥通訊社。即爲彌補是項缺憾而產生也。凡吾同志。盍興乎來。

## 促進國藥通訊社簡章

1. 宗旨 本社以科學研究中國藥物。確定其確實之功用爲宗旨。

2. 入社 凡有志研究國產藥物者。不論性別年齡。須填具志願書一張。及繳納社費洋全年五元。然後由本社發給入社證一紙。認爲本社社員。

3. 諮詢 本社社員。如有關於國藥上之疑問。(倘問題過於艱深。一時不易解答者。得將本社不暫爲保留。從緩答復。)皆有隨時分別函詢之權利。惟每月以十題爲限。且每次須附足回信郵資。倘不附郵資。或不附足者。(是項郵資。暫爲保存。於下次函詢時退還。)概不答復。

4. 組織 本社共分四部。(一)總務部(總理本社一切事務)(二)生藥部(攷查生藥之形態組織及栽培)(三)化驗部(研究各生藥之成分及性質)(四)製藥部(研究各種成藥之製法)每部設部長一人。及部員若干人。

5. 年刊 每年年終。將各社員之疑問。及本社之答案。擇尤編印小冊。以收集思廣益之效。各社員得臨時購買。每冊定價。須視材料多寡而定。

6. 社址 本社社址暫定杭州粮道山九號沈宅。事務所設杭州祖廟巷二十八號黃宅。惟一切函件。概請寄至本社事務所。

**志願書**

(姓名) 年 歲。 省 縣人今願入

促進國藥通訊社爲社員立此爲證

中華民國 年 月 日

志願者 蓋章

附貼本人二寸最近半身小影

# 本會第三屆紀念特刊

# 上海市國醫公會第三週紀念特刊目錄

秩序單
臨時職員表……秘書處蔣文芳
會場規則……審查科等
會務報告一……五件
會務報告二……十二件
市政府往來文……一件
社會局衞生局往來文……三件
致本市收容災民委員會函……二件
中央國醫館往來文……三件
上寶印花稅局往來文……三件
調解國藥工潮往來文……五件
調查日藥往來文……五件
本市國醫學會往來文……秘書處錄
各醫團往來文……五件
教衞焚坑國醫國藥之痛史……二件
本會追悼前衞生局胡局長往來文……財政科
東台醫團往來文……浦東分會
經濟報告……張汝偉
浦東分會工作報告……張子英
對于本會今後之希望
國醫對于國醫公會應有的認識

# 上海市國醫公會第三屆會員大會會務報告

上海市國醫公會第三屆會員大會

## 秩序單

(一)振鈴開會
(二)全體肅立
(三)向黨旗國旗及總理遺像行最敬禮
(四)恭讀總理遺囑
(五)靜默
(六)主席致開會詞
(七)經濟報告
(八)黨政機關代表致訓辭
(九)來賓演說
(十)提議案
(十一)攝影
(十二)選舉執監委員
(十三)茶點
(十四)散會

## 臨時職員表

主席　薛文元　丁仲英　謝利恆　郭柏良　傅雍言
司儀　徐橋香　賀芸生
監筒　陸士諤
紀錄　楊彥和　張贊臣　陳仁存

庶務　黃寶忠　唐亮臣　蔣有成

糾察　嚴蒼山　秦伯未　盛心如　夏重光　倪衡甫　黃迪我　戴達夫　包識生
虞舜臣　陳玉銘　余鴻生　徐志千　江仲亮　許壽彭　楊伯芳　楊伯藩
劉春波　顧拜言

招待　沈建候　沈心九　吳克潛　張如偉　丁濟華　朱鶴皐　胡　佛　任農軒
蔣芳文　朱昂霄　江仲亮　朱少武　萬筱山　張鴻遠　王鳳樓　景芸芳
周慧僊　王介眉

唱票　包天白　唐亮臣　張子英　蔣鴻賓

錄票　嚴蒼山　陳漱庵　胡　佛　盛心如　繆曙初　周慧僊　夏重光　鍾　靈

## 會場規則

（一）發言之前應先起立向主席團報告姓名及徽章號數

（一）發言不得過五鐘分

（一）不得二人同時發言

（一）對於同一題案不得發言二次以上但詢問解答不在此例

（一）臨時動議須有三人以上附議方成議案

（一）復議須得主席團之同意

（一）不得高聲喧嘩

（一）違反本規則者主席得令其退席

# 會務報告(一)

秘書處蔣文芳

本會爲本市全體國醫界之法定職業團體。故上海全體國醫界之內部。不論其爲一致團結。抑爲分崩離析。然既稱公會。在外界視之。固一全市國醫界之代表。亦一全市國醫界之法人也。本會諸同仁。均能瞭解本會所處地位之重要。故不問上海國醫界之是否一致團結。是否分崩離析。均應努力工作。以保全本會之體面。亦即所以保全全上海國醫界之體面而已。吾人苟能從大處着眼。固應爾之也。本會既爲全市國醫界之公會。爲代表全市國醫之地位起見。對于應做之工作。自當見義勇爲。以表示法人之人格。用是經濟狀況。常嫌不敷。良以本會不能亦不願積蓄資財。放棄應辦之事業也。本會除日常會務外。在過去一年中。關於事業方面者。如設立之中國醫學院及災民收容所醫藥組等。所費雖屬不貲。然爲國醫界保存地位計。不得不努力從事也。不幸之一二八變事猝起。會務停頓。而債務叢集。幸賴經濟科主任郭柏良先生之調度。以及常務委員之負責籌墊。庶免中斷。此則不得不令人表示相當之感謝者也。當一二八事變。炮火連天。各會友正在慘痛奔走中。一接本會勸募軍需之通告。或輸物品。或捐金錢。直接及間接交由本會轉送者。據册籍所載。調查所得。不下十萬餘金。此則不得不令人表示欽佩者也。事變甫平。百端待理。以期復興。「現代國醫」得秦伯未先生之繼續努力。依期出版。中國醫學院。歷年虧欠過巨。非有相當辦法。頗難復課。爰經執委會之通過。將以前欠項。由本會迅即籌款理楚。以後經濟責任。及院務行政。請朱鶴皋先生組織主持處。完全負担。庶中國醫學院。不致半途中輟。由主持處仍請薛文元郭柏良爲院長。並於暑期開課。舊生到者三四十人。本學期擴充學額。現有學生一百五十七人。當一二八戰事時。本會駐劄災民收容所醫藥隊所租之用具。全數失散。不得不酌量賠償。總計各項所虧。不下三四千金。幸賴諸同仁慨予捐助。得以掃清舊欠。此爲本屆各委員之力負鉅難情形。可以稍紓下屆委員之困難。會員數量。經一二八事變離滬者固多。新近加入者。亦復不少。當與上屆無多出入。會所自遷入北河南路老靶子路二四二號與本會所設之中國醫學院合宅後。在觀瞻上。較形宏壯。除銀行公會外。可首屈一指。且設備上如會客室會議廳圖書室等。因與學院合宅而易完備。但地點不免稍覺偏北。各會員及各委員到會者。稍苦跋涉。殊可憾耳。本屆委員。計開執監聯席會議十五次。內流會者七次。成會者八次。臨時執監聯席會議五次。執行委員會五次。常務委員會三次。會議紀錄。分載各期「現代國醫」。其他會務詳情。見各科報告。茲撮其大要如上。總之國醫公會。旣由全體會員所組成。自當有待於全體會員之共同努力。國醫公會旣爲全市國醫界之法定職業團體。自當有待於全市國醫界之共同努力。希各開拓胸襟。共負仔肩。不特本會之幸。抑亦全市同道之光也。謹此報告。

## 會務報告(二)

(組織科)(審查科)(庶務科)

一二八事變以來。本會所屬閘北及虹口區會員。大都遷避一空。卽所屬英法租界及南市一帶會員。返籍避難亦復不尠。本會自去秋辦理水災難民收容所担任醫藥以後。因本會歷年以還素無餘積。雖向各會員勸募輸將。然終虧累達數百元。加之戰區會員。估全額十分之四收入告闕。不得不緊縮維持。乃召集臨時緊急執監會議。決議准將會所暫移南京路大慶里郭柏良醫室辦公。庶務兼收捐因會費無處可收。決議暫時停薪留職。書記兼會計因責職重要減薪任用。公役亦同時解雇。各委員苦心孤詣。雖當炮火連天風聲鶴淚之時。然仍各以會友付托之重。共同維持。今日之得與各會友討論會務於一堂者。其以金錢接濟者尤有功也。後我政府停戰協定告成。本會亦力圖恢復。經臨時執監會決議。移會所於英租界北河南路老靶子中國醫學院內。各項工作全復舊狀。本年六月一日。本市衛生局舉行中醫登記。本會預備會員要求登記者一百七十餘人。經本會審查科審查合格者一百六十三人。轉呈衞生局登記給照。其已執登記執照。要入求加本會者。有十四人。經本會審查科審查合格交執委會通過。准予入會。亦卽本會今年增加之會員數也。工作已詳下列會務報告。用書經過。爲各會友告焉。

## 本會呈市政府文爲要求被災醫士准予免費補照事

呈爲會員遭受兵災。登記執照大多遺失。懇請免費補領。以示體恤事。竊此次日兵犯境。廬舍爲墟本會會員。住居閘北等處者。大都損失不貲。所領登記執照。或被火焚。或經遺失。紛請本會代爲補領。並以兵燹餘生。經濟竭蹶。懇爲轉呈免繳補照費。以示體恤。本會以維護同業業務之安全。協助官廳法令之實施爲職志。無照營業。既爲法所不許。繳費補領。又爲力所不逮。而各會員遭受此次兵災。顚沛流離。困頓萬狀。經濟竭蹶。自係實情。當此空前浩刦之下。殊有變通辦理之需要。業經備文呈請衞生局對於戰區醫士。遺失執照。除印花稅外。關于補領執照費洋三元。准予免繳。以示體恤、奉批案關市庫收入。本局未便照准等因。奉此。伏念此次戰區住民。損失浩大。

鈞府業已組織善後委員會。力事救濟。醫士爲住民之一。當不能例外。且此次因戰事而失散大批執照。爲任何人所不能預料。是項補照費用。大致爲市預算收入項下所未能預見而列入。是則對于是項意外補領執照費之免除。無妨市政預算。至爲明顯。奉批前因。理合備文呈請

鈞府。懇賜豁免。並指令　衞生局查照。以示體恤。實爲德便。謹呈

上海市市吳長

## 上海市政府批第一一六號

呈悉仰先將遺失執照之會員姓名查明開單呈報再行核辦可之此批

中華民國二十一年五月廿一日

市長　吳

## 爲免費補照事第二次呈市政府文

呈爲遵批開送遺失執照之會員名單。仰祈鑒核。准予免費補給事。竊以此次日兵犯境。兵燹之餘。本會會員所領開業執照。大都遺失。當經聲叙事實緣由。呈請
鈞府准予免費補給。以示體恤。奉批內開。呈悉。仰先將遺失執照之會員姓名查明。開單呈報。再行核辦可也等因。奉此。除再調查災區會員狀況外。理合先將報告遺失執照到會之會員名單。
呈送
鈞府。懇請
詧核。准予免費補給。以示體恤。實爲德便。謹呈
上海市市長吳

## 爲免費補照事第三次呈市政府文

呈爲呈請事。竊以此次日兵犯境。兵燹之餘。本會會員所領登記執照。大都遺失。曾經聲叙緣由。呈請
鈞府准予豁免補照費。以示體恤。旋奉
鈞批一一六號內開。(見前從畧)等因。奉此。當卽遵批開具名單。呈請
鑒核在案。祇以迄今二月有餘。未荷批覆。而首次請求者。催詢甚急。續來要求者。相繼不絕。無照營業。固爲法所不許。繳費補領。又爲力所不逮。爲敢續請
准予免費補領。以示體恤。伏希
訓示祇遵。實爲德便。謹呈
上海市市長吳

上海市政府批第二五九號

呈暨名單均悉查該會前呈請免費補給戰區內會員登記執照一案當經令據衛生局呈復戰事以後凡遺失執照者均照章納費補給未便稍有岐異且恐影響及其他應征照費等語並經飭知照該會在案據呈前情合行批示遵照此批名單存

中華民國廿一八月廿二日

市長　吳

本會遷移會所呈（社會局衛生局）文

呈爲會所遷移。懇請准予備案事。竊本會自滬戰發生以來。會員診所。大半遷移。收入頓告拮据。現在時局漸見和緩。會務整頓。刻不容緩。爰經臨時執監會議決。暫假南京路大慶里一一一號爲會所在案。理合備文呈請

鈞局俯賜備案。實爲公便。謹呈

上海市社會局

上海市衛生局

上海市衛生局批（第一二九四號）

呈悉准予備案此批

中華民國二十一年五月三日

局長　胡

上海市社會局批（第三〇八五號）

呈悉准予備案此批

中華民國二十一年五月四日

局長　麥朝樞

本會遷移會所呈（社會局衛生局）文

呈爲會所遷移。懇賜准予備案事。竊本會自滬戰發生後。暫假大慶里一一一號爲會所。茲以設備未週。不敷辦公。爰經臨時執監會決議。自卽日起。遷移至北河南路老靶子路二百四十二號爲會所。照常工作。理合備文呈請

鈞局俯賜備案。實爲公便。謹呈

上海市社會局

上海市衛生局

上海市社會局批（社字一一〇四號）

呈悉此批

中華民國二十一年七月二日

局長　吳醒亞

上海市衛生局批（三一七〇號）

呈悉應准備案此批

中華民國二十一年七月十七日

局長　胡

## 本會爲前水災難民收容所被燬傢具呈社會局文

呈爲水災難民收容所。屬會醫藥隊生財。遭戰事損失。應如何善後。乞示辦理事。竊當去年洪水爲災。難民轉輾滬瀆。流離失所。致

鈞局有難民收容所之設鑒于災民疾病之苦楚。

訓令到會。組織醫藥組。常駐收容所內。爲災民施診給藥。聊盡國醫界之天職。惟內部應用傢俱。有由

鈞局出面向木器店租用。並蒙按月付租在案。其餘均由屬會向江仲良堂藥店借用。自暴日不顧公理。侵犯閘北以來。該所負責人員。相繼出走。在所災民。行動自由。同時醫藥組應用生財。有不翼而飛者。有被炸焚者。惟該項生財。均屬租借。現在時局漸見平靜。物主以租借之時。均由屬會介紹。屢來要求轉請賠償。爲敢備文呈請

鈞局。對于醫藥組損失器具。究應如何辦理之處。伏乞

訓示祗遵。以資應付。實爲德便．謹呈

上海市社會局

## 上海市社會局批（第二〇八六號）

呈悉。查災民收容所早經移交上海收容災民委員會接收。並經上海市收容災民委員會辦事處於上

年十一月二十五日通函各機關團體查照各在案。據陳前情。仰逕向上海收容災民委員會接洽可也。此批

中華民國二十一年五月四日

局長　麥朝樞

## 本會致收容災民委員會函

逕啓者。案據災民收容所敝會醫藥隊常駐辦事員來會聲稱。暴日犯境。滬北告急。災民收容所亦遭波及。該所負責人員。相繼出走。在所災民。行動自由。業告無形解散。駐所醫員。亦皆走避。醫藥隊業已順時結束。敝會經租醫藥隊應用木器傢具。以及敝會攜往另星物件。駐所職員個人所有舖蓋衣物等件。均告無形損失。應請設法等情。據此。查醫藥隊之繼續辦理。蒙由

貴會要求。現遭意外損失。應如何善後之處。尙祈

明白見示。實深企禱。此致

上海市收容所災民委員會

## 上海市社會局爲實施度量衡訓令本會文

爲令遵事。案據本市度量衡檢定所呈稱。竊查本市度量衡自上年七月一日宣布劃一後。對于各業之度量衡劃一辦法。業經分別切實指導。限期實行。惟以銀樓中藥二業之度量衡情形。較爲特殊。如何劃一。不得不特加注意。當經據情呈請鈞局轉呈實業部核示在案。嗣奉令實業部指令工字第三八三四號內開。查新制推行。原有各地以舊度量衡換算新制。及物價折合辦法。即係解決此種困難者。金銀中藥兩業。當然一律遵照辦理。仰即轉飭該所設法指導。限期實行。不得再延此令等因。奉此。令仰遵照辦理此令等因。奉此。自應尅日遵辦。惟以時適値戰事甫終。本所對于

該兩業新舊制換算及折合辦法。爲愼密指導起見。所有對于該兩業檢查。自應寬限時日。予以充分之準備故擬持予通融限於自本年十月一日起方始執行。正擬辦間。迭奉全國度量衡局令爲奉部令南京市國醫公會所述未能遵用新制理由。不能成立。國醫業應與各業同時改用新制。不得推諉。令仰遵照辦理。暨銀樓業應按照度量衡新制實施。程序以換算折合辦法改行新制。令仰知照各等因。奉此。查。國醫業與金銀中藥兩業。同時一致實行。本市自應援照辦理。國醫業與金銀中藥兩業。同時併案施行。對于金銀中藥國醫三業之度量衡。擬同時限於十月一日。一致開始執行檢查。應請鈞長俯賜令飭銀樓藥材鮮藥等三業公會遵辦。轉飭所屬各同業。一體遵照辦理。幷請轉函衞生局。令飭國醫團體轉飭一體遵辦。所有金銀中藥國醫三業度量衡限期實施檢查。各緣由。除呈報全國度量衡局外。理合備文呈請仰祈鑒核施行等情。據此。除分令銀樓國藥等業公會轉飭所屬會員一體遵辦。並函請衞生局轉知各醫士醫生。登報佈告外。合行令仰核公會轉飭所屬會員。同時一體遵照辦理爲要。此令

中華民國二十一年九月十六日

局長　吳醒亞

## 本會爲遵用新制須國藥業全體改用後始可遵辦呈復社會局文

呈爲呈復事。案奉

鈞局三七三六號訓令略開。度量衡檢定所遵令實施檢查銀樓國藥等業度量衡器具。令飭轉知所屬會員。一體遵辦等因。奉此。當卽提交第四次執委員核議。皆以醫生用藥。關係民命。更用分量。雖無十分困難。惟須國藥業全體正式改用後。始可遵辦。以免參差。貽誤病家在案。奉令前因。理合備文呈復。仰祈

鑒核。實爲公便。謹呈
上海市社會局

## 上海市社會局爲據呈更用新制須國藥業全體改用始可遵辦擬本會文

呈悉。案經分令國藥業同業公會。屆期改用新制在案。據呈前情。候再嚴令該公會遵改可也。仰卽知照。批擬

中華民國二十一年九月廿八日

局長　吳批亞

## 上海市社會局訓令本會遵用度量衡文

爲令遵事。案查國醫業遵用新制度量衡一案。前據該公會呈稱。更用分量。須國藥業全體正式改用新制度量衡後。始可遵照辦理等情。據此業經嚴令國藥業同業公會。遵照改用幷批示知照各在案。茲據該公會復稱。已確定明年一月一日實行等情。據此合行令仰該公會遵照。迅卽轉知各會員。屆時一體遵照辦理。是爲至要。此令

中華民國二十一年十一月十六日

局長　吳醒亞

## 中央國醫館致本會函

逕啓者。茲派胡瀘然爲上海特別市國醫分館籌備視察員。前來商洽分館籌備事宜。除令委該視察員外。仰卽一體遵照。此致

國醫公會

中央國醫館館長焦易堂

## 中央國醫館快郵代電

各省市國醫分館各分館籌備處各醫藥學校暨醫藥團體並轉各地醫藥專家均鑒。近代學術昌明率由分研精進。致知格物。爲用至宏。醫藥於社會尤關切要。溯源窮流。演繹繁賾。述作經驗。歷時久遠。苟非整齊利弊。棣通古今。則旁騖散遺。均堪慮惜。本館現正組設學術整理委員會。聘請專家。分擔整理。期此集勤探討。有以闡明統系。共淑來茲。海內諳通國醫國藥名宿。定不乏人。對於整理改良之論說或方案等。務望各就素長。參加指導。攄爲專說。惠以好音。不妨隨事隨時縷分科目。剖晰見解。弗靳昭宣。庶本館既增整理之資。兼感嚶求之樂。一面由館發行國醫公報。並可選擇稿件。按期付印。以公觀聽。佇聞明教。昕夕期之。中央國醫館東

## 中央國醫館快郵代電

各省市國醫分館醫藥團體醫藥學校並轉各醫藥專家均鑒。吾國地大物博。人文炳著。自神農氏辨識百草而藥物呈功。厥後代有傳篇。人增專乘。先覺後覺。殫廣智仁。迹其效能。實足以左右康樂。嘉惠民生。其間紹述發明。交相輝映。或尚昭垂。或歸散佚。歷時久遠。隱彰不一。苦心絕學。深虞中墜。環顧國中碩學林林。各地國醫國藥兩界人士。因時演進。必肆研求。擁有著述者。不知凡幾。異秉同歸。胥關實用。亟宜搜集衆長。共資參討。本館成立以來。克循端緒。宜立楷模。現擬附設國醫圖書館。徵求全國所有關於醫藥各項專著。無論古今新舊。希卽捐送來京。逐漸庋藏。俾公檢覽。而便宣傳。庶幾萃專家以觀摩恢壽世之軌轍。望風翹企。實族德音。中央國醫館東

## 上寶印花稅局來函爲掛號診單依照銀錢收據黏貼印花事

逕啓者本局現奉省局令飭。督促稽徵考核加嚴。凡應貼印花各營業憑證。尙未遵貼者。應一律嚴從徵貼。以裕稅收。查吾國醫士正式領證營業者。多屬熱誠愛國之士。其對於病者請診收取費時所用掛號診單。係銀錢收據之一種。自應按照印花稅條例第二條第一類第十三項之規定。在一元以上未滿十元者。貼花一分。十元以上者貼花二分。未滿一元者。准於免貼。此在營業憑證上手續得以合法。而於尊重國稅之道。亦庶幾勉盡義務。夙仰貴會爲醫學界法團。洞明大體。相應函達。請煩查照。力予協助。通知各醫士。於本月十六日起。將掛號診單。照銀錢收據。一律貼用印花。以維國稅。務希力助進行。克日見復爲盼。

## 本會復上寶印花稅局函

逕復者。接准來函內開。（函畧）等由准此具見貴局整頓稅收無微不至。極備藎籌。惟國醫掛號單之設置。其用意僅爲維持診所秩序。依次診察。使無混亂之狀態。關於診金之收入。大都另有簿據實貼印花。以盡國民納稅之義務。故掛單之性質。與發票收據絕不相同。極爲明顯。且國醫關於掛號單之方式。亦頗不一。致大都書明病人姓名及住址。注明拔號普通號字樣。亦有使用竹籌以資簡捷者。至若紀載診金數量極佔少數。不特敝會殊難遵命通知會員强令貼用印花。且有據實奉復貴局以免糾紛之必要。爲此函達。卽希查照是荷。

## 本會調解國藥工潮致（國藥同業公會）（藥業職工會）函

逕啓者。近閱報載。貴業勞資雙方。未能融洽。殊爲扼腕。時當夏令。疾病叢生。藥物需要。培形迫切。想貴會諸君。洞明大局。必能和衷共濟。勿使風潮擴大。敝會與貴會等誼關唇齒。事屬同舟。對此不幸事件之發生。殊難安于緘默。除函達（國藥業同業公會）

(國藥業職工會)外。爲特函請

貴會。顧念時艱。各以民命爲重。迅速和平解決。不特敝會之幸。全市民衆。亦同深念盼也。此

致

上海市(國藥業職工會)(藥材業同業)公會

## 上海市藥業職業工會覆本會函

逕復者。接誦

大函。具見關心社會。名言讜論。至堪欽佩。敝會維護條件。保障本業勞工既得利益。責任攸還。不願甘爲戎首。無如同業公會。心存挑釁。不思發展國藥事業。而斤斤於私利之計較。不與敝業職工合作。圖謀挽救國藥之危機。敝會同人。對此非常惋惜。深望同業公會。幡然覺悟。開誠合作。風潮卽可平息。

貴會殷殷勸導。敝會表示誠意接受。除函復表白外。尙希注意敝會之舉措。隨時指教。是所至盼。此致

上海市國醫公會

## 本會函國藥藥材兩公會詢問日藥冒充國藥名目

逕啓者。暴日逞兵。霸佔三省。凡吾熱血同胞。莫不敵愾同仇。關外義軍之出生入死者。亦無非爲吾中華民族爭生存耳。生爲中華國民、自宜一致行動。竊我海上。創痕累累。反日聲浪。雖未消靡。對外貿易。依然如故。然其最足痛心者。莫如號稱國藥。每將日藥冒充。凡我醫藥界同人。們心能無愧乎。爰經敝會第十三次執監會決議。函請

貴會通告所屬會員。對于日藥混充國藥。務宜切實抵制。並乞將日藥名目。開單函復過會。以便

通告會員。切實避用在案。事關抵制仇貨。諒能俯賜同情。相應函達。卽希查照見復爲荷。此致

上海市藥材業公會

上海市國藥業公會

## 上海市藥材業同業公會復本會函

逕復者。昨奉

大函以日藥混充國藥。應謀切實抵制。並

囑將日藥名目。開單送　覽。以便切實避用各等由。具見

關懷民瘼。不忘國恥之至意。無任欽佩。茲特將日藥名目。另紙開陳。卽請

查照。此致

上海市國醫公會

上海市藥材業同業公會啓

附日藥名目單

(一)日本所有原產及仿種於其地者

倭硫黃　(日原產)此物我國內科用極微細外科瘡藥及煉升藥等爲主要必需之品

生珠　(日原產)此物爲日本鮑魚淡菜內所出早年我國外科傷藥多用此貨自歷次抵制大概改用西洋所來花珠現在日本生珠幾可絕迹

機冰片　(日仿製)按機冰片一物早年德國用化學將樟腦製成自歐戰發生日本仿製銷售於各埠然其成本較大於德國一倍有餘至歐戰數平德貨仍由香港分售日貨銷路已滯近年幾可絕迹查冰片一名龍腦香係南洋巴東所出及山甲地名等貨爲最佳因其性涼能解邪用於痧藥極爲靈驗若機冰片則既用樟腦又因化學用曹達製成性必熱烈適與冰片相反用於香料固屬無妨用於方藥貽害極大是以春樵立誓不進機冰片並勸同業甯失利益毋背道德

黃連　(日仿種以下同)我國四川雲南所產數多貨佳日本所出性溫貨劣

厚樸　四川雲南出貨多而且佳溫州等處亦有出貨次日本所出貨尤次價賤銷北方

芎藭　四川產多貨佳且價亦宜日貨旣次價亦不宜故已少來

紫草　四川老河口出最佳日貨次劣

枳實殼　四川江西出產最佳日貨最劣

黃柏　四川廣西烟台俱有出貨佳日貨次劣

草烏　四川產爲佳日貨次價賤

樟腦　江西湖南廣東省有出貨多日本來貨稱洋樟近年價高

括蔞皮子　國產不多宜勸鄉人多種日貨自可抵制

石決明　卽鮀魚殼廣東海南出貨佳日貨多價賤

鮮石斛　浙江溫州台州處州所出曰鈌皮斗最佳湖南廣西等處亦有出稍次日本所出曰東斗貨最低

吳茱萸　雲南四川皆有出貨且佳日貨次劣

大茴香　又名洋大茴廣西貨佳日貨次味惡劣價賤銷南貨舖

雞內金　國內各埠均有出日貨劣

（二）日本雖有出貨多屬販於他方者

鹿角　按鹿角自昔以我國關東所出爲最多亦最佳卽營口所來大概產自遼東瀋陽蒙吉等處自日本皮毛商人來我國後將我國產鹿角搜買淨盡以致營口近來無貨到埠故藥商不得已有向日本廂館大阪等處辦運鹿角之舉然形式多屬三叉不類我國關東所產又早年日人曾向南洋辦有鹿角爲做器皿之用將所有剩餘邊旁碎屑轉售中國熬膏現在我國商人亦知南洋有貨可辦故已改轅易轍逕往南洋採辦所以三叉日貨近已稀少

牛黃　日產本屬者多其所貿易多向美國澳洲等處販來轉售於我無非從中圖利而已現我國商人有逕向西洋各國運來競售日貨已成强弩之末

高利黨　一名吉林黨本份遼陽所產並非日本出貨早年爲高麗人販賣後爲日人販賣近則我國自運然幾乎誤認爲日貨矣

(二)臺灣產及國產現在情形

建方通 (台灣產)四川所產曰川方通近年僅到十分之一

通草絲 (台灣產)四川產日以紛通現到更稀

台木斗 (台灣產)四川所產曰雅斗久不見到

海風藤 (台灣產)溫州所產同名近年僅到十分之一貨且不佳

珍珠母 (台灣產)西洋所產同名久不來華

## 上海市國醫學會爲會員謝文德等要求免費補照致本會函

逕啓者。敝會會員謝文德等。因滬埠發生抗日之爭。遂致各遺失市衞生局醫士執照。來會委托代辦補領。前聞

貴會曾向　市政府要求豁免該費。已得先行抄呈名單再行核辦之覆。敝會茲爲便利起見。不再另行請求。卽將謝文德等之前住地址及執照年月號數。隨函抄達

貴會。務請代爲轉呈　市政府一併辦理。卽希查照見覆爲荷。此上

上海市國醫公會

上海市國醫藥會秘書處啓　七月二十五日

附遺失執照會員名單一張

## 本會復上海市國醫學會函

逕復者。接准

大函略開。會員謝文德因滬戰遺失執照。請爲轉呈市府免費補給。一併辦理等由。准此。當卽提交本月十日。執行委員會核議。業經議決通過。除轉呈　市府要求免費補給外。相應奉復。卽希

查照爲荷。此致
上海市國醫學會

## 本會致上海市國醫學會函

逕啓者。案查
貴會前轉醫士謝文德等因滬戰遺失執照。請求敝會轉呈　市府一併免費補給等由。當經執委會議決通過。轉呈　市府並函復在案。玆奉市府二二五九號批令略開。凡戰事遺失執照。均須照章納費領。未便稍有歧異等因。奉此。相應函復。即希
查照爲荷。此致
上海市國醫學會

## 上海市國醫學會致本會函爲擬訂國醫公約事

逕啓者。敝會鑒於國醫界未訂公約。以資共守。遂致時常發生不幸事件。玆經敝會第十一次執監聯席會議決。擬訂公約事。交常務委員會約同上海市國醫公會。中華國醫學會。神州國醫學會。開聯席會議。共同討論在案。查公約一事。有關醫界全體。而非一會之事務。敝會玆姑根據上次議案。自居發起地位。暫借六馬路仁濟堂爲集會地點。先行致函
貴會。即請克日推派代表三人並懇
示復。以便擇定日期。召開首次會議。共同商酌。除分別通函外。相應遵案函達。即希。
查照見復爲荷。此致
上海市國醫公會

上海市國醫學會祕書處啓

## 本會復該會函

逕啓者。接准

來函藉悉。

貴會擬發起擬訂國醫公約。囑爲推舉代表三人。共同與議等由。准此。查擬訂國醫公約一案。早經敝會於民國十九年十月間提議。並登報徵求同業意見。以便集思廣益。先後接到意見書多件。歸檔成案。迭經起草委員會迭開會議。祇以事關重大。未獲完美結果。未便率予宣佈。茲承

貴會發起。實深欽佩。當經臨時執監會議議決。推派蔣文芳傅雍言張贊臣爲代表。藉聆

高見。准函前由。相應函復。即希

查照是荷。此致

上海市國醫學會

## 武進縣中醫公會爲度量衡事致本會函

逕啓者。頃奉敝縣政府訓令內開。案准江蘇省度量衡檢定所咨開。案奉實業部全國度量衡局訓令內開。案據南京度量衡檢定所抄呈醫藥業未能導用新制理由。暨該市社會局行政會議議決辦法。呈請鑒核等情。當經據情轉呈實業部核示。幷指令該所知照各在案，茲奉實業部指令內開。呈悉。國醫公會所述不能遵用理由八點。均不能成立。南京市檢定所駁議甚是。惟社會局行政會議之辦法。仍屬不妥。划一度量衡行政。誠如來呈所稱。貴在全國各業。一致遵行。否則或先或後。畸輕畸重。於法律固無根據。在商民尤虞藉口。划一前途。難免不發生應響。國醫業應與各業同時遵用新制。不得再行推諉。仰即轉飭遵照辦理。此令等因。奉此。除訓令該所遵照。幷分令外。合行抄同該所原呈。及附件。令仰遵照辦理此令等因。奉此。除分行並呈報實業廳備查外。相

應抄同附件。咨請查照辦理爲荷。等由。准此。合行令仰該公會遵照辦理爲要。此令等因。奉此。敝會對于遵用新制度量衡辦法。無所依據。不敢草率從事。用特專函奉詢。
貴會。曾否接有貴市政府同樣訓令。遵照辦理。及如何遵照新制辦理。卽希
示覆。俾資借鏡。實紉公誼。此致
上海市國醫公會
武進縣中醫公會常務主席屠士初

## 爲度量衡事本會復武進中醫公會函

逕啓者。接准
來函。略開對于更用度量衡新制。無所依據。不敢草率從事。用特函詢貴會。對于度量衡新制如何辦理。卽祈示復等由。准此。查敝會亦奉本市社會局同樣訓令。當交第四次執會核議。皆以國醫更用新制。尚無困難。惟須國藥業全體正式改用後。始可遵辦。並呈復在案。
奉函當交十一次執監會討論。僉以敝會呈復在先。未便再加反對。如
貴會首起抗議。敝會願附驥尾。共同進行在案。准函前由。合再抄錄原呈。隨函附奉。卽希
查照爲荷。此致
武進縣中醫公會

## 奉賢縣國醫公會爲組織全國或全省國醫公會快郵代電本會

上海市國醫公會電鑒。本會第二次全縣代表大會提議案一件。徵求本省各縣市醫會同意。發起組織江蘇省國醫公會聯合會。及全國聯合會案。議決電請上海市國醫公會發起召集全省國醫團體代表會議。進行組織。並電本省各醫會。一致協助等紀錄在卷。查自全國醫藥團體總聯合會解散以

來。國醫團體。失於聯絡。國醫勢力。益以削弱。政府歧視之念益深。西醫排擠之風益烈觀於西醫之組織嚴密。聲勢日張。可資借鏡。貴會爲全省領袖。登高而呼。易爲號召。茲據前議。相應電請 貴會迅予召集。全省醫團代表。集議進行。以期聯合。共同奮鬥。至紉醫誼。奉賢縣國醫公會執行委員會常務委員徐逸舟沈臥東楊葵生叩齊

中華民國二十一年十一月八日

## 本會復奉賢國醫公會函

逕復者。接准齊代電均悉。查際茲中西醫學。競爭之秋。國醫聯絡。不應再緩。祗以敝會大會在即。各項工作。亟待結束。以是暫爲保留。交下屆執委會辦理在案。相應函復。希煩

查照爲荷。此致

奉賢國醫公會

## 長沙市國醫公會快郵代電本會

全國國醫分館暨醫藥團體國醫學校院 公鑒。敬啓者。敝會前奉 省主席何諭。遵照 中央國醫館章程。創辦本省國醫院國醫學校。及一切醫藥建設事宜。現正籌備。積極進行。突於十月六日。由 中央國醫館遞下 行政院訓令。仰飭浙江中醫專門學校。及蘭谿中醫專門學校。須照十九年 國府核准原案。將中醫學校。改爲學社。奉令之下。不勝痛駭。查 中央國醫館成立於民國二十年。組織章程第八條及各省分館組織大綱第六條。均有設立醫藥學校之規定。經 行政院核准。轉呈 國府備案。頒布全國。何以復用十九年未經頒布之舊案。推翻 國府備案已經醫頒之新案。取銷學校名義乎。夫以學校命名。是欲尊重名義。提高資格。鼓舞學者求學之興趣也。乃竟取銷學校。而降稱學社。是阻止海內嚮學之熱心。且大失國人建設之期望。而國醫之根本。亦

從此掃滅無餘矣。敝會復查前教衞兩部。會同核議原呈第二項中醫不准加入學系統。中醫傳習所不准官廳備案。傳習所畢業不予投考資格。而中醫考試登記及辦法。另由衞生部辦理。據此情形。是判中醫以死刑。而實行斬決矣。兇惡之舉。孰甚於斯。夫我國醫學果不合於國人。及世界心理。何以海內之信仰歷數千餘年。如此其久也。歐美各國之推崇。歷數萬餘里。如此其遠也。邇者英之巴姆醫士。著中醫進步矣。法之巴黎大學。編中醫講義矣。俄之莫斯科。創漢醫學校矣。美之舊金山。創中醫院矣。日本明治大學。竟增漢醫學科。帝國大學。且設皇漢醫學講座矣。是我國醫學行將發展於五洲萬國。而獨不容於教衞兩部。必欲置之死地而後已。此等行爲。不特爲全國人民所痛心。且更爲五洲萬國所竊笑也。敝會又閱衞生部頒行全國之中華藥典一書。內皆博採西藥。卽間有少數中藥。亦均以西法化驗者。絕無一中國原質藥品。是中藥雖無明令廢止。而已屏棄於無形矣。今之歐美各國。方盛稱我國本草綱目爲美備。而積極研究。而我國衞生部乃僅收羅西藥。又不用新藥名義。標題反冠以中華二字。是直認西藥爲中藥矣。喧賓奪主。自滅國學。自絕國產。使國人都如此心理。提倡外貨。取銷國貨。則我國藥物將視如糞土。而數千萬藥農藥工藥商營業上之生命。數萬萬藥物經濟上之財源。均於此斷絕。亡國之機。已決於此矣。綜上二端。一主銷滅國醫。一主銷滅國藥。與十八年中衞余巖廢止中醫之議案。其爲禍同一酷烈。似此兒戲。國何以堪。茲値內政會議時期在邇。敝會醫藥同人。鑒於教衞兩部之主張。中衞學社。及頒行中華藥典。不特影響民族民生。爲禍至鉅。實有亡國滅種之憂。公理所在。不忍滅默。除電呈　林主席　蔣委員長暨　中央國醫館並聲請本省官廳轉向內政會議提案主張　中央國醫館二十年設立學校原案外。特此電陳。敬希　察鑒。應如何抗爭。以圖挽救之處。或於內政會議之前。先行設法提案力爭。或由各省通電一致否認。或召集全國醫藥代表大會會議。赴京請願。事關醫藥存亡。刻不容緩。是否有當。佇候明教。湖南長沙市國醫公會委員余華龕劉嶽崙吳漢僊王紆青易南坡曾覺叟張牧斧李琮卿藥業公會

委員陳克明程前鷁周谷樵黃菊靜鄧鑑臣熊藩周任庸嵐羅煥卿鄭矜餘同叩

## 教衛兩部焚坑國醫國藥之痛史錄

民國十四年乙丑冬月。北平教育部總長汪伯唐。惑於東洋醫校畢業生之說。對衆宣言。決意廢止中醫中藥。不准中醫加入教育統系。時山西醫會徐相宸等。及江蘇全省中醫聯合會。紛紛建議。力請教育部將中醫加入學系。已經中華教育改進社通過在案。卒爲浙江鎮海余巖駁議所惑。而不准中醫加入教育統系。遂成鐵案。

民國十七年戊辰。各地中醫試驗登記。漸次實行。而登記章程。均以中醫學校畢業爲應備之資格。時南京大學院院長蔡元培。開全國教育會議。神州醫藥總會。呈請院長將中醫加入學系。並通電全國。卒以響應無人。事終未果。

民國十八年。南京衛生部委員余巖。首倡廢止中醫議案。一則停止登記。一則禁止學校。一則禁止宣傳。並通令全國中醫院改稱醫室。復會通教育部。飭令全國中醫學校改稱傳習所。並令無容呈報教育行政機關立案。復禁止全國學校不准招生。而世傳師傳登記醫士。亦將限以資格。停止執照。(民國癸亥。廣東政府取締中醫施行細則第八條。中醫資格。是世傳師傳二種。儒醫但有醫術智識經驗一種。若僅有此項資格者。得於本規則內一定期間。以部令停止之。即不給照也。本年亦擬倣照此法)於是上海中醫協會發起否認之通電。召集全國代表大會。到會者十七行省。一百三十二團體。二百七十二代表。於三月十七日成立上海全國醫藥團體總聯合會。以與西醫對抗。而醫藥界外之反對者。有上海八區黨部之電。有全國總商會之電。有中華國貨維持會之電。有幸福報館之電。有南洋羣島八百萬代表之電。一時全國震動。輿論騷然。南京政府亦俯順輿情。衛生部議案。雖無明令取銷。而亦停止進行矣。

附衛生部劉瑞恆與教育部蔣夢麟會同核議呈行政院核准左列二項

（一）中醫不能列入學校系統。業經教育部詳叙理由。明令布告在案。經敎衛兩部會議後。仍以爲中醫學校之講授與實驗。既不以科學爲基礎。學習者之資格與程度。亦未經定有標準。自未便加入學制系統。所請加入學制系統。所請收回成命一節。碍難照准。

（二）查中醫請列入學校系統。及中醫傳習所請求立案之主要原因。爲未來之中醫登記問題。衛生部對於中醫之登記。擬實行考驗制度。其投考資格。並不以中醫傳習所畢業者爲限。故教衛兩部。均認爲中醫是否加入學制系統。中醫傳習所是否歸某官廳備案。均與登記問題無關。至於中醫考試辦法及時期。另由衛生部辦理。（此呈有衛生部主稿）

是年十二月十三日。奉蔣主席諭。將教育部議令中醫學校改稱傳習所。衛生部議令中醫院改稱醫室之佈告與命令。一律取銷。以資維護。

民國十九年二月。教育部與衛生部會議。將中醫學校改稱學社。使有自由發展之機會。不受教育規程之限制。經呈奉國民政府核准在案。

民國二十年三月。中央國醫館成立。組織章程第八條。及各省國醫分館組織大綱第六條。均規定得附設醫藥專科學校。經呈奉行政院核准。轉呈國民政府備案在卷。頒佈全國。

本年十月六日。南京行政院訓令。仰飭浙江教育廳。將浙江及蘭谿中醫專門學校。仍照十九年原案。改爲學社。至中央國醫館組織章程第八條。及各省國醫分館組織大綱第六條。規定之醫藥學校字樣。一律改爲學社。以符原案。候飭中央國醫館遵照修正可也。

又據中央衛生部通令頒佈全國之中華藥典一書。內皆博采西藥。卽間有少數中藥。亦均以西法化驗者。絕無一中國原質藥品。乃不用新藥名義標題。反冠以中華二字。喧賓奪主。自滅國學。自絕國產。是中藥雖無明令廢止。而已消滅于無形矣。亡國之幾。已決於此。

大抵西醫尙形質之學。故治形質之病。亦有成效。中醫尙氣化之學。故治氣化之病。獨具特長。此中高下得失。久爲全國人民所共信。故論科學醫。則首推德國。論哲學醫。自當以中國爲冠。

今日之重要偉人。多不識中醫原理 而炫于物質文明。一旦疾病臨身。往往斷送其生命於專事形質醫學者之手。如孫總理。梁任公。林修梅。胡景翼諸公之病。均以不明氣化。專重形質而失敗。報帋紛披。事實具在。稍有中醫知識者。猶能知之。近日歐美各國之留學生返國後。大都採取他國精華。而以强國爲職責。而我國留學生返國後。但知襲取他國皮毛。而專以亡國爲職責。廢止中醫之創議。始于民國十四年。北平教育部長汪伯唐。惑於東洋醫校畢業生之邪說。其繼起者。則惟留學東洋返國之余巖。倡廢中醫。爲禍最烈。

廢止中醫之議案。果有合於全國及世界公理。何以吾國社會之信仰。歷數千餘年。黃此其久也。又何以歐美各國之推崇。歷數萬餘里。如此其遠也。近者英之巴姆醫士。著中醫進步矣。法之巴黎大學。編中醫講義矣。俄之莫斯科。創中醫校矣。美之舊金山。創中醫院矣。近隣日本。以漢醫爲宗。於國醫尤有深刻之研究。明治大學。已增漢醫學科。帝國大學。復設皇漢醫學講座。近更以二萬金運華。專購中醫書籍。羣起研究矣。苟非眞理與實驗。確有可憑之價値。而能如是之久且遠乎。

我國醫學。旣爲中外人民所信奉。何以獨不容於教衞兩部諸人。綜觀歷年廢止中醫之條例。及頒布全國之中華藥典。其制中醫中藥之死命。實無異於燒殺與焚坑。往者無論矣。卽以本年十月六日之訓令觀之。明係教衞兩部畸形勢之議案所蘊釀而成。而行政院實受其朦耳。何也。十九年教衞會議。中醫學校改爲學社之原案。旣經國府校准。則二十年中中央國醫館第八條第六條規定各省設立醫藥學校之議案。行政院自不能再爲核准轉呈國府備案。旣經核准備案頒布全國。則十九年未經頒佈之舊案。當然無効。今以十九年之舊案爲有效。反欲推翻國醫館二十年已經頒佈之新案。廢除全國學校名義。阻止海內嚮學之心。藉以斬除國醫之根本。中央國醫館雖爲避免一時衝突計。不得不從事調停。而有徵求國人意見之表示。而謂全國人民。能認此反覆無常之命令。而一致服從者乎。

以上所陳。爲我全國醫藥界歷年經過之痛史。除電呈中央國醫館暨全國醫藥團體一致否認外。謹臚述顛末。敬乞　鑒核。

湖南省籌備醫藥事業建設委員會公佈

民國二十一年十一月十三日

## 本會追悼上海市衛生局胡故局長往來函牘

胡君鴻基。主持上海市衛生行政。先後七年。勤勞卓著。成績斐然。碩畫藎籌。中外同仰。其操守廉潔。尤足以勵末俗。而挽頹風。此次在浙省海塘。覆車殞命。噩耗驚傳。遐邇震悼。同人等或義切苔岑。或交深縞紵。追念前勛。惓懷舊誼。情難自已。爰於本月二十七日上午十時。在貴州路七號湖社。開會追悼。用誌哀思。胡君身後蕭條。老母在堂。遺雛未立。長者甫屆冲齡。幼者更在襁褓。瞻養教育。來日大難。倘蒙惠臨參加。概致賻贈。不特孤寡同戴大德。抑亦同人所竭誠盼禱者也。此啓

### 胡局長鴻基追悼會籌備會致本會函

逕啓者。查本市衛生局胡故局長鴻基博士。在浙省海塘。慘遭覆車殞命。現由市政府及各局處發起開會追悼。並擬請本市有關係各機關學校團體加參追悼。除分函外。茲抄上胡局長鴻基追悼會緣啓一紙。敬請

貴會加入。相應函達。卽希

查照。並祈于本月十一日以前　示覆爲荷。此致

上海市國醫公會

胡局長鴻基追悼會籌備會啓　十一、七、

### 本會復胡局長追悼籌備會函

逕復者。接奉

貴會函開。本市衞生局胡故局長。覆車殞命。現由市府及各局處發起開會追悼。埘上追悼會緣啓一帋。敬請加入等由到會。當經本月十日執行委員談話決會議。僉以胡故局長。主持本市衞生行政。積功至偉。現在慘遭非命。能不震悼。自應一致加入。以表哀思在案。准函前由。相應函復。卽祈

查照爲荷。此致

胡局長鴻基追悼會籌備會

## 胡局長鴻基追悼會籌備會致本會函

逕啓者。查胡局長鴻基追悼會。現已定於本月二十七日上午十時。假貴州路七號湖社開會追悼。擬請

貴會派代表一人。于開會時前往會場。担任招待。相應函達。卽希

查照。並盼將姓名先期示知爲荷。此致

上海市國醫公會

胡局長鴻基追悼會籌備會啓　十一、二十三、

## 本會致胡局長追悼籌備會函

逕啓者。接准來函略開。胡局長追悼會。擬請貴會推派代表。出任招待等由到會。茲經廿五日開會決議。派本會常委丁仲英先生代表本會致祭。蔣有成君出席招待在案。准函前由。相應錄案函達。卽祈查照爲荷。此致

胡局長追悼會籌備會

## 東台縣中醫公會爲向內政部衛生署領照事致本會函

逕啓者。敝會原名中醫協會。今夏始奉黨部訓令。依照自由職業團體改組。更名中醫公會。自成立以來。凡全體會員。皆未向任何官署領取執照。忽於上月十七日接奉東台縣政府訓令略謂。公會會員。入會資格。必須向內政部衛生署領取執照。凡具有法令規定之資格者。雖未須領執照。可暫准其加入公會。但須依照暫行醫師條例之規定。速向所在地主管官署。呈領執照云云。敝會對于此項訓令。疑點甚多。查十八年衛生部管理舊醫登記。業經前全國醫藥總會抗議撤銷。此云醫師暫行條例。是否中醫。抑專指西醫而言。頗爲含混。此可疑者一也。卽使中醫領照問題。除各特別市之醫士。直接向衛生局領照外。亦未聞向內政部衛生署領取執照。此可疑者二也。再查鄰近各縣。未有如此辦法。敝會忝居醫團。何獨異是。且中醫行政。應當受中央國醫館之管轄。衛生署又何得專權。此可疑者三也。敝會偏處海隅。殊陋寡聞。理應訪照通商大埠團體辦法。俾有準繩。方可呈覆主管官署。素稔

貴會爲全國醫團之楷模。開中醫進化之先聲。一言九鼎。四海咸欽。經敝會常務會議決。相應將原訓令抄奉。函詢

貴會。懇祈指示

方針。詳細見覆。以釋羣疑。而便遵循。實紉公誼。此致

上海市國醫公會

東台縣中醫公會常務主席金雲孫

## 本會復東台中醫公會函

逕復者。接准

來函。並附件均悉。查管理中醫法規。尚未頒布。所頒醫師條例。專指西醫而言。目下各省市大都以單行法呈請內政部核准施行。貴會接到是項訓令。實系行政當局誤會所致。請即具呈主管機關。解釋誤會爲荷。此致

東台縣中醫公會

# 經濟報告 二十年十二月至廿一年十一月止

計開

舊管

一收上存　洋一百八十三元五角六分

新收

一收常費九百另一人　洋二千七百另三元

一收(入會證章)費　洋一千另十五元

一收月刊　洋七十二元十角八分

一收補會證　洋五十元另七角

一收墊款　洋二百另六元九角八分

兩共收洋四千二百三十二元一角二分

支出項下

## 經常支出

| | |
|---|---|
| 一支房金 | 洋四百六十五元 |
| 一支(電燈話) | 洋九十六元七角六分 |
| 一支(薪工饍食) | 洋八百八十三元二角一分 |
| 一支(印花郵稅) | 洋一百廿一元一角八分 |
| 一支文書 | 洋九十四元七角六分六厘 |
| 一支雜用(連收費車力) | 洋一百九十四元九角九分八厘 |
| 一支印刷 | 洋一百三十二元一角二分 |
| 一支浦東分會 | 洋二百三十六元六角一分 |
| 一支存財政科 | 洋二百元 |
| 一支廣告 | 洋一百廿三元八角八分 |
| 一支上年大會用費 | 洋六十二元二角三分六厘 |
| 一支本屆會場租費 | 洋四十五元 |
| 一支上年小執照 | 洋八角 |
| 一支酬應禮分 | 洋五十二元八角八分 |
| 一支上年證記費 | 洋五十元 |

共支洋二千七百五十二元四角四分

## 臨時支出

| | |
|---|---|
| 一支現代國醫 | 洋五百念元 |

一支主任津貼（二十年份）　洋三百另六元
一支水災收容所　洋一百七十五元三角五分
一支收容所（賠木器店木器）　洋七十元
一支收容所（賠江仲亮木器損失）　洋一百元
一支嚴蒼山（前欠學院薪俸）　洋五十元
一支搬場一應　洋三十七元六角二分
一支（裝修橫額牌）　洋四十二元
一支上屆大會照相　洋十捌元

共支洋一千三百十捌元九角七分
兩共支洋四千另七十八元四角一分
收支兩餘應存洋一百五十三元七角一分
財政科結存洋二百元

財政科主任　郭伯良
會計　朱昂霄

## 上海市國醫公會浦東分會工作報告

本分會成立迄今。瞬將一載。回憶往事。愧无善狀可言。幸賴總會督促。暨熱心諸君子之指教。一載以還。得免隕越。是則本分會於萬分惶悚之中。聊堪自慰者也。茲値常年大會之期。謹借專刊之一格。有聊堪塞責者。作簡單之報告。惟去者已矣。來日方長。嗣後應興應革。尤賴愛護本會諸君。隨時賜教。以匡不逮。曷勝感禱。

本會成立伊始。諸待整理。會員之統計。會員錄之編造。均爲會中需要者。從事提辦之。

時當二月。矮寇犯滬。砲火頻驚。會員星散。各方辦事未免牽制。除於可能範圍內照常維持外。三四兩月。一切工作。暫行停止。

五月和戰協定告成。抵制仇貨藥品。本爲醫藥兩界應盡之天職。前經總會亟分知照後。一律拒用。本分會又恐日久玩生。特專函敬告醫藥界諸同志。永久拒用。以期澈底。

六月一日。市衞生局開始中醫登記。浦東區預備會員。數亦不少。特先期通知。復遵章聲請登記。以符法令。在總會領導之下。代表預備會員辦理登記手續。

今年戰事之後。會員星散。遠遷不返者有之。遺失證書者有之。大會在卽。不能無此稽考。當卽加以調查。以便註銷。或予補給。

診病掛號單。原爲維持診所秩序而設。與銀錢收據。絕對不同。此次上寶印花稅局突頒號單須實貼印花稅辦法。礙難承認。當由總會交涉得免。由本分會據情轉函各會員。一體知照。

會中經濟困難。支度拮据。會員所欠會費。除就近各會員派員登門收取外。并函請遠道各會員。速將本年份常費。從速交下。以資挹注

本年大會。業將舉行。所有過去之經濟狀況。工作狀況。已詳總會報告。用書經過。以告會友。

## 對於本會今後之希望

張汝偉

本會成立。于茲三載。去年祇因一二八之變。大受打擊。對於發展方面。不能長足的進步。誠迫於勢耳。今者滬戰雖停。東北未復。國難日亟。匹夫有責。茲屆大會之期。敢供芻蕘之獻。表示希望。所冀逐步進行。實現成功。偉不禁馨香禱祝者也。

(一)希望本會會員。對于診斷方面。努力研求。表示有驚人成績。其目標爲西醫所不治。而治愈之症。臚舉事實。報告本會。匯集專刊。表揭國醫國藥。爲國醫學之結晶。

(二)希望本會會員。對于衞生方面。隨處指導。盡力宣傳。無論公衆衞生。個人生。時令預防。

病前病後。均宜注意。勿以一方塞責。使民衆仰望消潔之心理。完全歸功于西醫。

(三)希望本會會員。應存會員是會之基本。勿視大會爲表面敷衍之舉。大家要團結互助。而選舉之時。尤應愼重從事。選舉得人。俾可受全會會員付託之重。而辦理一切也。

(四)希望本會會員。自今以後。對于劣貨。一致摒棄。永不復用。以表愛國之誠。而免亡國之慘。如有發現劣貨混充。急應報告本會。通知全體會員。以免受愚。綜此四條。行之尚易。然必持久以恆。功效乃見。而尤要者。在團結互助。使會內築鞏固之基。則自能以德服人。融合一爐。我國醫前途。正有無量之光明也。諸公以爲然否

## 國醫對於國醫公會應有的認識

張子英

大凡人們對於社會。必須有巨大的團結力。然後能夠支持存在。否則靠着個人的力量。怎麼能夠抵抗得住。所以結果總是任人欺侮。任人摧殘。現在的國醫公會。不是我們國醫界唯一的職業團體麼。自從成立以來。對於會務方面。雖然沒有多大的進展。總算還可以維持現狀。這是全仗當局諸公的慘淡經營。然而我連想到會員這樣少。會中經費這樣支絀。會務沒有多大的進展之原由。都因爲國醫界對於國醫公會。沒有認識清楚。所以許多國醫。認爲加入國醫公會。沒有什麼意思。竟而不加入公會的也很多。許多國醫。因爲意見紛歧。存派別觀念。故意不入公會的也很多。許多國醫。加入了公會。也有甚至於一年之中。一次都沒有駕臨公會。對於公會視若漠不相關的也很多。這種見解。都是國醫對於國醫公會沒有認識清楚的緣故。現在我把國醫對於國醫公會應有的認識。簡單地敘述如下。

(一)認識國醫公會有保障國醫職業鞏固的力量。近來西醫以科學醫爲號召。極力詆毀國醫。如報載醫師公會擬呈請衛生署。中醫不得稱國醫。等等荒謬之談。不一而足。幸由國醫公會。集中國醫界的力量。與之周旋。國醫職業前途。藉以維持。

（二）認識國醫公會有評判是非的權力。近來世風日下。人心不古。病家常有藉端控告國醫玩忽業務罪名等事。而法院方面。不能武斷。常請國醫公會鑑定醫方之有否錯誤。國醫公會當然公正評判。使被控告者藉得伸冤。不致損失信譽。

（三）認識國醫公會有證明國醫技術精良的力量。外埠國醫之來滬設診。和滬上國醫之往外埠應診。或請求衞生局登記等事。適有中途發生阻碍情事。由國醫公會可以證明該醫士技術精良學力充足。

（四）認識國醫公會可以代表全上海國醫界的意志。去對付各界。本市各界對於國醫界。發生關係時。如請求捐募救濟災病等事。由國醫公會酌量情形。可以代表國醫界的意志去對付。

（五）認識國醫公會有號召全上海國醫界的力量。本市發生重要事故時。國醫公會可以號召全市國醫界。開臨時大會商議解決。

（六）認識國醫公會有溝通官民合作的精神。行政機關或收稅機關。對於國醫有施行新令。或施行新稅等事。事前可與國醫公會磋商。從長計議。使達到官民合作的精神。

（七）認識國醫公會有闡揚文化的力量。個人的學術著作。雖美而不彰。由國醫公會的大力量。可以介紹和闡揚。

總而言之。國醫應該認識國醫公會。是國醫界唯一的職業團體。爲全市國醫界謀發展和謀福利的機關。應當要竭力愛護。和竭力培植。如能辦事的。盡各人的力量去辦事。如能捐資的。盡各人的力量。來傾助。其他如介紹會員。討論會務等等。都應該盡一己的力量去趕。使國醫公會成立健全。會務進展。那末就是我們國醫界的天職。也就是國醫對於國醫公會的認識。

# 國醫出版界最近之偉大貢獻——編輯國醫課本之先聲

## 全國醫學校教材編輯委員會理事秦伯未氏主編國醫講義六種——出版

第一種 藥物學講義 上編概論……指示藥物運用之方法 下編分論……指示各藥功能之鑑別

第二種 生理學講義 上編概論……指示生理之研究方法 下編分論……指示形臟之生活現象

第三種 診斷學講義 上編概論……指示診斷之要旨 下編分論……指示診法之施用

第四種 內科學講義 上編概論……指示學習內科之關鍵 下編分論……指示各種疾病之證治

第五種 婦科學講義 上編概論……指示學習婦科之關鍵 下編分論……指示各種疾病之證治

第六種 幼科學講義 上編概論……指示學習幼科之關鍵 下編分論……指示各種疾病之證治

編制力求新穎明晰。運明科學方法以整理一切舊籍。取材根據教材編委會所定原則。務使確實效驗人人可學可施。以期適應於一般醫校及私人教授生徒之用。秦氏本當代名醫。亦爲醫校名教授。更爲著作界名宿。此書之出。貢献於國醫界者非尠。允宜人手一編。先覩爲快也。

全書凡三十餘萬言。連史紙精印。磁靑封面。仿古裝訂。凡八厚册。布函一套。實售洋五元。外埠加郵費五角。零售亦可。計藥物一元。生理五角。診斷八角。內科一元四角。好婦科八角。幼科八角。（凡醫校團體購滿二十部者九折。五十部以上八折。惟以總發行處爲限。）

經售處：上海四馬路中大東書局　三馬路中千頃堂書局　山東路十三號中醫書局

總發行所處：上海小西門內尚文路第一九四號秦氏醫室

# 本草述——發售預約

## 印有特刊函索即寄

本書刻印者・爲二次・一在康熙間・一在嘉慶間・先後百年・祇印二百部・印後版燬無存・此二百部書・即分布于全國・至今三百載・其間有傷于火・或失于水・或散于匪・在者恐未及十分之一・以致學者失望・良深浩嘆・本主人・有鑒于斯・留心二十載・始得此書・以二百元之欵・易此一書・印行普及・亦成美哉・

▲全三十二卷　▲選藥品四百九十種

▲八十萬言　▲八百餘頁

▲分釘十厚册　▲布套上下二函

■在未印之前・售價二百元・尚難購得■

## 現定價格

中國紙——原價七元——現在預約半價・祇收三元五角

有光紙——原價五元——現在預約半價・祇收二元五角

▲外埠函購・加郵費二角三分・國外另加三成・郵票代洋・九五扣算

（附註）本書印行・祇有千部・分售于全國數十萬同道・額滿即止・暫不再版

預約日期——自民國二十一年十月十五日起至本年十一月卅日止國外展期十五天

出版日期——準于二十一年十二月十六日出版同日發售餘書特價（八折）

預約紀念——凡預約諸氏均將姓名刊于本書之內以留永久紀念而倡讀者之壯志

預約處上海山東路中醫書局

# 上海中醫書局經售醫書

■本草述在一中國醫學大辭典中之紀載　謝觀利恆

【本草述】三十二卷明清間劉若金撰凡載藥四百八十餘種其分部及先後次序多與綱目不同此書有清楊時泰節本名本草述鉤玄卷數同

▲按本草述鉤玄祇摘錄不及原書之半・其書既未完全・而錯誤且多・將廬山之眞面目均歸失去・備此書者・更覺浩嘆・未得本草述原書之憾焉

| | | |
|---|---|---|
| 重訂傷寒六經分證表 | 周岐隱製 | 一元實洋 |
| 萬有丹方治病指南 | 黃庭蓀輯 | 八角七折 |
| 太乙神針 | 異人祕傳 | 一角七折 |
| 全圖簡明針灸治療學 | 溫主卿著 | 八角七折 |
| 外科眞方傳 | 邵漢朝著 | 三角七折 |
| 少林寺傷科秘方 | 少林僧傳 | 三角七折 |
| 家庭治病新書 | 張若霞著 | 四角七折 |
| 食物治病新書 | 張若霞著 | 四角七折 |
| 國醫製藥學 | 張仲岩著 | 三角七折 |
| 眞本竹林寺祕授女科一百廿症 | 竹林僧傳 | 四角七折 |
| 四明宋氏女科秘書 | 宋林皋著 | 六角七折 |
| 潘雲師血證經驗良方 | 潘雲師著 | 四角七折 |
| 眼科應驗良方 | 程松崖著 | 一角七折 |
| 種子第一金丹 | 萬波居士述 | 三角七折 |
| 婦女攝養新書 | 萬波居士述 | 四角七折 |
| 子女培植秘訣 | 萬波居士述 | 三角七折 |
| 養生秘訣 | 九一老人述 | 六角七折 |
| 溫病三字經 | 周松仙著 | 一角七折 |
| 外科三字經 | 周松仙著 | 一角七折 |
| 兒科三字經 | 周松仙著 | 一角七折 |

——上列各書外埠函購郵費加一——

——地址上海南山東路帶鈎橋北十三號——

中國醫學院前任院長
包識生先生著

# 包氏醫宗

第一集 傷寒
第二集 雜病
第三集 診斷學
第四集 國醫學粹

本書理解獨新。註講詳晰。有系統。有條例。綱目分明。能融能化。欲研究仲景傷寒雜病者。讀之可以無師自通。（原價兩集共售十一元）

共十二巨冊優待七折（寄費外加一成）
郵票代銀九五折算

兩書為先生最近得意之作。數十年心得。盡匯萃於此中。內容分辨症。辨脈，治法。處方等。以及國醫理論之精華。無不備列。（每集定價三元）

預約二集合收兩元 寄費加一 預約本月底截止

上海北泥城橋新閘路五十七弄三號
包氏醫宗出版部總發行

十年研究之結晶

國醫界空前創作

超出古今一切銅人圖經絡圖之標準新製

中國醫學院生理解剖學教授包天白先生創製

全套四大幅 五色套版精印

# 最新考正經脈經穴掛圖 發行預約

研究醫學之經絡辭源 針灸醫生之實用地圖 〈經脈道路非常顯明 經穴部位非常準確〉並用最新解剖名詞說明

□可作個人研究之南針 □可作醫生診室之掛圖 □可供醫校教授之實用 □可供醫學團體之參考

附說明書一冊內容有｛經脈通行之道路說明 考正經穴之部位說明 度量尺寸之標準說明 奇經八脈之經穴說明 十四經徑穴名歌 經穴部位分寸歌 經穴別名詳錄 例言及辨正說明｝

每套售洋三圓 預約實洋壹圓八角（寄費外加一成）

預約處 上海靶子路中國醫學院章鶴年君 上海梅白格路新閘捕房前松柏里五號中國醫藥社

預約十一月底截止

每月刊

# 現代國醫

第二卷 第七期

中華民國二十一年十一月

上海市國醫公會編輯印行

發行 上海南京路南香粉弄八十八號

# 編者小言

（末伯）

本月刊發行以來。奄忽半載。承諸同道之愛護。負出版界之薄譽。殊深忻慰。茲將一至六期。彙訂一册。爲第一卷。以作小結束。自本期起爲第二卷開始。內容編製。暫照舊例。並增各地醫界消息。俾通聲氣。而便團結。仍望諸同道惠賜宏著。以光篇幅。

本刊限於經費。對於投稿諸君。除贈送本刊外。不能另具相當酬報。不勝抱歉。茲經商定就一至六期中。投稿最多數之前三名。各贈獎狀。長篇稿件視多寡另定。其他均酌贈文件數種。非敢云酬。聊資紀念。除俟置備後分別函送外。特此露布。

醫學關係生命。一字之誤。足以貽誤百人。本刊對於已經數期中。不無校訂失檢之處。常引爲憾。嗣後投稿。務請端楷繕正。並加單圈。庶幾排植校對。雙方便利。魯魚亥豕。得以減少。至希鑒宥。

# 現代國醫第二卷第七期目次

## 醫事雜評

東北問題與國醫應有之猛省……秦伯未
評日本之漢醫復興……聶雲臺
美國注意本草綱目……黃星樓

## 言論

現代國醫的六要……葉橘泉
醫說……秦伯未
中醫須有胆識……陳時芳
記中國醫學院學生李彩華投軍事……朱　殿

## 專著

察證總說……丁仲英
診病奇侅……松井操譯

## 學說

辦急慢驚風之謬稱……吳觀海
脾臟作用的新解釋……朱　殿
秋燥論……糜鶴鳴
守素齋藥學筆記……王錫光
產後骨盤痛與瘀血痛之鑑別……李健頤

霍亂分治法……胡佛
黃連厚腸胃說之不可信……張汝偉
西醫屠刀下之腸癰……葉士彬
醫案
尤在涇晚年醫案……盛心如錄
澄齋醫案……謝利恆
肝熱子煩治案……楊伯藩
肺風治案……徐亞東
喉癬治案……龔炳章
驗方
瘟疫時症經驗良方……汪友松
神效八厘散丹方……汪友松
瀉痢驗方七則……鮑濟民
產後敗血流脛驗方……沈禮同
本會會議錄
醫林消息
醫藥團體調查錄
補白

# 醫事雜評

## 東北問題與國醫應有之猛省

秦伯未

嗚呼。日本侵略東北。踞我城池。焚我廬舍。辱我官民。毀我事業。益復野心不戢。窺我腹地。簡直心無公理。目無公法。舉凡字典中所有之凶殘很暴等名詞。一一加諸其身。不足以盡其罪。我人處此暴力之下。惟有團結全國民氣。抵死奮鬥。而國醫素以發揚國粹為主。覩此祖國存亡之際。尤當痛心疾首。不能自已也。

於是本會首先議決。通告會員一致準備。並令附設之中國醫學院學生會努力宣傳。加緊軍事訓練。而余尤有進者。竊謂國醫今日應有之猛者。一為永遠不用日本藥物。一為永遠不將國產藥物販日

夫我國藥物之產量。為全球冠。本無須求之日本。然年來日產藥物之入口者。日加月增。國產藥物之輸出者。年甚一年。此中損失。不可數計。而藥物之功用。因充代而失其効。國產本充盈。因販賣而值乃倍。尤與國計民生以絕大打擊。此固不僅因東北問題而宜猛省。即不因東北問題。亦應猛省者也

## 評日本之中醫復興

蕭雲臺

日本自明治初年。政府禁習中醫。所有醫士。均令改習西醫。相沿已四五十年。乃近年來。信仰中醫者。日多一日。且均為有智識有學問諸人。非愚夫愚婦之盲從者可比。東京且有東方醫學會之設。擬於國會開會時。請求准中醫懸壺之復活云。

同時美國西方沿海諸省。如加利福尼亞。對於中醫亦多信仰。近有連合通信社。關於本問題之通信曰。中醫神秘。不可思議。昔人之所輕

視者。今則信仰之有如宗教。有數廣廈。病人趨之若鶩。不惜出千百金錢。一嘗此在華將衰之醫藥。因就診者之多。故不能隨到隨診。須於期前約定時間。就診之時。由病人自述症情。有一草藥醫旁聽之。連點其首。言五臟之如何不和。但如飲其方中藥茶。可將其不和者和之。就診者如其言飲之。病因以愈。給以厚酬并出證書。證明其如何有效焉。

兩月之中。舊金山中醫。因診所太小。而遷入大廈者。已有七人。其中竟有全用該廈之二層三層者。其營業之盛。可想而知矣。

按予個人經驗。親友多有西藥治而不愈之症。服中藥而見效者。如卓太親翁之小便出膿血。胡適之君之腎炎。黃伯樵君之糖尿症。舍弟婦之乳塊割症。夏劍丞之太夫人之乳頭出血。瞿太親母及蔣作賓君之太夫人盲腸炎症。初所就者。皆京滬聲價最高之西醫。終則束手無策。始返而求諸中醫而奏效者。予嘗一一錄其所用藥方於耕心齋雜記。登諸旬刊。予曩年亦偏信西醫。旋因遺誤數次。而中醫奏效有據。始知盲從迷信之誤人害事也予近日患痔疾。起坐皆不便。就治痔專醫某君診之。據云施注射一二次。則痔枯落而愈。且無痛苦。索費百元。予思予雖力能辦百元。然貧者將奈何。或病發於內地。無從得注射。則又奈何。將遂不治乎。遂不就注射。而以應付治痔之百元。一并捐入山東賑捐。以示決心也。旋查閱驗方新編有除痔丸。蘇沈良方中有冷水洗法。及古方書數種。補氣血法。兼德國海頓蘇外塗藥。一一用之。竟獲捷效。所有內痔外痔脫肛等症。旬日之間。悉告痊愈。信知中國方藥多奇效者。蓋西醫之動輒開割。實至笨之法。不得已始可用之。非善計也予於中醫。初非深有研究。然以予經驗所得。則醫藥仍以驗方爲重。多言理論。反足誤事。至於西醫。予亦承認其相當之效用。尤以產科爲佳。我國素以此重大之事。托之無知識接生婆之手。誤事不少。此外則清潔消毒衛生調養之普通科學知識。有足以輔中醫之所不及者。至外科刀圭。中西各有其長。中醫每能以調暢氣血之劑。消解腫毒。使無待於奏刀。跌打傷損。亦多佳方奇技。又如符咒治病。亦確爲事實。而非虛誣。然近於神秘。非在處可得。故不當重視。但驗方佳者頗多用之有效。先君子嘗刊印驗方新編數萬冊送人。家慈則就是書中選常用方藥多種。配合送人四十年於茲矣。服之者多隨手奏效。故家慈益樂爲之也。總之醫藥以經驗爲主。中醫則四千年來經驗之所積也。西醫除少數經驗方劑外。餘皆近年科學之發明然化學之分析雖精。顯微鏡之觀察雖密。而微生物病之根本治療法。迄無成效。且無十年不變之醫法。則其幼稚。殊不待言。欲期醫術之進步。要當以中醫數千年經驗所得。更以科學方法研究之。必大有發明也。

## 美國注意本草綱目

黃星樓

萬事爭風之美國對喘息一症。竟亦束手無術。且無其藥。傳聞東洋漢藥之麻黃可治。於是欲研究「本草綱目」。大有其人。曩者曾派學者遠赴上海。搜求此書。不料本家之中國。竟無初版本。風聞日本之「內閣文庫」有祕藏。乃迴棹東京而借覧。全部五十二卷。攝影無遺。現在美國正翻版中。其實此內閣文庫所藏。亦缺七冊。唯京都之「大森文庫」所藏。完全無缺。美國有知。當或捲土重來也。此書不忍其見祕也。現在日本某書店早計劃。複刻出版以貢獻於世界。足見皇漢醫藥研究之盛。不但日本即歐美各國。亦頗熱心提倡。而一面源流之中國。竟有漢醫廢止論。遂見西漢醫之衝突。實一稀奇之對照也。

大本草綱目一書。爲明萬歷初年。李東壁所編葺。凡十六部。六十二類。一千八百八十種。分五十二卷。采用八百餘家。稿凡三易。然後告成。甫及刻就。忽值數終。繼由其子建元表奏印行。誠爲濟世壽民之寶筏也。觀夫現代之醫。西醫根據科學。中醫多憑經驗。中西醫同是國人。因有科學經驗之爭執。於是視爲一讎敵。界若鴻溝。强分新舊。互言長短。眞乃一孔之見。偏執之論也。故蔡子民氏。謂眞理無古今之分。醫學無中西之別。求其結果之良窳。終歸于實地之經驗。旨哉言乎。我國中醫之妙理。中藥之奇效。社會公認。實非自信。如麻黃可治喘息。非中藥有奇效而何。日本歐美各國。提倡振興漢醫者簇出。非中醫之有妙理而何。假使中醫無妙理中藥失奇效。自然早歸天演之淘汰。又何能延至數千年之久乎。而日本歐美各國。亦皆提出關於振興漢醫之問題。舍科學而求玄虛。則猶舍跨海之巨艦而乘伏羲刳木之舟。舍踰山之汽車而乘大禹治水之橇也。不亦愚歟。吾謂日本歐美各國。素爲發明之國。亦將本草綱目複刻出版。可見中醫藥有超世之功能明矣。惜乎我國。喜新厭故之徒。反辱爲榮之輩。徒唱發明與科學之高調。恐亦不過稗販西說而已。且有甘落人後之惡習。致將我國之國粹。竟爲他人所利用。猶不知懺悔。反有廢止中醫之奇論。不免永成外人之笑柄。嗚呼。彼興我亡。似屬可待。乃竟有大謬不然者。吾料本草綱目。由美國日本翻印後。則聲價十倍。更千秋而萬古。不言而喻矣。

# 國難中之國醫藥界

蔣文芳

天災人禍。亂我中華。而日本竟以投井下石之手段。侵略東北。凡有血性。莫不髮指。我國醫藥界同人。爰如上海中國醫學院之組織義勇軍。國藥公會之捐助前敵藥品國醫學會之籌募犒賞費。中醫專門學校之出發常州演講。慷慨扶助。不甘後人。此固國醫藥界應盡之義務。抑亦國醫藥界之努力也。而余謂國醫既以拯救疾苦爲天責。此次前敵將士之爲祖國而傷亡者。不可勝數。吾儕雖居後方。當隱約聞其呻吟慘呼之聲。亟應更組救護隊前往工作。鎗彈之術。或有未精。疫癘之侵。飢餓勞役之傷。惟我獨長。對於戰地。實極需要也。嗚呼。同人有聞前敵將士之呻吟慘呼者乎。文芳不敏。願爲前驅。

# 言論

## 現代國醫的六要

葉橘泉

一、要有健全的思想。研究國醫。不可誤以爲靠此謀生的職業。一旦業務發達。收入豐富。就把有餘的精神和時間。耗費到無聊的消遣上。不肯再事研究。假使業務清淡。又要心隳志懶。什麼社會國家。根本就沒有觀念。要知道醫學是國家强弱所繫。社會衛生所恃。國醫的思想。應該從發展學術上着想時時爲民族。爲人類。謀健康的幸福。

二、要有良好的習慣。國醫應負起衛生的責任。爲社會樹衛生的模範。每有睡晏起遲。犯嗜好。留指甲。隨地涕唾。……等的不良習慣。應該矯正。至嫉妒同道。守秘自私。尤其是最大的壞習慣。須即改革。否則於國醫前途。影響不淺。所以我認爲良好的習慣。尤其是現代國醫家必要的資格。

三、要有科學的知識。任何學術。都逃不出科學範圍。國醫學術本來暗合科學。不過以時代的關係。不以科學說理。現在科學昌明。我人曷不用科學來說明原理。如生理、物理、病理、解剖、衛生、等科學的知識。必不可少的。如此。則國醫藥的治療。可以知其然。而且說明其所以然。

四、要有繼續的求進。故步自封。有保守心而無進取心。是國醫藥衰落的最大原因。一般醫家。每存着先入爲主的見解。往往以爲自己所守的。及師傳所傳給的知識。都是好的。遇到別種學說。必以爲非。其實學術無界限。學問無止境。宜不拒派別。兼收並蓄。棄人之短。取人之長。惟知學問是求。繼續不斷的努力。纔有長足的進步。

五、要有公開的研究。有些醫家。以師傳的一些經驗。或自己所得的一紙效方。看做寶貝一般。尤其是專科賣藥的。保守住幾張驗方。恃以爲生的。死守牢傳子不傳女的舊習。秘而不宣。深怕給人家學了去。就不値錢了。飯碗就給人家奪去了。什麽公開研究。是談不到。如是的延下去。良方失傳。妙法湮沒。影響到醫藥前途。很是不淺。但是在今日的情勢之下。因西醫的排擠。吾人應自動的覺悟公佈出來研究。以求其發皇。如果仍舊這麽開倒車。即使政府提倡。恐怕沒有發達的希望。

六、要有發明的創造。吾人研究國醫。若一味的模仿古人。不專心鑽研。力求創造。充其極。也只有達到古代的醫學程度爲止。吾人所希望的。是要集中外各派學說。舍短取長。鎔冶歐亞。融合古今。改造舊的國醫。發明新的國醫。現在所最需要的。就是這種有創造能力的國醫家。爲當代醫界第一緊要。

# 醫說

秦伯未

醫之說有三。

（一）說文——醫治病工也。

（二）廣雅釋詁——醫巫也。

（三）後漢書方術郭玉傳——醫之爲言意也。

吾今根據上述而約言以提其綱。

（一）言醫之事。

（二）言醫之屬。

（三）言醫之法。

更因此三者而申論之。

（一）醫之事——醫之範圍至窄。即所謂治病工。蓋於治病之外。醫實毋用施其術也。縱衛生之事。醫亦負其責。然慮其有病而設立。仍醫之事也。故內經或言未病或言已病。皆爲治病而製。金匱傷寒則純乎爲病而製。醫取用之。皆爲工具也。又醫字从殹从酉。王育說一曰殹病聲。酒所以治病也。周禮有醫酒。則醫之一字。已含醫之事。醫於治病之外復何求哉。

（二）醫之屬——醫之屬吾雖不能指定其歸于何類。然謂之曰巫。則未敢從也。何謂巫。書伊訓云。事鬼神曰巫。公羊隱四年傳。於鍾巫之祭焉。註。巫者事鬼神禱解以治病請福者也。夫鬼神虛無飄渺。可信而不可信。禱鬼神以治病。尤虛無飄渺而不可信。以不可信之巫而擬于可信之醫。可謂倫乎。此退扁鵲而召衛巫。齊侯之所以不久而扁鵲有信巫不信醫者不治。素問有拘於鬼神者。不可與言至巧之語也。或曰。此所謂巫。乃祝由之類。素問云。往古恬憺。邪不能深入。故可移精祝由而已。王太僕註。祝說病由。不勞鍼石。故曰祝由。然未能透剔其理。吾終不敢信。即不能謂爲可與醫並駕也。

（三）醫之法——醫之法多端。分之爲攻補溫涼吐利等等。總之爲陰陽二途。然斷其爲陰爲陽。其間非有不可解之點。一理字而已。有其病。必有理。有是理。必有法。子華子所謂醫理而藥淪也。若夫意又泛而不實之名詞。試以切脈言之。初臨診時。往往意其遲則果似遲。意其數則果似數。更試以用藥言之。意是藥有利氣之力。則如見其氣之利。意是藥有壅氣之力。則如見其氣之壅。心中之意不可憑。事實之理乃可斷。故因理而意會之則可。無理而亦意會之則不可。然則醫者理也。而非意也。理之所不達而後以意候之。非謂有意而即能無所不可也。故醫者意也一語。可與明理者言之。斷不可與任意者商之。試舉一端爲證。如傷寒發黃與黃癉發黃病由不同。而皆用大黃者。以濕熱壅阻陽明。如造醬麴。如鹽菜在甕。其理正同也。濕熱壅于內。則血脈張于外。脈之洪大堅實者。

其理又同也。諸經之病。可類推矣。

上所述者。僅舉大要。然可得下之三定理

(一)醫既爲治病工。則宜着力研究治病之道。不得隨附敷衍。

(二)醫既非巫之屬。則當着力實事求是。勿發空泛之言

(三)醫既非意所能盡。則須着力發揮眞理。莫自詡爲玄妙。

# 中醫須有識胆

青浦陳時芳

事業之最大者有二。一是執政。如救國。如安民。一是醫家。療疾病。濟生命。事業之成。均可傳名于後世。責任之重。則有異也。近今政客。徒唱高調而鮮實行。國將不國矣。凡吾醫家。雖無食祿之優。而司人命之職。安可如楊柳之態。隨風而轉耶。當具學問與識見胆力。三者備。可以爲醫。可以問世。蓋有學問而乏識見。治病則無把握。而難能中肯。有識胆而無學問。治病則必疎忽。而易於僨事。回憶丁卯秋。弱弟之疾。至今印在腦中。姑錄之。以貢諸同志之討論。

按弱弟之病。患於初秋。氣候甚燥。時余執敎東吳。延中醫淩君診斷。謂熱入下焦。一味鱉甲滋陰之品。服後病劇。來信促予歸。予返家。望其色。面泛桃紅。診其脉。數而有力。督其舌。灰而乾。驗其膚。灼而熱。洵其二便。已不解旬餘。此係秋燥化熱。邪入陽明。病在裏而不在表。非投承氣。佐以大寒之品。不爲功。

時家君在旁。以爲不可遽投峻劑。宜用生地之類。以觀動靜。詎知熱邪內熾。灰苔變爲黑矣。鼻孔又起煤矣。夜半神昏詀語。尋衣手舞。予遂毅然。用大黃爲君。鮮生地鮮石斛寒水石。佐以八汁飲。一劑而大便解。黑稠數次。黑苔亦去。脉象緩和。唯神短氣少。此陽初去而元氣傷。病者應有之歷程。

後方中去生軍寒水石。用補氣安神開胃法。連服數劑。症遂霍然。以此深信業醫者。學問不可無

而識胆亦不可不有。卽是病論之。當時若再游移。用辛涼滋陰之品。則舍弟墓木已拱矣。操司令之權者。可不愼之乎。

## 紀中國醫學院學生李彩華投軍事

朱殿

中國醫學院學生李彩華。江陰籍。年二十一。畢業於縣立鄉村師範學校。因成績超羣。教局卽委爲福善小學校校長。有志深造。堅辭不就。謂晚近教育。萎靡不堪。經費艱難。辦事棘手。雖有經天緯地之才。終乏用武之地。教授生涯。清苦萬狀。余非畏而不行。學而不用。實不願元龍之豪氣。盡銷磨于此中也。到滬後。決意欲研究中醫學。深以發揚國粹整理學術爲已任。遂考入西門中國醫學院肄業。潛心於學。端直於行。意氣豪爽。絕無府城。爲師長輩所稱許。此次暴日侵兵。瀋陽失陷。該院師生。莫不憤恨塡膺。冲冠髮豎。誓以一死。作政府後盾。遂組織抗日救國會。電中央請卽出兵。恢復失土。快郵全國各醫藥團體。迅速奮起。共濟國難。同時國醫公會議決。着該院速組救護隊。加緊訓練。聽候調遣。一面分組宣傳數十隊。分赴各處宣講。李任宣傳第二隊長。瀝血披肝。呼號奔走。沉痛之時。聲淚俱下。其慷慨熱烈之情。幾達于沸點。月之一日。伊作書一封。與院長包識生。呈明決意晉京投軍。實行武裝救國。卽逕至余舍。謂吾云。事急矣。倭賊侵佔東北。有加無已。定欲實現其大侵略之毒計。此其時祇有憑吾人之血。吾人之鐵。與倭賊一戰。依賴國聯。事屬夢想。余明晚決意晉京。投軍入伍。拼此一生。以圖報國。余察其形色。知其意已堅決。無從仰阻。况國難當前。人人共奮。壯哉此行。頗堪嘉慰。遂同至教務處。覩其書云。

包院長嚴教務主任董訓育主任曁各教授鈞鑒。中原不幸。戰禍頻年。皇皇神州。幾無一片凈土。此次各省水災正悲慘流離一發不可收拾之際。日本倭賊。乘此時機。突然强佔我領土。慘殺我同胞。搶刼我財產。囚困我官佐。東北精華。一掃殆盡。日艦又復橫行內地。在青島、煙台、海州等處。强行登岸。武裝示威。全國軍民。莫不憤恨萬狀。呼號欲殺。決欲與倭奴決一死戰。與其鎮靜而失土。寗若戰死而國亡。民族存亡。在此一舉。國際地位提高。亦何獨不在此舉。彩華目睹危亡。痛心曷極。自願拚此七尺之軀。洒血于日人頸上。戰死沙場。男兒天職。是以抱定志願。于明晚赴京投軍。理應奉達。希即通知舍間。犧牲一切。諸祈勿念云云。學院當局。以其深具愛國熱忱。頗爲嘉許。是夜宿于余榻。惜別依依。連床共話。高唱大江東。燈影搖青。狂歌當哭。伊謂余曰。悲壯此行。死得其所。不過家中父母。聞此消息。誠不知若何痛心耶。生我二十一年。無一些春暉之報。言至此。咽嗚不能語。繼而破涕笑曰。國亡尚何言家。大丈夫行事。視死如歸。烏可效兒女子之態乎。翌日。全院同學。開歡送大會。訓育主任董柏厓教務主任嚴着山教授包天白等。均各有沉痛之勉詞。悲壯熱烈。爲醫界所罕有。李君致謝詞中有云。此去洒我熱血。殺彼倭賊。馬革裹尸。男兒快事。望諸同學。加緊訓練。我輩疆場晤面。定有可待也。云云。並攝影以誌紀念。於是日下午十時餘伊即乘車起行去矣。壯哉。壯哉。夫暮氣層層之中醫界中。而有此慷慨激昂之醫學生。從戎殺賊。爲國驅驅。非特爲全國醫界同志之模範。亦可爲中國醫學上一頁光榮史也。外侮日逼。國危岌岌。醫界羣公。杏林志士。深望一致奮起。團結精神。實行學術救國。協塞滿巵。抗回國利。亦庶附李君救國之熱忱耳。努力。努力。企予望之。

## 代郵

王錫光先生：十載神交。無任企慕。大作當陸續在本刊披露。以饗同仁。尚希源源惠寄。俾光篇幅。

薛季綱先生：大作已收到。乞將後篇補寄。以便一次發表。

胡安邦朱懋澤兩先生：久不奉教。希惠近著。

（伯未拜手）

# 專著

## 察證總說（續）

丁仲英

凡診傷寒之法。先辨內傷外感。表裏已得其大槪。然後切脈問證。與我心中符合。斯用藥無有不當。口鼻之氣。可以察內傷外感。動靜可以觀表裏。口鼻者。氣之門戶也。外感則爲邪氣有餘。則口鼻之氣粗。疾出疾入。內傷則爲正氣虛敗。正氣虛則口鼻之氣微弱。徐出徐入。此決內外之大法也。動靜者。陰陽之機也。夫病人臥者。向裏向外睡。仰睡覆睡。伸脚踡脚睡。向裏者陰也。向外者陽也。仰者多熱。覆者多寒。伸脚者爲熱。踡脚者爲寒。又觀其能受衣被與否。其人衣被全覆。手足不露。身必惡寒。既惡寒非表證卽直中矣。若揭去衣被。揚手露足。身必發熱。既惡熱邪必入腑矣。又須察其語默。若動而躁。及譫語者。此邪在裏也。若靜而默默者。此邪在表也。如此而再審其五色五官形體胸腹。病之大體已得矣。加之切脈問證。則表裏虛實。昭然不爽。療法又何難哉。

### 色

內經曰。脈以應月。色以應日。色者視之易見者也。如傷風。闕庭必光澤。傷寒。闕庭必暗慘。面青黑爲寒。爲直中陰經。紫黑爲熱。爲傳經裏症。若已發汗後。面赤色盛。此表邪出不徹也。宜重表之。大抵黑色見者多凶。爲病最重。黃色見者多吉。病雖重不死。故經云。凡相五色之氣。面黃目青。面黃目黑。面黃目赤。面黃目白。皆不死也。蓋黃屬土。今惡證雖見。土猶未絕。故不死。面青目赤。面赤目白。面青目黑。面黑目白。面赤目青。皆死也。因無土色。則五臟六腑。皆無生氣。故知當死。凡準頭、印堂、年壽等處。黑色枯槁者死。明潤者。雖困篤亦生。故曰五色微證。可以目察。能合色脉。可以屬全。此之謂也。

## 鼻

靈樞經曰。五色決於明堂。明堂者鼻也。故鼻色靑者。腹中痛。微黑者。裏有水。黃色者。小便難。白色者。爲氣應。赤色者爲肺熱。鮮明者有留飲也。若傷寒鼻孔乾燥者。乃邪熱在陽明肌肉之中。久之必將衄血也。鼻孔乾燥。黑如烟煤者。陽毒熱深也。鼻孔出冷氣。滑而黑者。陰毒冷極也。鼻息鼾睡者。風溫也。鼻寒濁涕者。風熱也。若病中見鼻煽張。爲肺氣絕不治。

## 唇

唇者、肌肉之本。脾之華也。故視其唇之色澤。可以知病之淺深。乾而焦者。爲邪在肌肉。焦而紅者吉。焦而黑者凶。唇口俱青黑者。冷極也。口苦者。胆熱也。口甜者。脾熱也。口燥咽乾者。腎熱也。口噤難言者。風痙也。若病重見唇口捲。環口黧黑。口張氣直。或如魚口。或頭搖而不止。氣出而不返者。皆不治也。

## 耳

耳者、腎之竅。察耳之好惡。知腎之强弱。腎爲人之本。腎絕者。未有不死者也。或耳輪紅潤者生。或黃或白。或黑或青。而枯燥者死。薄而白。薄而黑。或焦如炭色者。皆爲腎敗。腎敗者必死也。若耳聾及耳中痛。皆屬少陽。此邪正在半表半裏。當和解之。若耳聾舌卷唇青。此屬厥陰難治也。

## 目

目者、至陰也。五藏精華之所係。熱則昏暗。水足則明察秋毫。如常而瞭然者 邪未傳裏也。若赤若黃。邪已入裏矣。若昏暗不明。乃邪熱在內燒灼。腎水枯涸。故目無精華。不能朗照。急用大承氣湯下之。蓋寒則目清。未有寒甚而目不見者也。是以曰急下。凡開目欲見人者。陽證也。

閉目不欲見人者。陰證也。目瞑者將衂血也。白睛黃者。將發黃也。至於目反上視。瞪目直視。及眼胞忽然陷下者。爲五藏已絕之證不治。

## 舌

舌者、心之竅也。臟腑有病。必見之於舌。若津液如常。此邪在表而未傳裏也。見白苔而滑者。邪在半表半裏之間。未深入於腑也。見黃苔而乾燥者。胃腑熱盛而熏灼也。當下也。見苔上黑刺裂破。及津液枯涸而乾燥者。邪熱已極。病勢危甚。乃腎水剋心火也。急大下之。十可一生。至於舌上青黑。以手摸之。無甚刺而津潤者。此直中寒證也。急投乾姜附子。誤以爲熱。必危殆矣。是舌黑者。又不可概以熱論也。

## 胸

胸者、裏也。乃裏證之中。可以辨邪之傳與不傳者也。何也。先看目舌。次問病人。胸前脹痛否。若不痛滿。知邪不在半表半裏。若脹滿未經下者。卽半表半裏證也。已下過而未痛甚者。卽結胸證也。如邪在表。焉有胸痛脹滿之理。故胸者可以知邪之傳與不傳也。

## 腹

腹者、至陰也。乃裏證之中。可以辨邪之實與不實者也。既問胸前明白。次則以手按其腹。若未痛脹者。知邪不曾入裏。入裏必脹痛。若在表及半表半裏。腹焉得痛脹乎。若腹脹不減反裏痛不止。此裏證之實也。方可攻之。若腹脹時減。痛則綿綿。此裏證猶未實也。故腹者可以知邪之實與不實也。

## 小腹

小腹者、陰中之陰。裏證之裏。可以辨邪之結實也。既問其胸腹。後以手按其小腹。蓋小腹藏糟粕之處。邪至此必結實。若小腹未硬痛者。知非裏證也。若邪已入裏。小腹必痛硬。痛硬而小便自利。蓄血證也。宜桃仁承氣湯攻之。若小腹繞臍硬痛。小便數而短者。燥糞證也。當以大承氣湯攻之。若小腹脹滿。大便如常者。此但溺濇而不通。故小腹脹滿。當大利之。若在表及半表半裏。豈有小腹硬痛之理。先看目舌。須問胸及腹。再按小腹。則病證病情了然。療治斯無不當矣。

# 診病奇侅(續)

松井操譯

診腹之法。可察呼吸應腹如何。有急變者。其應不平穩。次可候動悸。凡腹皮厚。肉舒如肥人之股。皮肉不分離者爲善候。腹皮薄無潤。皮肉分離。有無數筋攣者。爲惡候。有腹勢者。不柔不剛。呼吸之應平穩。而按之全腹無痛者。曰腹勢弱也。南陽、操按弱恐佳誤

腹皮薄附着背。與肉相離。肉攣急如開張於匡木之表絹者。津液少也。多於澼囊吐瀉虛脫之人。津液盡者。

腹皮上浮。如撫脫毛鳥。是爲極虛凶候。如此者。汗必多。病人瀕死之手足亦如此。欲知其狀。察死人之肌膚。可知。多產之婦人。其腹皮與肉相離者。常態也。宜察其津液有無。以定其吉凶。心下痞鞕。以指按之。猶按板者難治。然大怒氣鬱而如此者。非難治也。又腹皮上浮皮底攣急如板。衆筋見出。任脉凹者。惡候也。此候多於勞瘵之人。筋肉攣急。故呼吸促迫。脉亦數也。同上

古方家、操按邦俗呼奉吉益東洞學者曰古法家所謂拘攣者。衆筋緊攣。按之如塊。應手之謂也。腹痞有隱見不定者。有無塊而然者。又有腸之脂膜切斷。而浮出。按之乍隱沒者。皆惡候也。同上

按腹痞如弄水上物。隨手動者。其人見證雖佳。而亦極凶之候也。不可不知。玄仙

病者腹形之半途忽變於常。腹皮附脊如削去。胸肋以下如板。至橫骨漸漸高者。皆惡候也。或瘦或痢。一二日內得此候者多難治。須預防之。若待動悸等惡候現。而後知其難治。是爲庸醫。若能熟察其腹候。預斷其吉凶。是爲良醫。南陽

腹中壅聚大如椀、按之必不痛、按之忽轉其位、必在臍之近傍。按之倏忽聚散。或雷鳴甚者。累累凝結。如囊中盛瓦石狀。大如雞卵、壅聚漸輕、而瓦石最重、此症由水多而瘀血稀云云、○台州△原文

濕痰候。按撫其皮膚。其狀如流散條麵。隱然而應手者是也。皮膚間如撒大豆。或如橫列條麵者爲燥痰。此候少於常人。多於宮女婢女。夫痰者生於鬱熱。其熱煎熬津液所致也。久野

## 虛里

古傳云。診腹先診虛里之動否。虛里者。左乳下三寸。有動是也。其動甚者應衣。內經曰。虛里無動脈者必死。然世人多不知焉。以虛里之動。爲邪氣之動。殊屬可笑。夫邪氣之動、應手有根蒂。虛里之動。乃動搖於皮肉之間。其應手甚輕。或診其動甚者。爲胸悸。是亦非也。胸悸者。其動在右乳上下。而虛里之動。不問男女。皆在左乳之下。或風寒。或痘瘡。或食滯。而虛里動甚者。俄頃昏倒。此證多於小兒。稀於大人。有小兒久泄瀉後。卒倒死者。其證胸膈上有熱。而虛里動甚。是元氣脫故也。南溟

夫人之身。以胃氣爲本。故虛里之動。可以辨病機之輕重。按之應手。動而不緊。緩而不迫者。宗氣積于膻中也。是爲常。其動洪大彈手。宗氣外泄。上貫膻中也。氣勢及缺盆者。宗氣外泄也。諸病有此候者爲死證。若虛里數而時絕者。病在胃中之候。若動結澀者。內有癥瘕之候。凡此動大者。與絕而不應者。俱胃氣絕也。在病爲凶兆。陽山△原文

虛里者。胃之大絡。而元氣之表旌。死生之分間也。若其絕而不至。動而甚者。皆死兆。然間有反于此者。能錯綜九候之形色。可以與之言明。否則不免疎率之悔○動盛而肩息短氣者。難治○動已絕。九候俱敗者死不治○動盛而却壽者質瘦氣寒。而有胃火之人○動雖盛而不死者。驚傷忿怒過酒慾之人○動欲絕而不死者。痰飲食積疝瘕之人○卒死九候雖絕。而與臍間未絕者。亦不死。無名氏△原文

（動氣二候）淺按便得。深按却不得者。氣虛之候○輕按洪大。重按虛細者。血虛之候○有形而動者。積聚之候。（沈遲之中、或帶一止者、寒積也、浮數之中、或帶一止者、熱積也）同上△原文

平人膻中靜者爲佳。虛里者。寸口。人迎。趺陽。一切脈之宗氣也。其動在乳下一二三之間。視之不見。按之漸動。如應如不應者爲吉。若胸中之陽氣衰。其動高踰乳。至中府雲門。甚者至膻中及胸中者凶。所謂胸中多氣者。死是也。虛勞勞瘵。逐日動高者死。其初動獨見。後諸證見者。不久死。扁鵲所謂血脈治者。以虛里動之平決之也。胸中之氣。一切以虛里察焉。台州

○操按、診胸中之氣、非特虛里之動耳、宜診膻中、察其平不平、今謂胸中之氣、一切以虛里察焉、恐屬概論、

虛里與寸口相應。虛里高者。寸口亦高。寸口結者。虛里亦結。同上

虛里之動應手。數而高者。惡候也。妊婦最忌。若產後或發危急之。證及黃胖病者。虛里動必高。則非惡候。宜分別焉。非虛里獨然。腹部之動悸。亦可類推而知。動悸有異狀者。不問何病。不可忽略。或發危急之變。小兒則多發驚。癇疾人之動悸。不可以常例治之。宜四診參伍南陽乳下其動應衣。其因蓋有二焉。其一。因宗氣不固。而大泄于外。此中虛之候也。屬凶徵。可先語之。又陰虛陽盛失所。交飛揚鼓舞。而動乎上。宗氣泄於外者。此陰虛之人。亦爲可危。發明云。失血者。痰火者。飲酒過多者。或失志動心火者。或強力而動支體者。或卒驚惕者。或奔怒者。黃胖者。此人雖其動甚。此非宗氣泄而所致也。宜仔細致察焉。春長△原文

## 腹動通說

祕傳云。診腹須先分別邪氣及元氣之動。按之淨而強者。邪氣也。沈而強。勇而圓者。○操按、圓者不澁滯也、蓋和緩之謂、元氣也。秘事

古傳曰。候腹而動應手者。大抵邪氣之動也。在鳩尾下或右脅或左脅。其動今日有而明日止。或移他處。或靜然止者。是邪氣離去也。遇此證當專補元氣治之。若按之腹勢無維持之力。而柔者。邪氣既去而元氣亦脫也。是必不可治。凡初次候腹。必察其邪氣移於上下左右否。其邪氣

應手在何處。其後候腹。再察其邪氣易其處否。其邪去否。氣動益强否。若能分別記清。卽易施治。動氣止者。邪氣離也。左動轉于右。右動轉于左者。亦邪氣離也。可因邪氣之離。以定其死生吉凶。南溟

二平人腹部之動。如有如無難察也。啄啄易知者爲凶。動氣與脈同。一息之間。四動五動爲吉。動二動半。或尤遲者。是元氣虛也。若其人非虛。則發腫氣。中虛

虛人而動氣不見。其命不久。細數者亦危。若有力則可治。同上

一息之間。動氣五六動者。風邪也。七動者危也。八動者難治。同上

察病以動氣爲第一。察動氣之大過不及與平和。以定其難易。同上

診數萬人之腹。無有動於右者爲常。而有由稟賦動在右者。與夫反關脈同無害。傷食。痰飲。喘息。傷寒。表證。而乍動於右者有焉。是謂之變見。亦無害。然其明日必復左位。其不復左位。連日在右者爲惡候。無病之人。及大虛大實之人。其動難察也。大虛者元氣虛脫。動氣無力。故難察也。大實者皮膚堅厚。動氣沈墜。故亦難察。此二者可參伍脈狀形色。以決其吉凶。同上

有動氣沈伏不見者。婦人痞氣疝氣有此候。△操按、婦人動脈、常少於男子、而易爲邪所沈伏、故痞氣疝氣上冠婦人二字、是爲邪氣所沈伏。同上

上脘左肋胃經處。時時動氣見者。腎中之火浮散也。是爲陽虛。多於平生多慮。或善怒憂苦之人。同上

婦人婢女。情慾不遂者。動氣不數而沈遲。同上

動氣在左者無害。在右而從臍下上。上衝者難治。動氣右盛者。左益盛也。臍中動甚者。火動之候也壽安○三伯同○嬰庭演之曰、左者陽也、右者陰也、故左易治、右難治、痞積之吉凶部位亦同理：

診右乳下。右者屬陰。雖其動微。陰虛火動。肌肉羸瘦者。或產後血暈者。或患黃胖者往往有動

應手者。長春原文

腹有動者積也。虛里之外有動者病也。其動甚者。病亦甚。此非久練不知。烏巢論

動氣見於右。乃心下鳩尾。其勢强者。眞陰絕而陽火衝逆也。必死。玄悅

有動氣不見之腹。是似無陽氣。而又不然者。腹勢太過。中氣實外隱。其動也無淫之人。或將頓死者。皆有此象。白竹

動氣不足者。惡候也。與氣口俱微細者。最惡。同上

動氣有上於鳩尾者。是猶氣口懸絕脉。油絕火將滅之理。必死。然有動通臍中而存者。知之在按鳩尾與神闕。手法有口訣。同上

動氣在左天樞者。尋常也。在右者脾胃病或痰或濕之候。而死證亦在右。右者命門火旺之分。水盡火亢之表也同上

大病後腹中無障礙。應手及臍上下至鳩尾有動者。元氣衰相火散亂也。屬死證。淺井

動氣者。一息四動。沈而圓且勇者爲佳。根本之氣堅强。而上部之動沈且强者。太過也。根本之氣和。動氣浮洪。而上部之動緊强者。不足也。根本之動氣和而堅强。而上部之動氣强而無勇者亦太過之候也。如是者。元氣不足也。是陰水減。邪氣爍元氣。而元氣上汎故也。秘事。或曰肝腎虛火亢者。宜以水分之動決定焉。東郭〇水分之動見後，可參看、

動氣一旦亢者。異於平生之動氣。腹底隱隱難知者實也。爲佳。氣質厚實者。其動難應手也。同上

凡心下脅下動氣在者。氣與水火相搏。而煽動也。氣逆則生火。火生則引水。水聚則又釀火。以相煽動。故動築也。同上

凡腹部動氣不收束者可慮。動氣浮散者。屬虛。實者屬濕熱。微細者屬陽虛。能知得腹動者可謂治術已入其室。病人腹無動者。其動必出於膻中。其病甚危。常人之動在臍中。而見水分。病

每進寸寸出於上。危者冲胸中。同上

根元之動者。平常在臍中。而溫然不亢不靜。餘響及水分。此二處無動者危。同上

腹熱不見外候。有熱證。欲投寒劑。而疑惑難決者。可察水分臍中。其動亢者熱也。手脈盛而外候有寒證難明決者。其動靜於寸口。則可用溫藥同上

腹部第二行之動。近迫於任脈者。可爲二行之動看。唯水分之動。與行之動響於任脈者。可能辨別其眞假。同上

胸部有動。而下部無動源者必死。同上○衆疾痘疹宜參看

臍傍臍下動氣高者。動氣上冲者。皆死。此可以決死生。賁豚氣則其動起於小腹。同上

三脘凝滯。啄啄動氣。按之痛者。宿食也。輕者消導之。重者下之。中脘盤結動悸。彈指者。食毒也。久病不食。中脘及臍左旁動高者。胃氣欲絕也。動在臍上者。腎氣上逆也。已及於此、非桂枝所能及、宜速用附子、又聞和田氏用丹地黃、能得效、重症宜用、在臍左旁者。惡血也。在臍中者爲至劇。雜之爲病者難治。若餘症總順者則猶可及。動立心下及三脘之左旁。而細數啄啄然。上及左肋者。蚘蟲也。台州原文

人陰氣衰則陽氣亢。而腹動上冲至鳩尾。故陰虛火炎之證。而動氣不亢者。未嘗有之也。脾胃虛之證。亦中氣弱而運行不建。故臍上臍傍動氣亢也。良務

動氣按之痛甚者。胃氣弱也。必爲大害。痞積亦然。醫睫○玄仙同○又曰、此證而有瀉者、其人死不出三日、又南陽曰、長病人動氣、按之痛難堪者、極虛也、難治、

諸病胸動强者。不可灸。有損而無益。同上

腹有陽虛陰虛之動。二者之別。按之腹力弱。右偏更弱。而動氣微者爲陽虛。腹皮燥而不潤。左偏更甚。按之指頭覺枯燥。而動氣細數。猶虛勞之脈者爲陰虛同上○良務同

凡診動氣。須察其有潤無潤焉。動氣如撲球 △撲按、是即動氣無潤者。邦俗以掌撲球於地、球反起射掌。迺迭撲

之、球亦運撲反起、掌與胸之間、球上下運不離落、兒女以爲游戲、築築射指。其響強者。元氣盡而邪氣旺之徵也。必死。動氣雖強。有潤而緩者。其病重。猶可治也。縱及死。亦不急。凡診六脈。所謂意志欣欣。不可名狀者。胃氣緩脈也。緩脈者。有潤之謂也。動氣之候。可以此理推知。同上

凡知動氣善惡之捷徑。以脈理推考之。是良法也。同上

病人脈可而死者。往往有焉。是元氣盡故也。故脈不可亦動有潤而胃氣存者。往往不死。宜精察。同上

脈可而有危變者。動氣必不可也。長病大病者。以察動之善惡爲要。玄仙

診動以知其虛實之法。以手按之。其應無力而軟者。是虛也。反之。隱然彊者。實也。蓁庭

凡病人腹高動者。偶然發瀉則難治。宜告之以療治。玄仙

有蛔蟲處。動氣喙喙。動中又動。熟按之。心下以及臍左傍處有小細塊。楓亭○互見後

宮女無虛候。而臍下之動上逆者。是淫慾之火也。荻原

動氣有無根者。診之臍之上下左右一處有動。而臍中無動。是曰無根動氣。爲死證。以元分氣散也。診腹法以臍中之動氣爲君火。久野

胸上虛里動已見前

（診肺）刺禁論曰。鬲肓之上。內有父母者。肺之謂也。故胴者肺之候云。○左右膈下膚潤。舉按有力者。肺氣充實之候。○輕摩胸上腠理枯臘而不密者。肺虛之候。○左右膈下柔虛。隨手陷者。胃氣下陷。肺氣大虛之後。大率其人短息。無名氏△原文

胸中肌肉實者。爲心肺實。虛則肉脫。吐露肋骨。胸面淦淦生光者。爲眞陽浮。如小兒脾勞。大人虛勞勞瘵等。見此症者必難治。蠱脹肋骨見而如此者。最難治。台州△原文○櫟按、櫟蔭先生遺說曰、久病不問何證、胸肋骨露、歧骨如羅襞者、少得生、

胸上生光如鏡者。眞陽外浮也。此症必死。多於老人中風症。其將生光者。至如鏡而死。同上

中府雲門之近傍內陷者。肺衰也。爲惡候。同上

膻中大動。痰火壅盛。滯氣火鬱。或爲吐衄之兆。其人必皮膚壯熱。陽山△原文

心下

（診心）本藏篇曰。無䯏骬者心高云云。九鍼十二原篇曰。膏之原出於鳩尾。肓之原出於脖胦云云。故診心者必候鳩尾云。◯輕按有力而無動氣者。心堅之候。◯輕按有動氣。重按其動有根者。心虛之候。◯手下跳動。重手却無根者。觸物驚心之候。是不得藥而心鎭則自復。◯心下動氣。牽臍間者。心腎兼虛。◯心下有動氣。身自如搖者。心神衰乏之候。◯心下有積聚不動者。屬痰飲。連其右脅。無形者屬氣。有形者屬食。其動者蟲積瘕聚之類。

一切久病。周腹柔虛。痞塊卒衝心下者。不治之候。◯一切痛在下部者。動氣乍見心下。或心痛如刺。呃逆嘔噦者難治之候。如脚氣攻心之類。無名氏◯春則長同、更有一汐曰、九候結代濇、心下鞭堅動、不離其部分、如或言語蹇澀者、雖病少愈、必卒死、△原文

䯏骬陷者。心之城郭惡故也。其人由平生驚悸也。淺井

酒客之腹鳩尾下如板。左右最甚者。以酒氣盛而血凝滯也。如此者。有二五年內吐黑血者。白竹

鳩尾岐骨處。皮肉寄聚者惡候也。同上

藥與病不相應者。鳩尾下肋骨處支滯。氣息不利。唇口乾燥。中脘有動食不進也。是藥氣泥滯於上部。而不下行故也。中虛

動氣當鳩尾中脘。閃閃者不治。相火散亂者。不論何病必死。然傷食霍亂喘息。而上脘鳩尾有害者無害。無病人鳩尾常有動。而腹附着脊者。必發狂。中虛先生曰。診試之及二三人。同上

氣上聚鳩尾。而臍下如剜削者死證也。東郭

相家云。法令廣者。其人爲衆所推戴之佳相也。視患勞瘵者之肋骨。亦有此理。凡鳩尾前（如此

者佳也）。如此狹者。多患勞瘵也。同上

臍間動盡於下。而升於上。其響應如電光燦爛者。其死不出三日。大凶兆也。饗庭

心下正中有細動。上衝鳩尾者。不能快寢也。是腹中之氣上行故也。蟲積候在心下。其候柔而彭然高。按之隱然。如脹而非脹者。掌下只覺如有凝結也。此腹候者。外證其具蟲積之候同上

上脘之傍。少許有痞者。雖能食後必支悶。其痞左右廣者。無食味。右痞者食滯也。左痞者疝也。壽安○三伯同

痞積痛在腹正中者。不得食。痛在右者得食。烏巢

積氣衝上。病人自覺者。疝氣也。自不覺者。肝積也。同上

右胸下凝結者。食鬱也。以大指按之。痛且鬱者。上焦有邪也。左胸下强·按之痛者。濕也。或痞瘡。或淋或痔。或陰癬也。東洋

心下至臍上。如簾上掩皮者。中氣虛也。虛脹將發者。皆如此。是陽氣乏而膨脹之氣弱也東郭

## ▲中脘

診脾胃虛實。先診上中下三脘。以中脘爲要。以指撫之。及臍皆極調和。按之中脘。自然有根力而潤者。是脾胃實也。有積聚食滯者。撫之堅。有根力而無潤。指澀滯也。宜枳實類以消導之按之如泥軟。而無力無潤者。是胃中元氣不足也。宜白朮人參類以補脾胃。玄悅

胃熱中脘處。按之任脉行。有動悸其應廣者是也。臍上至胸其動細者。任脉之動也。胃寒候中脘無力弱而無動氣也。大病而中脘空虛者。發嘔逆也。病不甚重而其中脘弱。則須問旣下利乎。或大吐乎。吐瀉則其力弱也。診腹之要。診寒熱虛實爲第一矣。中脘有動者。用朮朮。內氣有餘則不可用。久野

中脘築築有動腹力弱者。是脾胃怯弱也。中脘之動。如有如無。按之有根力。中脘左右平者。是

脾胃强實之也。中虛

上中下三脘。以指撫之。平而澀滯者。胃中平和。而無宿滯也。按之中脘雖痞硬。而不如石者。飲癖也。其按撫之間。應手滑然。台州

脾部塞。中脘水分有動。△操按、恐脫「者食鬱也」四字、脾部塞水分有動而中脘無動者。非食鬱也。東郭

按中脘。其底力空軟如井者。必死。白竹

中脘任脉。行動氣如舂米者。脾胃虛也。此證下鍼。則有大害。中處

中脘積連右脅下。或連臍上。按之有痛者爲食積。

三脘絃脹接之無痛者。脾胃之虛。用補脾之藥漸治名者是其應也○無原氏△文

## ▲水分

(診脾胃)四十四難曰。大倉下口爲幽門。大腸小腸會爲幽云云。是皆傳送幽陰。分闌化物。輸當臍上一二寸之分。名曰下脘。水分胃氣之所行也。故此分間。診脾胃之盛衰云。○臍上充實。按之有力者。脾胃健實之候。○臍上柔虛。按之無力者。脾胃虛損之候。其人多溏泄 臍上虛滿。如按囊水者。胃氣下陷。其人小便不利○無名氏△原文

水分者。陰陽之分別。表裏之開闔。寒熱往來之機。皆在水穀分利之處。故名水分。按之其手底有障礙者。其人曩患久痢也。今病痢者。亦如此。白竹

察心下之水氣。以指診水分之動。其按舉之間。宜用意也。東郭

水分之動者何。所謂命門之相火炎上也。命門之火亢者。腎氣弱也。腎者能鎮其動。同上

水分有動者。爲肝腎之虛火。肝腎相通故也。宜三黃加石膏。或麥門加石膏。黃連之劑。則其動可靜也。治水分之動有二。地黃。薯蕷。牡丹皮之類。無効者。是世俗所謂臍帶絕也。其動築築起於臍底。臍隨。動有此候者多不治。是其一也。實證者。其動在外表。而不在裏底。是其二也。此皆微妙深遠。宜細察之。若草草診過。則不易。分別也。又有宜茯苓者。其動散漫。與

建中湯之拘攣同狀。昔者有一醫官。能診臍中之動。其說云。欲知有病之動。宜先診無病之人。而可知焉。無病而督氣强者。重按之。尙如無動。極虛者。其動浮泛易知。其狀不齊。若能熟察於此。則可知病者之死期也。今診水分之動亦然矣。察其不齊者在左。則其左脉亦如此。然病人能堪行步。其脉如此。而害者或有焉。同上

水分之動亢。而有不當與地黃劑者。察此動有法。又更須參諸證。眼色詠舌。夫天稟厚强之人。偶下元虛。而虛火動者。羅疫症。醫之耳目。專在於天稟之强厚。而不察下元之虛。用大柴胡湯等。則頹然委頓。是誤也。所謂眎色不以目。聽聲不以耳是也。同上

邪氣退後。○邪氣退候見於動氣候 下脘水分之地。如細筋攣急。皮肉相離。按之舉手。則皮隨起。肌膚乾而無潤者。老者十日內外死。小兒不出三五日而死。南溟

水分之動現異狀者。勞心之候也。○入房而小腹緊攣。水分動者。其動低於勞心之遺精者。其候同焉。或水分左右。或左或右。脫者必遺精。水分空虛。臍下弱者。亦遺精。同上○久野曰。水或左或右。一傍弱者。必遺精。

水分之動。逐次移於上。本位唯存影約者。近死。下移於氣海者。亦死證也。同上

諸病水分之動强者。不先鎭靜之。則其病難治。鎭此動莫善於生地黃。(△操按。東郭云。水分動亢。而有不當與地黃劑者。今本條以一生地黃爲主。恐屬概論。凡動浮表者屬虛。沈底者屬實。蓁庭

診水分之動。其狀不齊。有異於平常者。其病起於勞心。治之宜從治肝鬱之法。○凡勞心甚者。水分之動亢。或其動有將結代狀。是曰勞心動。同上

臍上水分有動。將發脚氣腫滿。淺井△操按。脚氣而臍上。水分有動者病爲重。本條爲病將發之候辨恐屬誤名。

(上卷終待續下卷)

## 學說

# 辨急慢驚風之謬稱

浙新吳觀海

驚風之謬。由來已久。不知起自何代爲始。亦無從稽考。近世有幼科專家者流。又將急慢二字駕馭其上。命之曰。急慢驚風。甚至以一藥可以統治。本屬大謬。又藥肆中所售之小兒回春丹。及抱龍丸等。訪單內示明。並治小兒急慢驚風等云云。此尤極害人之謬也。似此立法。自欺欺人。殺人之術。莫甚是輩。蓋急乃剛字之訛也。爲實熱。慢乃柔字之訛也。爲虛寒。驚乃驚駭之驚。爲內傷。風乃風邪之風。爲外感。四字推之。各由一理。而治法亦霄壤。安可聯合命名。以一藥統治耶。凡病援有內傷外感之別。寒熱虛實之異。表裏陰陽之分。而用藥亦有汗和下消。吐清溫補之法。從治反治。各得其宜。苟如參差毫厘。謬以千里。司命者。可不愼諸。如間有四肢抽搐。角弓反張。嗆口弄舌等變。並不察其虛實。概指爲驚風。全不知驚風兩字。如何解釋。動手輒投散風重劑爲能事。以針刺艾灸爲專工。竟將孩提嬌柔之軀。遭此無妄之災。何堪承受。致枉死者。寧不塞滿泉鄉乎。噫。不死於病而死於藥。不死於藥而死於醫。不死於醫而死於著驚風書者之咎耳。先賢喻嘉言先生。已有曾著驚風闢謬一書。不諄諄告世。而世之業兒科者。竟如啞似聾。置若罔聞。逮其臨診。則茫然莫辨。惟開口曰驚風。閉口曰驚風。竟將驚風二字。存于胸中。又要造出欺人之談。僞分人驚畜驚。蛇驚天吊驚。四足驚。天雷驚等。種種怪談。不可枚舉。而病家者。多不擇善而從。惟知聞風而就。或信巫問卜。或求神禱鬼。及至危殆。則惶恐萬狀。彼曰驚風。此曰驚風。甚至一唱百和。袖手待斃。竟致習俗相沿。造就一座驚風世界。以訛傳訛。

終無底止。歷古迄今。牢不可破。哀哉。奚嬰兒之不幸若似耶。鄙不自揣。亟欲打破人鬼關頭。敢將急慢驚風四字。分剖詳釋。而列於左。以警業是者證之。是乎否乎。倘希明正。

### ■急驚之解釋

世之僞稱急驚者。卽金匱之剛痙也。其症緣因外感寒邪不解。當汗失汗。致表邪傳入陽明經絡。勢已化熱。不得透達。裏氣壅滯。鬱結不通。是以關節閉塞。血脈停瘀。熱邪內熾。燎源莫遏。故無汗氣逆。項强肢搐。咬烈弄舌。甚則角弓反張。雙目上視。昏憒不省。名曰剛痙。卽幼科僞稱之急驚風也。然是症不獨小兒爲然。且大人患傷風入裏者亦間有之。或失治。或誤藥而變也。治法如在經者。金匱主以葛根湯汗之。入府者金匱主以承氣湯下之。如下後餘熱未清者。人參白虎湯。竹葉石羔湯之類。亦可酌用。切勿誤投散風燥劑。及艾灸等法。若以火濟火。則禍似反掌。要知小兒乃柔脆之質。凡遇鬱熱不徹。往往輒變瘈瘲。瘈瘲者。卽剛柔二痙之總名也。宜分虛實而治之。蓋急者急迫也。爲實熱。驚者駭驚也。爲神虛。一虛一實。天淵遠隔。以之命名。大相悖逆。張冠李戴。如何則可必。也須將風字删去。以急字改作剛字。以驚字改作痙字。卽名之曰剛痙。爲外感之實症。無汗之實邪也。然愚意若斯。是否有當。倘希明正。

### ■慢驚之解釋

世之僞稱慢驚者。卽金匱之柔痙也。與驚字無涉。因外感風寒。始時邪在肌腠。玄府洞開。營衞不固。自汗脈虛。斯時若早進桂枝湯。則一劑可解。如誤投發汗太過。重虛其陽。遂致漏汗不止。耗傷津液。外邪乘虛入裏。反惡寒小便難。或四肢拘急。難以屈伸。或口噤。或弄舌。項强肢搐。脈大而虛。或下痢而吐。唇白面青。此脾陽大虧。治之之法。必須駿補脾土。而溫元陽爲主。桂枝附子湯。附子理中湯之類。酌用。如初時者。以瓜蔞根桂枝湯爲合法。切勿誤認驚風。妄投散風發汗。及燒針。或滋陰寒涼等品。如誤進寒涼養陰。則浮熱愈甚。如妄投散風發表。則元神立殆。須知此爲亡陽虛症。眞元有立盡之象。稍一錯誤。死生立判。苟或再進以回春丹。及抱龍丸等香竄剋削。則猶下井投石。必沉其底。斯時之際。雖盧扁再世。亦無及矣。余曾見一幼孩。已犯柔痙。手足抽搐。面色慘淡。自汗脈微。指紋紫紅。直透三關。勢入危境。而病家誤聽傍人入耳之言。向肆中購回春丹二粒化服。移時卽神志昏沉。張目自汗。推之不啼。安安靜靜。與之乳則能吮。不與亦不思。似無病然。其實魂不守舍。變成尸厥之象。何也。因以虛症。而反投耗散之品故耳。安得不致虛虛之禍耶。司命者可不愼諸。况幼孩乃嬌嫩之軀。凡酷烈之法。針刺艾灸等尤宜加禁。豈可輕試。鄙不自揣譾陋。敢於遡本窮源。將慢字改作柔字。驚字改作痙字。將風字刪去。簡名曰柔痙。卽俗云慢痺是也。

## ■驚字之解釋

驚者。驚駭也。猶恐懼也。以恐懼較於驚駭。則大同小異。何也。蓋驚爲大驚。起於猝然。或聞大聲。或見異物。或從高跌下。或惡獸追逐。猝然不防。致驚駭於心也。恐懼爲恐嚇。起於預防一酌。或聞大禍將臨。或知大難不免。以致恐嚇於意也。然恐懼爲大人之病。小兒卻無之。因其智識未開。凡事懞懂。心靈淺短。苟有大恐小懼。終不至大害。非若驚駭之危險也。斯二者。來源雖分兩途。而治法則一。故併而論之。名曰大驚猝恐。爲內傷七情之一。較之外感傷寒。更險十倍。而用藥亦迴然不同。奚歷來之幼科專家者流。竟將風字繼於驚字之下。命之曰驚風。甚至以急慢兩字駕馭其上。命之曰急慢驚風。簡直以一藥可以統治。似此立法。眞眞怪談。然四字連合命名。本係文義不通。若云一藥可以統治者。則尤極禍人無算。且近世名賢輩出。不乏能人。奚不早將驚風二字。改革從新。免致以訛傳訛。其流弊迄今。何可勝言。蓋幼孩緣柔脆之質。元神未足。血氣未定。偶被驚駭。最傷心胆之氣。輕則氣血紊亂。精神殆盡。重則魂魄分離。心神飛散。正氣下陷。唇白面青。雙目脫神。因其魂不守舍。故臥則驚惕。睡不合目。自汗而嘔。下痢反渴。脈浮煩熱。指紋紫紅。直透三關。斯時若速進以安神定志湯。及歸脾湯等。補養心脾。可保十全。苟或失治。則漸變神志昏憒。嗜口弄舌。項强肢搐。雙目上竄。發痙發厥。斯時卽進以安神定志湯已恐不逮。倘或誤認驚風。以散風耗氣雜藥亂投者。則危亡立待矣。要知驚爲內傷之一。風爲外感之一。但外感爲實邪。法宜疏解。內傷爲虛症。法當補養。一虛一實。天淵遠隔。豈可同日而語哉。苟如症源莫辨。用藥差訛。則禍如反掌。虛虛實實。可不慎諸。

## ■風字之解釋

風爲外感之風。乃六氣之一。仲景傷寒論已言之詳矣。茲不細贅。惟略述其綱領而已。經言風爲陽邪。善行而數變者。乃指風溫而言也。然風中亦有寒耳。如傷風自汗。主以桂枝湯。傷寒無汗。主以麻黃湯者。蓋風傷肌腠。玄府洞開。故有汗爲虛邪。寒傷膚表。毛竅閉塞。故無汗爲實邪。虛爲正氣虛。邪爲乘虛而入。實爲邪氣實。邪壅而無出路。二者如初傷太陽之表。未傳入裏者。其所見諸症。無非頭痛項强。發熱惡寒。或身疼。或氣逆。諸患皆同。其不同者。惟在有汗無汗之別。與脈緊脈緩之異耳。故桂枝湯輩。用以治脈緩有汗之傷風。使營衛和而表解。以麻黃湯輩。用以治脈緊無汗之傷寒。使解膚表而發汗。夫惡風者未必不惡寒。而惡寒者亦非必不惡風。竊惡風惡寒實一類。不可拘執也。然太陽之表。固當分何謂傷寒。何謂傷風。以別虛實。如一入陽明經隊。則同是白虎。一入胃府。則同主承氣。一入少陽。則同主柴胡輩。如直中三陰。則同主四逆理中輩。何分別傷寒傷風之有哉。其所分者。不過初時在太陽之表。以有汗無汗之別耳。仲景立三百九十七法。一百一十三方。除三陽三陰正方以外。其餘俱是誤藥變症救逆之方法。其中言寒者十居八九。言風者不過十之一二。如或太陽表症未解。有誤藥而入陽明者。有自傳入陽明者。致熱鬱經絡不得外達。血液漸涸。變爲剛痙。其證象無汗咬牙。角弓反張。雙手握拳。四肢厥逆。治法金匱主以葛根湯汗之。入裏者。神昏譫語。舌黑唇焦。鼻似煙煤。齒腐便祕。脈沉細而疾。金匱主以大承氣湯下之。又有太陽表邪。發汗太過。致誤汗亡陽。遂漏不止。惡風小便難。四肢拘急。難以屈伸。或四肢抽搐。自汗口噤。脈微。或濡。變爲柔痙。金匱主以瓜蔞根桂枝湯。如果自汗不止。脫陽之象者。非附子湯不可。誤汗亡陽者。則眞武湯。附子理中湯。桂枝附子湯。酌而用之。此剛柔兩痙之源也。爲太陽傷寒傷風。因誤汗失汗所致。卽兒科輩所僞稱急慢驚風者是矣。且幼孩乃柔脆之質。凡偶犯外感。稍或不愼。則易傳易變。禍如反掌。輒成痙癎。安可每以驚字冠於風字之上。虛實同論。張冠李戴。如何則可。況治法兩途。相去徑庭乎。世有曰。熱極化風。有曰肝風內熾。有曰肝木生風。此皆懸擬之談。毫無實驗。不足爲準。殊不過以五行推測。因肝臟屬木。木能化風而生火之大意耳。並非有眞風眞火藏在肝臟之內也。又有風痺風澤風癱。及中風半身不遂等症。皆因平素營衞不固。偶觸外感毒風。致經絡中血瘀停滯。不得過節之故。或痛或不痛。惟由本病分陰陽別虛實而然也。亦非有眞風伏在筋骨之間。但其所伏者瘀血也。所痛者滯氣也。若筋脈舒暢。氣血流通。則何疼痛之有哉。然是症不在兒科之列。治法另詳中風門。自有條例。茲不過窮辨其風字而已。

## 脾臟作用的新解釋

朱殿

脾臟在中醫學說上。是一個狠重要的器官。牠的機能。是統血。運血。和最後的消化。因此。在病理上也占着狠重要的地位。牠和心、肺、胃、腎、都有互相聯絡的關係。別說牠本身的病狠多。就是因牽涉而受到影響的病。更不知凡幾。所以在治療上也要處處顧慮到脾胃的盛衰。大凡稍有醫學常識的人。都知道脾臟是後天養生所賴。不可輕視的一個器官呀。可是西醫對於脾的作用。完全和中醫學說相反。幾乎把牠當做一個備而無用的東西。所以在許多生理學課本中。也找不到脾臟功用的解釋。大部份的消化。是歸功於胰臟。——就是中醫所說的散膏。——究竟脾臟的機能怎麼樣。終沒有十分明瞭。自從發明人類身體上有內分泌學說之後。除掉十二指腸。胰臟、盾形腺、副盾形腺、腎旁腺、腦下腺、腦上腺，和性腺之外。還有脾。肝。及胃。於是脾的功能。也漸漸明瞭。有的人說。脾臟是一個摧殘紅血球的器官。脾的體素。有狠豐富的鐵質化合物。但是如果把脾割掉。體內的鐵質和肝液的色素。便要逐漸減少起來。同時紅血球的數目。也要減少。注射脾臟抽精于動物體內。則使紅血球數目增加。因此他們便想到脾臟和肝一般。——把紅血球殘毀而攝取其紅血素的鐵質——又有人說。脾動脉分歧爲樹枝狀。而運輸血液至脾臟中。其間並無毛細管。血液充滿於脾髓中。在脾髓所處的空隙地方。有靜脉的起點。由此種靜脉互相叙合而成脾靜脉。經過脾臟的血液。皆流入肝臟。他們這一類見解。還沒有澈底明瞭脾臟的作用。最近有一位生理學家。名叫巴克露德Barcroft發見脾臟一個狠重要的機能。好像哥倫布發見新大陸的一般欣快。他說。「脾臟能伸縮。牠的收縮。把存在他裏頭的血。趕到身體循環裏去。當身體其他部分需要血液時。牠便收縮起來。如運動。飽食。實驗的貧血等。但當不需要時。牠仍原地伸張起來。再把多的血液。特別是紅血素。貯在牠裏頭。」我們對於他這新穎的見解。應當要十二分的贊助和欽佩。他所說身體其他部分需要血液時。脾臟就收縮起來。把存在裏面的血。趕到身體循環裏去。給他們應用。這豈不是中醫所說的脾主運血嗎。到了不需要的時候。脾就原地伸漲起來。把極多的血液。貯藏在牠裏面。這豈不是中醫所說脾能統血嗎。這種見解。他們覺得新奇。其實中醫生理上早已發明。所以天下無論何事。決不能無中生有。不然在治療上那裏有相當的成績呢。老實說。中國醫學。是參透入微。理想合乎事實的一種學說。有數千年的經驗。得着狠多的進步。現在西醫所認爲陳腐的學術。只是他自己還沒有懂得中醫的底奧。所以一味糊說。任意詆毀。相信不久的將來。在生理。病理。治療上。定有像巴克露德同樣的新奇發現。可一一證明中醫理論的精確。同時還希望中醫界同志。要在玄妙精奧的學說中。探求新的見解來。可促進醫學上的進化。在現今的趨勢。確是我們應當所做的事情啊。

# 秋燥論

糜鶴鳴

夏之後。冬之前。爲秋之令。秋令之氣。多主肅殺。斯氣也。草拂之而色變。木遇之而葉落。土臨之而質乾。其於人也。舍於外。則皮膚皺揭。舍於內。則精血枯涸。在上則淸竅乾。在中則煩渴生。在下則大便難。隨其大小經絡上下中外前後。無往不可以爲病。其氣何若是之厲耶。論者曰。斯皆秋令所行之燥氣有以致之也。獨念秋燥之氣。有謂主熱化者。有謂主寒化者。其說不一。似不能無疑也。將謂燥之氣由熱而化。何以夏之暑氣炎炎。萬物乃主長而不主敗乎。將謂燥之之氣由寒而化。何以燥之字義。不從水而從火耶。是一醫林一大問題。不可不爲之具論也。嘗攷秋燥之氣。經載不詳。至喻氏嘉言。取內經秋傷於濕之文。主以秋傷於燥之說。是矣。特謂燥之氣多主於熱。似有嫌其過論者。又吳氏鞠通。論治燥病有得。創立秋燥一門。尙矣。特謂燥之氣本於大涼。似又不盡其然者。他若沈南目之言燥與寒濕。同屬於陰。謂之次寒。若張石頑之言燥傷津液。主以潤養。列爲正治。昔賢所論秋燥。其義各不同者。然吾嘗思秋燥之氣。始當爲暑氣之餘波。後卽爲寒氣之漸及也。孟秋之月。其爲燥也。多近於熱。季秋之月。其爲燥也。多近於涼。於何見之。蓋嘗見新秋時。雲霞烘豔。星月交輝。天際飄香。萬寶皆實。其景象是何等和暢耶。迨見深秋時。山高月小。水落石出。天降繁霜。地凝白鹵。其景象又何等蕭條耶。此燥氣所不相同者。實亦因時而轉耳。正如經所謂。陽明所致。始爲燥。終爲涼者。是也。譬之鼎沸之湯。易而爲沉冷之水。始則由熱而溫。繼卽由溫而涼。後必由涼而冷。此物極則反之義。有斷然者。況燥爲運氣之燥。此燥乃行氣之常。如燥爲時氣之燥。此燥乃爲氣之厲也。醫胡可昧然弗察耶。

# 守素齋藥學筆記

東臺王錫光

## （二）䗪蟲與鼠婦

鹽山張壽甫先生有䗪蟲辨之作。辨明䗪蟲非近時藥店所賣黑甲蟲。並引本經一名土鼈。別錄又名地鼈。本草綱目謂䗪蟲狀若鼠婦。鼠婦俗名濕濕蟲。生潮濕之地。鼠穴中恆有之。又生於井底泥中。古名伊威。卽詩經所謂伊威在室也。其背原多橫紋。䗪蟲旣與鼠婦相似。其非光背無紋之黑甲蟲。而爲背多橫紋之土鼈。益可見矣。卓識名言。有功非淺。季愛人君著有䗪蟲之大研究一篇。予雖未覩其文。然予對此亦曾考究有年。玆以所得者。貢獻於現代國醫。不無國藥前途小有裨益云爾。按䗪蟲寇宗奭謂形如鍛箕者。乃蟑螂。又名偸油婆。色紫有翅。非也。考䗪蟲與鼠婦分別之處。鼠婦色灰。背多橫紋。多足。背殼硬。齒甚銳。善穴木而居。遇有微腐之木。則嚙而穿之。以鼠得名者此耶。古屋及陰濕之地尤多。且善蘩殖。能緣墻上屋。偶失足落於几案之上。則首尾團如豌豆。滾滾的溜。揚州人所稱豌豆蟲是也。䗪蟲不能團。吾鄉名瓦花蟲。土鼈蟲。且色近赤似瓦花。背多橫紋。而背殼不硬。多足。其形如鼈而小。大類鼠婦。不能嚙木。取用者向古屋墻陰必獲。以此辨之。必無訛誤。而䗪蟲鼠婦。亦可分別去取。乃本草未有言及者何也。

(二)紅杞子與黃杞子

杞子以甘肅種爲第一。近日取用之杞子。色赤而顆粒甚小。似非眞種。考本經枸杞味苦寒。是連根苗而言也。後世本草始分杞子。味純甘、色赤、質潤、性平、生心血、補陰、聖濟以一味治短氣。是又於補陰中。兼續精氣矣。予家世傳枸杞一本。結子純黃。雖熟。透明不赤。比常有杞子晒乾約大二倍。食之甚甘多液。憶幼時。先父蘭亭公指示予曰。此眞甘杞子也。曾用補三陰之液。獨用多用。尤能於氣液兩虛之症。而續精氣。非赤色杞子所能及也。

(三)天名精卽土牛膝之全部

天名精。或謂卽枸杞之苗葉。吾鄉取用者多採之。誤也。考本經氣味甘寒。無毒。主治瘀血血瘕欲死。下血、止血、利小便。輕身耐老。張隱庵先生註云。天名精合根苗花實全部而言也。根名土牛膝。苗名活鹿草。實名鶴蝨。苗所以名活鹿者。異苑有云。宋元嘉中。青州劉憧射一鹿。剖去五臟。以此草塞之。蹶然而起。憧怪而拔草便倒。如此三度。憧因密錄此草種之。治折傷而愈多人。因以名之。根名土牛膝。又名喉嚨草。杜牛膝。喉痛者每用嫩根搗汁冲服有效。陰濕處甚多。春日生苗色紅。奸人取其嫩根之壯者。端塗以藥。插入牝中墮胎。苗高二三尺。方梗對葉。

葉如紫蘇而尖長。七月開黃白花。如小野菊。結實如茼蒿子。有毛。最粘人衣。有狐氣。炒熟則香。鹿爲純陽之獸。得天名精而復活。蓋稟水天之氣而形陰精。故能活純陽之鹿。此草具破瘀生新之功。瘀血血瘕雖欲死可下。而新血可止。性善下降。故利小便。久服則陰氣足。故輕身耐老。於此足徵天名精爲土牛膝之全部。或謂卽枸杞苗葉者實誤事之甚也。

(四)種苓說

張壽甫先生藥物學講義。載竹芷熙言。嵊縣葛溪口。嵊東山名也。有吳氏聚族而居者。四五十家。以種苓爲業其種之之法。秘而不宣。雖親戚不告焉。予查本草天生茯苓出處甚難。方今中外人口日盛。而銷路日多。吳氏種苓之法。又秘而不傳。舶來品充滿中華。利源外溢。影響頗巨。此予於醫道之暇。所以留心種藥之法也。舍弟仲光廁身南通滬杭藥界多年。於友人處得一種苓之法。云爲友所目覩。惜東臺僻處海濱。地質磽鹹。試之恐水土不宜。有心種植藥園者。盍一試之。

種苓法。以熟土之地挖孔深約二尺。旣成。各置原塊茯苓一枚於孔底。再用新松木如臂粗者。截各二尺餘。欹立孔內。下頭一端緊對苓塊。用厚米飲候涼少許澆之。覆以土。上頭一端高出土外二三寸。以便雨水下淋。乾則以米飲澆灌勿輟。久之則土內下頭之松木。得原有苓塊生發之氣。亦化爲茯苓矣。且手續簡單。易知易行。考天生苓雖伏處於松根。松頂生芝。名曰威喜。爲根下茯苓上達之氣所結。於此可知其化腐朽爲神奇之力。比項種苓法亦本此意耳。因與種植國藥進化有關。爰作說以記之。

## 產後骨盤痛與瘀血痛之鑑別

李健頤

世人每謂產後腹痛。是因瘀血停積作痛。宜與散氣破血之藥。以除瘀血。乃愈服破血。而腹愈痛。甚至血海枯涸。惡症叢生。豈可不戒哉。獨不知產後骨盤虛痛者。十居八九。而瘀血腹痛者。十僅一二耳。蓋產後交骨大開。骨盤空虛者。任脉萎弱。引血之機能遲鈍。骨盤之神經受反射之刺戟。而引起痠痺麻痛。誠非瘀血積滯而作痛也。夫骨盤虛痛。其痛在於小腹。牽引腰脊。連及陰器。若久坐其痛益劇。以手按之。稍止。與瘀血鬱結作痛。大相懸殊。然瘀血阻滯。係屬有形之痛。痛時小腹紐結如石。以手按之。其痛加劇。此症多由婦人產後時。或因憂思憤鬱。氣滯不行。或因驚怒傷肝。肝血不舒。以致血滯而成停瘀。宜與加味逍遙散。以開肝鬱。以通瘀血。自然有效。若骨盤虛痛。投以此藥。反成大害。爲醫者。不可不小心分別施治。鄙人因鑒世人多以產後骨盤虛痛。認爲瘀血紐痛。屢投破血之藥。慘害頗多。心實深痛。專志研究。撰作此篇。兼將生平經驗良方。錄於下。用公於世。

蘇黨參三錢　秦當歸二錢　川芎錢半　牛膝三錢　續斷三錢　川升麻錢半　元胡索二錢
青皮木香各錢半　炙黃耆三錢　炙甘草一錢

淸水一碗半煎八分。冲好酒一羹匙溫服。連服數劑即可奏功。宜安臥牀榻不宜久坐。至爲叮嚀。

# 霍亂分治法

胡佛

夏天受了天氣不正的氣。一時吐瀉。揮霍撩亂。叫做霍亂。這個病。邪在上焦就吐。邪在下焦就瀉。邪在中焦就吐瀉交作。▲只吐的。當用(平胃散)蒼朮二錢　厚朴八分　陳皮二錢　炙甘草五分　這方。用蒼朴去濕解穢寬中。陳皮順氣。炙草養胃。▲只瀉的。當用(五苓散)猪苓三錢　茯苓三錢　白朮二錢　澤瀉八分　官桂八分　這方。是把下焦的邪。從小便利出。▲吐瀉交作的。當用(胃苓散)這方子就是用平胃五苓。兩個方子的藥。拼攏來吃。把他上下的邪一齊解掉。這個病。又宜分寒熱兩法醫治。頭痛。發熱。煩心。口渴。是熱。當用(四味香薷飲)香薷八分　扁豆三錢　川朴一錢　炙甘草一錢　這方用香薷透表發汗。扁豆健脾解暑。川朴寬中。甘草和營衞。▲怕寒發熱。口不渴。是寒。當用(藿香正氣散)藿香二錢　春砂仁八分　川朴八分　茯苓三錢　紫蘇二錢　大腹皮二錢　陳皮一錢　白朮一錢　製半夏二錢　桔梗八分　白芷一錢　炙甘草五分

生姜三片　這方子。是辟一切天時不正的氣。藿香解穢濁。止嘔吐。除表氣。蘇芷桔梗散寒利膈。川朴腹皮行水消濕。橘半散逆氣。苓朮助脾去濕。砂仁甘草。利氣調中。生姜散寒。▲又有那乾霍亂。上要吐。不得吐。下要瀉。不得瀉。手脚發冷。筋脈抽搐。攪腸疼痛得利害。是頂凶很的病症。俗名叫做攪腸痧。又叫做烏痧脹。又叫子午痧。都是天時不正的穢濁氣閉塞在內。致令氣血不行的原故。急用陳香圓煎湯吃下。或用鹽一撮炒熱。用陰陽水吃下引他吐出後。再用（六和湯）藿香二錢　川朴八分　杏仁三錢　砂仁八分　仙半夏二錢　木瓜二錢　陳皮二錢　赤苓三錢　白朮二錢　人參一錢　扁豆二錢　炙甘草五分　這方子。用藿香川朴杏仁砂仁。順氣化食。參朮陳夏甘草。補正氣。扶脾土。扁豆木瓜袪暑。赤苓行水。營衛調和。氣機流通。上下中三焦。自然通泰了。

# 黃連厚腸胃說之不可信

張汝偉

本草謂黃連大苦大寒。入心瀉火。燥濕開鬱。解渴除煩。益肝胆。厚腸胃。止盜汗。治腸澼下利。汝偉臨診以來。知連之苦寒。究屬沉陰肅殺。能敗胃傷脾。兢兢愼用。然每用以治濕熱症之煩躁乾嘔。下痢症之純紅後急。反胃症之隨食隨吐。肝胃氣症之胸痞劇痛。或同戊己用。或同左金用。或同芩柏用。或同龍胆用。每用輒效。其量亦不過三四分而已。至於厚腸胃之說。素抱疑也。今春亡女素懷。患骨蒸潮熱。盜汗咳嗽。進大建中歸脾。歸芍六君等法。雖未能十分見效。然所幸脾土。尚未至敗。一日同某君。進商退熱之法。某君謂黃連。能瀉心火而下行。咳可以止。正肺癆之妙劑。且厚腸胃。不虞便溏。不惟古籍可證。抑且西醫實驗。且必重用。方有實效云云。偉當聆妙論。爰從其意。服黃連六分。不料甫入口。而胸冷欲死。一劑畢。而大瀉不已。雖連進止澀。溫補。升提。益氣等法。而瀉終不止。延一月餘。而竟以瀉亡。雖屬人壽有數。黃連之促其死。要亦咎有難辭焉。偉平素謹用黃連。祇以一時貪功心切。惑心亡女。深自愧悔。孔子曰。

過則勿憚改。故特爲揭出。以告世之喜用黃連者。以救誤信黃連厚腸胃之說。而寃枉致死者。然則古人之說。又何自而來也。所謂厚腸胃云者。凡屬夏秋之赤白痢。腸府之積垢。黏滯于腸壁。而不能下。黃連能瀉心之火。使腸胃之黏滯盡下。而復其腸胃之原有性。猶之乎助腸胃之厚也。今以厚字誤作補字之意解。而以後註之沉陰肅殺。伐傷生和之氣爲謬。並忘却虛寒禁用之例。是削足就履之見也。又見一女媼。患咳而多痰。胸痺隱痛之症。某醫方內有黃連五六分七八分不等者。三十餘張之多。以致咳無寧宇。燥裂欲死。偉爲之用薤白桂枝半夏越婢法。合石斛洋參等服之。兩劑而瘳。此亦用黃連之迷也。偉作此篇。爲現代國醫。他山攻玉。相切相磋之助。若以爲有芥蒂之嫌。作爲詆人之短者。偉亦不敢言矣。國醫學識。何得而長進。海內高明。以爲然否。

## 西醫屠刀下之腸癰

葉士彬

張君小乙。世家子也。原籍浙甯。寄居南匯縣之新場鎭。年少英俊。急公好義。廣交遊。擅書畫。與余有世誼。余懸壺十有四載。君家有疾。必延余醫治。余亦負責治療。不啻常年之醫藥顧問也。君患胃病。因好服西藥。不戒飲食。時發時止。於茲數載矣。其間曾倩海上諸西醫。及某國醫師。電光治療。逾數月之久。費數千金之鉅。亦罔効。且寒熱期中。延余赴滬醫治而退。君友西醫。諳西藥。恆服(以脫)等。猛烈毒性之止痛劑。致體質孱弱。病難除根。然年祇二十有六。先天尙足。苟屛棄猛烈之西藥。長期調理王道之國藥。厥疾堪瘳也。憶今歲仲夏中浣。君患臍右腹痛。痛處鞕滿。脈遲便秘。余診察時。黃君季豪(新場公安局長)適在側。亦按之隆起。小便如淋狀。此卽腸癰之始發狀也。因飲食積滯。濕毒瘀血。結鬱腸內而成。余投以化瘀通便。未二劑而霍然。季夏望後。君病痔。服余方數劑而愈。嗣因事赴滬。遂致舟車勞頓。生冷食滯。於國歷八月六日夜。腹痛復發。一如前狀。至翌日。寒熱自汗延東南醫院長湯某診治。病名莫決。明日始斷爲盲腸炎。(卽腸癰)遂用冰囊。日夜置腹。並須奏刀割治云云。又延大名鼎鼎之牛醫師。診察曰。期過二十四小時。肓腸生膿。西醫割而愈者有之。不吉者亦有之。國醫服藥而愈者有之。不吉者亦有之。推辭而去。十日晨。君太夫人。延余一同渡浦診治。及正午抵旅舍。（西藏路東方飯店）診得。脉息洪數。面色青白。寒熱自汗。語音微啞。左足屈曲。腹痛腫滿。洵是腸癰成膿之候。而神識清楚。娓娓向余述病狀經過。依金匱古法。大黃牡丹皮湯。與苡薏附子敗醬散等。對證施藥。下膿血而愈。雖君體質素弱。氣血大虧。鄙意以爲。於排膿劑中。參扶原之品。未始非無挽救。但病者左右。均主西醫割治。雖太夫人。力持反對。亦無能爲力。徒喚奈何。蓋余切脉時。生死無關之委托西醫開刀據。已經繕就。交張君親押螺印。並有某律師。列名爲證。時上海公立醫院長周某。向君報告曰、驗得血中有癰菌。余曰開刀忌寒熱。萬一肓腸割去。血中既有癰菌。必發寒熱。則刀縫發炎。將何法以善其後耶。奈紅十字會病車已至。立待啓行。爰診畢未及擬方。即延余至別室午膳。膳畢。始悉張君。已離東方飯店。而入大華醫院去矣。（法界亞爾培路）由周某介紹。該院特約醫生。某德醫割治。家屬詢之。有八分把握。豈知。割越三時許。悶藥未醒。遽邇痙厥。與世長辭。嗚呼慘哉。查該德醫。開刀前。雖立委托據。不負責任。然弗察病者體質之勝任與否。魯莽割治。致悶藥未醒而逝。法律雖不能裁制。於道德。於良心。終難辭玩忽業務之咎。况痙厥時。手舞足蹈。經五人之力壓。不克勝。自入院至畢命。祗歷十二小時。其手術等費。竟逾數百兩之鉅。而湯周二醫。簽爲君戚。不亦忍乎。且自始至終。完全由海上諸名西醫治療。未服國藥一滴。良可慨也。而國醫於腸癰。非不治之症。金匱言之綦詳。仲夏君患斯症。由余醫愈。余既痛我友之畢於非命。復國人之舍中就外。以性命供試驗。能不痛哭而長歎息耶。爰將張君割沒事實。直筆記之。

# 醫案

## 尤在涇晚年醫案

盛心如錄

▲泄瀉

濕熱鬱積太陰之症。得熱氣衝激。則下行而爲洞泄。宜連理湯和理中氣。溫補止澀。俱非所宜。

人參　炮姜　茯苓　白朮　澤瀉　川連　炙草　廣皮

憤怒傷中。濕熱乘之。脾氣不運。水穀併趨大腸爲泄。腹中微痛。脉窒不和。治在中焦。

藿香　厚朴　神麯　澤瀉　茯苓　陳皮　木瓜　扁豆

病經兩月。欬瀉交作。寒熱中痞。脉小而數。邪火氣深脾肺俱傷。恐其荏苒成勞。

白芍　炙草　枳實　柴胡　茯苓　廣皮

脾積痛泄。濕熱爲病。

川連　炙草　廣皮　香茹　厚朴　白芍　茯苓　澤瀉　滑石

中焦不進。痞悶泄瀉。濕熱食滯交結。

茅朮　香茹　陳皮　神麯　厚朴　澤瀉　炙草　茯皮

又

香附　炒查　茅朮　炙草　川芎　延胡　厚朴　神麯　澤瀉　陳皮

心下滿不饑。食入則脹。泄瀉。病在脾胃濕氣不清。

藿梗　苓皮　木瓜。澤瀉　乾葛　廣皮　厚朴　神麯　茅朮



中国近现代中医药期刊续编·第三辑

又耳鳴頭痛。食入則脹。腰痛便溏口乾。

川芎　山梔　香附　神麯　甘菊　白夕利

丸方。

於朮　香附　白芍　川芎　茯苓　廣皮　蒺藜　澤瀉　杜仲　川斷　丹參　甘草

脾虛不運。濕熱生焉。泄痢不快。防成滯下。

炒白芍　茯苓　木香　厚朴　炙草　廣皮　白扁豆　澤瀉

脾虛不運。水穀不分。便泄溏少腹滿。防成喘脹。

生白朮　厚朴　茯苓　澤瀉　猪苓　木瓜

濕氣犯胃。吐逆便泄。手足厥冷。非輕症也。

藿香　木瓜　茯苓　半夏　陳皮　川椒

上吐下瀉。

半夏　藿香　茯苓　陳皮　乾葛　白蔻仁

嘔瀉交作之後。中氣已虛。宜和補。

人參　半夏　茯苓　陳皮　煨姜　粳米

泄瀉三年不已。靡藥不嘗。總無一効。詢知便溺一時俱下。不能分別另行。其爲泌別之處。清濁混淆可知。當用五苓散行陽化液。小便自行。瀉痢自止。

人參　白朮　猪茯苓　澤瀉　桂心

時氣傷脾。胸滿泄瀉。

藿梗　半夏　神麯　陳皮　澤瀉　木瓜　查炭　扁豆　茯苓

向係積勞陽傷。肝風內動。症如類中。嵩以溫腎。補脾運痰熄風得効。丁巳春深。診脉尺虛。不爲附骨。談及上年夏秋洞泄。迄今形瘦未復。頻年如是。法宗久泄傷腎。以固攝下焦定議。其六君子湯仍宜暮服勿斷。

人參　兔絲子粉　覆盆子　生杜仲　鹿茸　茯苓　韮菜子　沙苑蒺藜　補骨脂　爲末鰻魚膠煑爛去查爲丸

由食冷脘脹溏泄。漸漸目眩神疲。筋縱脚弱。陰陽日衰。前進薛氏腎氣相投。夏月土衰木侮。必得陽氣宣通。不致濁陰結聚。乃可向愈。

人參　乾姜　椒目　茯苓　淡附子　小茴香　爲末水丸晚服淸晨仍服薛氏腎氣丸

五更溏泄。腹鳴脛足浮腫。脈反搏大。眞氣衰。病氣甚。非細故也。

補骨脂　木香　肉菓　五味子　茯苓　菟絲子

脾腎久泄。服四神八味而不愈者。有肝氣爲之梗也。左脇痛。不得噯。不亦信而有徵乎。是當調和肝氣。

人參　木瓜　川芎　神麯　白夕利　茯苓　香附　青皮

便血

白芍　黃芩　地榆皮　炙草　丹皮　木通　丹參　川連

脾熱口乾。便溏下血。

先便後血。得勞則發。痰多食少。治在中焦。

白朮　炙草　白芍　地榆皮　荷蒂　生地　茯苓　廣皮

便血不獨責虛。亦當責濕。不特風病亦是。濕病至於身重腫滿。尤不待言。所以滋補無功。而疎利獲益耳。茲値土旺用事。濕氣暗動。前症愈而復發。且腰腎膝臏。痛痿無力。其濕不獨在脾。亦將浸淫及腎矣。當作脾腎濕熱成痺治之。

川萆薢　米仁　茯苓　白朮　生地　石斛　牛膝

咳嗽便血。色黃。脉濡。心嘈若饑。頭暈心悸。

生地　白芍　赤小豆　地榆　炙草　阿膠　炒蒲黃　黃芩　當歸

飲食傷脾。腹痛。便血色黃。肢輭脉濡。

白芍　炙草　神麯　廣皮　麥芽　炒查　牛膝　丹皮

又照前法。去丹皮加。

焦朮　炮姜炭

脉右大。糞後便血。從前先有遺精。陰固難成易損。酒濕必傷中宮。雖能食。色已奪。宜兼養中焦之陰。

熟地　五味子　遠志　茯苓　冬朮　南棗

瀉痢便血。五年不愈。色黃心悸。脉數不柔。肢體乏力。此病始於脾陽不振。繼而脾陰亦傷。所謂續見口乾脉數。治當陰陽兩顧爲得。

人參　焦朮　附子　黃芩　熟地　灶心土　阿膠　白芍　炙草

吐血之後。繼以便血。陰脉大傷。諸經失養。風燥內生。故有肢體腰膝痠痛。口乾食少等症。治宜甘涼辛潤之劑。養液熄風。

生地　歸身　黑豆　甘草　山藥　白夕利　獨活　桑寄生　川斷

痰多便血食少輒阻碍中外。脉濡數而舌燥溺赤。泄脾病也。脾主爲胃行津液。又脾統血。病則不能行。而失所統矣。溺者中氣不足。小便爲之變也。是當健理脾氣。兼養脾陰。

茅朮　生地　人參　五味　茯苓　川椒

鼻痒心辣。大便下血。形瘦脉小而數。已經數年。

黃芩　白芍　阿膠　炙草

脾傷脫血。宜治脾之濕。不宜固血之脫。

焦朮　白芍　炙草　川芎　茯苓　厚朴　香附　地榆

脾虛不能運化水穀。併不能統御血脈。

茅朮　厚朴　茯苓　廣皮　神曲　麥芽　白芍　川芎　香附　丹皮

脾虛生濕。濕復生熱。濕熱下注。中氣不守。是以腸痔而便血也。

白朮　茯苓　赤芍　當歸　生地　炙草　地榆　灶心土

痿痺

少陰三痺。三年乃愈。因病致傷未復。畏寒盜汗。行走骨痿氣喘。由精血內虧。氣既難成。精亦易洩。宜攝下眞。使陰充陽密。非纏治可愈。

六味去丹澤加

五味　青鹽

脈得歇止。兩臂痲痺。而腿輭弱。是血少不流。氣弱不充。宜和養營衛。

黃芪　桂枝　炙草　杜仲　天麻　烏藥　歸身　白芍　牛膝　生姜　大棗

脉虛帶數。兩膝先輭後腫。按之痠熱不能屈伸。此濕熱乘陰之虛。久則成鶴膝風矣。

生地　丹皮　牛七　萆薢　米仁　茯苓　萸肉　澤瀉　山藥　木瓜

行痺

桂枝　當歸　知母　陳皮　杜仲　炙草　白芍　牛七　川斷

▲厥

厥病多屬肝家。發則口噤。體強握固。退則頭痛惡心。身痛吐涎。其爲肝風鼓動。脾飲無疑。

羚羊角　白芍　茯苓　陳皮　半夏　白朮　歸身　烏梅　炙草　白夕利

厥而眩舌白。肝風痰飲相持。法當不獨健陽也。

羚羊角　半夏　茯苓　川附　竹瀝　姜汁

脉眩。氣從少腹上衝。則厥逆不省。發則多欠形嘔。意是肝氣乘胃所致。

吳萸　茯苓　橘紅　半夏　川楝子　木瓜

心顫指痲。頭眩欲嘔。猝然發厥。此素有風痰滯氣於中。乘肝肺悲哀之氣。而上逆也。以辛泄苦降之劑治之。

半夏　茯苓　橘紅　杏仁　只殼　鬱金

肝陽內動暴厥。不知人事。一日數十發。目張筋惕。宜以苦辛泄降。

吳萸　川楝子　茯苓　橘核　查炭　當歸

搐搦厥逆。合日則發。此肝胆痰熱。得之驚恐。病名癇厥耳。

半夏　胆星　橘紅　竹茹　茯苓　炙草　枳實　石菖蒲

色黃黯。脉鬱不達。吐涎呵欠。有時癇厥。發則驚惕瘈瘲。此胆間有伏痰伏熱。宜清通。不宜膩補。

溫胆湯加

胆星　鈎鈎

稚齡失足墮河後。痰凝熱聚。肝胆包絡。並受其病發爲癇。厥日以益甚。於今十餘年不愈。夫痰熱相感。火必動風。故有角弓反張。目邪視。手足搦擲等症。治法以清熱除痰。熄風爲要。

犀角　龍齒　茯神　棗仁　石菖蒲　羚羊角　胆星　遠志　獨活　殭蠶　當歸　半夏　茯苓

甘草　荊芥　黑大豆

蜜丸金箔爲衣

▲驚恐悸

大驚猝恐神傷。心動汗出。頭眩脚弱。脈虛。病屬情志。治之非易。

半夏　柏子仁　遠志　炙草　竹茹　茯苓　小麥　棗仁

心悸頭暈脘悶。當從心下痰飲治。兼補養心神可也。

半夏　橘紅　紫石英　柏子仁　茯神　牡蠣　川斛　炙草

心悸健忘恍惚。病屬痰熱。治在心胞。

半夏　橘紅　炙草　柏子仁　天竺黃　茯神　遠志　石菖蒲　麥冬

肝胆痰熱。侵淩包絡。健忘善恐。心煩神倦。病關情志。不從外入。宜早圖之。不爾。則成早慄之疾。

柏子仁　半夏　竹茹　炙草　麥冬　茯苓　生地　石菖蒲　遠志

驟爾觸驚。神出於舍。舍空痰入。神不得歸。是以有煩躁恍惚昏亂等症見也。法當逐痰。以安神臟。

半夏　胆星　鈎勾　竹茹　茯苓　橘紅　黑梔　只實

氣鬱生痰。伏留心中。五年於茲矣。心悸少寐。膝腫無力。胸滿而背寒。宜以溫胆加減治之。勿遽作虛症治也。

柏子仁　茯神　陳皮　竹茹　枳實　半夏　棗仁　小麥　炙草

驚悸易泄。腰痛足輭。有似虛症。而實因痰火。蓋脉不弱數。形不枯瘁。恐未可徒與補也。

半夏　炙草　竹茹　石菖蒲　茯苓　橘仁　遠志

心熱腎虛。水火不交。便瀉心悸。所由來也。宜先清理而後補澁。

生地　丹皮　茯神　淡竹葉　甘草　琥珀　麥冬　燈心

心者藏神之藏。心太勞則神散而心虛。心虛則腎氣乘之。故恐。經所謂厥氣上行則恐也。是病始因心而及腎。繼因腎而心益困矣。經云。心形軟。腎形堅。心軟則善下。故輭之必以鹹。腎堅則不浮。堅之者必以苦。又云高者抑之。散者收之。治心腎神志不收者。法必本乎此。以心爲血藏。腎爲精臟。形神之收。必養心血。形志之堅。必益其精。則甘潤生陰。質重味厚之品。又足爲收神志之地也。

人參　熟地　萸肉　川連　茯神　炒子仁　山藥　五味　桂心　天冬　牡蠣

驚恐鬱怒。致生痰熱留滯。包絡肝胆之間。神呆食少膈悶。肢冷善驚不寐。宜溫胆湯。

溫胆湯加

棗仁　胆星

驟驚恐懼。手足逆冷。少腹氣衝。卽厥陽縮汗出下。元素虧收攝失司宜守。助陽以補納。第消渴心悸。忽然腹中空洞。此風消肝厥。非桂附剛劑所宜。

炒枸杞　紫石英　當歸　茴香　白龍骨　桂枝　細辛

元氣固虛。肝胆間亦復有痰熱。頭眩骨駭。善驚不得臥。此症不可純以補法治之。

半夏　竹茹　橘紅　炙草　麥冬　茯苓　棗仁　鬱金　鈎勾

脉濇虛。胸中不利。心中悸動。得勢則甚。血氣不足故也。

當歸　陳皮　柏子仁　紫石英　茯苓　丹參　炙草　遠志

誦讀久坐。身似靜心多動。陽氣皆令上亢。陰氣不能上承。故心悸也。惟靜處藥難驟効。

補心丹

▲神昏癔癡

神昏語低。津氣並虧。正虛邪實。非輕症也。

蘆根　廣皮　麥冬　甘草　知母　川斛　風米

又去蘆根廣皮加。

苓塊

熱邪逆入。心包神昏。譫語撮空。直視惡症雜出。勢屬難挽。勉擬一方。

犀角　銀花露　鮮菖蒲　竹捲心　茯神　麥冬

又神識稍清。脉亦稍達。

犀角　竹捲心　茯神　鮮菖蒲　鈎鈎　羚羊角　蘆根

牛黃丸一丸冲服

又去茯神加。

天竺黃　枳實　竹茹

又

鮮生地　枳殼　黃芩　赤芍　生軍　元明粉

又

蘆根　石斛　知母　竹叶　木通　生草

寒熱病泄神識昏昧。表裡受邪。非輕症也。

藿香　白蔻仁　滑石　厚朴　杏仁　木通　廣皮

病後復感寒邪。頭痛寒熱。神氣昏倦。高年之人。恐難勝任。姑擬一方。漸解客邪。

淡豆豉　陳皮　杏仁　葱鬚　粳米

又鼻煤舌黑。胸滿煩躁。客寒化熱內陷矣。

淡豆豉　黑梔　蔞皮　枳殼　鬱金　連翹

肝陰素因謀慮所傷。當春時草木張陽火化風。鼓湧痰涎上攻。清透巔痛神昏。瘛瘲病關。藏氣內傷。非風火時邪之比。宜益肝。陰清肝陽。然未敢決其無事也。

羚羊角　竹瀝　鈎鈎　菊花　生地汁　貝母　蔗汁　鮮菖蒲

肝陰素虧。風濕擾之。發爲痙病。神昏齘齒。瘈瘲不定。法當滋養。肝陰以榮筋。脉清滌。痰熱以安神。明者也。若能應手。尚可無慮。

羚羊角　茯神　竹瀝　鈎鈎　阿膠　貝母　鮮菖蒲

又去茯神加。

鬱金汁　梨汁

濕邪陷伏心熱。脘悶神昏。脈反弱。此危症也。

川連　甘草　山梔　鬱金　竹叶　元參　木通

又服藥後。安臥心不熱。脉稍起。頗有生機。

竹捲心　山梔　連喬　木通　甘草　元參

又加

黃芩　丹皮

邪熱已彌。正虛不能任受。漸見神昏煩躁。厥逆等症。計惟四逆散養正。逐邪庶幾獲益。

柴胡　白芍　枳實　甘草

▲頭痛

頭偏左痛耳重聽。目不明。脉守大盡。風火在上。暫宜清解。

羚羊角　生地　甘菊　連喬　甘草　丹皮　石决明　薄荷

頭額至鼻重痛。而熱易衂。常咽痛。此風濕熱三氣交熾於上也。

小生地　丹皮　茯苓　連喬　甘草　犀角　川芎　菊花　山梔

風熱上甚。頭痛不已。如鳥巢高巔。宜射而去之。

製大黃　犀角　川芎　細茶

頭痛身痠而疼。口乾欬手足心熱。

青蒿　荆炭　骨皮　知母　杏仁　秦艽　連喬

又

荆芥　歸身　丹參　知母　淡豆豉　秦艽　杏仁　廣皮　乾葛　葱白

頭痛目眩。身痛時有寒熱。胸膈不利。

薄荷　鬱金　鈎鈎　秦艽　廣皮　薄荷

偏頭痛之甚。則嘔不納穀。頭搖手顫。此厥陰風氣上併少陽。旁攻陽明所致。擬方益胃之虛。則氣自下。清肝之熱。則風自熄。蓋其風不從外入。而從內出。愈不從寒生。而從熱化也

人參　茯苓　炙草　丹皮　石斛　半夏　陳皮　竹茹　鈎鈎　粳米

▲心痛

忧厥心痛。痛則嘔吐酸苦。手足厥冷。宜苦辛酸藥作之。

川連　烏梅　川椒　歸身　炮姜　茯苓　桂枝　川楝子　延胡

此腎厥心痛。背脹映及腰中。議用許學士香茸丸。

鹿茸　杞子　沙苑　大茴香　麝香

心痛及脇攻匿不定。已六年矣。噫出臭氣。及轉尿氣。則大便時黑。明係絡中舊血停凝。因而氣不宣通。而相搏擊之故。前醫血病治氣。宜其病不去。而食反減也。　方佚

▲胃脘痛

胃痛五年。嘔吐酸濁。上不能食。下不能便。且自覺氣從上下。是肝藏不和上逆。垂胃故耳。宜薄味節勞。預防關格。

延胡　川楝子　蒲黃　五靈脂

食入脘脹且痛。是胃陽受傷。凡冷滯肥膩之物須戒。

生草菓仁　藿梗　厚朴　陳皮

脉形已小。痛移在右。由陽明厥陰。來侮重按痛緩。

人參　妙川椒　淡附子　茯苓　舶茴香　北細辛

中虛陽弱。不能健運。所以食入則痛。非有所停積而然也。但欬嗽耳鳴。上焦有火。不宜驟補。

。姑以甘辛平藥。和之養之。

川斛　茯苓　陳皮　甘草　木瓜　益智仁　粳米

少腹左脇皆屬肝經。其氣不和。逆而乘胃。則爲胃脘痛。由平素中氣積虛。故肝得而犯之也。

川楝子　延胡　木瓜　歸身　白芍　茯苓　桂枝　甘草

胃虛氣餒。肝獨横逆。以强凌弱。則爲胃痛。齒齦亦胃脉所入。故爲腫痛。法當和胃制肝。

人參　茯苓　白芍　陳皮　當歸　川連

中痛得食則已。按之亦已。此虛也。宜補養。不宜攻削。

桂枝　茯苓　白芍　吳萸　半夏　南星　粳米

中脘痞痛。及二便不利。不思食食則脹。脉得濇小。正虛邪實。補攻兩難。

生白朮　枳實　茯苓　沉香　熟軍　黄芩

脉弦中痛，便泄肢寒。弦爲陰象。當溫胃氣。

桂枝　茯苓　白芍　炙草　澤瀉　吳萸　陳皮　厚朴

脉弦虛中痛及左脚下。腹鳴塊起。病在肝脾。

柴胡　白芍　當歸　茯苓　炙草　吳萸　半夏　廣皮

中痛惡心涎出。病屬蚘厥。

人參　川椒　茯苓　桂枝　乾姜　潯桂　川連　烏梅

胃不得脾之運。而反受肝之制。食則中痛。時自眩暈。

白朮　陳皮　白芍　天麻　神麯　半夏　麥芽　勾鈎

脉小腹痛。熱後胃脘痛。上至咽嗌。肝火乘胃。宜泄厥陰和陽明。

川楝子　木通　赤苓　甘草　川斛　木瓜

肝胃同病。木勝土負。泄其有餘。養其不足。乃是治法。

桂枝　烏梅　左牡蠣　茯苓　川椒　川楝子

時氣鬱久成火。逆攻胃家。故痛而嘔。宜苦辛酸法。

川連　吳萸　左牡蠣　茯苓　陳皮　烏梅　川椒

肝邪乘胃。

旋覆花　新絳　茯苓　代赭石　桃仁　橘叶

胃氣痛。痛發用此方。

川楝子　生蒲黃　生香附　延胡　五靈脂　桂枝

痛緩用此。

炒桃仁　柏子仁　茯神　炒杞子　新絳　桂元肉

脇痛

邪氣併歸脇下。腫痛拒按。喘急不休。防成內癰。症甚險也。

土瓜蔞　紫菀　杏仁　紅花　枳壳　通草

又喘減。而痛不止。

川楝子　桃仁　枳壳　橘汁　青皮　延胡　土瓜蔞　通草

右脇痠痛。脈弦口乾。肝陽化火。法宜清疏。

柴胡　當歸　白芍　香附　黑梔　川芎

肺肝鬱滯。

瓜蔞　紅花　甘草　杏仁　枳壳　桔梗　貝母

病後中氣未復。飲食艱運。左脇下痛。大便溏泄。法宜調暢肝脾。

白芍　炙草　廣皮　茯苓　神麯　柴胡　香附　澤瀉

肝氣乘胃。脅痛嘔吐酸水。食入則脹。按之漉漉有聲。兼有飲氣故也。

人參　茯苓　半夏　川楝子　吳萸　陳皮　木瓜　查炭　橘核

久欬脇痛。不能左側。病在肝。逆在肺。得之情志。難以驟驅也。治法不當求肺。而當治肝。

阿膠　白芍　炙草　茯苓　丹皮　甘草　鮑魚湯代水

怒傷肝絡。胸脇拘痛。絡傷。則有失血之患。宜調之。

旋覆花　新絳　丹皮　鬱金　白芍　炙草　桃仁　牛膝

脉虛細按之則鯁然不柔。左脇板痛。肌膚中若有針刺。手足指時自牽引。此肝體虛。肝用鬱。筋脉失養。氣運不達。得之勞心而多鬱。治宜滋柔以立肝體。辛潤以達肝用。然非旦夕可愈也。

阿膠　當歸　丹皮　生地　橘叶　柏子仁　旋覆花　新絳　青葱

脈數不柔。口乾胸脇板實不舒。皮中常起小塊。硬痛不消。此氣澀不行。血少不流。而火從內鬱。治之非易。

當歸　丹皮　生地　貝母　茯苓　鬱金　麻仁　阿膠

兩脇小腹。都屬厥陰之部位。風邪乘之。氣血不通。則痛。是當通厥陰之絡。不宜損陽明之府。營衞有傷。痛形盛矣。

吳萸　川楝子　木瓜　橘叶　甘草　歸身　枳壳　桃仁

溫邪傷肺。腦怒傷肝。擬以黃古潭法加減。和肝清肺爲主。

瓜蔞　紅花　甘草　杏仁　桃仁　蘆根

脅痛遇春卽發。過時卽止。此肝病也。春三月肝木司令。肝陽方張。而陰不能從。則其氣有不達之處。故痛。夏秋冬肝氣就衰。與陰適協。故不痛也。是宜預養於秋冬收藏之地。以爲來春宣發之基。

方佚

寒熱之後。欬嗽脇痛痰多。宜通肺清絡。至於肝腎之虛。後當以丸子緩圖之。

瓜蔞　貝母　杏仁　茯苓　甘草　新絳　旋覆花

▲腹痛

臍以下滿痛。手不可按。脉左弦右濇。知肝氣素强。而脾氣素弱。以强淩弱。臟氣尅賊。非小恙矣。

金鈴子　延胡　茯苓　吳萸　查肉　橘核　木瓜

又肝氣稍平。急當培養中氣。

人參　廣皮　穀芽　木瓜　丹參　茯苓　石斛　歸身　白芍

又去丹參。木瓜。石斛。穀芽。廣皮加。

丹皮　炙草　遠志

心腹痛。脉弦色青。是肝病也。宜苦辛泄之。

川楝子　當歸　茯苓　川椒　木瓜　延胡

脉弦腹痛。

藿梗　厚朴　半夏　廣皮　神麯　木瓜

脉虛腹痛當臍。經後腹必痛數日。此衝任虛寒。不可攻尅。

桂枝　白芍　炙草　當歸　牡蠣

又

川楝子　當歸　白芍　炙草　吳萸　橘核　查肉　木瓜

腹痛乾嘔。肝邪犯胃。非小症也。

川楝子　吳萸　橘核　查肉　延胡　木通　茯苓

肌熱口乾。腹痛。

青蒿　柴胡　陳皮　炒查　鼈甲　白芍　神麯

又加

知母　炙草

小腹痛硬。惡心嘔苦。寒熱口乾。脉小數。

川楝子　查肉　橘核　木瓜　延胡　半夏　茯苓　木通

痛着於右腹。痛甚如針刺刀割。牽引入於腰背。必泄瀉濁氣乃緩。自述服蚌灰小效。夫蚌係介屬。味鹹輭堅。直入至陰之界。是痛已在陰絡錮結瘀滯。蚌但鹹寒。不能宣通。逐瘀腐。絡病在下屬血。攻之爲是。第緩耳

䗪虫二兩　炒桃仁四兩　麝香三錢

爲末。用酒大黃一兩。熬膏爲丸。服三錢。

肝藏失調侵脾。則腹痛。侮肺則乾咳。病從內生。非外感客邪之比。是宜內和藏氣。不當外奪衞氣者也。但脉弱而數。形瘁色夭。上熱下寒。根本已漓恐難全愈。

當歸建中湯

飲食傷脾。風寒襲表內入。則腹痛後泄。至晚寒熱交作。內傷挾外感之候也。但形脈並弱。表不可散。而裏不可攻。惟宜和養中氣而已。

白芍　炙草　廣皮　茯苓　穀芽　石菖蒲

虛寒在下。爲當臍痛。食入不消。浮熱在上。爲咽中痛。而聲啞。冷熱難以並投。上下理合分治。

治下之劑。

熟地炭　茯苓　沉香　北五味　巴戟　兎絲子

治上之劑。

阿膠補肺散加

元參　貝母

腎虛肝實。腹痛當臍。而常攻逆。經年不愈。六脈勁弦。治之非易。

川楝子　肉桂　當歸　查核　橘核　葫蘆巴　白芍　蒺藜

腹痛三年。便難不利。腸胃中有陳積也。治當溫利。

草蔻仁　厚朴　麥芽　神麯　青陳皮　炙草

腹滿。按之痛。大小便不快。脈小而數。得之飲食失宜。內傷肝脾。氣血俱滯。未易治也。

溫中丸

▲腰痛

風氣乘虛入於腎絡。腰中痛引背脇。宜寄生湯補虛。通絡袪風。

生地　當歸　黑大豆　獨活　桑寄生　山藥　杜仲　白夕利　炙草

寒邪所湊。陽氣爲痺。脾胃不溫不健。爲嘔爲滿。久而不愈。漸及陰經。腰膝痠痛。此非細故。

附子　白芍　茯苓　肉桂　當歸　鹿角屑

虛風腰痛。

生地　白芍　炙草　杜仲　桑寄生　當歸　川斷　獨活　牛膝

寒濕腰痛。

桂枝　獨活　萆薢　桑寄生　附子　木瓜　炙草　歸身

又去木瓜加。

白芍　姜　棗

丸方

熟地　附片　白芍　甘草　萸肉　山藥　歸身　川斷　杜仲　牛膝　桂枝

右爲末蜜丸

溺濁腰痛。脈數勁動。病在根本。

生地　山藥　石菖蒲　萆薢　茯苓　益智仁　烏藥　蓮子

脈虛氣短。腰痛不支。攻削之劑。不可續用矣。

金匱腎氣丸

口乾盜汗。心熱腰痛。脈數陰衰陽旺。病在心肺與腎。法當養陰抑陽。

生地　川石斛　地骨皮　白芍　麥冬　牛膝　小麥　甘草　棗仁

又去牛膝加

天花粉　知母

先瀉後熱。繼復腰痛。風氣內攻。陰絡外連陽府。不與時病同法。

荆芥炭　黑大豆　茯苓　甘草　陳皮　寄生

食少便溏。欬則腰痛。此脾腎病也。宜先健脾。

白朮　茯苓　炙草　乾姜　五味　白芍

風入三陰之絡。腰痛連脊。身輕發熱。從虛所得也。

白夕利　桑寄生

又熱不退。頭痛多汗。腰復呼吸作痛。邪氣自陰而之陽。宜從嘉言桂枝生地法。

桂枝　白芍　黃芩　生地　寄生　炙草

又表裏有邪。宜引腎間風氣。併宣肌腠爲妥。

黑小豆　甘草　獨活　寄生　白夕利　生地

腰痛得勞則發。此爲陰虛。

炒熟地　炙草　寄生　黑小豆　茯苓　當歸　炒山藥　白夕利　杜仲

# 澄齋醫案(續)

武進謝利恆著

胡六十五年高欬久氣撐。脉虛兼弦。舌絳苔膩。肺脾腎三藏俱虧。殊難治療。

潞黨參三錢 陳廣皮一錢 歸身五錢 懷牛膝三錢 炒冬朮二錢 清炙艸五分 炒蘇子二錢

紫石英四錢 法半夏二錢 炒白芍二錢 光杏仁三錢 旋覆花一錢半 款冬花一錢半 附子都氣丸三錢

王四十四 咳減未盡。勞傷不復。膝痛筋痿。依前方加減。

炙蘇子一錢半 陳廣皮一錢 懷牛膝二錢 全當歸一錢半 嫩前胡二錢 大貝母三錢 川續斷四錢

京赤芍二錢 甜杏仁三錢 生苡仁五錢 款冬花一錢半蜜炙 骨碎補五錢

白三十九 風入肺絡。咳嗽氣撐。脉來弦滑。舌苔白膩。法當宣降。

炙麻黃五分 炒蘇子二錢 乾 姜五分 炒白芍一錢 川桂枝七分 嫩前胡二錢 細 辛五分

清炙艸五分 製半夏二錢 光杏仁三錢 北五味五分 炙桑皮一錢半 白果肉十粒打 款冬花一錢半

潘左廿六歲 伏風在肺。久欬不已。氣急撐逆。嘔吐白沫。肢背凜慄。小青龍主之。

炙麻黃五分 淡乾姜五分 清炙艸五分 萊菔英二錢 川桂枝五分 北細辛四分 炙蘇子三錢

姜半夏二錢 大白芍二錢 北五味五分 生 姜一片

白卅八 風蘊肺絡。欬嗽痰滯。氣急似喘。胸盈仰息。脉悶。先與開豁上焦。

南沙參三錢 大貝母三錢去心 生紫菀一錢半 炒枳殼一錢 嫩前胡一錢 光杏仁三錢 款冬花一錢半

白芥子一錢半炒研 炒蘇子三錢 苦射干一錢 瓜蔞皮三錢 化橘紅五分 批杷叶一錢半蜜炙

張四十六 哮平而欬未除。不時煩惱。痰未盡豁故也。

炒蘇子二錢 法半夏二錢 炮姜炭四分 款冬花一錢半 嫩前胡二錢 化橘紅一錢 北五味五分

紫菀茸一錢半 炙桑皮一錢 瓜蔞皮三錢 炙黑艸五分 苦 參三錢 荸 薺三枚

江五十四 久咳肺腎兩傷。脉來滑大。慮入勞怯。

南沙參各二錢　眞阿膠蛤粉拌炒一錢半　馬兜鈴一錢半　炒白芍二錢　炙大生地五錢　炙五味七分　海浮石三錢　水炙艸五分　大麥門冬二錢　川百合四錢　煅蛤壳五錢　法半夏二錢　薄橘紅一錢

梅右卅六　去冬受病。由肺風而成。咳延月餘。已從火化。痰壅氣急。喉痒不得臥。口乾。舌燥無苔。脉軟無力。肺大傷矣。

南沙參五錢　炙蘇子三錢　杏仁泥三錢　生甘艸五分　大麥冬二錢　嫩前胡二錢　大貝母二錢

馬兜鈴一錢半　桑皮叶各二錢　嫩白前二錢　款冬花二錢　百部二錢

邱五十六　寒飲停中。榮血已衰。咳嗽痰多氣急。寒熱日作。肢體冷厥。舌苔厚膩。中黃邊白。脉弦滑而沉。治宜溫化。

川桂枝一錢　姜半夏三錢　北細辛四分　炒當歸二錢　製附片七分　白芥子二錢　淡乾姜一錢

大白芍二錢　蘇子葉三錢　萊菔子三錢　清炙艸一錢　款冬花三錢　白果肉十粒

朱五十　肺伏風火。脾蘊濕痰。咳嗽氣急。胸膈引痛。脉虛小。舌微灰。姑投淸降。

炙蘇子一錢半　苦杏仁三錢　炮姜炭五分　旋覆花一錢半包　白芥子一錢半　炙桑皮一錢半　北五味五分

紫石英三錢　甜葶藶一錢半　海浮石三錢　紫菀茸三錢　款冬花一錢半　罌粟壳一錢半　煨訶子一錢

邱五十六　咳嗽痰色轉黃。夜熱轉甚。昏沉溺赤。舌苔黃膩。脈濡。寒已化火。法當化痰。

南沙參五錢　炙桑皮二錢　萊菔子三錢　款冬花三錢　炒蘇子三錢　甜杏仁三錢　白芥子二錢

法半夏三錢　旋覆花二錢　大貝母二錢　紫菀茸二錢蜜炙　酒條芩一錢　益元散三錢包　荸薺五個

陳廿七　火爍肺金。咳嗽痰多。偏臥喉痒。左脇引疼。脉數舌黃。亟與潤降。

南沙參五錢　紫白石英各三錢　生甘草五分　地骨皮四錢　大麥冬二錢　炒蘇子三錢　全瓜蔞五錢

海浮石三錢　旋覆花二錢包　杏仁泥三錢　炙桑皮五錢　黛蛤粉五錢包　生苡米一兩　枇杷叶三錢去毛

僧卅二　肺風久蘊。不得宣達。日晡形寒不熱。頭痛轉甚。胸悶不飢。大便不爽。脈濡而數。當宣透風邪。潤降肺胃。

蘇子叶三錢　川桂枝一錢　製川朴一錢　橘白紅各五分　嫩前胡二錢　瓜蔞皮四錢　荊芥穗二錢
赤白芍各二錢　炒香豉四錢　苦杏仁三錢　法半夏二錢　廣鬱金一錢半　枇杷叶二錢去毛　薑　皮八分

周四十二勞乏感風。裡熱表寒。頭昏。咳吐白沫。氣急。舌黃而乾。脉濡數。宜清肺胃。

南沙參五錢　嫩前胡二錢　地骨皮五錢　淡酒芩一錢半　炒蘇子三錢　嫩白薇二錢　炙紫苑二錢
生甘艸五分　桑皮叶各二錢　大貝母三錢　荊芥穗一錢半　炙百部三錢　生苡米五錢　枇杷叶三錢去毛

芮四十九肺風化火。治宜清肅上焦。

炒蘇子三錢　大貝母二錢　炙桑皮二錢　款冬花三錢　嫩前胡二錢　苦杏仁三錢　炙百部一錢半
生甘艸六分　白　前一錢半　炒知母二錢　紫苑茸二錢　荸　薺五枚

張五十五呛咳久延。喉痒痰多。脉細舌白。姑與清上爲主。

南沙參三錢　炙蘇子一錢半　甜杏仁三錢　海浮石三錢　炙桑皮一錢半　嫩前胡二錢　大貝母二錢
蝦蛤壳五錢　瓜蔞皮三錢　炒枳壳一錢　全當歸一錢半　枇杷叶一錢半蜜炙

江右六十六哮咳有年。痰如泉湧。脈滑氣急胸滿。先與通降。

炒蘇子三錢　甜葶藶一錢半　苦射干一錢　紫苑茸三錢　嫩前胡二錢　萊菔子三錢炒　旋覆花二錢包
款冬花三錢　白　前一錢半　白芥子一錢半　苦杏仁三錢　炙桑皮一錢半　生　姜一片

劉四十七喘咳多年。遇冬令則發。惡寒發熱。口乾舌白。欬甚則嘔。脈左細右滑。當從標治。以青龍法加減。

炙麻黃五分　炒乾姜九分　苦杏仁三錢　製半夏二錢　川桂枝七分　北細辛四分　旋覆花一錢半包
水炙草五分　大白芍一錢半　北五味五分　製川朴三錢　熟石膏三錢　炙桑皮一錢半　款冬花二錢
白果肉十粒

李三十五形寒飲冷則傷肺。前投溫散。喘平而未止。表寒頭眩胸悶。脈緊數。舌白膩。邪滯未楚。再與疎化。

川桂枝一錢　大白芍一錢半　嫩前胡二錢　萊菔子一錢半炒　蘇子叶各一錢半　製川朴一錢　橘紅一錢
白芥子一錢半　苦杏仁三錢　法半夏二錢　當歸二錢　炙款冬一錢半　生姜皮五分　炙百部一錢半

金右三十八痰哮用青龍法得效。刻診脉浮舌滑。頭鳴腰痛。肺腎兩傷矣。

炙麻黃五分　淡乾姜五分　熟地黃八錢　苦杏仁三錢　川桂枝八分　北細辛五分　懷牛膝三錢
款冬花一錢半　大白芍二錢　炙五味五分　清炙艸五分　旋覆花一錢半包　法半夏二錢　白芥子二錢

盛右四十九吐血雖止。咳腫依然。百病齊來之兆也。

旋覆花二錢包　大貝母三錢　炙桑皮二錢　懷牛膝三錢　紫石英四錢　甜杏仁三錢　紫菀茸一錢
車前子三錢　海螵蛸四錢　炒蘇子三錢　枇杷叶三片去毛

倪四十五哮平而咳不已。脉緊。舌紅而潤。足腫。仍依前方進取。

炙桑皮二錢半　苦杏仁三錢　廣橘紅一錢　塊赤苓三錢　炒蘇子二錢　法半夏二錢　嫩前胡一錢半
白桔梗一錢　葶藶子一錢半　款冬花一錢半　紫菀茸一錢半　生甘艸五分　白果肉十粒　薑皮五分

倪四十五脉轉軟滑。舌紅光潤。咳減而未除。足腫面黃未退。再與清理肺脾。

蘇子梗各一錢半　炙款冬一錢半　茯苓皮二錢　懷牛膝三錢　炙桑皮一錢半　苦杏仁二錢　大腹皮二錢
宣木通一錢半　紫菀茸一錢半　製小朴一錢　川玉金一錢半　川續斷四錢　鷄內金一錢半
生熟苡米各四錢

盛右四十九喘腫痼疾。難期脫體。

甜葶藶一錢半　萊菔子三錢炒　赤茯苓三錢　紫菀茸二錢　苦杏仁三錢　白芥子一錢半　大腹皮一錢半
炙款花三錢　旋覆花一錢包　車前子三錢　炙桑皮二錢

談右六十肺腎並治。哮咳腫脹俱減。即以前方隨症進退可耳。

南沙參五錢　旋覆花二錢包　大貝母三錢　懷牛膝三錢　大麥冬二錢　石決明八錢　光杏仁三錢
大生地六錢　炒蘇子三錢　炙桑皮二錢　川百合五錢　生薏米八錢

# 肝熱子煩治案

楊伯藩

洪夫人本年三月十七第一診

凜寒發熱。咳吐白沫。頭疼脅痛。時作嘔心。昨曾昏厥。今猶瘈瘲。腹痛氣逆。脈形弦勁而數。舌苔白燥中光。妊娠五月。脾土司胎。症由營血內虧。風邪外襲。外風與內風相應。胎氣挾肝氣上衝。深慮熱極傷陰。而有胎墜厥脫之危。勢殊險惡。擬方即候　明裁。

羚羊尖一分磨冲　條芩炭二錢　炒白芍二錢　大丹參二錢　鮮生地四錢　麥門冬三錢　經桑葉一錢五分
嫩前胡一錢五分　光杏仁二錢　滁菊花二錢　硃茯神三錢　天竺黃二錢　鮮石菖蒲一錢五分
竹　茹一錢　生石決明四錢

十八日二診

昨進清熱安胎。平肝熄風法。服後腹痛瘈瘲得除。熱勢略減。惟欬痰不出。食飲即嘔吐白沫。頭暈胸悶。脘泛嘈雜。夜難熟寐。寐則盜汗淋漓。便秘溲赤。脈弦數。左大於右。舌白燥少液。此營虛內熱。風火交熾。胎氣未安。肺胃之氣上逆故也。再擬清熄安胎法治。

鮮石斛三錢　條芩炭二錢　硃麥冬三錢　姜汁炒川連三分　光杏仁二錢　焦蔞仝三錢　化橘紅一錢五分
川貝母二錢　硃茯神三錢　桑　葉一錢五分　鈎　藤四錢次入　炒知母二錢　生石膏四錢　生石決四錢
竹　茹一錢

十九日三診

身熱盜汗均減。惟頭眩驚惕。欬吐白沫。嘈雜不納。神思疲倦。便秘溺少。脈數左部兼弦。舌光左邊黃膩。此肝胃餘熱未盡。木土未和。肺胃之氣逆而不降故也。治以清熱柔肝。兼理肺胃。

連翹心三錢　炒條芩二錢　硃麥冬三錢　焦白芍二錢　光杏仁二錢　浙貝母三錢　新會紅一錢五分
炒丹參二錢　硃茯神三錢　建麯炭三錢　桑　葉一錢五分　珍珠母七錢　姜竹茹一錢　方通草八分

二十日四診

諸恙向安。而神倦欲寐。目光羞明。左側臥則自汗。右側臥腹覺微痛。咳痰白沫。口液覺粘。便秘五日不宣。脈息右手略靜。左仍弦數。舌轉潤。苔薄黃。良由肺胃餘熱未清。陰分虧而陽有餘也。再以涼養安胎兼清化爲治。

眞川斛三錢　京元參四錢　麥冬肉三錢　辰雲神三錢　光杏仁二錢　旋覆梗一錢五分　象貝母三錢
生白芍一錢五分　炒歸全二錢　大丹參二錢　橘　紅一錢　煆瓦楞五錢　炒棗仁一錢

念二日五診

胃納漸宣。身熱亦淸。惟粘涎時泛。吐沫頻仍。神思疲倦。骨節煩疼。大便不行。脈形沉濇。左略弦。舌淡紅根有條黃。此肝脾營血虧耗。太陰失約束之司也。當淸養。

眞川斛三錢　土炒白朮一錢五分　炒子芩一錢五分　麥冬肉三錢　花粉片三錢　新會紅一錢五分
炒懷藥二錢　光杏仁　生炒白芍各一錢五分　厚杜仲三錢鹽水炒　辰雲神三錢　西砂仁三分

二十四日六診

諸恙日除。惟神思疲乏。遍體不和。口味覺甜。腹中胞胎時動。便通堅結。六脈俱滑數。舌淡紅而淨。此乃病久元虛。脾血少而熱蒸成痺。胎元失育而不安也。當淸脾胃以養血安胎。

川石斛三錢　黑山梔三錢　辰麥冬三錢　料豆衣二錢　炒歸身三錢　條芩炭二錢五分　大丹參二錢
焦白芍二錢　佩蘭葉二錢　炒知母三錢五分　辰茯神三錢　佛　手八分　夜合花一錢

二十六日七診

前進淸脾益營。服後口甜白沫均除。胃納較旺。惟心悸肉瞤筋惕。起坐則氣機促逆。脈細疾左數。舌紅滑。此營血仍虧。神氣衰而心肝之陽妄動也。治以養血安神兼理脾胃。

大丹參二錢　炒歸身三錢　炒棗仁一錢五分　硃遠志八分　雲茯神三錢　炒柏子仁三錢去油
焦白芍二錢　土炒白朮二錢　新會紅一錢五分　炒條芩二錢　白　薇二錢　熟砂仁三分

益蒲根八分（此方服三四劑後全愈）

# 肺風治案

徐亞東錄

周小孩四歲一診

肺風痰喘。肺失肅化之權。留連不散。身熱三四日。有汗不解。欬嗽痰鳴。氣促鼻煽。兩目露睛。舌苔白膩。脉象浮數。先天不足邪甚之候。今擬治標之法。不得不宣肺滌痰。當否候政。

蜜炙陳麻黃五分 橘紅絡六分 硃茯神三錢 苦杏仁四錢 款冬花三錢 小鈎鈎三錢 象貝四錢

炙紫菀一錢半 海石三錢 銀杏去壳五只

二診

昨進宣肺滌痰。痰下甚多。肺氣似乎略暢。熱尚不解。咳嗽欠爽。痰聲呼呼。呻吟煩懊。脈仍滑數。舌苔白潤。覩此情狀。仍係風邪未徹。幸正氣尚可支持。今偕徐亞東先生同議原方加減候政。

炙麻黃五分 白海石四錢 浙貝母四錢 光杏仁四錢 紫菀茸六分 化橘紅一錢 皂莢子三錢

江枳壳一錢 炒菔子一錢半 蜜炙枇杷叶三錢 硃燈芯三束

三診

連進滌痰宣肺之劑。痰喘均覺稍平。惟餘邪未盡。熱勢時甚時退。欬嗽吐乳。兩目有眵。脉來滑數。舌白漸現紅點。口渴引飲。正氣略虛。邪將化熱。仍偕(小圃)(綬臣)二位先生合議泄邪不傷正氣之法。質之高明削正。

砂香豉一錢半 脆白前三錢 薄橘紅八分 光杏仁四錢 仙半夏一錢 象貝四錢 炙款冬三錢

海浮石三錢 嫩前胡一錢半 白疾藜三錢 小生姜一片

四診

。脈象較前已緩。舌苔前半兩旁亦化。舌根厚膩未淨。身熱已解。咳嗽氣楚。正氣虛象。邪尚未清。再守原擬。畧參扶正。

柔白薇三錢　象貝四錢　蜜炙蘇子三錢　茯　苓四錢　旋覆花二錢包　炙紫苑一錢半　枇杷叶三錢

甜杏仁四錢　炙款冬三錢　蜜炙橘紅一錢　姜竹茹一錢半

五診

風邪未淨。痰滯鬱蒸肺絡。咳嗽不暢。痰多甚粘。聲斯直喊無淚。指紋青紫。現於命氣兩關。舌苔薄白。脈仍浮數。邪滯尚未清達。慮其痰壅塞厥之險。今偕亞東先生原議仍進宣肺豁痰之品。仍希斧止。并候(小)(企)二翁正之。

炙紫苑茸二錢　萊菔子三錢　山慈菇八分　炒大力子二錢　瓦楞壳三錢　浮海石四錢　光杏仁四錢

製半夏二錢　江枳壳二錢　杜蘇子二錢　製陳皮八分　炒麥芽三錢

六診

服宣肺滌痰之品。病勢得減十分之六七。仍遵(綬)(小)二位先生原議。略易一二。

炙蘇子二錢　橘紅白一錢　瓜蔞仁三錢　甜杏仁四錢　仙半夏一錢半　萊菔子一錢半　川象貝各二錢

陳胆星六分　海浮石三錢　鮮竹茹二錢　鮮枇杷叶三錢　(此方連服三劑。病竟霍然。)

## 喉癬治案

龔炳章

李方　六月　廿二日　初診

腎水不足。虛火上爍。以致喉癬癢嗆作咳。腭熇嚨乾。津液無以上承。此是肺胃虛熱之故。脈象細軟。症屬延躭。暫擬滋陰清肺解胃熱之法。

大生地四錢　川黃蘗一錢五分　花粉片三錢　炙桑皮三錢　淡黃芩一錢五分　炙鱉甲四錢　法半夏二錢

麥冬肉二錢　地骨皮三錢　叭杏仁三錢　炒澤瀉一錢五分　川木通一錢五分

六月　廿四日　覆診

疊進滋陰清火之後。喉癬癢減。惟氣衝咳嗆。腭熇嚨乾亦止。按脈虛細且軟。究是少陰水虧肺胃虛熱也。再商前意參加清補降氣。

鮮生地五錢　沉香水炒蘇子三錢　川黃蘗一錢五分　炒知母一錢五分　代赭石三錢　北沙參二錢

蛤粉炒阿膠二錢　炙鱉甲四錢　滁菊花二錢　叭杏仁　淡天冬二錢　白百合三錢　炒澤瀉一錢五分

六月　廿六日　三診

喉癬癢退。氣衝嗆咳較前大減。脈覺有神。仍守前意增易。

鮮生地五錢　北沙參二錢　代赭石三錢　沉香水炒蘇子三錢　蛤粉炒阿膠二錢　天麥冬各二錢

川黃蘗一錢　赤茯苓三錢　炒澤瀉一錢五分　敗龜版四錢　滁菊花二錢　肥知母一錢五分　叭杏仁三錢

白百合三錢

六月　三十日　四診

喉癬之恙已痊。嗆咳亦退。惟脈虛細。已知脾胃虛弱也。再擬扶土益胃滋補之劑。

生熟地各二錢　土炒白朮三錢　全當歸二錢　西潞黨二錢　建澤瀉一錢五分

雲茯苓三錢　炒丹皮一錢五分　炒白芍二錢　阿膠珠二錢　炙鱉甲四錢　川黃蘗一錢五分

炒知母一錢五分　懷山藥二錢

## 中西醫治療成績之一斑

秦又安

自本會組織災民施診以來。每日診察號數。輙在百號以上。西醫僅及小半。而治療之結果。以百分比計算。亦較西醫爲優。近人謂中西醫紛爭不已。非設一大規模之醫院。中西並診。各獻身手。不能解決。余謂此災民施診所已足顯軒輊。正無事他求矣。

# 驗方

## 瘟疫時症經驗良方又名避疫平安散

汪友松

猪牙皂三錢半　正硃砂二錢半　蘇薄荷二錢　北細辛三錢半　白芷一錢　明雄黃二錢半　藿香三錢

枯礬一錢　橘梗二錢　法夏二錢　防風二錢　木香二錢　貫衆二錢　陳皮二錢

甘草二錢

以上十五味。共研極細末。磁瓶固封。切勿洩氣。此藥耑治瘟疫時症。忽然腹痛。手足厥冷。面色青黑。上吐下瀉。霍亂抽筋。急痧等症。先用一二分。吹入鼻內。通其關竅。後用生薑五片。煎水一杯。冲散溫服。輕者一錢五分。重者三錢。小童減半。症過重者多服無妨。服至止痾定痛平安爲止。此藥和平不烈。服後安睡片時。出汗卽愈。孕婦忌服。是藥鄙人經送數載。救人以數千計。確有起死回生之功。海內諸善長及富貴人家製合一料　以備不虞。如能施送。尤爲莫大功德。獲福無量。

## 神效八厘散丹方專治紅痢白痢

汪友松

硼砂三錢要白如雪者　辰砂二錢　木香二錢　丁香二錢　沉香二錢

當歸二錢　甘草二錢　生軍二錢　巴豆霜一錢

共藥九味。俱不要見火。各味共研細末。磁瓶收貯。不要洩氣。凡患痢疾者。只用八厘。用開水香下。卽下大便而愈。重者再用八厘。無不全愈此方愈。人無數。效驗如神。

此藥一料可濟百餘人所費不過銀洋幾角
請樂善諸君合備施送則功德眞無量矣

# 瀉痢驗方

鮑濟民

◉治紅白痢疾初起良方

葛　根二錢五分　炒苦參二錢　陳　皮二錢　酒炒赤芍二錢　炒麥芽三錢　炒山查二錢　細川連六分　陳松蘿茶葉二錢　水煎服數劑小兒減半服忌葷腥麵食煎炒閉氣發氣諸物此方宜於腹不脹痛者因腹無脹痛拒按之症卽不須攻下也

◉治痢疾初起腹中實痛不可手按者此有宿食宜攻下之

酒炒廣大黃五錢　老木香五分　陳　皮一錢五分　姜汁炒厚樸一錢五分　荷　葉一小角　水煎服下積滯卽止或合丸每服三四錢尤妙

◉治噤口痢方　痢疾嘔逆飲食不得入(乃邪熱穢氣塞於胃脘)書云食不得入是有火也故用黃連痢而不食則氣益虛故加黨參凡虛人久痢者並用此法

黨　參一錢　石菖蒲七分　姜汁炒川連七分　丹　參三錢　石蓮肉二錢打　茯　苓二錢打　冬瓜仁二錢打　陳　皮一錢五分　荷葉蒂二個　陳　米一合　用水煎慢慢服下

◉噤口痢外治祕方

雄　黃一分　巴豆霜二分　辰　砂一分　蓖麻子七粒　麝　香三厘　搗落蜜丸如芡實大放眉心中間鼻樑上正中膏藥蓋之只要一點鐘時必腹內響卽思飲食矣　又方用熟麵做成燒餅樣大分爲二片以一片中空之用木鼈子三個去殼搗碎如泥加麝香五厘校勻塡入餅心貼肚臍眼上外用手帕紮定用暖茶壺隔布熨臍腹待腹中作響聲喉中知有香氣卽思飲食能進藥物是夜痢減大半二三日漸愈

◉治痢疾又一妙方

川連三錢 木香一錢 條芩二錢 白芍四錢 茯苓三錢杵 當歸鬚二錢五分 生甘草一錢半
飛滑石粉四錢 用所煎藥汁沖服不必和煎 上藥用水煎服數劑可愈

◉紅白痢及水瀉神效丸

木香 沉香 乳香去油 沒藥去油 黃柏 川連 赤石脂 辰砂硃 甘草 眞川雲土鴉片煙灰
每味五錢或一兩研細末乳至無聲爲妙用水泛爲丸如菜子大晒乾備用（服法）大人每次四分小兒減半有烟癮人加倍用開水吞服如痢初起身覺微寒微熱者加 煨葛根二錢 煎湯送丸如痢初起覺小腹實痛拒按者加 大黃二錢 焦查二錢 焦麥芽三錢 煎湯送丸如遇吐嘔者加 藿香二錢 煎湯送丸如水瀉者加 灶心土三錢 炒白扁豆打二錢 焦朮一錢 煎湯送丸病輕者一二服重者四五服卽愈如最重者須服至大便糞色正黃爲止切勿誤會痢未愈另投他藥爲害非淺也

◉治泄瀉不止神效方

焦飯鍋巴二兩 炒松花二兩 臘肉骨五錢烘脆 共研細末加沙糖以開水調冲時時服之可愈

## 產後敗血流脛驗方

沈同禮

產後敗血流入於經。初起兩股紅腫。繼而痲木痠痛。平庸者以濕熱流注治。實大謬也。多見死其掌中。僕喟歎之餘。用錄於後。以供同好。

當歸身三錢 白芍藥二錢 淮牛膝三錢 左秦艽二錢五分 川斷肉二錢
原紅花二錢五分 木瓜通各三錢 厚杜仲三錢
上藥用陳酒煎之。二三劑卽愈。

# 會議紀錄

## 九月二十五日下午八時第十九次執監聯席會

出席委員 薛文元 蔣文芳 唐亮臣 沈建候 丁仲英 沈心九 黃寶忠 任農軒 吳克潛 傅雍言 朱南山 朱小南 朱鶴皋 秦伯未 盛心如 張贊臣 夏重光 江仲亮 嚴蒼山

主 席 薛文元 傅雍言 紀 錄 蔣文芳

行禮如儀

(甲)報告

一件 蔡同錢函請鑑定醫方案

一件 江仲亮先生義務借給醫藥組生財案

一件 國藥同業公會担任給藥六百元

(乙)討論

一件 國藥同業公會捐助藥資六百元交中國醫院代辦本會應否派人監督案

議決 推舉朱鶴皋黃寶忠江仲亮三人負責監督並函請藥業公會推派指導員三人蒞會指導顧問

一件 暴日侵畧國土應如何維護案

議決 辦法四項如下

(一)函知本會所立中國醫學院立刻組織救護班以便一旦交戰隨軍出發
(二)函知國藥同業公會藥材業公會切實防阻日貨冒充國藥
(三)公告全國醫團及本會會員準備實力共赴國難
(四)電請中央及各方一致對外厲行革命外交勿爲暴力屈服並請胡展堂出任巨艱

## 十月十日下午八時第二十次執監聯席會

出席委員　蔣文芳　薛文元　黃寶忠　徐志千　沈心九　丁仲英　朱南山　朱小南　朱鶴皋　盛心如　傅雍言　唐亮臣　張贊臣　包天白　張鴻遠　夏重光　任農軒　陳漱庵

主　席　薛文元　傅雍言　紀　錄　蔣文芳

行禮如儀

(甲)報告

一件　本會議決籌募災民醫藥隊特捐已蒙社會局批准

一件　中國醫學院救護隊籌備情形

(乙)討論

一件　浦東分辦事處函送預算表請核准案

　議決　照准支出由本會負責收入由辦事處負責

一件　楊彥和函請國醫處方注意誤用白藥案

　議決　函請藥業職工會報告日貨覇佔之藥名

一件　楊彥和函請研究河南疫癘案

　議決　函請河南醫藥研究會報告詳情再行討論

一件　秘書處提出災民醫藥隊特捐應即籌募案

議決　交由執監委員每人負責募捐至少十元

一件　秘書處提出本會應否設置設計委員會及宣傳委員會案

議決　兩會各設委員十一人至二十一人其規則由秘書處草擬

# 十月二十五日下午八時二十一次執監聯席會

出席委員　蔣文芳　薛文元　秦伯未　唐亮臣　朱南山　朱小南　朱鶴皋　沈心九　吳克潛　丁仲英　任農軒　沈建候　盛心如　傅雍言　包天白　江仲亮　朱少武　丁濟華　陳漱庵　包識生　夏重光　嚴蒼山

列席委員　賀芸生　楊彥和　黃迪我　楊伯藩　張汝偉　倪衡甫　馮紹蘧

主　席　傅雍言　丁仲英　賀芸生　紀　錄　蔣文芳

行禮如儀

（甲）報告

一件　災民收容所本會醫藥隊狀況

一件　河南醫藥研究會函復疫癘實況

（乙）討論

一件　黃麗春提議各案

議決　交常務委員會核辦

一件　夏同春函請介紹職業案

議決　本會決爲竭力設法

一件　胡太瘦函請指示習醫門徑案

議決　交中國醫學院核辦

一件　中央國醫館訓令籌備上海分館案
議决　呈請解釋後再辦
一件　中央國醫館令塡造醫士調查表案
議决　照辦
一件　各地國醫團體來函報告奉令不准用國醫字樣請爲表示案
議决　呈請中央國醫館通令各地國醫團體一律不用中醫字樣以示統一
一件　法租界國醫營業稅依舊徵收應如何應付案
議决　函法公董局請予取消並向社會局衛生局中央國醫館請示
一件　災民收容所本會醫藥隊繼續辦法案
議决　决定繼續辦法四項如左
(一)呈請社會局訓令藥材業公會盡量捐助藥資
(二)由本會推定丁濟華先生負責與藥材業公會接洽
(三)由本會會員盡力籌募捐助
(四)函請籌募各省水災急賑會撥助推定楊彥和先生負責接洽
一件　嚴蒼山提議案一件
議决　請包院長挽留
一件　獎勵月刊投稿辦法案
議决　致送主編者銀盾一座投稿者給以獎憑

## 十月二十五日第一次宣傳委員會

出席委員　楊彥和　賀芸生　張汝偉　楊伯藩　黃迪我　倪衡甫

主席張汝偉　紀錄賀芸生

討論

一件規定各委員輪流到會服務日期案

議決星期一楊彥和　二黃迪我　三張汝偉　四賀芸生　五倪衡甫　六楊伯藩　星日翁天生

一件規定常會日期案

議決每星期四下午八時舉行常會一次

一件本會宣傳法

議決遇有宣傳資料由值日委員備文送交各報館

一件宣傳應注意之事項

議決目前暫以抵制日貨及災民收容所醫務爲最注意事項

一件對于抵制日貨之宣傳法

議決請秘書處致函上海市國藥同業公會及藥業職工會速復日藥名目

一件對于災民收容所醫務之宣傳法

議決本月十五日以前之診務統計請楊彥和先生結束以後每半月由值日委員結束之

## 十月二十九日第二次宣傳委員會

出席委員　賀芸生　張汝偉　倪衡甫　楊伯藩

主席倪衡甫　紀錄賀芸生

（一）催請設計委員會成立案

議決請執監委會催設計委員就職成立

（一）調查日藥案

議決請秘書處再催國藥公會藥業職工會速復以便轉告會員避用日貨

（一）請各會員轉勸他人一律抵制日貨案

議決由本會函告會員刋就木章蓋印方牋左上角字句用「抵制日貨以救國命」待日藥查明後一併辦理

（一）變動宣傳常會日期案

議決遇必要時請常務委員會召集

附言　前案請常務委員會審查備案

# 醫林消息

▲災民收容所本會醫藥隊九月份下半月診務統計報告如下

計痢疾五九二人。傷寒三二二人。傷風一九〇人。腫脹二二四人。胸痺氣瘋五五人。暑溫四人。寒溫四人。臟吐瀉一四人。疳積一二人。血臌一人。瘡毒六四人。跌傷二人。風病一〇人。瘧疾九八人。食積九九人。虛勞二五人。經產六〇人。時痧四人。鬱症三人。脚氣一人。便血一五人。疝氣五人。眼科二四人。痧疹三一人。頭痛四人。癃閉三人。吐血三人。腰痛一人。齒病七人。鼻爛三人。下疳二人。吐蚘一三人。下蚘二人。哮喘二〇人。脫肛一人。黃疸九人。癲癇一人。痰飲一三人。統計一九三九人。服煎方者。二七三人。丸方者六〇四人。原方再服者六二人。其因病重送往中國醫院者二人。至死亡數目。為痢疾二人。經產一人。虛勞一人。哮喘一人。

▲災民收容所本會醫藥隊十月份上半月診務統計報告如下

計瀉痢六〇八人。傷寒三三〇人。傷風三二三人。腫脹一九四人。瘧疾一四一人。食積一三九人。瘡毒一二五。胸痺七二人。經產六八人。痧痘三二人。癃閉二五人。眼科二一人。嘔吐一五。瘰癧痰核一四。芡癉一三人。口疳一三人。痰飲一三人。烟癮九人。哮喘八人。喉科八人。風病八人。疳積五人。心悸四人。便血四人。霍亂四人。痙厥四人。疝氣二人。痔漏二人。中風一人。虛勞一人。腰痛一人。牙痛一人。盜汗一人。失音一人。膈食一人。以上連復診共計二二一二人。其中死亡數目。則為瀉痢二。中風一。傷寒一。傷風一人。

# 全國醫藥團體調查錄

一本調查錄以十九年底爲限。
一本調查表均由各會塡報。
一本調查錄以各團體第一字筆劃多少爲序。
一本調查表均照原稾。不加增删。

## ■九江市醫學公會

地址大中路馬巷口涇縣會館

▲過去狀況

(成立年月)民國十七年二月成立。

(沿革小史)原由同志等於民國十三年間成立九江市中醫學會。嗣因九江市市長傅良弼主張嚴加取締。定章分口試筆試免試三種。經同志等一再請求。始得允以檢定醫生資格。仍屬於醫學會。於是由會組織檢定委員會。凡已經過檢定資格者。方許懸壺應診。而醫學公會。卽於是時產生矣。

(事業舉要)於成立中醫學會時。曾發行週刊。並舉辦送診所數處。

▲十九年狀況

(事　業)本會同志原擬組織國醫傳習所。以及藥物陳列所。因經費困難。遂致中輟。然本會同志。鑒於我醫藥界日受外界侵略。對於研究一層。日加嚴密。

(經　費)本會經費困難。已達極點。常年用費。僅收各會員月捐。但爲數甚微。每人每月約二三角大洋而已。

（職　員）於十九年四月改選。仍舉陳雨辰同志爲理事長。郭壽羣同志爲副理事。駱濟寰。張讓之。楊季衡。張雲岩。張瑞庭。涂堯等諸同志爲總務文書經濟宣傳調查編輯等職。

（刊　物）編輯組正在籌辦中醫學刊。

## 九江贛鄂國藥研究會

地址大中路馬巷口春發號後進

### ▲過去狀況

（成立年月）民國十五年五月。

（沿革小史）同業等鑒於中藥有改進之必要。於是集邀同志等於十五間組織駐潯贛鄂中藥研究會。定章每星期日開會討論藥材之眞僞。炮製之改革。數年以來。行之不懈。

（事業舉要）原擬開辦藥品陳列所。藉以精求標本。嗣因經濟困難而中輟。

### ▲十九年狀況

（事　業）自中衛部發生取締國醫及管理藥商各條文後。同業等均益自憤勉。力求改進。今歲三一七紀念時。並發表宣言。俾我國人咸知中藥治病。確有特效。堅其信仰。本年八月間。奉總會通令。中藥應改爲國藥。于是改原有會名爲九江贛鄂國藥研究會。

（經　費）捐自各會員。而每月收入甚微。

（職　員）今年改選。公舉郭維城爲主任。而文牘經濟庶務調查等職。由楊季衡蔣燮臣張雲巖李子香等分任。

（刊　物）現擬發刊中藥年刊。

## 上海市藥材同業公會

地址肇嘉路二二一九號。

### ▲過去狀況

（成立年月）中華民國十九年八月二十日改組成立。

（沿革小史）自清光緒三年間創辦藥行公所喻義堂。至清光緒三十四年間添設藥業公會。（卽藥業市場至今附屬於本會照常辦理）迨至民國十九年三月間。奉令合併。依法改組爲上海市藥材同業公會。

▲十九年狀況

（事　業）一、甫經改組。正待進行。

一、會期分左列如下。

（1）每年舉行會員代表大會一次。

（2）每月一日及十六日爲執行委員會會議日期。

（3）每星期六日爲執行委員會常會日期。

（經　費）以各會員入會費爲基金。各會員月費爲經常經費。

（職　員）執行委員十五人。義務職。分總務財務組織調查宣傳等五科。僱員分文牘書記會計庶務等股各一人。

（刊　物）本會以成立甫經兩月。一切刊物。正在進行辦理中。

## ■上海博濟善會醫藥部

地址上海華德路保定路口

▲過去狀況

（成立年月）民國十年一月。

（沿革小史）在昔上海虹口一帶。地瘠荒凉。居民更多客籍貧窮。甚至身後蕭條。無資成殮。或拋骨道路。無屬代埋。爰於民國八年。由姚錦榆先生等之發起。組織博濟善會。專事施捨棺槨。代埋義塚。嗣後會員漸增。經費稍裕。乃於民國十年一月添設醫藥部。分施診給藥兩處。以濟貧病。

（事業舉要）本部施診處。聘請各科著名中醫。逐日施診。給藥處內設藥房。自辦藥材。按方配給。不取分文。惟對於稍有資力者。自願投助藥本。不在此例。

▲十九年狀况

（事業）本部切實從事善舉。並爲鄭重起見。所請醫士。均係學有專長。經驗宏富。所辦藥材。均係道地揀選。依法精製。因此事業日臻發達。逐年增加。本年施診。已在四萬號以上。給藥已在三萬劑以上。惠及貧病。實非淺鮮。

（經費）本部經費。向恃會員公認年捐月捐。及施診處之號金。給藥處之桶捐。惟本年因事業激增。經費未免短絀。

（職員）本部現設主任一人。會計一人。文書一人。司藥三人。掛號一人。

（刊物）現無。惟在每年年終。將收支賬項。編造徵信錄一册。刊布公衆。（徵信錄內附有施診給藥等統計表）

（其他）本部除施診給藥外。仍照向例。於每年夏季。配製時疫水。隨時施送。至於本會施材等善舉。因並不涉及醫藥部分。玆不贅。

## ■上虞縣中醫藥協會

地址上虞城中縣商會內

▲過去狀況

（成立年月）中華民國十八年四月二十日。

（沿革小史）本縣醫藥兩界、素乏團結能力。各自爲謀。迨去春横遭摧殘。始覺憬惕。爰集全縣同志。共謀抵制。咸謂非固結團體不爲功。經一月之籌備。遂告成立。

（事業舉要）選舉執監委員。分設七股。負責辦理一切會務。會內附設施醫藥處。以惠貧病。隨時宣傳。改良藥品。甄別醫生。而重衛生。加入全縣衛生運動大會。及照章開執監聯席會議。及常務會議多次

▲十九年狀況

（事業）第二屆大會改選執監委員。舉行三一七紀念。發貼標語。以廣宣傳。按季派員實地調

查醫藥狀況。藉資糾正。餘與去年同。

（經費）成立未久。基金猶虛。全賴會員常費。以資挹注。

（職員）主席委員徐延根。常務委員王珊美翁聲揚。執行委員章永康柯杏風朱雲璋周雲樵謝長春謝德裕金福康金子香。監察委員胡仲宣章振和余開祥。文牘主任林頤臣。財政主任王珊美。庶務主任沈嘉林。建設主任徐幼根。醫界調查主任徐延根。藥界調查主任盧永權交際主任翁聲揚。宣傳主任胡仲宣。

（刊物）通告防疫方法。勸告改良藥品。分發徵信錄。現正籌備醫藥彙刊。一俟稿件徵集。即行出版。

（其他）創辦藥品陳列所。暨醫藥圖書館。現正着手進行。待有的款。即當分別實行

# 醫藥精華集

◎近代名著◎　◎不同凡作◎　◎內容豐富◎　◎無所不包◎　◎請閱目錄◎　◎便知精采◎

## 何以可貴

醫藥精華集。何以可貴。因醫藥精華集為醫藥新聞報之材料彙成。醫藥新聞報。為全中國最偉大之醫報。全國名醫之鉅著。悉萃於此。例如指導社會醫藥常識。箴砭醫界同人。厥功非細。而關於時令疫癘。醫藥新聞報所發表治法。隨時有獨到之處。今本書既為醫藥新聞報名貴之材料彙成。故醫藥精華集即為名貴之偉著。（本書分初集二集二種）

醫藥精華集初集　係醫藥新聞第一年全年材料彙成

醫藥精華集二集　係醫藥新聞第二年全年材料彙成

## 初集要目

■苔脈門■辨舌大要，舌苔學，脈學，辨脈知壽夭，孕脈辨，男女脈辨。■痧症門■痧子（即瘄，痲，）之最妥治法，斑疹白痦治法。■婦女門■婦女病大綱，陰戶奇病自療法，經病，產病，肝氣，積聚，乳房。■瘧痢門■瘧疾新論，治痢三大法，痢疾必愈，痢疾不能用利水藥辨，治瘧特法。■咽喉，咳嗽門■咳嗽特效治法，百日咳，喉症特效治法，喉症三忌，白喉與喉痧之分別，哮喘與短氣之別。■花柳門■花柳病與各方之關係，脫鼻重生法，陽物復長法，下疳便毒魚口橫痃赤濁白濁五淋陰蟲囊癰結毒等自療法。■霍亂，腸胃門■似霍亂，寒霍亂，熱霍亂，霍亂新論，霍亂新新論，腹痛之辨別，嘔吐噦之辨別，反胃：關格，胃痛，宿食。■溫病門■溫病淺釋，溫病宜急下不宜過表，釋春溫，釋秋燥。濕溫，濕溫證治。■中風，傷寒門■中風論略，中風不能用風藥辨，釋傷寒，夾陰傷寒辨。■遺精門■遺精與種種之關係，（與環境，震動。脚踏車，搥背，祕礙，沐浴，便溺，性情，飲食等）遺精之種類，異哉遺精病。外治遺精三法，脫陽急救，遺精目盲。其他痰病，頭痛，健忘，失眠，夢魘，肺勞，五官，推拿，剖解等門，均有名著，凡數十篇，子目繁多，限於篇幅，不能盡述，書後附有集益錄一百六十條，俱為不可多得之簡效方。

## 二集要目

■衛生門■肺臟強健法，心臟強健法，肝臟強健法，脾臟強健法，腎臟強健法，平時衛生，病時衛生，婦女衛生，小兒衛生，公共衛生，天氣突變之防範。■時症門■時症防預，關於腦膜炎之問答，腦脊髓膜炎，（按此等著作，去年刊載，萬人爭誦。）■戒烟門■戒烟必效法：戒烟善後問題。■病理門■不治自愈，非治不愈，雖治不愈，雖病不死，不病猝死，易治易愈，緩治方愈，愈後復發，傳染，潛伏，傳變，遺傳，六淫，七情，氣血的病理，我國談病理的書，可稱未曾有過，此篇洋洋數萬言，乃最新之發明，最新之傑構也。■性病門■性病之研究，遺精絕嗣，遺精之特異，遺精失血，遺精速愈。遺精白濁單方三十三條。■肺病門■名醫所述之肺病治法，肺病預防，白痰與吐血，瘀血問答，肺病驗案。■婦女門■胎成男女之研究，避孕新法（涼血，陰血離經，殺滅精蟲，精液避射，子宮塡塞，交媾前洗滌，交媾後洗滌，過期交媾，風流如意帶等法。）■小兒門■小兒病十一種詳細治法。其他如消渴，癲癇，黃疸，痔疾，眼疾，瘧痢，咳嗽，以及其他雜症治法數十門，子目不遑細述，書後附集益錄一百餘條，及急救方法五十則，搜羅齊備，堪稱全璧。

## 特點

本書之特點甚多。而尤為社會人士所稱道者。其一為避孕法之新研究。及治腦膜炎之特法。為獨得之發明。海內任何醫書。無其詳備。其二為初集二集卷末。各附有靈驗祕方一百六十條。方方不同。皆為古今名醫不傳之祕。經本館搜羅而得。名貴異乎尋常。其三為百病療法。俱重實驗。普通人得之。亦能應用。至於裝釘之精美。猶其餘事。

## 價目

初集金裝一大厚冊計六百面定價二元特價一元四角

二集金裝一大厚冊計六百面定價二元特價一元四角（寄費加一）

## 贈送

本館特向生生美術公司定造福壽箋數十萬，作為贈品，凡向本館直接購書者，每購一冊，贈送福壽箋百張，多購多贈，至在代售處購買者，恕不贈送。

## 總發行所

上海法租界辣斐德路貝勒路東維厚里二十三號醫藥新聞報館

## 代售處

上海山東路十三號　中醫書局

# 編輯委員會題名




中華民國二十一年十一月十五日

現代國醫

第七期 實洋二角

編輯者 編輯委員會

出版者 上海市國醫公會

發行者 上海市國醫公會 上海南京路南香粉弄八十八號

寄售處 上海中醫書局 上海山東路南帶鈎橋十二號

中國醫藥書局 上海西藏路西羊闌弄五〇三號

印刷者 華豐印刷鑄字所


▲本雜誌每月一册。全年十二册。
▲每期實洋二角。預定全年連郵二元。
▲凡本會會員。一律優待減半。實收一元。
▲廣告價格。全張每期二十元。一面十二元。半面八元。長期八折。

# 傳氏三書

題序者

譚組庵氏　唐蔚芝氏　蔡孑民氏　胡展堂氏　于右任氏　戴季陶氏　陳陶遺氏　陳旡咎氏　楊杏佛氏　黃炎培氏　李夢覺氏　錢龍章氏　沈湘之氏

沈維賢氏　施今墨氏　楊富臣氏　薛逸山氏　謝利恆氏　薛文元氏　汪紹周氏　張杏蓀氏　蔡濟平氏　王一仁氏　秦伯未氏　郁佩瑛氏　葉惠鈞氏

## 全書內容提要

本書爲劉河名醫傳雍言氏之尊人耐寒先生所著凡四冊

一　醫經玉屑……一冊

就內經中摘補三十七條發揮其奧旨註解五十一條以完各家未暢之旨令人能研古學者絕鮮得此可知內經中自有精粹之處特患不能悟會耳

二　醫案摘奇……二冊

此爲先生心得獨到之作險症百出獨能處置裕如從容投藥其三折肱案尤非學識並長者不能道隻字實可媲美葉氏醫案潛齋筆記不可多得之作也

三　舌胎統志……一冊

歷來辨舌之書都以胎色分部此書能獨出手眼不循尋常谿徑以舌色爲主分爲八門綱舉目張法賅用宏蓋能悟徹

全書四冊布套一函　定價二元七折　外埠加郵費一角四分

中醫書局發行

寄售處　上海市國醫公會